Steve Jobs by Walter Isaacson

史蒂夫·乔布斯传

[美] 沃尔特 · 艾萨克森 著

图书在版编目（CIP）数据

史蒂夫·乔布斯传/（美）艾萨克森著；管延圻等译. —北京：中信出版社，2011.10
书名原文：Steve Jobs
ISBN 978-7-5086-3006-9

I. 史… II. ①艾… ②管… III. 乔布斯，S.（1955~2011）－传记 IV. K837.125.38

中国版本图书馆CIP数据核字（2011）第204066号

史蒂夫·乔布斯传
SHIDIFU QIAOBUSI ZHUAN

著　　者：[美] 沃尔特·艾萨克森
译　　者：管延圻　魏　群　余　倩　赵萌萌　汤　崧
策划推广：中信出版社（China CITIC Press）
出版发行：中信出版集团股份有限公司（北京市朝阳区惠新东街甲4号富盛大厦2座　邮编　100029）
（CITIC Publishing Group）
承 印 者：北京京都六环印刷厂
开　　本：787mm×1092mm　1/16　　**印　　张**：35　　**字　　数**：560千字
版　　次：2011年10月第1版　　**印　　次**：2011年11月第2次印刷
京权图字：01-2011-6192
书　　号：ISBN 978-7-5086-3006-9/K·204
定　　价：68.00元

网　　站：http://www.publish.citic.com　　服务热线：010-84849555
投稿邮箱：author@citicpub.com　　服务传真：010-84849000

“那些疯狂到以为自己能够改变世界的人，才能真正改变世界。”

苹果“非同凡想”广告，1997

Contents　目　录

Characters | 主要人物

阿尔 · 奥尔康（Al Alcorn）：雅达利公司总工程师，街机电子游戏《乒乓》（*Pong*）的设计者，乔布斯年轻时的老板。

比尔 · 阿特金森（Bill Atkinson）：苹果早期雇员，为麦金塔开发图形界面设计。

吉尔 · 阿梅里奥（Gil Amelio）：1996 年成为苹果CEO，收购NeXT，把乔布斯请回苹果。

克里斯安 · 布伦南（Chrisann Brennan）：乔布斯在家园高中的女朋友，乔布斯女儿丽萨的母亲。

诺兰 · 布什内尔（Nolan Bushnell）：雅达利公司创始人，乔布斯的企业家偶像。

丽萨 · 布伦南–乔布斯（Lisa Brennan-Jobs）：乔布斯和克里斯安 · 布伦南的女儿，生于 1978 年，最初不被乔布斯承认。

比尔 · 坎贝尔（Bill Campbell）：乔布斯在苹果第一阶段工作时的市场营销主管；1997 年乔布斯回归后，成为苹果董事会成员和乔布斯的亲密伙伴。

埃德温 · 卡特穆尔（Edwin Catmull）：皮克斯的联合创始人，后成为迪士尼高管。

乙川弘文（Kobun Chino）：加利福尼亚的一位曹洞宗禅师，乔布斯的灵魂导师。

李 · 克劳（Lee Clow）：顽皮的广告鬼才，制作了苹果的“1984”广告，与乔布斯合作 30 年。

“黛比”德博拉 · 科尔曼（Deborah“Debi”Coleman）：早期Mac团队成员，后来负责苹果的制造部门。

蒂姆 · 库克（Tim Cook）：坚定，冷静，1998 年被乔布斯任命为苹果首席运营官，

2011年8月接替乔布斯成为苹果CEO。

埃迪·库埃（Eddy Cue）：苹果的互联网服务负责人，在与内容供应商的周旋中是乔布斯的得力助手。

“安迪”安德烈娅·坎宁安（Andrea “Andy” Cunningham）：里吉斯·麦肯纳公司的公关专家，在早期麦金塔的年代负责与乔布斯打交道。

迈克尔·艾斯纳（Michael Eisner）：迪士尼的铁腕CEO，达成与皮克斯的合作协议，后与乔布斯发生矛盾冲突。

拉里·埃利森（Larry Ellison）：甲骨文公司CEO，乔布斯的密友。

托尼·法德尔（Tony Fadell）：朋克工程师，2001年加入苹果开发iPod。

斯科特·福斯托（Scott Forstall）：苹果的移动设备软件负责人。

罗伯特·弗里德兰（Robert Friedland）：里德毕业生，拥有一处苹果农场公社，在东方宗教中追寻精神家园，影响了乔布斯；后来经营一家矿产公司。

让-路易·加西（Jean-Louis Gassée）：苹果法国分公司经理，1985年乔布斯被挤出苹果时他接管了麦金塔部门。

比尔·盖茨（Bill Gates）：1955年出生的另一位电脑天才。

安迪·赫茨菲尔德（Andy Hertzfeld）：活泼友善的软件工程师，早期Mac团队成员。

乔安娜·霍夫曼（Joanna Hoffman）：早期Mac团队成员，勇于对抗乔布斯。

伊丽莎白·霍姆斯（Elizabeth Holmes）：丹尼尔·科特基在里德学院的女朋友，早期苹果员工。

罗德·霍尔特（Rod Holt）：烟不离手的马克思主义者，1976年被乔布斯聘用为Apple II的电子工程师。

罗伯特·艾格（Robert Iger）：2005年接替艾斯纳成为迪士尼CEO。

“乔尼”乔纳森·艾弗（Jonathan “Jony” Ive）：苹果的首席设计师，是乔布斯的合作伙伴和亲密朋友。

“约翰”阿卜杜勒法塔赫·钱德里（Abdulfattah “John” Jandali）：叙利亚出生，在威斯康星州读硕士，乔布斯和莫娜·辛普森的生父；后来在雷诺市附近的布姆顿赌场担任餐饮经理。

克拉拉 · 哈戈皮安 · 乔布斯（Clara Hagopian Jobs）：亚美尼亚移民的后代，1946年跟保罗 · 乔布斯结婚，1955年领养了刚出生不久的史蒂夫 · 乔布斯。

埃琳 · 乔布斯（Erin Jobs）：安静，严肃，史蒂夫 · 乔布斯和劳伦 · 鲍威尔的第二个孩子。

伊芙 · 乔布斯（Eve Jobs）：精力旺盛，充满活力，史蒂夫 · 乔布斯和劳伦 · 鲍威尔最小的孩子。

帕蒂 · 乔布斯（Patty Jobs）：保罗和克拉拉 · 乔布斯在领养史蒂夫两年后领养的第二个孩子。

保罗 · 莱因霍尔德 · 乔布斯（Paul Reinhold Jobs）：威斯康星州出生的海岸警卫队队员，跟妻子克拉拉于1955年领养了史蒂夫。

里德 · 乔布斯（Reed Jobs）：史蒂夫 · 乔布斯和劳伦 · 鲍威尔的长子，有着父亲的迷人外表和母亲的和善性格。

罗恩 · 约翰逊（Ron Johnson）：2000年被乔布斯聘用发展苹果零售店。

杰弗里 · 卡曾伯格（Jeffrey Katzenberg）：迪士尼制片厂负责人，跟艾斯纳发生冲突，于1994年辞职，跟史蒂文 · 斯皮尔伯格和大卫 · 格芬一起创建了梦工厂。

丹尼尔 · 科特基（Daniel Kottke）：乔布斯在里德学院最好的朋友，两人一起去印度朝圣，早期苹果雇员。

约翰 · 拉塞特（John Lasseter）：皮克斯的联合创始人及创新主力。

丹 · 卢因（Dan'l Lewin）：跟随乔布斯，相继在苹果和NeXT担任市场营销高管。

迈克 · 马库拉（Mike Markkula）：苹果的第一位大股东和主席，对乔布斯形同慈父。

里吉斯 · 麦肯纳（Regis McKenna）：公关奇才，从早期开始指导乔布斯，并一直是他的顾问。

迈克 · 默里（Mike Murray）：早期麦金塔的市场营销总监。

保罗 · 欧德宁（Paul Otellini）：英特尔CEO，帮助麦金塔使用英特尔芯片，但是没拿到iPhone项目。

劳伦 · 鲍威尔（Laurene Powell）：善解人意，性情温良，宾州大学毕业，之后去高盛工作，再到斯坦福读书，1991年嫁给乔布斯。

亚瑟 · 罗克（Arthur Rock）：传奇般的科技投资者，早期苹果董事会成员，对乔布斯如同父亲。

“鲁比”乔纳森 · 鲁宾斯坦（Jonathan “Ruby” Rubinstein）：跟乔布斯一起在NeXT工作，1997年成为苹果的硬件总工程师。

迈克 · 斯科特（Mike Scott）：1977年被马库拉聘为苹果总裁，试图管住乔布斯。

约翰 · 斯卡利（John Sculley）：前百事高管，1983年被乔布斯挖到苹果任CEO，双方随后产生矛盾，于1985年把乔布斯排挤出局。

乔安妮 · 席贝尔 · 钱德里 · 辛普森（Joanne Schieble Jandali Simpson）：威斯康星州人，乔布斯的生母，把乔布斯送人后，还育有一女莫娜 · 辛普森。

莫娜 · 辛普森（Mona Simpson）：乔布斯同父同母的妹妹，1986年两人相认后关系日益密切。她的几部小说均以家人为蓝本，例如母亲乔安妮（《在别处》），乔布斯及其女儿丽萨（《凡人》），以及她父亲阿卜杜勒法塔赫 · 钱德里（《失散的父亲》）。

阿尔维 · 雷 · 史密斯（Alvy Ray Smith）：皮克斯的联合创始人，后与乔布斯发生矛盾。

伯勒尔 · 史密斯（Burrell Smith）：Mac团队里天真、聪明、躁动的程序员，20世纪90年代患上精神分裂症。

“阿维”阿瓦迪 · 泰瓦尼安（Avadis “Avie” Tevanian）：在NeXT跟乔布斯和鲁宾斯坦共事，1997年成为苹果的软件总工程师。

詹姆斯 · 文森特（James Vincent）：热爱音乐的英国人，在苹果的广告代理公司跟李 · 克劳和邓肯 · 米尔纳（Duncan Milner）共事的年轻合伙人。

罗恩 · 韦恩（Ron Wayne）：在雅达利与乔布斯相识，成为苹果初创期乔布斯和沃兹尼亚克的第一个合伙人，但是不明智地放弃了他在苹果的股权。

斯蒂芬 · 沃兹尼亚克（Stephen Wozniak）：家园高中的明星电子极客；设计的电路板被乔布斯成功地加以包装并推向市场。

Introduction
How this book came to be

前言
本书是如何诞生的

2004年的初夏，我接到史蒂夫·乔布斯（Steve Jobs）打来的电话。多年来，他对我还算友好，偶尔还会感情骤增一下，特别是当他希望即将推出的新产品能上《时代》杂志封面或者CNN（美国有线电视新闻网）专题报道的时候，而这两处恰好都是我曾工作过的地方。在我离开这两家媒体之后，就没有太多他的消息了。电话里我们谈论了一些关于我刚刚加入的阿斯彭研究所（Aspen Institute）的情况，我邀请他来科罗拉多的校园演讲。他说他很乐意，但不想登台讲话，而是想和我散散步、聊聊天。

这番话听上去有点奇怪，因为当时我还不知道他喜欢在散步的过程中进行严肃的对话。后来我才知道，他是想让我写一本关于他的传记。我刚刚出版了本杰明·富兰克林（Benjamin Franklin）的传记，正在着手完成阿尔伯特·爱因斯坦（Albert Einstein）的传记。因此我最初的反应是，他是不是把自己看做这些伟人的继承人了。当然这是半开玩笑的。我认为他还处在事业的波动期，等待他的还有诸多跌宕起伏，所以我拒绝了他的请求。现在还不是时候，我说，再等个十年二十年，等你退休了。

我认识他是在1984年，当时他来曼哈顿的时代–生活大厦（Time-Life Building）与编辑们共进午餐，顺带夸耀他的麦金塔电脑（Macintosh）。那个时候他的脾气就不太好，他攻击《时代》杂志的一名记者，因为对方报道的一个故事暴露了太多事实而让他觉得受到了伤害。但后来，通过与他的对话，我发现自己被他的强烈情感所吸引，就如同其他很多人多年来受到的吸引一样。自那以后，我们就一直保持联系，即便在他被迫离开苹果公司时也未中断。当他需要推销某样产品时，比如一台NeXT电脑或者一部皮克斯（Pixar）出品的电影，他的个人魅力就会突然间再次聚焦到我的身上，他会带我去曼哈顿下城的一家寿司餐厅，告诉我他正在兜售的东西是他制造出的最棒的产品。我喜欢这个家伙。

乔布斯重新执掌苹果公司之后，我们将他搬上了《时代》杂志的封面，此后不久，他就开始给我们正在做的20世纪最有影响力人物系列专题出谋划策。当时他已经展开了“非同凡想”（Think Different）的宣传活动，在他的电视广告片里出现的众多历史人物中，有一些也正是我们在考虑的，而乔布斯发现，评估人物的历史影响力很有意思。

在拒绝了帮他写传记的建议后，我还是时不时收到一些他的消息。有一次，我发电子邮件询问他，苹果公司的标识是不是如同我女儿告诉我的一样，是在向伟大的英国计算机先驱阿兰 · 图灵（Alan Turing）致敬。图灵破译了战争时期德国的电码，最后却食用浸过氰化物的苹果自杀了。乔布斯回复我说，他希望自己曾经考虑过这一点，但实际上并没有。从这件事起，我开始逐渐了解苹果公司的早期历史，并一点一点搜集这方面的资料，没准儿哪天我想写一本这方面的书呢。我的爱因斯坦传记出版后，有一次，在帕洛奥图的一个新书活动上，乔布斯把我拉到一边，再一次提出，以他为主题的书肯定很有意思。

他的坚持让我很为难。众所周知他非常注意保护自己的隐私，而我想他应该从来没有看过我写的书。也许将来的某个时候吧，我还是这么说。但是，到了2009年，他的妻子劳伦 · 鲍威尔（Laurene Powell）直言不讳地对我说：“如果你真的打算写一本关于史蒂夫的书，最好现在就开始。”他当时刚刚第二次因病休假。我向劳伦坦承，当乔布斯第一次提出这个想法时，我并不知道他病了。几乎没有人知道，她说。他是在接受癌症手术之前给我打的电话，直到今天他还将此事作为一个秘密，她这么解释道。

就在那个时候，我决定要写这本书了。让我惊喜的是，乔布斯欣然允诺，他不会干涉这本书的写作过程，甚至不会提前阅读它。“这是你的书，”他说，“我不会看的。”但那年秋天的晚些时候，他似乎对于合作有了犹豫，而我不知道的是，他被又一轮癌症并发症侵袭了。他不再回我的电话，我也把这个项目放到了一边。

之后，很出人意料的，他在2009年末新年前夜的傍晚给我打来了电话。他在帕洛奥图的家中，陪伴他的只有他的妹妹，作家莫娜·辛普森（Mona Simpson）。妻子劳伦和三个孩子去滑雪了，身体状况让他未能成行。他追思往事，跟我聊了一个多小时。他先是回忆自己12岁的时候曾经想要做一个频率计数器，当时他在电话簿上查到了惠普的创始人比尔·休利特（Bill Hewlett）的号码，并给他打电话，想要得到一些零部件。乔布斯说，他重新回到苹果公司的这12年，从创造新产品的角度来说，是他最高产的一个阶段。但他还有一个更重要的目标，他说，就是像休利特和戴维·帕卡德（David Packard）一样，建立一家充满了革命性创造力的公司，而且这家公司要比惠普更能经受岁月长河的涤荡。

“我小的时候，一直都以为自己是个适合人文学科的人，但我喜欢电子设备，”他说，“然后我看到了我的偶像之一，宝丽来创始人埃德温·兰德（Edwin Land）说的一些话，是关于既擅长人文又能驾驭科学的人的重要性的，于是我决定，我要成为这样的人。”这好像是他在向我暗示这本传记的主题（这一次，这个主题至少是合理的）。在我写的富兰克林以及爱因斯坦的传记中，最让我感兴趣的话题就是，一个具有强烈个性的人身上集合了人文和科学的天赋后所能产生的那种创造力，我相信这种创造力也是在21世纪建立创新型经济的关键因素。

我问乔布斯为什么希望我担任这本传记的作者。“我觉得你很擅长让别人开口说话。”他这么回答。这个答案有些出乎我的意料。我知道我必须采访很多人，这些人要么被他炒过鱿鱼，要么被他伤害过、遗弃过，抑或被他以其他方式激怒过，我以为我跟这些人交谈会让乔布斯不舒服。的确，当我的一些采访对象的言论传到乔布斯耳中时，他表现得有些愤怒。但几个月后，他开始鼓励人们跟我交流，这其中甚至包括他的敌人和前女友。他也没有对任何事情作出限制。“我做过很多并不值得自豪的事情，比如23岁时让我的女友怀了孕，以及我处理此事的方式，”他说，“但我没有什么不能对外袒露的。”

我总共与他进行了差不多40次会面。其中一些是很正式的谈话，在他位于帕洛奥图的住所的客厅里进行，还有一些是在长途散步或者驱车行进的过程中完成的，或者是通过电话。在我 18 个月的访问中，他与我越来越亲近，也越来越愿意向我吐露心声，但是有时候我还是可以感受到他身上那种被苹果的老同事们称为“现实扭曲力场”（reality distortion field）的力量。有时，这是我们每个人都会有的因疏忽引起的记忆错误，但有些时候，乔布斯则是在向我，也向自己，编织现实在他头脑中的印象。为了验证并充实他的故事，我采访了 100 多人，包括他的朋友、亲戚、对手、敌人以及同事。

他的妻子劳伦不仅促成了本书，而且希望我的写作不受约束或控制，也没有要求提前看到书的内容。事实上，她还鼓励我坦率地描述乔布斯的全部：他的优点以及他的缺点。她是我见过的最聪明也是最理性的人之一。“他的生活以及性格中，有一部分是非常糟糕的，这是事实，”她早先告诉我，“你不用为他掩饰。他很擅长讲故事，但他的故事本身也非常精彩，我希望看到整个故事都被如实地叙述。”

这项使命完成得怎样，我交给读者们判断。我确信会有一些人的记忆有别于书中所述，或者有人认为我陷入了他的扭曲力场之中。在我写一本关于亨利 · 基辛格（Henry Kissinger）的书时也有类似的经历，那本书在某种程度上为本书提供了有益的借鉴。我发现人们对于乔布斯有着十分强烈的肯定或否定的情感，罗生门效应十分明显。但我已尽自己所能公正地去平衡不同意见，并对信息来源做到透明。

这是一本关于一个富有创造力的企业家的书，关于他过山车一般的人生，关于他炽热强烈的个性。他对完美的狂热以及积极的追求彻底变革了六大产业：个人电脑、动画电影、音乐、移动电话、平板电脑和数字出版。你可能还会想到第七个产业：连锁商店。对于零售连锁产业他算不上彻底变革，但的确重新描绘了这个产业的画面。此外，他通过开发应用程序，为数字内容开辟了一个全新的市场，而不再像以前一样只能依赖网站。随着时间的推移，他不仅制造出革命性的产品，还在自己的第二次努力下成就了一家充满生命力的公司，这家公司继承了他的基因，集中了一群极富想象力的设计师和大胆创新的工程师，他们能够将他的设想发扬光大。

我希望这也能是一本关于创新的书。如今，美国正在寻找方法保持自身的创新优势，全世界都在努力建设创造性的数字时代经济，乔布斯成为了创造力、想象力以及持续创新的终极标志。他深知 21 世纪创造价值的最佳途径就是将创造力与科技结合起来，所以他创建了一家公司，在这里，想象力的跳跃与高超的工程学技术被结合到一起。他和他的同事们能够以全新的方式思考：他们开发的并非是针对目标人群的普通产品改进，而是消费者还没有意识到其需求的全新设备和服务。

他不是众人尽可效仿的模范老板，或是人类楷模。他就像被恶魔驱使一样，可以让身边的人狂怒和绝望。但他的个性、激情与他的产品之间是相互关联的，就好像苹果的硬件和软件一样，各为整体系统的一部分。因此，他的故事既有启发性，也有告诫意义，其中充满了创新、品质、领导力和价值观方面的经验。

莎士比亚的《亨利五世》——一个关于任性幼稚的哈尔王子成长为狂热又敏感、冷漠又感性、鼓舞人心又并不完美的君主的故事——开头就是一段呼唤："啊！光芒万丈的缪斯女神，你登上了无比辉煌的幻想的天堂！"哈尔王子要做的很简单，只需要传承他那位国王父亲的事业。而对于史蒂夫·乔布斯来说，那光明的创新天堂之旅，始于他的两对父母，以及一个学习如何点石成金的山谷。

1. 1956 年，保罗 · 乔布斯和史蒂夫
2. 位于森尼韦尔的家，苹果就是在这儿的车库里诞生的
3. 1972 年，家园高中年刊中的史蒂夫
4. 在鲍姆家的后院里，他们拿出当年恶作剧用的床单，上写“沃兹尼亚克–鲍姆–乔布斯联合出品”（SWAB JOB）

Courtesy of Steve Jobs

第一章

Childhood

Abandoned & Chosen

童年

被遗弃和被选择

领养

第二次世界大战后，保罗 · 乔布斯从海岸警卫队退伍时，与他的队员们打了一个赌。他们到达旧金山，在这里，他们的舰船退役了，保罗打赌说他要在两周之内给自己找到一个妻子。他是个肌肉发达、有着文身的引擎机械师，6 英尺高，长相酷似詹姆斯 · 迪恩（James Dean）。他约到了克拉拉 · 哈戈皮安（Clara Hagopian），一个出身亚美尼亚移民家庭的甜美风趣的女孩子。女孩看上的并不是他的容貌，而是他和他的朋友们可以使用一辆轿车，这是她当晚原计划的出行对象们做不到的。10 天以后，1946 年 3 月，保罗与克拉拉订婚，同时也赢得了他的赌注。事实证明这是一段幸福的婚姻，两人厮守了 40 多年，直至死亡将他们分开。

保罗 · 莱因霍尔德 · 乔布斯（Paul Reinhold Jobs）在威斯康星州日耳曼敦的一家奶牛场长大。尽管父亲是个酒鬼，有时候还会虐待他，但在保罗粗犷的外表下还是有着一颗温柔宁静的心。高中退学后，他穿梭于中西部地区，做着机械师的工作，直到 19 岁那年加入海岸警卫队——虽然他并不会游泳。他被安排在美国海军的梅格斯号运兵船（USS M.C. Meigs）上，战争中的大多数时间都在为巴顿将军向意大利运输部队。他作为一名机械师和锅炉工的天赋为他赢得了不少奖励，但他偶尔也会惹上一点儿小麻烦，所以军衔从来没有高过一等兵。

克拉拉出生在新泽西州，这里也是她的父母逃离土耳其控制下的亚美尼亚之后落脚的地方。在她童年时，全家搬到了旧金山的米申区。她有一个很少对外提及的秘密：她曾经结过婚，但她的丈夫在战争中身亡了。所以当她第一次和保罗约会时，心中已经准备好迎接崭新的生活了。

和许多从战争中走来的人一样，他们已经经历了太多的刺激，所以当战争结束之后，他们渴望安定下来，生儿育女，过平静的生活。他们没有多少钱，所以搬到威斯康星州与保罗的父母一起居住了几年，然后又去了印第安纳州，在那里，保罗找到了一份工作——在国际收割机公司（International Harvester）做机械师。他喜欢修理汽车，业余时间他靠买下旧车，修好后再卖出去赚钱。最终，他辞去了工作，成了一名全职的二手车商人。

然而，克拉拉深爱着旧金山。1952 年，她终于说服丈夫，全家搬回了旧金山。他们在日落区买下了一套公寓，地处金门公园南端，面朝太平洋。保罗在一家信贷公司找到了一份“回收人”的工作——撬开不能偿还贷款的车主的车锁，将车拖回，重新处置。有时候他也会买下这样的车，修好后出售，靠赚到的钱过着小康生活。

但他们的生活中却始终缺少一样东西。他们想要孩子，但克拉拉经历过一次宫外孕而丧失了生育能力。到 1955 年，在结婚 9 年后，他们开始寻求领养一个孩子。

与保罗 · 乔布斯一样，乔安妮 · 席贝尔（Joanne Schieble）也来自威斯康星乡村的一个德裔家庭。她的父亲，亚瑟 · 席贝尔（Arthur Schieble），移民美国后辗转来到了格林贝（Green Bay）的郊区。他和妻子在这里拥有一家水貂饲养场，还成功涉足了其他一些生意，从房地产到光刻。他很严厉，尤其是在对待女儿的恋爱问题上，他强烈反对女儿和初恋对象的交往，因为此人不是天主教徒。所以，当在威斯康星大学读研究生的乔安妮爱上了一个来自叙利亚的穆斯林助教，“约翰”阿卜杜勒法塔赫 · 钱德里（Abdulfattah “John” Jandali）时，他威胁要与她断绝关系，就一点儿也不让人惊讶了。

钱德里来自一个显赫的叙利亚家庭，是家里 9 个孩子中年纪最小的一个。他的父亲拥有多家炼油厂和其他多种产业，在大马士革和霍姆斯也有大量财产，还一度控制了那一地区的小麦价格。和席贝尔家一样，钱德里家族十分重视教育，好几代以来，家庭成员都被送到伊斯坦布尔或者巴黎索邦大学就读。阿卜杜勒法塔赫·钱德里就曾被送到一所耶稣会寄宿学校，尽管他是个穆斯林。他在位于贝鲁特的美国大学（American University）拿到了学士学位，然后来到了威斯康星大学，在政治学系攻读硕士并担任助教。

1954 年的夏天，乔安妮和阿卜杜勒法塔赫一起去了叙利亚。他们在霍姆斯待了两个月，乔安妮从男友的家人那里学会了做叙利亚菜。他们回到威斯康星后，乔安妮发现自己怀孕了。当年他们都是 23 岁，但决定不结婚。乔安妮的父亲当时已经快死了，他威胁她说，如果她跟阿卜杜勒法塔赫结婚，他就跟她断绝父女关系。在他们那个小小的天主教社区，堕胎也绝不是一件容易的事情。1955 年初，乔安妮来到旧金山，被一名好心的医生收留，这位医生为未婚的准妈妈们提供庇护，帮她们接生，然后安排秘密的收养。

乔安妮立下了一条规定：领养她孩子的人必须是大学毕业生。所以医生将这个孩子安排给了一位律师和他的妻子。1955 年 2 月 24 日这一天，乔安妮生下了一个男孩。而安排好的那对夫妇希望领养的是女孩，所以他们退出了。因此，这个男孩没能成为律师的儿子，而是成为了一个高中退学生的儿子，这个人对机械有着极高的热情，还有一个身为记账员的谦逊的妻子。保罗和克拉拉给孩子取名为史蒂文·保罗·乔布斯（Steven Paul Jobs）[①]。

但是，乔安妮关于孩子的养父母必须是大学毕业生的要求并没有改变。当她发现这对夫妇甚至连高中都没有念完时，她拒绝在领养文件上签字。僵局持续了数周，即便史蒂夫已经在乔布斯家安定下来了。最终，乔安妮放宽了要求：乔布斯夫妇必须承诺——在一份保证书上签字——设立专款，送这个孩子上大学。

乔安妮迟迟不愿在领养文件上签字还有一个原因。她的父亲快死了，而她计划在父亲死后与钱德里结婚。她还怀有一丝希望——一旦他们结婚，她就可以把儿子要回来。因为有时候想到儿子的事还是会很伤心，她准备日后向家人和盘

① 即史蒂夫·乔布斯。

托出。

结果，亚瑟 · 席贝尔死于1955年8月，是领养程序结束后的几个星期。那年的圣诞节刚过，乔安妮和阿卜杜勒法塔赫 · 钱德里就在格林贝的使徒圣菲利普天主教堂（St. Philip the Apostle Catholic Church）完婚了。第二年，钱德里拿到了国际政治学的博士学位，他们生了另一个孩子，女孩，名叫莫娜。1962年和钱德里离婚后，乔安妮过上了梦一般游荡的生活，这些都被她女儿——后来成为杰出小说家的莫娜 · 辛普森——描绘在她的凄美小说《在别处》（*Anywhere But Here*）中。因为史蒂夫的领养程序是非常私密的，所以直到20年后，他们才得以相认。

史蒂夫 · 乔布斯很早就知道了自己是被领养的。“我的父母在这件事情上对我很坦率。”他回忆道。他记得很清楚，六七岁的时候，他坐在自家屋前的草地上，向住在街对面的女孩讲述这件事情。“这是不是说明你的亲生父母不要你了？”女孩问。“天哪，我当时就像被闪电击中了一样，”乔布斯这么说，“我跑回家，大声哭喊。我父母说：‘不是这样的，你要理解这件事情。’他们当时很严肃，直直地看着我的眼睛。他们说：‘我们是专门挑的你。’他们两人都这么说，并且放慢语速向我重复这句话。他们强调了这句话里的每一个字。”

被遗弃。被选择。很特别。这些概念成为了乔布斯的一部分，也影响了他对自己的看法。他最亲密的朋友们认为，一出生就被遗弃这个事实给他留下了几道伤疤。“我想，他想完全掌控自己制造的每一样东西的那种强烈欲望，就来源于他的性格以及刚出生就被抛弃这件事。”跟乔布斯共事了很多年的德尔 · 约克姆（Del Yocam）这么说。格雷格 · 卡尔霍恩（Greg Calhoun）看到了另一种影响，“他想控制外界环境，而且他把产品看做自己的一种延伸。”格雷格大学毕业后就与乔布斯关系密切。“史蒂夫跟我讲了很多他被亲生父母遗弃及其造成的伤害，”他说，“这件事形成了他独立的性格。他遵循着另外一套行为方式，这是因为他生活在自己的小世界里——与他的生长环境截然不同的世界。”

后来，乔布斯23岁时——这正是他的生父抛弃他时的年纪——乔布斯有了自己的孩子并抛弃了她。（最后他还是承担了作为一个父亲的责任。）孩子的母

亲克里斯安 · 布伦南（Chrisann Brennan）说，被领养一事让乔布斯“满是伤痕”，这也解释了他后来的行为。“他曾经被遗弃过，但后来他也遗弃了别人。”克里斯安如是说。20 世纪 80 年代与乔布斯一起在苹果公司密切合作过的安迪 · 赫茨菲尔德（Andy Hertzfeld），是少数几个与乔布斯和布伦南两者都保持紧密联系的人。“史蒂夫身上的关键问题是，为什么他有时候会失控般变得残酷并伤害别人，”他说，“那还要追溯到他一出生便被遗弃这件事上。真正的潜在问题是，史蒂夫的生活中，永远有‘被遗弃’这样一个主题。”

乔布斯否认了这点。“有些人认为，因为我被父母抛弃过，所以我非常努力地工作以求出人头地，这样我父母就会后悔当初的决定，还有一些类似的言论，都太荒谬了，”他坚称，“知道自己是被领养的也许让我感觉更加独立，但我从未感觉自己被抛弃过。我一直都觉得自己很特别。我的父母让我觉得自己很特别。”之后，每当有人称保罗和克拉拉为乔布斯的“养父母”或者暗示他们不是他的“亲生父母”时，他就会异常愤怒。“他们百分之一千是我的父母。”他说。另一方面，当谈及他的亲生父母时，他显得很草率：“他们就是我的精子库和卵子库，这话并不过分，因为这就是事实，他们扮演的就是精子库的角色，仅此而已。”

硅谷

保罗和克拉拉夫妇为他们的儿子创造的童年，从很多方面来说，都是 20 世纪 50 年代后期的典型模式。乔布斯两岁那年，他们领养了一个女儿，取名为帕蒂，3 年后他们搬到了郊区的一栋房子里。保罗担任“回收人”的 CIT 信贷公司将他调到了帕洛奥图的办事处，但他承受不起那里高昂的生活费用，所以他们选择了在南边的山景城落脚，那里的生活开销相对低廉。

保罗 · 乔布斯想把自己对机械和汽车的热爱传递给儿子。“史蒂夫，从现在开始这就是你的工作台了。”他边说边在车库里的桌子上划出一块。乔布斯还记得父亲对手工技艺的专注曾让自己印象深刻。“我觉得爸爸的设计感很好，”他说，“因为他什么都会做。要是家里缺个柜子，他就会做一个。给家里搭栅栏的时候，他给我一把锤子，这样我就能跟他一起干活儿了。”

50 年后，当年的栅栏依然包围着山景城那处房子与院落。乔布斯向我展示的时候，轻抚着栅栏的木板，回想起了父亲深深植入他脑中的一课。老乔布斯说，把柜子和栅栏的背面制作好也十分重要，尽管这些地方人们是看不到的。“他喜欢追求完美，即使别人看不到的地方他也会很关心。”

父亲继续着翻新、出售二手车的事业，并在车库里贴满了他喜爱的汽车的图片。他会向儿子介绍车辆设计的细节——线条、排气孔、铬合金以及座椅的装饰。每天下班后，他就换上工作服，窝在车库里，史蒂夫也常常跟着他。“我原本想让他掌握一点儿机械方面的技能，但他不愿意把手弄脏，”保罗后来回忆说，“他从没有真正喜欢过机械方面的东西。”

在引擎盖下修修补补根本吸引不了乔布斯。“我对修汽车没什么兴趣。但我特别喜欢跟爸爸待在一起。”即使随着年龄的增长，他越来越意识到自己是被领养的，他还是越来越喜欢跟爸爸黏在一起。乔布斯差不多 8 岁的时候，有一天他发现了一张父亲在海岸警卫队时的照片。“他在轮机舱里，上身赤裸，看上去很像詹姆斯 · 迪恩。对一个孩子来说，那一刻只能用‘哇，天哪’来形容了。哇，天哪！我的父母也曾经年轻过，而且长相也很不错。”

通过汽车，父亲让史蒂夫第一次接触到了电子设备。“他对电子设备并没有很深的了解，但他经常在汽车以及其他修理对象上跟电子设备打交道。他为我展示了电子设备的基本原理，我觉得很有趣。”更有趣的是去废品堆里寻找零部件的过程。“每个周末，我们都会进行一次废品站之旅。我们会寻找发电机，或者化油器，还有各种各样的元件。”他还记得看着父亲在柜台前谈价格。“他很擅长讨价还价，因为他比卖家更清楚零件的合理价格。”这一点对于实现他父母当初领养他时许下的承诺很有帮助。“我上大学的钱是这么来的：我父亲会花 50 美元买下一辆已经开不动的福特猎鹰（Ford Falcon）或者其他什么破车，花几个星期修好它，然后以 250 美元的价格卖出去——而且他不会去报税。”

乔布斯家的房子位于迪亚布洛大道 286 号，和他们周围的房子一样，都是由房地产开发商约瑟夫 · 埃奇勒（Joseph Eichler）建造的，他的公司于 1950~1974 年间，在加州的各个地区兴建了超过 11 000 座房屋。受到弗兰克 · 劳埃德 · 赖特（Frank Lloyd Wright）“适合美国普通百姓的简单现代之家”这一设想的启发，埃奇勒建造了廉价房屋，这些房屋的特点是：落地的玻璃墙、开放式的平面设计、无遮蔽的梁柱构造、混凝土地面以及大量的滑动玻璃门。“埃奇勒做得很好，”乔布斯有一次和我在附近散步时说，“他造的房子整洁漂亮，价格低廉，质量优秀。他们把干净的设计和简洁的品位带给了低收入人群。房子本身有很棒的小特色，比如地板下安装了热辐射供暖设施。我们小的时候，铺上地毯，躺在上面，温暖舒适。”

乔布斯说，他对埃奇勒建造的房屋的欣赏，激发了他为大众制造设计精良的产品的热情。“我喜欢把很棒的设计和简便的功能融入产品中，而且不会太贵。”他一边向我指出这些房屋的干净典雅之处，一边说道，“这是苹果公司最初的设想，我们在制造第一台Mac电脑时就尝试这么做，并在iPod上实现了这个设想。”

乔布斯家的对面曾经住着一个成功的房地产经纪人。“他也不是很聪明，”乔布斯回忆说，“但看起来他好像赚了不少钱。于是我爸爸就想：‘我也能干这一行啊。’我记得他拼命努力，去上夜校，通过了执照考试，进入了房地产业。紧接着，房地产市场崩溃了。”结果，乔布斯一家经济拮据了差不多一年时间，当时史蒂夫还在上小学。他妈妈在生产科学仪器的瓦里安联合公司（Varian Associates）找到了一份记账员的工作，他们家也给房子办理了第二份抵押贷款。有一天，他的四年级老师问他：“关于这个世界，你有什么不明白的？”乔布斯回答说：“我不明白为什么我爸爸一夜之间就破产了。”虽然如此，乔布斯还是很为父亲感到骄傲，因为他从来没有学会那种卑躬屈膝的态度和圆滑诡诈的作风，尽管这些特质能让他成为一个业绩更好的经纪人。“想卖出房子，你就必须巴结别人，爸爸不擅长这个，他本性也不是这样的人。这一点我很钦佩他。”保罗·乔布斯做回了老本行——机械师。

他的父亲宁静又温和，这些特质后来得到了乔布斯的赞扬而不是仿效。他还是一个坚决果断的人。

住在我们隔壁的是一个在西屋电气公司研究光伏电池的工程师。他还没有结婚，属于“垮掉的一代”那种类型的人。他有一个女朋友，她有时候会给我做保姆。我的父母都要工作，所以放学后我就去他们家待几个小时。他

> 会喝醉酒，然后还会打她。有天晚上她吓得魂不附体地跑到我们家来，那男人也醉醺醺地跟过来了，我爸爸拦住他说："她是在这儿，但你不准进来。"他就站在那儿。上世纪50年代的时候，我们以为万事都是平静祥和的，但这个家伙就属于那种生活一团糟的工程师。

这个地区与遍布美国的千千万万个绿树浓荫的地区不同的一点是，即便是个一无所长的人也想成为工程师。"我们搬到这里时，每个角落都能看到杏子和李子果园，"乔布斯回忆说，"但因为军事投资的关系，整个地区开始急速发展起来。"乔布斯受到硅谷历史的浸淫，渴望自己也能施展拳脚。宝丽来的埃德温·兰德后来告诉他，艾森豪威尔曾要求自己帮助制造U-2侦察机上的照相机，来监视苏联的威胁。胶卷被装在小罐子里，然后送到森尼韦尔的美国国家航空航天局埃姆斯研究中心（NASA Ames Research Center），这里离乔布斯家不远。"我第一次见到计算机终端，就是我爸爸带我去埃姆斯中心的时候，"他说，"我觉得自己彻底爱上它了。"

其他的国防项目承包商也于20世纪50年代陆续在周边地区落地生根。1956年，生产潜射弹道导弹的洛克希德公司导弹与空间部门（The Lockheed Missiles and Space Division）在NASA中心隔壁成立；4年后乔布斯一家搬到这里时，该部门已经雇用了20 000名员工。几百米之外就是西屋电气公司，其生产的设备是用来为导弹系统制造电子管和变压器的。"拥有尖端科技的军事公司云集于此，"他回忆道，"这太不可思议、太高科技了，生活在这里真让人觉得兴奋。"

国防工业的复苏，引发了一场依托科技的经济急速发展。这场发展的根基还要回溯到1938年，当时戴维·帕卡德和他的新婚妻子搬进了帕洛奥图的一座公寓，很快他的朋友比尔·休利特也在这座公寓的一个小屋里安顿了下来。房子有一间车库——这间车库后来成为了硅谷的标志之一——在这里，他们敲敲打打，制造出了自己的第一件产品：一台音频振荡器。到20世纪50年代，惠普已经成为一家制造技术仪器的快速成长的公司。

幸运的是，附近有一个地方为那些企业规模已经超出车库的创业者们提供了更大的发展空间。斯坦福大学的工程系主任弗雷德里克·特曼（Frederick

Terman）在学校拥有的土地上开辟了一座占地 700 英亩的工业园区，提供给那些可以将学生们的创意商业化的私人企业。第一家租户便是瓦里安联合公司，也就是克拉拉 · 乔布斯工作的地方。"特曼的伟大计划对技术产业在此地发展壮大的推动作用，是其他任何事情都无法比拟的。"乔布斯说。在乔布斯 10 岁那年，惠普公司已经拥有 9 000 名雇员，并且成为每一个渴望稳定收入的工程师都梦寐以求的一流企业。

在硅谷的发展中，最重要的一项技术显然是半导体。在新泽西的贝尔实验室期间与人共同发明了晶体管的威廉 · 肖克利（William Shockley），也搬到了山景城，他在 1956 年创办了一家公司，用硅代替当时普遍使用的也较为昂贵的锗来制造晶体管。但随后肖克利变得越来越乖僻，他放弃了硅晶体管项目，这也导致了他麾下的 8 名工程师——最著名的有罗伯特 · 诺伊斯（Robert Noyce）和戈登 · 摩尔（Gordon Moore）——离他而去并创办了仙童半导体公司（Fairchild Semiconductor）。该公司发展到了 12 000 人的规模，但是 1968 年，诺伊斯在一场争夺CEO（首席执行官）宝座的权力斗争中失败后，公司分裂了。诺伊斯带走了戈登 · 摩尔，创办了集成电路公司（Integrated Electronics Corporation），他们巧妙地将公司简称为"英特尔"（Intel）。他们的第三名员工是安德鲁 · 格鲁夫（Andrew Grove），他在 20 世纪 80 年代通过将业务重心从存储器芯片转移到微处理器上而使公司发展壮大。仅仅几年的时间，这一地区就出现了超过 50 家生产半导体的公司。

半导体产业的爆炸式发展与摩尔发现的著名现象有关，他在 1965 年绘制的一张图表显示，集成电路每个芯片所能容纳的晶体管数目大约每两年就会翻一番，性能也会提升一倍，而且这一趋势还会继续。这一发现在 1971 年得到了再一次证实，当时英特尔公司成功地将一个完整的中央处理器蚀刻到了一块芯片上——制成了英特尔 4004——他们称之为"微处理器"。摩尔定律直至今日依然基本准确，它对产品性价比的可靠预测让包括史蒂夫 · 乔布斯和比尔 · 盖茨在内的两代年轻企业家可以对自己的未来产品作出成本推测。

芯片产业赋予该地区一个全新的名字。从 1971 年 1 月起，每周发行的专业类报纸《电子新闻》（*Electronic News*）的专栏作家唐 · 赫夫勒（Don Hoefler），开始了一组系列报道，标题为“美国硅谷”。这一绵延40英里的圣克拉拉谷，从南旧金山穿过帕洛奥图，一直延伸到圣何塞，贯穿其中的是该地区的商业主干道“国王大道”（El Camino Real），这条道路曾经连接着加州的21所教会，而现在，这条繁忙的道路所连接的企业和新兴公司每年吸引着全美1/3的风险投资。“成长于此，我受到了这里独特历史的启发，”乔布斯说，“这让我很想成为其中的一分子。”

像大多数孩子一样，他开始受身边大人们的热情影响。“住在我周围的父亲们大都研究的是很酷的东西，比如太阳能光伏电池和雷达，”乔布斯回忆道，“我对这些东西充满了惊奇，经常向他们问这问那。”这些邻居中最重要的一个人，拉里·朗（Larry Lang），跟乔布斯家隔了7户人家。“他是我心中惠普工程师的标准形象：超级无线电爱好者、铁杆电子迷，他会带东西给我玩。”当我们走到朗的老房子时，乔布斯指着车道说：“他把一个碳精话筒、一块蓄电池和一个扬声器放在车道上。他让我对着话筒说话，声音就通过扬声器放大出来了。”乔布斯的父亲曾经告诉过他，话筒一定要有电子放大器才能工作。“所以我跑回家，告诉爸爸他错了。”

“不对，肯定需要放大器。”父亲的口气很肯定。当史蒂夫提出异议时，父亲说他疯了。“没有放大器是不可能工作的，这其中是有诀窍的。”

“我不停地对我爸爸说不是那样的，让他亲眼去看看，最终他跟我一起走到邻居家，看到了。他说：‘我还是赶紧走人吧。’”

这件事在乔布斯的心中印象深刻，因为这是他第一次意识到父亲不是万事通。然后，他发现了一件让他更加不安的事情：自己比父母还要聪明。他一直很仰慕父亲的智慧和才能。“他没有受过良好的教育，但我以前一直认为他特别聪明。他不怎么看书，却会做很多事情。机械方面的东西他几乎样样精通。”然而碳精话筒这件事，乔布斯说，让他的想法开始动摇，他意识到自己实际上比父母更聪明、更敏捷。“这种想法出现在脑海中，对我来说是一个重大的时刻。当我意识到自己比父母更聪明时，我为自己有这样的念头而感到异常羞愧。我永远忘不了那一瞬间。”他后来告诉朋友，这个发现，再加上自己是被领养的这个事实，让他觉得自己有些孤立——与世隔绝一般——脱离了父母，也脱离了世界。

此后不久，他又意识到了另一件事情。他不仅发现自己比父母聪明，还发现其实父母是知道这一点的。保罗和克拉拉是一对很慈爱的父母，他们愿意改变自己的生活来适应这个非常聪明也非常任性的儿子。他们愿意竭尽全力去适应他，给他特别的对待。很快，史蒂夫也发现了这点。“父母都很了解我。他们意识到我的不同寻常之后就有了很强的责任感。他们想尽办法让我学到更多东西，送我去好学校。他们愿意满足我的需求。”

所以在他长大的过程中，伴随他的不仅仅是曾经被遗弃的感觉，还有一种自己不同于常人的感觉。在他心中，后者在他的个性形成中扮演的角色更为重要。

学校

在乔布斯上小学之前，母亲就已经教他阅读了。但这反而造成了一些麻烦。“在学校的最初几年我觉得很无聊，所以我就不断惹麻烦。”很快大家就发现，不论是从天性还是他接受的教育上，乔布斯都不是一个愿意服从权威的孩子。“我遭遇的是自己从未遇到过的另一种形式的权威，而且我不喜欢它。他们几乎都要制服我了。差一点儿他们就把我身上所有的好奇心都赶走了。”

他就读的学校，蒙塔 · 洛马小学，在他家四条街之外，是由一群 20 世纪 50 年代的低矮建筑组成的。他靠玩恶作剧来打发自己的无聊。“我有个叫里克 · 费伦蒂诺（Rick Ferrentino）的好朋友，我们会惹上各种各样的麻烦，”他回忆说，“比如我们会制作小海报，上面写着‘带宠物上学日’。那太疯狂了，到处都能看到狗撵猫。老师们都气疯了。”还有一次，他们设法让别的孩子说出了自己自行车锁的密码。“然后我们跑出去把所有的锁都调换了位置，没人能骑走自己的车。他们直到那天晚上才解决了问题。”到他三年级的时候，恶作剧开始有了一点儿危险的成分。“有一次，我们在老师瑟曼夫人（Mrs. Thurman）的椅子下面点燃了炸药。她吓得都抽搐了。”

不出意料，乔布斯在读完三年级之前被送回家两三次。不过父亲当时已经把他当做特殊的孩子来对待了，他以平静但有力的态度向学校阐明，他希望学校也能这么对待自己的孩子。“听着，这不是他的错，”乔布斯回忆当时父亲是这么对老师说的，“如果你提不起他的兴趣，那是你的错。”乔布斯的记忆中，父母从来没有因为他在学校犯错而惩罚过他。“我父亲的父亲是个酒鬼，还会用皮带抽他，但是我连一巴掌都没有挨过。”他又补充说，他的父母“都知道责任在学校，学校没有激发我的学习兴趣，而是让我去背一些没用的东西”。他开始展现出性格中的多面性，敏感又偶尔迟钝，易怒而又超然，这也是他以后生活中的状态。

等到他即将进入四年级的时候，校方认为最好将乔布斯和费伦蒂诺放到不同的班级里。教高级课程的是一名干劲十足的女教师伊莫金 · 希尔（Imogene Hill），人称“泰迪”，用乔布斯的话说，她成为了“我生命中的圣人之一”。在观察了乔布斯几个星期后，她意识到对付他最好的方法就是收买他。“有一天放学后，她给了我一本练习簿，上面都是数学题，她说要我带回家把题目解出来。我心想：‘你是不是疯了？’这时她拿出一只超大的棒棒糖，在我看来地球也不过这么大吧。她说，你把题目做完之后，如果大多数都做对了，我就把这个给你，再送你 5 美元。我用了不到两天就做完交给她了。”几个月之后，他不想再要奖励了。“我只想学习和让她高兴。”

她会帮他弄到一些小工具，让他可以做些打磨镜头、制作相机之类的事情。“我从她身上学到的东西比从其他任何老师那儿学到的都要多，如果没有她的话，我一定会坐牢的。”这再一次印证了乔布斯是个特殊的孩子。“在我们班，她只关心我一个人。她在我身上看到了一些东西。”

她看到的不仅是乔布斯的智慧。多年后，她很喜欢展示当年的班级在“夏威夷日”拍的一张照片。那天乔布斯出现的时候没有按要求穿夏威夷衫，但在照片中，他穿着一件夏威夷衫坐在前排中央。原来，他成功说服另一个孩子把自己的衣服脱下来给了他。

四年级快结束时，希尔夫人给乔布斯作了测试。“我的得分是初中二年级水平。”他回忆说。不光是他自己和他的父母，连老师们也发现了，他在智力上真的是非常特别，学校允许他连跳两级，直接升入七年级。这也是可以让他挑战自我并受到激励最简单的方法了。他的父母明智地决定让他只跳一级。

这样一种过渡有些突然。这个有点儿社交障碍的不合群的孩子发现自己身处一群比自己大一岁的人中间。更糟糕的是，他读六年级的地方是另一所学校：克里滕登中学。这所学校地处一个充斥着少数族裔帮派的社区，离原来的蒙塔 · 洛马小学不过八条街之隔，但在很多方面却像另一个世界。“打架几乎天天发生，厕所里的敲诈也是如此，”硅谷记者迈克尔·S·马隆（Michael S. Malone）这样写道，“学生们经常把刀带到学校来展现自己的男子气概。”乔布斯到这里的时候，一群学生刚因为轮奸而被监禁，隔壁学校因为在一场摔跤比赛中打败了克里滕登而导致己方的校车被毁。

乔布斯经常被欺负，到七年级上到一半的时候，他给父母下达了最后通牒。“我坚持要他们送我去别的学校。”他回忆说。这在经济上对他的父母来说是个艰难的挑战。当时他们家勉强能够收支平衡。但那样的时刻，毫无疑问，父母最终一定会满足他的意愿。“他们一开始反对，我就告诉他们，如果要我回到克里滕登的话，我就再也不上学了。所以他们就调查了一下最好的学校在哪里，然后倾尽所有，在一个更好的地区花 21 000 美元买下了一座房子。”

这趟搬家仅仅是向南移了 3 英里，来到了南洛斯阿尔托斯（South Los Altos）一处由杏树果园改造成的毫无特色的居民区。他们的新家位于克莱斯特路 2066 号，是一栋平房，有三间卧室，以及一个面朝马路、带卷帘门、设施齐全的车库。在车库里，保罗·乔布斯可以修汽车，而他儿子可以玩他的电子设备。这栋房子的另一个意义重大之处就是它正好处在库比蒂诺-森尼韦尔学区内，这是硅谷最安全也是最好的学区之一。“我搬来这儿时，这些角落里都还是杏树，”我们走过他家的老屋前，乔布斯指给我看。“住在那里的那个家伙教我怎么做一名有机作物园丁，以及如何制作堆肥。他不管种植什么东西都要追求完美。我一生中再没吃过比那儿更好的食物了。也就是从那时候起，我喜欢上了有机水果和蔬菜。”

尽管乔布斯的父母对于宗教信仰并不是十分狂热，但他们还是希望自己的孩子能受一点儿宗教教育，所以大多数的星期天他们都会带他去路德教堂（the Lutheran Church）。这一活动在他 13 岁那年结束了。乔布斯一家订阅了《生活》杂志，1968 年该杂志在封面上刊登了一张令人震惊的照片，照片上是比亚法拉的一对饥饿的儿童。乔布斯把杂志带到教堂，质问牧师：“如果我举起我的手指头，上帝在我举之前就知道我要举哪一根吗？”

牧师回答说：“是的，上帝无所不知。”

乔布斯于是拿出那期《生活》杂志的封面，问道："那么，上帝知道这些吗？他知道这些孩子身上会发生什么事情吗？"

"史蒂夫，我知道你不明白，但是，是的，上帝知道这一切。"

乔布斯宣布，他再也不想崇敬这样一位上帝，他也再没有去过教堂。不过，他倒是花了好几年时间研究并尝试实践佛教禅宗的教义。几十年后，他反思自己的精神感受时说，宗教应该更多地强调精神体验，而不是一味遵守教条。"当基督教太过基于信仰，而忽略了以耶稣的方式生活或者从耶稣的角度看世界时，它的精髓就消失了，"他告诉我，"我觉得不同的宗教就好比通往同一栋房子的不同的门。有时候我觉得这栋房子存在，有时候我又觉得它不存在。这是最神秘的。"

乔布斯的父亲当时在光谱物理公司（Spectra-Physics）工作，该公司坐落在旁边的圣克拉拉，为电子设备和医疗产品生产激光器件。作为一名机械师，他为工程师们设计的产品制作样机。他的儿子被那种对完美的追求所深深吸引。"激光仪器要求极其精准的调校，"乔布斯说，"真正尖端的激光仪器，比如飞机上使用的或者用于医疗的，都非常精密。工程师们会对我爸爸说，'这就是我们想要的，我们还想要用一整块金属板一体成型来保证膨胀系数的一致。'然后爸爸就要想办法怎么实现。"大多数样机都是从零开始制作的，这就意味着保罗 · 乔布斯必须定制各种工具和模具。他的儿子被此深深吸引，却很少去车间看看。"要是他能教我用铣床和车床的话，一定会很有意思的，但遗憾的是，我从没去过他的车间，因为我对电子的东西更感兴趣。"

一年夏天，保罗 · 乔布斯带着史蒂夫去威斯康星州参观他们家的奶牛场。乡村生活对史蒂夫毫无吸引力，但有一幅画面却深深刻在了他心上。他看到了一只小牛犊的出生，让他惊讶的是，这只小动物才落地几分钟就挣扎着站起来开始走路。"这不是它通过学习获得的技能，而是与生俱来的，"他回忆说，"人类的婴儿就没有这种能力。我觉得这很了不起，虽然别人都不这么想。"他用软硬件的术语来形容这个现象："就好像是设计好的一样，动物身体里的某些东西和它大脑里的某些东西在它出生后立刻开始协同作用，而不需要它去学习。"

到了九年级，乔布斯去了家园高中（Homestead High），这所学校的校园有些杂乱，由几栋两层楼的砖砌建筑构成，建筑都被刷成了粉色，当时有 2 000 名学生。“学校是由一个著名的监狱建筑师设计的，”乔布斯回忆说，“他们想把学校建得坚不可摧。”乔布斯那时候爱上了走路，他每天都独自走过 15 条街去上学。

他没什么同龄的朋友，却认识几个沉浸在 20 世纪 60 年代晚期反主流文化浪潮中的高年级学生。那时候，极客和嬉皮士的世界开始显现出一些重叠。“我的朋友们都很聪明，”他说，“我对数学、科学和电子学感兴趣，他们也是，而且大家都喜欢迷幻药和反主流文化。”

那时候，他的恶作剧一般都会用到电子设备。有一次，他在家中连接了几个扬声器。扬声器也可以用做麦克风，他在自己的衣柜里建了一个控制室，这样就可以偷听其他房间的声音了。有天晚上，他正戴着耳机偷听父母房间的声音，父亲逮到了他，愤怒地要求他拆除整套系统。很多晚上他都会造访他以前的工程师邻居拉里 · 朗的车库。朗最终把那只令乔布斯魂牵梦萦的碳精麦克风送给了他，还让他迷上了希斯工具盒（Heath kits）——当时广受欢迎的用来制作无线电设备或其他电子装备，但需要自己组装的工具套装。“希斯工具盒里面有各种各样用不同颜色编号的插件板和零部件，还有解释其使用原理的操作手册。”乔布斯回忆，“它让你意识到你能组装并搞懂任何东西。你做完几个无线电装置后，就会在目录里看到电视机，你会说，这个我也能做，即便你并不会真的去做。我很幸运，因为当我还是个孩子的时候，我的父亲，还有希斯工具盒都让我相信，我能做出任何东西。”

朗还让乔布斯加入了惠普探索者俱乐部，这是个每周一次的聚会，每周二晚在公司餐厅进行，有大概 15 个学生参加。“他们会从实验室里请来一个工程师，给我们讲讲他正在研究的东西，”乔布斯回忆，“我爸爸会开车送我去。我感觉那儿就是我的天堂。惠普当时是发光二极管（LED）行业的先锋，所以我们就会讨论发光二极管的一些问题。”因为当时父亲为一家激光公司工作，所以乔布斯对发光二极管特别感兴趣。有一天晚上，聚会结束之后，他拦住了惠普的一名激光工程师，获得了参观他们全息摄影实验室的机会。但最让他印象深刻的还是见到了当时惠普正在开发的小型计算机。“我在那里第一次见到了台式计算机，它被称为 9100A，是一台被神化了的计算器，但也确实是第一台台式计算机。它身形巨大，大概有 40 磅重，但它真的很美，我爱上了它。”

探索者俱乐部的孩子们被鼓励做一些项目，乔布斯决定做一台频率计数器，这是用来测量一个电子信号中每秒钟的脉冲数量的。他需要一些惠普制造的零件，所以他拿起电话打给了惠普的CEO："那个时候，所有的电话号码都是登记在册的，所以我在电话簿上寻找住在帕洛奥图的比尔 · 休利特，然后打到了他家。他接了电话并和我聊了20分钟，之后他给了我那些零件，也给了我一份工作，就在他们制造频率计数器的工厂。"乔布斯高中第一年的暑假就在那里工作。"我爸爸早上开车送我去，晚上再把我接回家。"

他的工作主要就是在一条流水线上"安装基本元件"。一部分工友对这个爱出风头的孩子有些不满，因为他是通过给CEO打电话才得到了这份工作的。"我记得我告诉一个监督员：'我喜欢这玩意儿，我喜欢这玩意儿。'然后我问他最喜欢做什么，他回答说：'我喜欢鬼混，我喜欢鬼混。'"乔布斯与在楼上工作的工程师们相处甚欢。"每天早上10点，他们那儿都会供应甜甜圈和咖啡。我会跑上楼跟他们混在一起。"

乔布斯喜欢工作。他曾经送过报纸——下雨的时候父亲会开车送他；在他高中第二年的时候，周末和暑假他都在一家巨大的电子器材商店哈尔泰克（Haltek）做仓库管理员。如同他父亲那个堆满汽车零件的废品站一样，这家到处都是电子设备的商店也是拾荒者的天堂。这家商店延伸了一整个街区，那些新的、旧的、回收的、过剩的部件塞满了架子，未经分类就扔进了箱子，还有的就堆在户外的院子里。"在仓库后面靠近海湾的地方，他们用栅栏围起了一块区域，里面放着北极星潜艇的内部元件，都是从潜艇上扒下来当做废品卖掉的，"他回忆说，"所有的操纵装置和按钮都在。它们都是军绿色或灰色的，但是开关和螺栓盖是琥珀色和红色的。那些开关都是老式的大型手柄式开关，当你打开开关的时候，那种感觉太棒了，就好像你要炸了芝加哥一样。"

在店里堆满了厚厚目录的木制柜台前，人们会为了开关、电阻、电容和最新的存储芯片讨价还价。乔布斯的父亲以前也曾为汽车部件做过这样的事情，因为他比店员还清楚零件的价格，所以每次都能还价成功。乔布斯在这点上学习了父亲。他热衷于谈判并从中获得实惠，这也让他对电子零件有了更充分的了解。他会去电子产品的跳蚤市场，比如圣何塞交换大会，为了一块带有值钱芯片的电路板跟人讨价还价，然后把那些芯片卖给哈尔泰克商店的经理。

15岁那年，在父亲的帮助下，乔布斯拥有了自己的第一辆汽车。那是一辆双拼色的纳什大都会轿车（Nash Metropolitan），他父亲为之配备了一台英国MG公司生产的发动机。乔布斯并不怎么喜欢这辆车，但他不想让父亲知道，更不想错过拥有自己汽车的机会。“现在回想起来，纳什大都会看起来是最酷的车了，”他后来说，“但当时它是全世界最烂的车。不过，不管怎么样它也是一辆车，这就很好了。”不到一年，他通过各种各样的工作攒够了钱，可以换一辆带阿巴斯（Abarth）发动机的红色菲亚特850轿跑车了。“我爸爸帮我买车并检查了车况。把挣的钱攒起来去买东西的那种满足感太让人兴奋了。”

也是在那一年夏天，在他结束高二即将升入高三的时候，乔布斯开始抽大麻。“那年夏天我第一次抽大麻，当时我15岁，之后就经常抽了。”有一次他父亲在他的菲亚特车上发现了一些大麻。“这是什么？”他问。乔布斯平静地回答说：“大麻。”这是他一生中为数不多的一次直面父亲的愤怒。“那是我唯一一次真的和爸爸发生争执。”他说。但他父亲又一次屈从于他的意愿。“他要我保证以后再也不抽大麻了，但我不愿意保证。”实际上，到了高中第四年，他已经同时使用迷幻药和大麻了，并且还在探索睡眠剥夺的致幻效果。“我开始加大吸食大麻的剂量。我们偶尔也会用迷幻药，通常是在旷野中或是在车里。”

高中的最后两年，乔布斯的心智也快速发展，他发现自己既沉浸在极客的电子世界中，又喜欢文学和创造性的尝试。“我开始听很多音乐，阅读科技以外的书，例如莎士比亚、柏拉图的作品。我爱看《李尔王》。”他最爱的还包括《白鲸》和迪兰·托马斯（Dylan Thomas）的诗作。我问他为什么喜欢李尔王和阿哈船长，这两个是文学作品中最固执、最执著的角色，但他没有回答我，我也没有再提。“我高中第四年的时候上的大学英语预修课非常棒，老师是个长得很像欧内斯特·海明威的人。他会带我们一大帮人去优山美地（Yosemite）国家公园踏雪。”

乔布斯听的一门课日后成为了硅谷传奇的一部分，这就是约翰·麦科勒姆（John McCollum）教授的电子学。麦科勒姆以前是海军飞行员，他像个杂耍艺人般，通过各种小把戏来激起学生的兴趣，比如让特斯拉线圈产生电火花。他会把自己储藏室的钥匙借给他宠爱的学生，这个小储藏室堆满了晶体管之类的零部件。他有一种奇普先生（Mr. Chips）般的魔力，可以给学生解释清楚电子学原理，并把原理联系到实际应用中，例如怎样将电阻和电容串联和并联，然后用这些知识来制作放大器或者无线电设备。

麦科勒姆的教室在校园边缘一座厂房模样的建筑里，紧邻着停车场。“就在这儿，”乔布斯凝视着教室的窗户说，“隔壁就是以前的汽车修理课教室。”这样一种空间上的并列关系也突出了他们这一代与父辈那一代在兴趣上发生的转变。“麦科勒姆先生觉得电子学就是新的汽车维修。”

麦科勒姆信奉军事化的戒律以及对权威的尊重，乔布斯则不然。他已经不再隐藏自己对权威的厌恶，他的态度结合了怪异而顽固的激情和超然的叛逆。“他经常一个人在角落里做自己的事情，压根不想跟我或者班上的其他人有任何交流。”麦科勒姆后来说。他从来没有放心地把储藏室的钥匙给过乔布斯。有一次乔布斯需要一样市面上找不到的零件，他就给制造商——底特律的伯勒斯公司（Burroughs）——打了一个对方付费电话，告诉他们自己正在设计一个新产品，想要测试一下那个部件。几天之后，这个部件通过航空包裹寄到了乔布斯手上。当麦科勒姆问他从哪儿弄来的时候，乔布斯带着一种旁若无人的骄傲讲述了事情的经过——他是怎样打对方付费电话并且编故事的。“我很愤怒，”麦科勒姆说，“我不希望我的学生做这样的事情。”乔布斯的反应则是：“我没钱打电话，而那家公司很有钱。”

麦科勒姆的课程是三年，但乔布斯只上了一年。在一个项目中，他制造了一台带有光感器的装置，光感器遇到光后就会开启电路。任何一个学过科学课的高中生都能做出这样的装置。他更感兴趣的是研究激光——他从父亲那儿学到的东西。乔布斯和几个朋友一起，通过使用安装在扬声器上的镜面反射激光，实现了用于各种派对的音乐灯光表演。

第二章

Odd Couple

The two Steves

奇特的一对

两个史蒂夫

沃兹

还在麦科勒姆班上的时候，乔布斯碰巧与一个本校的毕业生成了朋友，此人就是斯蒂芬·沃兹尼亚克（Stephen Wozniak）[①]。沃兹尼亚克一直是老师最喜欢的学生，并因为在班上展现出的杰出才能而成为全校的传奇人物。他的弟弟曾经和乔布斯一起参加过游泳队，而他本人比乔布斯大了将近5岁，对电子学的了解也远超乔布斯。但从情商以及社交方面的能力来说，他依然是个高中生极客。

和乔布斯一样，沃兹尼亚克也从父亲那里学到了很多。但两人学到的东西是不同的。乔布斯的父亲是个高中辍学生，他在修理汽车的过程中学会了如何通过买卖零部件赚取可观的利润；而人称"杰里"的沃兹尼亚克的父亲弗朗西斯·沃兹尼亚克（Francis Wozniak），是加州理工学院工程系的杰出毕业生，还是校橄榄球队的四分卫，他十分崇尚工程学并且瞧不起那些从事商业、市场或销售的人。他后来成为了洛克希德公司的火箭专家，设计导弹制导系统。"我记得他告诉我，工程学是世界上最重要的，"史蒂夫·沃兹尼亚克后来回忆说，"工程学将社会带入了一个新的层级。"

沃兹尼亚克最早的记忆之一，就是在一个周末去了父亲工作的地方，看到了

---

① 即史蒂夫·沃兹尼亚克，也称沃兹。

一些电子部件，父亲“把我跟这些部件一起摆在桌上，这样我就可以拿着玩了”。父亲试着让显示器上的一条波形保持平直，以证明自己设计的电路能够正常工作，而沃兹在一旁看得入了迷。“我能看到，爸爸做的任何事情都是重要的，而且他做得很棒。”那个时候的沃兹就会问父亲各种问题，都是关于屋子里随处可见的电阻和晶体管的，父亲就会拿出一块黑板，给他解释这些部件是干什么的。“他会从原子和电子开始讲起，给我解释电阻是干什么的。我上小学二年级的时候他就给我解释电阻是怎么工作的了，不是用方程式，而是用很具体形象的方式。”

沃兹的父亲还教给了他其他一些东西：绝不撒谎，这深深扎根于他那单纯、不善社交的个性之中。“我父亲信奉诚实，极端的诚实。那是他教我的最重要的事情，我从没有撒过谎，到今天也是这样。”（仅有的例外就是他恶作剧的时候。）除此之外，这位父亲还给儿子灌输了对于极大野心的厌恶，这一点沃兹与乔布斯不同。他们结交 40 年以后，2010 年，在一场苹果公司的产品发布活动上，沃兹回顾了他们之间的这种差异。“我爸爸跟我说，你总是想做一个中庸的人。”他说，“我不想成为一个像史蒂夫那样的高端人物。我爸爸是个工程师，那也是我想做的。我太腼腆了，永远不可能成为像史蒂夫那样的商业领袖。”

到了四年级，沃兹尼亚克成为了他自称为“电子小孩”的那一类人。对他来说，盯着一只晶体管要比跟一个姑娘眉来眼去来得容易。他就以矮矮胖胖、有点儿驼背的形象示众，大多数时间他都埋头于电路板中。在乔布斯还在为了一个连他父亲都解释不清的碳精话筒而迷惑的年纪，沃兹尼亚克已经在使用晶体管搭建对讲系统了，这个系统带有放大器、继电器、灯和蜂鸣器，连接了相邻的 6 座房子中孩子们的卧室。乔布斯还在玩希斯工具盒的时候，沃兹尼亚克已经在组装来自世界上最先进的无线电制造商哈里克拉夫特（Hallicrafters）的发射器和接收器了，他还和父亲一起获得了业余无线电执照。

沃兹花了大量的时间在家阅读父亲的电子学期刊，他着迷于关于新式计算机的那些故事，比如强大的埃尼阿克（ENIAC）。在接触到布尔代数之后，他惊奇地发现其实计算机系统一点儿也不复杂，而是非常简单。八年级的时候，他基于二进制理论造出了一台计算器，把 100 只晶体管、200 只二极管、200 只电阻装在了10块电路板上。在当地一项由空军举办的赛事上，尽管参赛者中还有十二年级的学生，但这台计算器还是赢得了最高奖。

与沃兹同龄的男孩已开始跟女孩约会、参加各种派对，而他觉得这些都比设计电路更为复杂，他显得更加不合群了。“之前我还挺受欢迎的，但突然间我就被孤立了，”他回忆说，“很长的一段时间都没有人跟我说话。”他找到了一个发泄的办法：搞些幼稚的恶作剧。高中四年级的时候，他做了一个电子节拍器——音乐教室里用来打拍子的、会发出“滴答”声的装置——然后他意识到“滴答”声听上去很像是炸弹定时器的声音。于是他把一些大块电池的标签撕掉，把它们绑在一起，然后放进了学校的储物柜里。他设定好装置，一旦柜门被打开，“滴答”频率就会变高。那天晚些时候，他被叫到了校长办公室。他还以为是因为他又一次获得了学校的最高数学奖。然而，等待他的是警察。校长布吕德先生（Mr. Bryld）在装置刚被发现时就被叫到了现场，他一把抓起那个玩意儿，紧贴胸口，抱着它勇敢地跑到了操场，然后把上面的电线拆掉。沃兹强忍着，但还是控制不住笑了出来。那天他真的被送到了青少年拘留中心，在那儿过了一夜。沃兹认为那是一次难忘的经历。他在里面教其他犯人把通到天花板上风扇的电线接到铁窗上，这样一旦有人碰到就会被电击一下。

对沃兹来说，被电击就好像是获得荣誉奖章一样。作为一名硬件工程师让他很自豪，但这也意味着触电是家常便饭。他曾经发明过一种轮盘赌游戏：四个人把拇指按在槽里，球落下之后，其中的一个会被电到。“搞硬件的人才愿意玩这个游戏，搞软件的都太胆小了。”他这么强调。

到了高中四年级，他在喜万年公司（Sylvania）得到了一份兼职工作，人生中第一次有机会在计算机前工作。他从书上自学了FORTRAN语言，并阅读了当时大多数电子系统的使用说明，从数字设备公司（Digital Equipment）的PDP-8开始。之后，他研究了最新的微芯片的规格，开始使用这些最新的元器件重新设计计算机。他为自己定的挑战是：使用最少的元器件来实现。“我关上房门，在自己的房间里独自完成了这项工作。”他回忆说。每天晚上，他都会努力在前一天的基础上进一步完善自己的设计。到高中四年级结束时，他已经成为这方面的专家了。“我设计的计算机，使用的芯片数量只有市面上产品中芯片数量的一半，但我的设计还停留在图纸上。”他从没有跟他的朋友提到过这些。毕竟，大多数17岁的孩子都在忙着干其他事情。

高中第四年感恩节的周末，沃兹拜访了科罗拉多大学。学校放假了，但他找到了一个工程系的学生，那个人带着他参观了实验室。沃兹尼亚克请求父亲送他去那里读书，尽管州外学生的学费并不是他们轻易拿得出的。他们达成了一个协议：沃兹可以去科罗拉多大学读一年，但一年之后必须转回离家较近的迪安扎（De Anza）社区学院。1969年秋天抵达科罗拉多之后，沃兹将大把的时间用在了恶作剧上（包括印发大量写着“去你妈的尼克松”的传单），以至于未能通过一些课程的考试，被学校留校察看。此外，他编写了一个程序，不停地计算斐波那契数列，占用了大量的计算机运行时间，学校威胁要他承担费用。为了不让父母知道这些事，他转学到了迪安扎。

在迪安扎愉快地度过了一年后，沃兹尼亚克决定休学去赚钱。他在一家为交通部门生产计算机的公司里找到了工作，一名同事还给了他丰厚的馈赠：将一些多余的芯片提供给沃兹，让他将一直停留在图纸上的计算机变成现实。沃兹尼亚克决定使用尽可能少的芯片，一方面作为对自己的挑战，另一方面也是因为不想利用同事的慷慨。

沃兹的大多数工作都是在附近一个朋友家的车库中完成的，此人就是当时还在家园高中读书的比尔·费尔南德斯（Bill Fernandez）。为了让工作顺利完成，他们喝了很多克雷格蒙特奶油苏打水，然后骑着自行车去森尼韦尔的西夫韦超市退还瓶子，换到钱后再买更多汽水。“正是因为这个我们才把它叫做奶油苏打水电脑。”沃兹尼亚克说。这其实是一台可以做乘法的计算器，通过一系列开关将数字输入，然后用小灯显示的二进制码呈现结果。

1970年秋天，奶油苏打水电脑完工后，费尔南德斯告诉沃兹尼亚克，他应该见见家园高中的一个人。“他叫史蒂夫，跟你一样喜欢恶作剧，也跟你一样喜欢电子学。”这应该是继32年前休利特走进帕卡德的车库之后，硅谷历史上意义最重大的一次车库会面。“史蒂夫和我就在比尔家门前的人行道上坐了很久，分享彼此的故事——大多是关于我们搞的恶作剧，还有各自做过的电子设计，”沃兹回忆说，“我们有如此多的共同点。一般来说，我很难向别人解释清楚我做的设计，但史蒂夫一下子就听明白了。我喜欢他。他瘦巴巴的，但是充满了活力。”乔布斯也印象深刻。“沃兹是我见过的第一个比我还懂电子学的人，”他从专业的角度这么说，“我立刻就喜欢上他了。我比自己的真实年龄要显得更成熟，而沃兹正相反，我们拉平了。沃兹非常聪明，但情商方面却像是我这个年龄的人。”

除了对计算机的兴趣，两人还都热爱音乐。“那时候是音乐的鼎盛时期，”乔布斯回忆说，“就好像贝多芬和莫扎特还活着一样。真的。人们回顾那个时期时真的会这么想。沃兹和我深深沉醉其中。”尤为值得一提的是，沃兹让乔布斯迷上了鲍勃·迪伦（Bob Dylan）。“我们一直追随着圣克鲁兹一个叫斯蒂芬·皮克林（Stephen Pickering）的家伙，他会放出迪伦的行踪动向，”乔布斯说，“迪伦会录下自己所有的音乐会，但他身边的一些人不是很谨慎，所以这些磁带很快就到处都是了。盗版也到处都是。而这个皮克林收集了他所有的磁带。”

搜寻迪伦的录音带很快就变成了两人的合作项目。“我们两个会游走于圣何塞和伯克利地区，到处寻找迪伦的盗版磁带并收集它们，”沃兹说，“我们会购买迪伦歌词的小册子，然后熬夜解读这些歌词。迪伦的话可以触动我们心中的创造性思维。”乔布斯说：“我有超过100个小时的磁带，包括他1965年和1966年巡回演出的每一场演唱会。”也是在这些演唱会上，迪伦尝试了电子乐。乔布斯和沃兹两人都购买了高端的TEAC牌双卷盘录音设备。“我把我的调成低速挡，把好几场演唱会录到一盘带子上。”沃兹尼亚克说。乔布斯的痴迷与他不相上下。“我没有买大的扬声器，而是买了一副很棒的耳机，我会躺在床上听上好几个小时。”

乔布斯在家园高中的时候曾经组织过一个俱乐部，进行音乐灯光表演，也搞些恶作剧（他们曾经把一个刷了金色漆的马桶坐垫粘到了一个花盆上）。他们的俱乐部叫做“巴克鱼苗”（Buck Fry Club）[①]，借以取笑校长的名字。当时已经毕业的沃兹尼亚克和朋友艾伦·鲍姆（Allen Baum）也在乔布斯高中三年级结束的时候加入了他的校内圈子，欢送即将毕业的四年级学生。40年后，当乔布斯再一次回到校园时，他在当年那场恶作剧发生的地方停了下来，指给我看：“看见那个阳台了吗？我们就是在那儿挂的标语，也是在那儿锁定了我们的友谊。”在鲍

① “Buck Fry”将两个单词第一个字母互换，就成了“Fuck Bry”，这是英语恶作剧的常用伎俩。

姆家的后院里，他们拿出一张已经扎染成学校标志性绿白相间颜色的大号床单，在上面画了一只巨大的竖起中指的手。鲍姆慈爱的犹太母亲甚至帮他们一起画，还告诉他们怎么处理色彩渐变和阴影部分，好让整个画面看上去更加真实。“我知道这是什么意思。”她窃笑着说。他们设计了一个由绳子和滑轮组成的装置，这样一来，在毕业生们行进到阳台下方时，床单会缓缓落下，他们还在上面签上了巨大的字母“SWAB JOB”，这是取自三个人名字中的字母，意思是“沃兹尼亚克–鲍姆–乔布斯联合出品”。这场恶作剧成了学校的传奇，也让乔布斯再一次被停学处分。

在另一场恶作剧中，使用到了沃兹尼亚克发明的一个可以发射电视信号的便携装置。他会带着这个装置走进一个大家都在看电视的房间，比如说宿舍，然后悄悄按下按钮，电视画面就会受到静电干扰而变得模糊。有人站起来猛敲电视机的时候，沃兹就松开按钮，于是画面就会恢复正常。一旦那些毫不怀疑的观众们开始顺着他的意愿不断起身，他就会提高难度。他会让画面一直模糊着，直到有人去碰一下天线。最终他会让一群观众以为扶着天线的同时还必须单脚着地或者手放在电视机顶部。多年以后，在一场主题演讲上，乔布斯也遇到了视频无法播放的麻烦，他放下演讲稿，讲述了当年和沃兹一起玩这个装置时的快乐。“沃兹会把它装在口袋里，然后走进一间宿舍，那里有一群人在看《星际迷航》，他就开始在电视机上捣乱，这时就会有人站起来去修，他脚刚抬起来沃兹就会让电视恢复正常，脚落地之后沃兹又再次让电视画面变模糊。”乔布斯站在台上作出扭曲的姿势，笑着说：“不出五分钟，就会有人被气成我现在这个样子。”

蓝盒子

恶作剧与电子技术的终极结合——也是促成苹果公司成立的疯狂表演——在一个周日的下午启动了，当时沃兹尼亚克看到了母亲给他留在厨房桌子上的《君子》（*Esquire*）杂志上的一篇文章。当时是 1971 年的 9 月，他正准备第二天出发去伯克利，他的第三所大学。那篇文章——罗恩·罗森鲍姆（Ron Rosenbaum）写的《小蓝盒的秘密》——描绘了黑客和电话飞客是如何通过模拟AT&T（美国电话电报公司）网络上接通线路的特定音频免费拨打长途电话的。“这篇长文刚读到一半的时候，我就给我最好的朋友乔布斯打电话，然后读了一部分给他听。”沃兹尼亚克回忆说。他知道，那时候已经开始读高中四年级的乔布斯一定也会非常兴奋。

文中有一个关键人物：约翰·德雷珀（John Draper），他是一名黑客，外号“咔嚓船长”[①]，这是因为，他发现早餐麦片附赠的哨子发出的声音与电话网络中用以传输呼叫的开关发出的音频是一样的，都是2 600赫兹。这样就可以骗过系统，允许长途电话接通，而不产生额外的费用。文章中还提到，其他一些可以作为内部线路控制的单音频信号的信息，可以在《贝尔系统技术期刊》中找到。而AT&T公司立刻要求各地图书馆将这本期刊下架。

那个周日的下午，乔布斯接到沃兹的电话后，立刻意识到他们必须马上找到那本技术期刊。“几分钟之后沃兹就来接我，我们去了斯坦福大学线性加速器中心的图书馆，想看看能不能找到。”乔布斯回忆道。那天是周日，图书馆关门了，但他们穿过一扇很少上锁的门进到了里面。“我记得我们在书架上猛翻，最后是沃兹找到了那本期刊，上面有所有的频率。那种感觉简直就是‘天哪！’我们翻开它，所有信息都有。我们一直对自己说：‘这是真的，天哪！这是真的！’所有信息都写得清清楚楚——音调，频率。”

那天晚上，沃兹尼亚克在森尼韦尔电子商店关门之前跑了过去，买到了制造模拟声音发生器需要的零部件。乔布斯之前在惠普探索者俱乐部的时候就做过一个频率计数器，他们用这个计数器来调校他们需要的声音。只要一拨号，他们就能复制并录下文章中指定的声音。到了午夜，他们准备好测试了。很不幸，他们使用的振荡器不够稳定，无法准确复制能够骗过系统的声音。“我们使用史蒂夫的频率计数器可以发现振荡器的不稳定性，”沃兹尼亚克说，“但就是没办法让它工作。我第二天一早就要去伯克利了，所以我们决定，等我到那儿之后，就着手制造一个数字版的蓝盒子。”

从未有人做过数字版的蓝盒子，但沃兹生来就是迎接挑战的。他从电器连锁店Radio Shack买来二极管和晶体管，在同宿舍一个拥有完美音准感的学生的帮助

① 即Captain Crunch，也是著名麦片品牌。

下，在感恩节之前就完成了制作。“这是我设计过的最让我自豪的电路，”他说，“直到今天我仍然觉得难以置信。”

一天晚上，沃兹尼亚克从伯克利驱车前往乔布斯家中测试蓝盒子。他们想打给沃兹在洛杉矶的叔叔，但是弄错了电话号码。不过这无关紧要，因为这套装置终于可以使用了。“嗨！我们正在免费给你打电话！我们正在免费给你打电话！”沃兹尼亚克大喊着。电话那头儿的人有点儿摸不着头脑，也有点儿不耐烦。乔布斯插话了：“我们正在加利福尼亚给你打电话！在加利福尼亚给你打电话！用一只蓝盒子给你打电话！”这番话很可能让对方更加困惑了，因为他也在加利福尼亚。

起初蓝盒子只是用来找乐子或者搞恶作剧的。最著名的一次，他们打给梵蒂冈，沃兹尼亚克假装是亨利·基辛格，想要跟教皇通话。“我正在莫斯科参加峰会，我需要跟教皇通话。”沃兹回忆当时自己说的话。他被告知当地时间是早上五点半，教皇还在睡觉。当他再次打过去的时候，接电话的是一名充当翻译的主教。但对方并没有真的让教皇接电话。“他们意识到沃兹是冒牌的，”乔布斯回忆说，“我们当时在一个公用电话亭。”

也就是那时候，发生了一件具有里程碑意义的事件，也确立了今后他们合作关系的模式：乔布斯认为蓝盒子不该再停留在业余爱好阶段了。他们可以制作然后销售。“我把剩下的元件都集中起来，比如说盒子、电源和数字键盘，然后想出了定价方式。”乔布斯说，这也预示了他日后在创立苹果公司过程中将扮演的角色。成品的大小差不多有两副扑克牌那么大，所有的零部件价值 40 美元，乔布斯决定以 150 美元的价格出售。

追随着诸如“咔嚓船长”这样的飞客的脚步，两人也给自己起了别名。沃兹尼亚克成了“伯克利蓝”，乔布斯叫做“奥拉夫·图巴克”（Olaf Tobark）。他们会敲响各个宿舍的门，寻找感兴趣的人，然后把蓝盒子连上电话和扬声器进行演示。潜在的买家在一旁看着，他们就会现场演示给诸如伦敦的丽兹酒店这样的地方打电话，或者是拨打澳大利亚的“打电话听笑话”服务电话。“我们做了大概 100 个蓝盒子，几乎全卖出去了。”乔布斯回忆说。

这样的快乐和利润在森尼韦尔的一家比萨店里结束了。乔布斯和沃兹尼亚克正准备带着刚做完的一台蓝盒子开车去伯克利。乔布斯需要用钱，急需出售这台机器，所以他就向邻桌的几个人推销。那帮人很感兴趣，乔布斯就走到电话亭，往芝加哥打了一个电话作演示。他们说要到车里去拿钱。“于是沃兹和我就走向那辆车，我手上拿着蓝盒子，那家伙走进车里，手伸到座位底下，拔出了一把枪。”乔布斯回忆道。他从没有如此靠近过一把枪，被吓坏了。“他拿枪指着我的肚子说：‘把它拿过来，兄弟。’我的神经一下子绷紧了。车门就在那儿，我想是不是可以猛关上车门砸他的腿，然后我们趁机逃跑，但很有可能他会朝我们开枪。所以我慢慢地、非常小心地把蓝盒子递给了他。”这种抢劫真的太奇怪了。抢走蓝盒子的家伙给了乔布斯一个电话号码，说如果蓝盒子有用的话，以后会想办法把钱付给他。当乔布斯照着号码打过去的时候，还真的找到了那个家伙，他不会用蓝盒子。乔布斯巧妙地说服此人在一个公共场合跟他和沃兹见面。但最终他们还是胆怯了，决定再也不跟那个持枪的男人打交道，即便那样做有可能拿回那 150 美元。

这次恶作剧为他们日后更精彩的创举铺平了道路。“如果不是因为蓝盒子，就不会有苹果公司，”乔布斯后来回想说，“这一点我百分百确定。沃兹和我学会了怎样合作，我们也获得了信心，相信自己可以解决技术问题并且真的把一些发明投入生产。”他们创造的仅用一小块电路板的装置，竟可以控制价值数十亿美元的基础设施。“你无法想象那给了我们多少信心。”沃兹也有同样的感触。“出售它们也许不是个好主意，但这让我们看到，我的工程技术和他的远见卓识结合起来，我们可以做出怎样的一番事业。”他说。蓝盒子的这段奇妙经历为两人之间即将诞生的合作关系建立了一个模板：沃兹尼亚克就是个文雅的天才，创造出一项很酷的发明，然后就算送给别人他也很高兴；而乔布斯会想出怎样让这个发明方便易用的方法，然后把它包装起来，推向市场，赚上一笔。

第三章

The Dropout

Turn on, tune in...

出离

顿悟，修行……

克里斯安·布伦南

1972年春天，乔布斯高中即将毕业时，开始与一位叫做克里斯安·布伦南的女孩儿交往。这个嬉皮士风格的女孩超凡脱俗，虽与乔布斯同龄，但比他低一年级。她有一头浅褐色的秀发，绿眼睛，高颧骨，有些柔弱，十分迷人。她承受着父母婚姻破裂带来的痛苦，变得十分脆弱。“我们一起制作一部动画片，然后开始交往，她成了我第一任正式女友。”乔布斯回忆说。布伦南后来说：“史蒂夫很疯狂，这也正是他吸引我的地方。”

乔布斯的疯狂是以一种有教养的方式体现的。他开始了伴随他一生的强制性饮食实践——仅仅食用水果和蔬菜——所以他又瘦又结实，就像惠比特犬一样。他学会了眼睛一眨不眨地盯着别人，他喜欢在长时间的沉默中断断续续地加入语速极快的讲话。这样一种激情和冷漠的奇怪组合，再加上他那一头及肩长发和稀疏的胡茬儿，让他看上去就像个疯癫的萨满巫师。他时而展现超凡魅力，时而让人毛骨悚然。“他不断变化形象，看起来有点儿半疯，”布伦南回忆说，“他经常焦虑不安，好像有无尽的黑暗包围着他。”

乔布斯当时已经开始服用迷幻药了，在森尼韦尔郊外的一处麦田里，他让布伦南也加入了其中。“感觉很好，”他回忆说，“那段时间我听了很多巴赫的音乐。就在一瞬间，整个麦田似乎都在演奏巴赫。那是我到那时为止人生中最美妙的感触。我觉得自己就是交响乐的指挥，巴赫也好像出现在了麦田里。”

1972 年夏天，乔布斯毕业之后，他和布伦南搬到了洛斯阿尔托斯一座山上的小屋里。“我要去小屋里和克里斯安同居了。”有一天他如此向父母宣告。他父亲怒不可遏。“不准去，”他说，“除非我死了。”他们最近刚刚因为大麻的事情争吵过，但这一次小乔布斯还是非常顽固。他说了声再见就走出了家门。

那年夏天，布伦南用了很多时间画画。她非常有才华，画了一幅小丑的画送给乔布斯，他一直把它挂在墙上。乔布斯平时就写写诗，玩玩吉他。他有时候会对布伦南非常冷血和粗鲁，但有时候又十分迷人，可以轻易说服别人接受自己的意愿。“他很开明，又很残酷，”她回忆说，“真是奇怪的组合。”

暑假期间，有一次乔布斯的红色菲亚特着火了，他差点儿因此丧命。当时他正行驶在圣克鲁兹山区的天际线大道上，与他同行的是一个高中朋友，蒂姆 · 布朗（Tim Brown）。布朗朝后看了一眼，发现引擎在往外冒火花，于是他镇定地对乔布斯说：“靠边停车，你的车着火了。”乔布斯照做了。他父亲尽管与他发生了争执，还是驱车来到山区，把菲亚特拖回了家。

为了想办法赚钱买一辆新车，乔布斯让沃兹尼亚克开车带他去了迪安扎学院，到那里的公告板上寻找招工启事。他们发现，圣何塞的西门购物中心（Westgate Shopping Center）正在招募大学生，要他们穿上戏服逗小孩子玩。为了 3 美元一小时的报酬，乔布斯和沃兹尼亚克以及布伦南穿上厚厚的全套戏服，戴上帽子，扮演梦游仙境的爱丽丝、疯帽子和白兔子。真诚又亲切的沃兹尼亚克觉得这一切十分有趣。“我说：‘我想做这个，这是我的机会，因为我喜欢小孩子。’我从惠普请了假。我想史蒂夫觉得这是个烂工作，但我把它当做一次愉快的经历。”乔布斯确实做得很痛苦：“太热了，那些服装又很重，只要在里面待上一会儿我就会产生揍那些小孩儿的冲动。”“耐心”这个词，从来就与乔布斯沾不上边儿。

里德学院

17 年前，乔布斯的父母领养他的时候曾经作过保证：他一定会上大学。所以他们一直努力工作，为他的大学专款省吃俭用，等到乔布斯高中毕业时，这笔专款虽不多，但也足够他上大学的费用了。但越来越任性的乔布斯把这件事变得很艰难。一开始，他根本就不想读大学。“如果我没有读大学的话，我应该会直接去纽约。”他回忆说，一边思考着如果当年选择了那条道路，自己的世界——也许是我们所有人的世界——会有怎样的不同。当他的父母坚持要他上大学时，他以一种被动而富有侵略性的态度进行了回应。他不考虑州立大学，比如当时沃兹就读的伯克利，尽管州立大学的学费更加亲民。他也不想去斯坦福，尽管就在家旁边，而且可能会给他提供奖学金。“去念斯坦福的人，他们已经知道自己想要什么了，”他说，“他们一点儿艺术性都没有。我想要上的是更富有艺术性的、更有趣的学校。”

他坚持唯一的一个选项是里德学院，位于俄勒冈州波特兰市的一所私立文理学院，也是全美最贵的大学之一。他在伯克利看望沃兹的时候接到了父亲的电话，被告知里德学院的录取通知书到了，同时父亲还试图劝说史蒂夫不要去那里，母亲也劝他。他们说，里德的学费太高了，根本不是他们所能承受的。但他们的儿子下了最后通牒：如果他不能去里德学院的话，那么他就哪儿都不去。如往常一样，父母又一次妥协了。

里德的在校生只有 1 000 人，规模只有家园高中的一半。学校以自由精神及嬉皮士生活方式著称，与这样一种生活方式并存的是学校严格的学术标准及核心课程。5 年前，迷幻启蒙运动领袖蒂莫西 · 利里（Timothy Leary）在他的“精神探索联盟”高校之旅中，曾经盘腿坐在里德学院的草地上，大声呼喊：“就如同过去所有我们在其中寻找神性的伟大宗教一样……那些古老的目标都隐喻着现在——打开心扉、自问心源、脱离尘世（Turn on, tune in, drop out）。”许多里德学院的学生把这三条告诫奉为座右铭，学校在 20 世纪 70 年代的退学率超过了 1/3。

1972 年，乔布斯要开学了，他的父母开车带他来到了波特兰。但他又做出了叛逆的举动：拒绝父母送他进校园。事实上，他甚至连“再见”和“谢谢”都没有说。后来他回想这件事的时候，充满了愧疚：

> 这是一生中真正让我觉得羞愧的一件事。我当时不够体贴，伤害了他们的感情。我不该那么做的。他们为了能让我去那儿读书竭尽全力，但我就是

不愿意他们在我身边。我不想让任何人知道我有父母。我就想像个搭火车四处流浪的孤儿一样，突然出现在校园，没有根，没有与外界的联系，也没有背景故事。

1972 年下半年，乔布斯来到里德学院的时候，美国的校园生活发生了根本性的转变。美国对越南的战争，以及随之而来的征兵热潮，都在逐渐平息。校园中的政治激进主义渐渐消退，许多宿舍的卧谈会主题都已换成对自我实现的兴趣。乔布斯深受一系列关于精神和启蒙的书籍影响，尤其是《此时此地》（*Be Here Now*），这是一本介绍冥想及致幻剂的美妙之处的书，作者是拉姆 · 达斯导师（Baba Ram Dass），本名叫理查德 · 阿尔珀特（Richard Alpert）。“这本书意义深远，”乔布斯说，“它改造了我和很多朋友。”

这帮朋友里和乔布斯最亲密的是一个留着稀疏胡子的大一新生：丹尼尔 · 科特基（Daniel Kottke），他是在抵达里德学院一周后见到乔布斯的，和乔布斯一样喜欢佛教禅宗、迪伦和迷幻药。来自纽约一个富人区的科特基聪明又温和，对佛教的兴趣让他那花童一般的行为举止显得更加柔和。精神上的探索让他不再追求物质享受，尽管如此，他还是对乔布斯的录音机印象深刻。“史蒂夫有一台 TEAC 牌双卷盘录音设备，还有大量迪伦的录音带，”科特基回忆说，“他真的很酷，又科技感十足。”

乔布斯开始经常和科特基及他的女友伊丽莎白 · 霍姆斯（Elizabeth Holmes）混在一起，尽管第一次见面时他就羞辱了伊丽莎白，他不停追问要多少钱才能让她跟另一个男人上床。他们会一起搭便车去海边玩，参加宿舍里关于生命意义的说唱，去当地的哈雷 · 克里希纳寺庙参加爱心活动（love festivals），还会去禅宗中心吃免费的素食。“这些很有意思，”科特基说，“也极具哲学层面的意义，对于禅宗我们是非常严肃的。”

乔布斯开始去图书馆，并跟科特基分享其他关于禅宗的书，包括铃木俊隆（Shunryu Suzuki）的《禅者的初心》（*Zen Mind, Beginner's Mind*），帕拉宏撒 · 尤迦南达（Paramahansa Yogananda）的《一个瑜伽行者的自传》（*Autobiography of a Yogi*），理查德 · 莫里斯 · 比克（Richard Maurice Bucke）的《宇宙的意识》

(*Cosmic Consciousness*)，以及丘扬创巴（Chögyam Trungpa）的《突破精神唯物主义》(*Cutting Through Spiritual Materialism*)。他们在霍姆斯房间屋顶阁楼的狭小空间里开辟了一间冥想室，在里面布置了印度花布、一块手纺纱棉毯、蜡烛、熏香还有冥想坐垫。“天花板上有一扇小门，是通向阁楼的，那里空间很大，”他说，“我们有时候在那里服用迷幻药，但大多数时候我们只是在里面冥想而已。”

乔布斯对东方精神，尤其是佛教禅宗的信奉，并不是心血来潮或年轻人的一时冲动。他投入了他特有的那种激情，这些东西也在他的性格中根深蒂固。“史蒂夫是个十足的禅宗信徒，”科特基说，“禅宗对他的影响非常深。这一点你可以从他极简主义的美学观点和执著的个性上看出来。”佛教对直觉的强调也深深影响了乔布斯。“我开始意识到，基于直觉的理解和意识，比抽象思维和逻辑分析更为重要。”他后来说。然而，他的激情让他很难实现真正的涅槃；内在的平静、内心的平和或者说为人的圆润这些禅修者的特质，并未在他身上有所显现。

他和科特基还喜欢玩一种源于19世纪德国的变种象棋——克里斯皮尔棋(Kriegspiel)，游戏中两名玩家背靠背坐着，每个人都有自己的棋盘和棋子，但无法看到对手的情况。旁边会有一名仲裁员告知他们走的每一步棋是否违反规则，他们则必须想办法弄清楚对手的棋子分布情况。“最疯狂的一盘棋，是有一次下暴雨的时候，他们俩坐在壁炉旁，”当时作为仲裁员的霍姆斯回忆说，“他们两个服了迷幻药后开始下棋，下得非常快，我几乎都跟不上他们。”

还有一本书在乔布斯大一那年深深影响了他——也许影响得有点儿过分——就是《一座小行星的新饮食方式》(*Diet for a Small Planet*)，作者是弗朗西丝 · 摩尔 · 拉佩（Frances Moore Lappé)，书中颂扬了素食主义对个人以及对我们整个星球的益处。“我就是那时候发誓不再吃肉的，为了自己也为了地球。”乔布斯回忆道。但这本书也进一步将他推向了极端的饮食习惯，包括催吐、禁食，或者连续几个星期都只吃固定的一两样食物，比如胡萝卜或苹果。

乔布斯和科特基在大一这年成为了严格的素食主义者。“史蒂夫比我还深陷其中，”科特基说，“他完全靠吃麦片生存。”他们会去一个农民合作社买东西，乔布斯会买一盒麦片，吃上一个星期，再买点儿散装的健康食品。“他会买一些椰枣和杏仁，还有许多胡萝卜，他有一台冠军牌榨汁机，我们会做胡萝卜汁和胡萝卜沙拉。曾经有个故事说史蒂夫吃了太多的胡萝卜，皮肤都变成橘黄色了，这个故事可不完全是瞎编的。”朋友们都记得，史蒂夫的皮肤有时候会呈现出一种日落时分太阳般的橘黄色。

乔布斯在读过20世纪初出生在德国的营养学狂热者阿诺德·埃雷特（Arnold Ehret）所著的《非黏液饮食治疗学》（*Mucusless Diet Healing System*）一书后，饮食习惯变得更加怪异。埃雷特坚信饮食中只应该包括水果和不含淀粉的蔬菜，这样的话就可以防止身体产生有害的黏液；他还提倡定期通过长时间的绝食来清理身体。这就意味着，即使是麦片也不能再吃了——还有所有的米饭、面包、谷类以及牛奶。乔布斯开始提醒朋友们，他们的百吉饼中也隐藏着黏液的危险。“我以我惯有的方式疯狂陷入其中。”他说。有一次，他和科特基整个星期都只吃苹果，之后乔布斯开始尝试更加纯粹的绝食。一开始先是两天不吃东西，最终发展到一周甚至更长的时间，然后通过摄入大量的水和多叶蔬菜来结束绝食。“一周过后，你就会有很美妙的感觉了，”他说，“不用消化食物，可以让你获得很多活力。我当时状态很好，我觉得自己随时可以走路去旧金山。”（埃雷特56岁那年因在步行时摔倒撞击到头部而丧生。）

素食主义与佛教禅宗，冥想与灵性，迷幻药与摇滚乐——那个时代寻求自我启迪的校园文化中，这几样标志性的行为，被乔布斯以一种近乎疯狂的方式集于一身。尽管如此，他骨子里电子极客的暗流仍在涌动，并在将来的某一天与他身上的其他特质完美地结合。

罗伯特·弗里德兰

有一次，为了筹集一些现金，乔布斯决定卖掉自己的IBM电动打字机。他走进之前答应要买的那个学生的宿舍，发现对方正在和女友云雨。乔布斯准备离开，但那个学生请他坐下，等他们结束。“我当时想：‘这太离谱了吧。’”乔布斯后来回忆说。他和罗伯特·弗里德兰（Robert Friedland）的友谊也从此开始。弗里德兰是乔布斯一生中少有的能以自己的魅力蛊惑他的人。乔布斯吸收了弗里德兰身上一些独具魅力的特质，有几年的时间甚至将他视为自己的精神导师——直到后来把他看做吹牛欺诈的高手。

弗里德兰比乔布斯大了 4 岁，但还在读本科。他的父亲是奥斯维辛集中营的幸存者，后来在芝加哥成为了一名成功的建筑师。弗里德兰原本是在缅因州的鲍登文理学院读书的。但是读大二的时候，他因为身上携带了价值 125 000 美元的 24 000 片迷幻药而被捕。当地报纸拍到了他被带走时的现场照片：一头及肩的波浪金发，正冲着摄影师微笑。他被判在弗吉尼亚州的一座联邦监狱服刑两年，于 1972 年被假释。那年秋天他来到了里德学院，立刻开始竞选学生会主席，他宣称需要洗刷“司法不公”强加给自己的罪名。他赢得了选举。

弗里德兰曾经听过《此时此地》的作者拉姆 · 达斯导师在波士顿的一次演讲，他和乔布斯、科特基一样深深迷恋着东方精神。1973 年的夏天，弗里德兰去印度拜访了拉姆 · 达斯的印度教导师——尼姆 · 卡罗里大师（Neem Karoli Baba），也就是信众们所熟知的马哈拉杰–吉（Maharaj-ji）。弗里德兰那年秋天从印度回来后，已经起了一个宗教名字，走到哪里都是一双凉鞋和一身飘逸的印度长袍。他在校园外租了一个房间，就在一个车库顶上，很多个下午，乔布斯都会去那里找他。弗里德兰确信自我启蒙的状态确实存在，并且可以通过努力而获得，这让乔布斯十分着迷。“他让我达到了一个全新层次的觉悟。”乔布斯说。

弗里德兰也觉得乔布斯十分有魅力。“他总是赤着脚走来走去，”他后来回忆说，“让我感到震撼的是他的激情。他只要对一样东西感兴趣，就会把这种兴趣发挥到非理性的极致状态。”乔布斯熟练掌握了利用凝视和沉默来征服别人的技巧。“他的招数之一就是死死盯着正在和他讲话的人。他会一直注视着对方的眼睛，然后问一个问题，要对方在不回避他目光的情况下回答。”

据科特基说，乔布斯的一些性格特质——包括一些伴随他职业生涯的特质——都是吸收自弗里德兰。“弗里德兰教给了史蒂夫现实扭曲力场，”科特基说，“他极富魅力，也会骗人，可以让事态屈从于他的超强意志。他很机智，充满自信，还有一点儿独断专行。史蒂夫很钦佩这些，他和罗伯特待在一起的时间久了之后，也变成了这个样子。”

乔布斯也从弗里德兰身上学会了怎样让自己成为焦点。“罗伯特是个非常善于交际也非常有魅力的人，一个真正的推销员，”科特基回忆说，“我第一次见到史蒂夫的时候，他羞涩又谦逊，非常内敛。我想是罗伯特教会了他怎样销售产品，怎样与别人交往，怎样展现自我，怎样控制局面。”弗里德兰身上的气场很强。“他走进一个房间，别人立刻就会注意到他。史蒂夫刚刚来到里德学院的时候则恰恰相反。他跟罗伯特相处一段时间后，身上的羞涩开始逐渐褪去。”

星期天的晚上，乔布斯和弗里德兰会去波特兰西边的哈雷 · 克里希纳寺，通常科特基和霍姆斯也会去。他们会用尽一切力气唱歌跳舞。“我们会让自己进入一种癫狂的状态，”霍姆斯回忆说，“罗伯特会失去理智一般疯狂地跳舞。史蒂夫则平静很多，完全释放自己似乎会让他觉得尴尬。”之后就会有人给他们奉上堆满了素食的纸盘子。

弗里德兰管理着波特兰西南 40 英里处一家 220 英亩的苹果园，果园的主人是他一位来自瑞士的古怪的百万富翁叔叔，名叫马塞尔 · 穆勒（Marcel Müller），他靠垄断当时罗德西亚[①]的公制螺纹构件市场而发了财。弗里德兰在迷恋上东方宗教后，把这处果园改造成了一个公社，叫做团结农场（All One Farm），乔布斯、科特基和霍姆斯，以及其他一些寻求精神启蒙的人会在那里过周末。农场里有一座主楼、一座大仓库和一间花园小屋，科特基和霍姆斯就睡在花园小屋里。乔布斯和另一个公社成员格雷格 · 卡尔霍恩负责给格拉文施泰因苹果树剪枝。“史蒂夫管理着苹果园，”弗里德兰说，“我们当时在做有机苹果汁生意。史蒂夫的工作就是带领一群怪人给果树剪枝，然后把果园打扫干净。”

哈雷 · 克里希纳寺的僧人和信徒们也会来农场，帮着准备素食盛宴，莳萝、香菜和姜黄的香味四处飘散。“史蒂夫来的时候总是很饿，于是就猛吃一通，”霍姆斯回忆说，“然后他就要去吐掉。很多年我都以为他有贪食症。这让我们非常苦恼，因为我们费尽周折才弄好一顿饭，但他却留不住食物。”

乔布斯开始有点儿无法忍受弗里德兰宗教领袖般的行事风格了。“也许他看到了太多弗里德兰的本质。”科特基这样说道。尽管这个公社最初的目的是成为逃避物质主义的庇护所，但弗里德兰开始像做买卖一样管理公社。他的信徒们被要求砍柴然后出售柴火，生产苹果榨汁机和柴火炉子，参加各种商业活动但得不

① 津巴布韦的旧称。

到报酬。有一天晚上，乔布斯睡在厨房的桌子下面，看着人们进进出出，从冰箱里偷别人的食物，他都被逗乐了。他不喜欢公社经济。“事情开始变得非常物质主义，”乔布斯回忆说，“每个人都了解到自己在为罗伯特的农场拼命工作，于是大家一个接一个地离开了。这一切让我觉得恶心。”

很多年以后，弗里德兰已经成为了一名亿万富翁，管理着铜矿和金矿——产业遍及温哥华、新加坡和蒙古。我在纽约与他相约小饮。那天晚上我给乔布斯发了电子邮件，提到了这次相遇。不到一个小时，他就从加州给我打电话，提醒我不要听信弗里德兰的话。他说，弗里德兰因为旗下的几处矿产破坏环境而陷入了麻烦，曾经打电话联系他，请求他与比尔 · 克林顿交涉，但乔布斯没有回应他。“罗伯特总是标榜自己是个精神至上的人，但他越过了从魅力到欺骗的界限，”乔布斯说，“你年轻的时候认识的某个号称精神至上的人最后变成了彻头彻尾的淘金者，这真是件非常奇怪的事情。”

退学

乔布斯很快厌倦了大学生活。他喜欢待在里德学院，只是不想去上那些必修课。实际上，他惊讶地发现，尽管里德学院有着嬉皮士的氛围，但也有非常严格的课程要求，学生需要阅读《伊利亚特》这样的作品，还要研究伯罗奔尼撒战争史。沃兹来访的时候，乔布斯挥舞着自己的课程表抱怨说：“学校强迫我上这么多课程。”沃兹回答：“是的，大学就是这样的，他们会给你指定一些课程。”乔布斯拒绝去上那些必修课，而是去上自己感兴趣的课，比如舞蹈课，在那里他既可以享受艺术，还有机会见到女孩子。“我绝不会不去上必修课，这就是我们性格上的差异。”沃兹尼亚克感到十分诧异。

乔布斯后来说，把父母的钱花在了根本不值那么多钱的教育上，他也开始有负罪感。“我那工薪阶层的父母省下来的钱全花在学费上了，”他在那场著名的斯坦福大学毕业典礼演讲中提到，“我不知道自己想要干什么，也不知道大学能如何帮我搞清楚自己的人生目标。但我却在花着父母的毕生积蓄。所以我决定退学，我也相信，一切都会顺利。”

他并不是真的想离开里德学院，他只是不想再付学费，也不想再去上那些提不起他兴趣的课程了。惊人的是，校方竟然容忍了这一切。“他有一颗渴求知识的心，这很让人感兴趣，”教导主任杰克·达德曼（Jack Dudman）说，“他拒绝不动脑筋地接受事实，任何事情他都要亲自检验。”即使在乔布斯停止交学费之后，达德曼还是允许他旁听课程，并且可以继续待在宿舍和朋友们在一起。

“我一退学，就不用去上那些我不感兴趣的必修课了，我可以去上那些看起来有意思的课。”他说。这其中有一门书法课非常吸引他，因为他注意到校园里的大多数海报都画得很漂亮。“我学到了衬线字体和无衬线字体，怎样在不同的字母组合间调整其间距，以及怎样作出完美的版面设计。这其中所蕴涵的美、历史意味和艺术精妙之处是科学无法捕捉的，这让我陶醉。”

这也再一次证明，乔布斯总是有意识地将自己置身于艺术与科技的交汇处。在他所有的产品中，科技必定与完美的设计、外观、手感、精致、人性化甚至是浪漫结合在一起。他是追求友好图形用户界面的先锋。在这一方面，那门书法课程是意义非凡的。“如果我大学的时候从没有上过那门课，麦金塔计算机里绝不会有那么多种字形以及间距安排合理的字体。既然是Windows抄袭了Mac，那么很有可能所有个人电脑上也不会有这些。”

在此期间，乔布斯在里德学院作为一名边缘人物，过着放荡不羁的生活。他大多数时间都光脚走路，下雪天的时候穿着凉鞋。伊丽莎白·霍姆斯为他做饭，努力照顾到他过分的饮食习惯。他会拿汽水瓶去换零钱，继续每个周日去哈雷·克里希纳寺吃免费的素食，穿着羽绒服住在他以每月20美元的价格租下的没有供暖的车库房间里。他需要钱的时候，就去心理学系的实验室，维护那些用于动物行为实验的电子设备。克里斯安·布伦南也会偶尔来访，他们的关系时好时坏。但他的主要精力还是放在自己的心灵以及对个人觉悟的追求上了。

“我当时身处一个神奇的时代，”他后来回忆说，“提升我们觉悟的是禅宗，还有迷幻药。”即便是后来，他依然赞扬致幻剂让自己得到了更多启发：“使用迷幻药是一段意义非凡的经历，也是我一生中最重要的事情之一。迷幻药让你看到硬币的另一面，当药效退去之后你就记不清楚了，但你知道有这么一回事。它让我更清楚什么是重要的——创造伟大的发明，而不是赚钱。应该尽我所能，将此生放回历史和人类思想的长河。”

第四章

Atari and India

Zen and the art of game design

雅达利与印度

禅宗与游戏设计艺术

雅达利

1974 年 2 月，在里德学院晃荡了 18 个月之后，乔布斯决定搬回父母在洛斯阿尔托斯的住处，然后找一份工作。这并不是什么难事。20 世纪 70 年代，《圣何塞水星报》（*San Jose Mercury*）的分类广告版面上，科技类的招工广告最多时曾达到 60 页。其中的一则广告吸引了乔布斯的目光。“在享乐中赚钱”，广告语是这么说的。那一天，乔布斯走进了游戏制造商雅达利公司（Atari）的大厅，对着被他不修边幅的发型和装扮吓了一跳的人事主管说，得不到一份工作他是不会离开的。

雅达利当时是非常热门的公司。它的创始人是高大健壮的企业家诺兰 · 布什内尔（Nolan Bushnell），此人是个充满魅力、能说会道的梦想家——换句话说，又一个时代偶像。成名之后，他喜欢开着劳斯莱斯四处转悠，吸食毒品，在浴缸里开员工会议。他有一项能力——是弗里德兰也具有的、乔布斯日后也学会了的——就是将个人魅力转化为说服力，通过个性的力量进行劝诱、胁迫以及扭曲事实。他手下的首席工程师叫做阿尔 · 奥尔康（Al Alcorn），一个健壮、快乐又很理性的人。他就像个家长一样，一方面要帮助布什内尔实现他的梦想，另一方面又要控制住他的狂热。

1972 年，布什内尔指派奥尔康研发一款视频游戏《乒乓》（*Pong*）的街机版。游戏中两名玩家分别操纵屏幕上两根移动的光标充当球拍，拦截充当乒乓球的小光点（如果你不到40岁，问问你的父母）。利用500美元的投资，奥尔康做出了一台游戏主机，然后将它安装在了森尼韦尔国王大道的一家酒吧里。几天之后，布什内尔接到电话说机器坏了。他派奥尔康去查看，发现问题出在游戏机被硬币塞满了，再也塞不进去了。他们靠这个狠赚了一笔。

当乔布斯穿着凉鞋来到雅达利公司要求工作时，有人通知了奥尔康。“我被告知：‘有个嬉皮士小子在大厅里，他说我们不雇他，他就不走。我们该打电话报警还是让他进来？’我说，快带他进来！”

乔布斯由此成为了雅达利公司第一批50名员工之一，职位是技术员，薪水每小时5美元。“现在想想，雇用一名里德学院的辍学生真有点儿不可思议，”奥尔康说，“但我在他身上看到了一些东西。他非常聪明，富有激情，对技术狂热。”奥尔康让乔布斯与一个叫唐·朗（Don Lang）的工程师一起工作，此人的思想极其保守。第二天朗就开始抱怨了：“这家伙是个该死的有体臭的嬉皮士。你为什么要这么对我？还有，我根本没法儿跟他相处。”乔布斯坚信，他以水果为主的素食习惯不仅会消除黏液，还能去除他的体味，即便他不用香体剂，也不常常洗澡。这是个错误的理论。

朗和其他人想赶走乔布斯，但布什内尔想出了一个解决方案。“他的体味和行为举止对我来说并不是问题，”他说，“史蒂夫是很麻烦，但我挺喜欢他。所以我让他上夜班。这样就可以把他留下了。”乔布斯会在朗和其他人下班之后过来上班，工作一整晚。即便已经隔绝到如此地步，他还是因为自己的鲁莽无礼出了名。在一些碰巧跟人交流的场合，他会肆无忌惮地称别人为“蠢货”。现在回想起来，他依然坚持自己的评判。“我那么耀眼的唯一原因就是，其他人都太糟糕了。”乔布斯回忆说。

尽管他很傲慢——或者正是因为他的傲慢——他获得了雅达利公司老板的青睐。“他比其他与我共事过的人更加有哲学气质，”布什内尔回忆道，“我们曾经讨论过自由意志和宿命论的比较。我倾向于认为事情都是命中注定的，我们的人生都是被规划好的。如果有足够的信息的话，我们可以预知一个人的行动。史蒂夫的观点与我正相反。”这一观点与他“意志的力量可以改变现实”的信念是一致的。

乔布斯在雅达利学到了很多。他通过改进芯片，作出了更有趣的设计和更人性化的人机交互，进而完善了公司的一些游戏。布什内尔夸大事实的本事以及按自己规则办事的意愿影响了乔布斯。除此之外，乔布斯还很欣赏雅达利开发的游戏的简单性。游戏没有使用手册，简单到即便是一个喝醉酒的初学者也能很快上手。雅达利的《星际迷航》游戏仅有的说明就是："1. 投入硬币；2. 躲开克林贡人。"

并不是所有同事都讨厌乔布斯。他与一个叫做罗恩 · 韦恩（Ron Wayne）的绘图员成了朋友，此人之前经营着自己的公司，生产老虎机，但之后生意失败了。然而乔布斯觉得开一家自己的公司这个主意很吸引人。"罗恩是个很了不起的人，"乔布斯说，"他开过公司。我从没有遇到过他这样的人。"乔布斯向罗恩 · 韦恩提议两人一起做生意；他说自己可以借来 50 000 美元，然后他们可以设计并销售老虎机。但是韦恩曾经在生意场上吃过苦头，所以拒绝了。"我说那是损失 50 000 美元最快的方法，"韦恩回忆说，"但我很佩服他，他有很迫切的欲望去开始自己的事业。"

一个周末，乔布斯到韦恩的公寓拜访，像往常一样讨论哲学问题。这时韦恩说有些事情要告诉乔布斯。"我想我知道你要说什么，"乔布斯回答，"我觉得你喜欢男人。"韦恩承认了。"那是我第一次遇到熟人中有同性恋，"乔布斯回忆，"他给我灌输了关于同性恋的正确观点。"乔布斯追问他："你看到一个漂亮的女人会有什么感觉？"韦恩答道："就好像你看到一匹漂亮的马，你欣赏它，但你不想和它上床。你只是纯粹欣赏它的美。"韦恩说自己就是想把这个告诉乔布斯。"雅达利公司没人知道，在我的一生中知道这件事的人也屈指可数，"韦恩说，"但我觉得告诉他没有任何问题，他会理解的，而且这也不会影响到我们的关系。"

印度

1974 年初，乔布斯急切地想要赚钱，原因之一就是前一年夏天去过印度的罗伯特 · 弗里德兰鼓励他也去印度进行一次精神之旅。弗里德兰在印度师从尼姆·卡罗里大师（也就是马哈拉杰-吉），尼姆是20世纪60年代嬉皮士运动的精神导师。乔布斯决定也要去印度，还叫上了丹尼尔·科特基与他同行。驱动乔布斯的并不单纯是冒险精神。“对我来说这是一次很严肃的探索，”他说，“我迷上了自我启蒙的想法，想要弄清楚我到底是什么样的人，我该怎样融入这个世界。”科特基补充说，乔布斯的这次探索之旅，也有一部分是因为他不知道自己的亲生父母是谁。“他心里有个洞，他想把它填上。”

当乔布斯告诉雅达利的同事们自己要辞职去印度寻找精神导师的时候，奥尔康被逗乐了。“他走进来，盯着我，然后宣布：‘我要去寻找我的导师了。’我说：‘不会吧！太棒了！记得给我写信！’然后他说希望我能承担他的费用，我告诉他：‘做梦！’”奥尔康有了一个主意。雅达利在生产一些配件，这些配件要运往慕尼黑，在那里组装完毕后由都灵的一家批发商负责配送。但是有一个问题。因为游戏都是为美国市场设计的，帧频是每秒60帧，到了欧洲就会有让人沮丧的冲突，因为那里是每秒50帧。奥尔康简单地向乔布斯描述了补救方案，然后花钱送他去欧洲解决问题。“从那里去印度路费会便宜一点儿。”他说。乔布斯同意了。就这样，奥尔康送走了乔布斯，还叮嘱他：“代我向你的导师问好。”

乔布斯在慕尼黑待了几天，解决了游戏机的冲突问题，但在这一过程中他把一群西装革履的德国经理搞得很困惑。他们向奥尔康抱怨，说乔布斯的穿着和身上的味道像个流浪汉，而且举止粗鲁。“我说：‘他解决问题了没有？’他们回答：‘是的。’我说：‘下次你们再有什么问题，尽管给我打电话，我这儿还有很多像他那样的人！’他们说：‘不用，下次再有问题我们自己会解决的。’”乔布斯方面，德国人老是让他吃肉和土豆，这让他非常不高兴。“他们甚至没有素食这个词。”他在给奥尔康的电话中抱怨。

他乘火车来到都灵见批发商后，日子好过了一点儿，意大利面和主人的热情招待让他很高兴。“我在都灵度过了很美妙的几个星期，这是座充满活力的工业城市，”他回忆说，“那个批发商是个很棒的人。他每天晚上都带我去一个地方吃饭，那儿只有八张桌子，没有菜单。你只需要告诉他们自己想吃什么，他们就会给你做。其中一张桌子是为菲亚特的董事长预留的。那个地方真是太好了。”接下来他去了瑞士的卢加诺，见了弗里德兰的叔叔，然后从瑞士搭航班到了印度。

到了新德里，一下飞机，乔布斯就感觉到跑道上扬起的阵阵热浪，尽管那时候才四月份。之前有人给了他一家酒店的名字，但是那家酒店客满了，所以他去了出租车司机竭力推荐的另一家。“我敢肯定他拿了酒店的小费，因为那地方实在太糟糕了。”乔布斯问老板酒店里的水是否过滤过，并且傻乎乎地相信了他的回答。“我很快就得了痢疾，我病了，病得很严重，发高烧，一个星期内我的体重从 160 磅掉到了 120 磅。”

等他恢复到可以行动的时候，他决定离开新德里。于是他去了印度北部城市赫尔德瓦尔，那里靠近恒河的源头，每三年就会有一次盛大的宗教集会。恰巧，1974 年举行的是 12 年一轮的最大规模的集会，被称为“大壶节”（Kumbha Mela）。超过 1 000 万人涌进了这座常住人口不到 10 万、面积接近帕洛奥图的小镇。“到处都是教徒，帐篷里住着这个导师、那个导师。还有人骑着大象，无奇不有。我在那儿待了几天之后决定离开。”

他换乘火车和公共汽车来到了喜马拉雅山脚下，一座靠近奈尼塔尔（Nainital）的村庄。那里是尼姆 · 卡罗里大师居住（或者曾经居住过）的地方。乔布斯到达那里的时候，大师已经不在人世了，至少不在今世。乔布斯从一户人家那里租下了一个房间，房间的地上有一块床垫。这户人家给他吃素食，帮他恢复了健康。“之前的一个旅行者留下了一本英文版的《一个瑜伽行者的自传》，我读了好几遍，因为也没什么其他可干的事。我在各个村落之间游荡，痢疾症状也消失了。”一起在此处静修的有一个叫做拉里 · 布里连特（Larry Brilliant）的流行病学家，他在印度致力于根除天花，后来负责管理谷歌的慈善机构以及斯科尔（Skoll）基金会。他成为了乔布斯的终生好友。

有一次，乔布斯听说一个年轻的印度教圣人要举办信徒聚会，地点是一名富商位于喜马拉雅山脉的住处。“我有机会遇到一个有灵性的人并且和他的信徒交流，也有机会好好吃上一顿。我们走近房子的时候就能闻到食物的香味儿了，我非常饿。”乔布斯吃东西的时候，那位圣人——其实也不比乔布斯大几岁——从人群中选中了他，指着他，然后开始疯了一样地大笑。“他跑过来，抓住我，发出两声‘嘟嘟’声，然后说：‘你就像个小孩一样。’”乔布斯回忆道，“我并不喜欢他的这些举动。”圣人抓着乔布斯的手，带他离开了那群虔诚的信众，走上了一处高地，那儿有一口井和一小方池塘。“我们坐下来，他拿出了一把剃刀。我以为他是个疯子，开始有点儿担心，这时候他又拿出了一块肥皂——我当时留着长发——他给我的头发打上肥皂，然后给我剃了个光头。他告诉我他是在拯救我的健康。”

丹尼尔·科特基在那年的初夏到了印度，乔布斯回到新德里去见他。他们坐着公共汽车，漫无目的地晃悠。这个时候，乔布斯已经不是在寻找传授智慧的导师了，而是在通过苦行体验、感官剥离和返璞归真寻求启蒙。他做不到内心的平和。科特基记得乔布斯曾在村里的集市上与一个印度妇女有过一次激烈的争吵，他坚称那个女人在她出售的牛奶里掺了水。

但乔布斯有时候也很大方。他们来到靠近中国西藏的马纳里镇（Manali），科特基的睡袋被偷了，他的旅行支票也在里面。“史蒂夫承担了我的饮食开销，还给我买了回新德里的车票。”科特基回忆说。他还把自己剩下的100美元都给了科特基，帮他渡过难关。

在印度待了7个月后，那年秋天乔布斯启程回家，途中在伦敦逗留，拜访了一个他原本想在印度碰面的女人，然后从伦敦搭乘一班便宜的航班回到了奥克兰。在印度期间，他只零星地给父母写过几次信——那是他经过新德里时到美国运通公司驻当地办事处取邮件的时候——所以当接到他从奥克兰机场打来的电话让他们去接他的时候，他的父母还很惊讶。他们立刻从洛斯阿尔托斯开车出发。“我的头发被剃光了，身上穿着印度棉袍子，皮肤也被晒成了又黑又红的颜色，”他回忆说，“所以我坐在那儿，他们俩从我身边走过了差不多5次，妈妈才终于走上来说：‘史蒂夫吗？’我说：‘嗨！’”

乔布斯被带回了洛斯阿尔托斯的家，在那里试着找回自己。他会通过各种途径来追求精神启蒙。早上和晚上他会冥想和禅修，其他时间会去斯坦福大学旁听物理学或者工程学的课程。

探寻

乔布斯对东方精神、印度教、佛教禅宗以及探寻个人启蒙的浓厚兴趣，并不仅仅是一个19岁青年的心血来潮。纵观他的一生，他追随并遵循着东方宗教的许多基本戒律，比如对“般若”的强调——通过精神的集中而直观体验到的智慧和认知。多年之后，乔布斯坐在自己位于帕洛奥图的花园中，回想起了印度之旅对他的深远影响：

> 我回到美国之后感受到的文化冲击，比我去印度时感受到的还要强烈。印度乡间的人与我们不同，我们运用思维，而他们运用直觉，他们的直觉比世界上其他地方的人要发达得多。直觉是非常强大的，在我看来比思维更加强大。直觉对我的工作有很大的影响。
>
> 西方的理性思维并不是人类先天就具有的，而是通过学习获得的，它是西方文明的一项伟大成就。而在印度的村子里，人们从未学习过理性思维。他们学习的是其他东西，在某些方面与理性思维同样有价值，那就是直观和经验智慧的力量。
>
> 在印度的村庄待了 7 个月后再回到美国，我看到了西方世界的疯狂以及理性思维的局限。如果你坐下来静静观察，你会发现自己的心灵有多焦躁。如果你想平静下来，那情况只会更糟，但是时间久了之后总会平静下来，心里就会有空间让你聆听更加微妙的东西——这时候你的直觉就开始发展，你看事情会更加透彻，也更能感受现实的环境。你的心灵逐渐平静下来，你的视界会极大地延伸。你能看到之前看不到的东西。这是一种修行，你必须不断练习。
>
> 禅对我的生活一直有很深的影响。我曾经想过要去日本，到永平寺修行，但我的精神导师要我留在这儿。他说那里有的东西这里都有，他说得没错。我从禅中学到的真理就是，如果你愿意跋山涉水去见一个导师的话，往往你的身边就会出现一位。

事实上，乔布斯确实在他洛斯阿尔托斯的家附近找到了一个导师。《禅者的初心》一书的作者铃木俊隆管理着旧金山禅宗中心，他每周三晚上会去那里开讲座，并和一小群追随者一起冥想。一段时间之后，乔布斯和其他人觉得不够，于是铃木让自己的助手乙川弘文（Kobun Chino）开办一家全天候开放的禅宗中心。乔布斯和女友克里斯安 · 布伦南，以及丹尼尔 · 科特基和伊丽莎白 · 霍姆斯都成了忠实的追随者。他还开始一个人去塔萨加拉禅宗中心（Tassajara Zen Center）修行，这所寺庙靠近卡梅尔，是乙川弘文的另一处教学点。

科特基觉得乙川弘文很有趣。“他的英语非常糟糕，”他回忆说，“他说话就像是在吟诵俳句，话语极富启发性。我们就坐在那儿听他讲，有一半的时间我们根本不知道他在说什么。我把这个看做轻松的插曲。”他的女朋友霍姆斯则更加投入。“我们会去参加乙川弘文的冥想，我们坐在蒲团上，他坐在讲台上，”她说，“我们学会了怎样不理会外界的打扰。这是很神奇的一件事。有一天晚上，我们在和乙川弘文一起冥想，这时外面下起了雨，他就教我们怎样利用环境声音让自己集中注意力继续冥想。”

而乔布斯的投入是全身心的。“他变得非常严肃，妄自尊大，让人难以忍受。”科特基说。乔布斯开始每天都和乙川弘文见面，每几个月都会一起静修、冥想。“与乙川弘文的碰面对我来说是一段意义非凡的经历，我后来尽可能多地与他待在一起。”乔布斯回忆说，“他有一个在斯坦福做护士的妻子，还有两个孩子。他妻子常常上晚班，所以我总是晚上去他们家找他。她一般会在午夜时分到家，然后把我赶走。”他们有时候会讨论，乔布斯是否应该完全投身到精神追求中，但乙川弘文不赞成这么做。他说乔布斯可以边工作边保持精神修行。他们两人的关系是深厚的，也是持久的：17 年后，乙川弘文主持了乔布斯的婚礼。

乔布斯对自我意识的疯狂追寻也导致他开始尝试原始尖叫疗法，这一疗法由洛杉矶的精神治疗医师亚瑟 · 亚诺夫（Arthur Janov）发明，当时刚刚开始流行。这一疗法基于弗洛伊德的理论：心理问题都是由受到压抑的儿童时期的痛苦造成的。亚诺夫认为这些问题可以通过再次经历那些痛苦时刻来治愈——通过尖叫来完整地发泄那份痛苦。在乔布斯看来，这一疗法比谈话疗法要好，因为这其中包含了直观的感受和情感上的活动，而不仅仅只是理性的分析。“这种疗法不需要你去思考，”他后来说，“而需要你去行动：闭上眼睛，屏住呼吸，全身心投入其中，这之后你就会获得更深刻的见解。”

一群亚诺夫的信徒在尤金市的一座老旧酒店里经营着一家名为“俄勒冈感觉中心”的机构，而负责管理的正是乔布斯在里德学院的精神导师罗伯特 · 弗里德兰，他的团结农场就在附近。1974 年底，乔布斯报名参加了那里一个为期 12 周的治疗，花费了 1 000 美元。“史蒂夫和我都在追求个人成长，所以我想和他一起参加，”科特基说，“但是我没有那么多钱。”

乔布斯曾经向自己的密友透露过，他参加治疗是因为饱受童年痛苦：被领养并且对亲生父母毫无所知。“史蒂夫非常渴望了解自己的亲生父母，这样他就可以更好地认识自己。”弗里德兰后来说。乔布斯曾经从养父母那里听说过，自己的亲生父母都是大学毕业生，父亲可能是叙利亚人。他甚至曾经想要雇用一名私家侦探，但还是决定暂时不那么做。“我不想伤害我的父母。”他回忆说，这里指的是他的养父母。

“自己被领养这一事实让他很挣扎，”伊丽莎白 · 霍姆斯说，“他觉得这是自己在情感上需要控制的一个问题。”乔布斯承认了这些，他说：“这件事一直困扰着我，我要把精力集中在这上面。”他对格雷格 · 卡尔霍恩更加坦诚。“对于被领养一事，他作了很多自我剖析，也跟我说了很多，”卡尔霍恩说道，“原始尖叫疗法和非黏液饮食，都是他用来净化自己的方法，并希望借此来洞彻其身世带给他的沮丧。他告诉我，他的父母抛弃了他，他感到非常愤怒。”

约翰 · 列侬（John Lennon）在 1970 年也接受了同样的原始尖叫疗法，那年的 12 月，他和塑胶洋子乐队（Plastic Ono Band）发布了歌曲《妈妈》。这首歌描述的是列侬对于一个抛弃了自己的父亲以及一个在他少年时期就死去的母亲的感情。副歌部分有一段让人无法忘怀的旋律：“妈妈不要走，爸爸快回家……”霍姆斯记得乔布斯经常放这首歌。

乔布斯后来说，事实证明亚诺夫的方法并没有什么效果。“他提供的只是一个现成的、老套的解决方法，太过简单了。很明显，它不可能促成任何自我省悟。”但霍姆斯坚信，治疗让乔布斯变得更自信了。“他接受完治疗之后有了改变，”她说，“他原本性格是很粗暴的，但那段时间他很平静。他的自信心增强了，自卑感减弱了。”

乔布斯开始相信自己可以把自信心传递给其他人，推动他们去完成以前认为不可能的事情。霍姆斯与科特基分手后，加入了旧金山的一个邪教组织，该组织希望成员切断与过去所有朋友的联系。但是乔布斯完全无视这条禁令，有一天，他开着自己的福特牧场主（Ford Ranchero）客货两用车来到了邪教的大本营，他对霍姆斯说自己要开车去弗里德兰的苹果农场，她也必须一起去。更过分的是，他说她也得开上一段路，尽管她根本不会开手动挡的车。“我们到了开阔的路上之后，他让我坐在驾驶座上，他负责换挡，直到我们的时速达到每小时 55 英里，”她说，“然后他开始放迪伦的磁带《路上的血迹》(*Blood on the Tracks*)，把头枕在我的膝盖上，睡着了。他的态度就是他什么都会做，因此你也要什么都会。他把自己的性命交到了我手里，这让我做到了以前我认为自己做不到的事情。”

这就是日后成为他“现实扭曲力场”个人魅力的美好的一面。“如果你相信他，你就能做成事情，”霍姆斯说，“如果他认为某件事应该发生，那他就会尽力让它发生。”

打砖块

1975 年初的一天，阿尔 · 奥尔康正坐在雅达利公司的办公室里，罗恩 · 韦恩冲了进来。“嘿！史蒂夫回来了！”他喊道。

“天哪，快让他进来。”奥尔康回答。

乔布斯光着脚走了进来，穿着一身橘黄色的袍子，手里拿着一本《此时此地》，他把书递给奥尔康，坚持要他也看看。“我能回来工作吗？”他问。

“他看起来像个哈雷 · 克里希纳寺的僧人，但见到他我很高兴，”奥尔康回忆，“于是我说，当然！”

为了公司内的和谐，乔布斯再次被安排上晚班。沃兹尼亚克当时在惠普工作，就住在附近的一处公寓，他会在晚饭后去找乔布斯玩游戏。他在森尼韦尔的一家保龄球馆里爱上了《乒乓》游戏，他还开发出了一个版本，可以连接到自家的电视机上。

1975 年夏末的一天，对当时盛行的“球拍类游戏即将完蛋”的言论嗤之以鼻的诺兰 · 布什内尔，决定开发《乒乓》的单机版本：玩家不再跟对手竞争，而是将球击向一堵墙，每击中一次，墙上就会减少一块砖。他把乔布斯叫进办公室，在自己的小黑板上画出了草图，然后叫他去设计。布什内尔告诉他，如果使用的芯片少于 50 个，那么每少用一个，就会有一笔奖金。布什内尔心里清楚乔布斯并不是一个伟大的工程师，但是他猜测——也猜对了——乔布斯会招来总在附近晃悠的沃兹尼亚克。“我把这看做是买一赠一，”布什内尔回忆道，“沃兹是个更加优秀的工程师。”

当乔布斯邀请沃兹帮忙，并提出两人平分收入的时候，沃兹很兴奋。“这是我人生中受到的最美妙的一次邀请，我可以真正设计一款人们会用到的游戏。”他回忆说。乔布斯说任务必须在 4 天内完成，并且要使用尽可能少的芯片。乔布斯没有告诉沃兹，截止日期其实是自己定的，因为他需要赶去团结农场帮忙迎接苹果丰收。他也没有提到少用芯片会有奖金。

“这样的一款游戏需要耗费大多数工程师几个月的时间，”沃兹回忆说，“我觉得我肯定完成不了，但史蒂夫让我相信自己一定可以。”于是他接连 4 天没有睡觉，完成了任务。白天在惠普上班的时候，沃兹就在纸上画设计草图。下班之后，匆匆吃上一顿快餐，他就会赶到雅达利，在那儿待一晚上。沃兹尼亚克在设计的时候，乔布斯就坐在他左边的凳子上，将芯片布线到电路板上。“史蒂夫捣弄电路板的时候，我就玩我最爱的赛车游戏《极速赛道 10》（*Gran Trak 10*）。”沃兹尼亚克说。

令人惊讶的是，他们真的在 4 天时间里完成了任务，而且沃兹只用了 45 块芯片。虽然后来对此事的描述有多个版本，但在多数版本中，乔布斯只给了沃兹基本酬金的一半，而节省 5 枚芯片得到的奖金被他独吞了。直到 10 年以后，沃兹尼亚克才知道乔布斯得到奖金的事情 [他看到了一本讲述雅达利公司历史的书《咔嚓》（*Zap*）中的故事]。“我想史蒂夫需要那笔钱，他只是没有告诉我事实而已。”沃兹如今这样说道。当他说起这件事的时候，停顿了很长时间，他也承认这事让他很痛苦。“我希望他当时能对我实话实说。如果他告诉我他需要那笔钱，他应该知道我肯定会把钱给他的。他是我的朋友，帮助朋友是天经地义的事情。”对沃兹尼亚克来说，这件事展现了他们两人性格上的差异。“对我来说道德总是很重要的，我直到现在都不明白，他明明收到了那笔奖金却告诉我他没有拿到，”他说，“但你也知道，每个人都是不同的。”

10 年之后，这个故事被报道了出来，乔布斯给沃兹尼亚克打电话否认。“他告诉我他不记得做过这事，如果他做过这种事的话他应该会记得，所以他应该没有做过。”沃兹回忆。当我直接询问乔布斯的时候，他很反常地变得很安静，很迟疑。“我不知道那些传言都是从哪儿冒出来的，”他说，“我拿到的钱，分了一半给他。我跟沃兹之间一直都是这样的。沃兹1978年起就不再工作了，1978年之后他就再没做过任何工作。但他在苹果的股份还是和我一样多。”

会不会众人的记忆都混乱了，乔布斯事实上真的没有少付沃兹钱呢？“有这样的可能，我的记忆全是错的、混乱的。”沃兹告诉我，但停顿了一会儿之后改口了，“但不是这样的，我记得这件事的细节，那张350美元的支票。”他和诺兰·布什内尔以及阿尔·奥尔康都进行了复核。“我记得我跟沃兹谈论奖金的时候，他很不高兴，”布什内尔说，“我说是的，你们每省下一枚芯片都会得到一笔奖金，然后他就摇了摇头，咂了咂嘴。”

不管事情真相到底如何，沃兹都坚持说，这件事情不值得再讨论了。他说，乔布斯是个复杂的人，善于耍手段只是展现了那些助他成功的诸多特性中的阴暗面。沃兹尼亚克永远不会那样，但正如他所说，他也永远创建不了苹果公司。“我宁愿让这件事就这么过去了，”当我再三提起这件事时，他如此回答我，“我不想因为这件事就评判史蒂夫。”

雅达利的这段经历帮助乔布斯完成了他走上商业和设计道路的入门课。他非常欣赏雅达利“投入硬币—躲开克林贡人”这样的游戏简洁性和用户友好性。“那种简洁性影响到了他，让他成为了一个十分注重产品的人。”与乔布斯在雅达利共事过的罗恩·韦恩这样说道。乔布斯还吸收了诺兰·布什内尔那股强势的态度。“诺兰是不允许别人对他说不的，”奥尔康说，“史蒂夫最初以为这样才能做成事情。诺兰从不会谩骂别人，史蒂夫有时候会。但他有同样积极的态度。这种态度让我惧怕，但它确实能办成事情。在这一方面，诺兰称得上是乔布斯的导师。”

布什内尔也同意这一说法。“企业家身上有一种很难描述的气质，我在乔布斯身上看到了那种气质，”他说，“他感兴趣的不仅仅是工程，还包括商业方面的一些东西。我教他，如果你表现得好像你能做某件事，那就能起到作用。我告诉他，装得好像你掌控了一切，别人就会以为你真的掌控了一切。”

第五章

The Apple I

Turn on, boot up, jack in...

Apple I

开机，启动，接入……

1976 年，丹尼尔 · 科特基和乔布斯在大西洋城举行的个人电脑节上展示 Apple I

慈爱的机器

20 世纪 60 年代末，各种文化潮流在旧金山和硅谷交汇。技术革命伴随着军事承包商的发展而兴起，并迅速扩展到电子公司、微芯片制造商、视频游戏软件设计师和计算机公司。这里出现了黑客的亚文化群——云集于此的有资深玩家、电话飞客、电子朋克、业余爱好者以及纯粹的极客——包括那些不愿遵照惠普模式行事的工程师和他们不合群的孩子们。这里有准学术性的团体在研究迷幻药的效果，参与者包括来自帕洛奥图增强研究中心（Augmentation Research Center）的道格 · 恩格尔巴特（Doug Engelbart），他后来参与发明了电脑鼠标以及图形用户界面；还有肯·凯西（Ken Kesey），他为了歌颂毒品举行了一场声光盛宴，请来了一支乐队表演，而这支乐队就是后来的"感恩而死"。在这里，湾区垮掉的一代发起了嬉皮士运动，伯克利的言论自由运动诞生了一批叛逆的政治活跃分子。在此基础上，一系列实现自我、追求心灵启迪的行为风靡一时——禅宗和印度教，冥想和瑜伽，原始尖叫和感觉剥夺，伊莎兰治疗法①和电击休克治疗法。

嬉皮士信仰与计算机力量的交融，思想与科技的结合，都在史蒂夫·乔布斯的身上得到了体现，他早晨冥想，然后去斯坦福旁听物理学课程，晚上在雅达利工作，并梦想着能创办自己的事业。"有些奇妙的事情正在这里上演"，回首彼时彼处，他说道，"最好的音乐来源于此——感恩而死、杰弗逊飞船乐队（Jefferson Airplane）、琼·贝兹（Joan Baez）、詹尼斯·乔普林（Janis Joplin），集成电路以及《全球概览》（*The Whole Earth Catalog*）之类的事物也在这里诞生。"

起初，技术人员和嬉皮士们并没有多少交集。很多反主流文化的人认为电脑是不祥的，是奥威尔式的专制统治工具，应该为五角大楼和统治阶层所独有。在《机器神话》（*The Myth of the Machine*）一书中，历史学家刘易斯·芒福德（Lewis Mumford）警告说，电脑正在一点一点吞噬我们的自由，损害"有益人生的价值观"。那一时期穿孔卡片上的一条警告语——"请勿折叠、卷曲或损坏"——成为了左派反战人士的讽刺用语。

但到了20世纪70年代初期，人们的想法开始转变。"计算机从作为官僚机构的控制工具而被不屑一顾，变成了作为个人表达与自由解放的象征而被欣然接受。"约翰·马尔科夫（John Markoff）在他研究反主流文化群体与计算机产业关系的书《睡鼠说了什么》（*What the Dormouse Said*）中这样写道。理查德·布劳提根（Richard Brautigan）在他1967年创作的诗《慈爱的机器照看一切》（*All Watched Over By Machines of Loving Grace*）中就描绘过这样的场景，而当蒂莫西·利里宣称个人电脑已经成为了新的迷幻药，并将他那句著名言论②改写成"开机，启动，接入"（turn on，boot up，jack in）时，电脑致幻便得到了证实。后来成为乔布斯朋友的音乐人波诺当时经常与他讨论，为什么那些来自湾区的沉

---

① 发源于加州著名的伊莎兰学院，通过按摩帮助个体重新寻回身心的自由和活力。

② 这句话即前文的"Turn on，tune in，drop out"。

溺于摇滚乐和毒品的叛逆反主流文化分子，最终帮助创建了个人电脑产业。“那些开创了21世纪的人，都像史蒂夫一样，他们是来自西海岸、吸着大麻、穿着凉鞋的嬉皮士，他们会从不同的角度去看问题。”他说，“东海岸、英格兰、德国以及日本的等级制度不鼓励这种与众不同的思考方式。60年代孕育的这样一种无政府主义的思维模式，恰恰有助于人类对一个尚不存在的世界展开想象。”

有一个人在推动反主流文化人群与黑客的联合中发挥了作用，他就是斯图尔特·布兰德（Stewart Brand）。这个爱开玩笑的梦想家，在数十年间不断制造快乐和创意，参与了60年代初在帕洛奥图的迷幻药研究。他与一同接受试验的肯·凯西创办了赞美迷幻药的“旅行节”，他还出现在汤姆·伍尔夫（Tom Wolfe）的《令人振奋的兴奋剂实验》（*The Electric Kool-Aid Acid Test*）的开头，他与道格·恩格尔巴特合作创造了利用声光演示新技术的方法，并称其为“演示之母”。“我们这一代的大多数人都将电脑看做集权控制的化身而蔑视它”，布兰德后来写道，“但有一小部分人——也就是后来被称做黑客的人——欣然接受了电脑并开始将它们转变成解放的工具。这一举动后来被证明是通向未来的正确道路。”

布兰德经营着一桩名为“全球卡车商店”（The Whole Earth Truck Store）的生意，刚开始只是一辆四处游荡的卡车，出售各种很酷的工具和教育材料。1968年，为扩大影响范围，他创立了《全球概览》。创刊号的封面就是那张著名的从太空拍摄的地球照片，副标题是“通往工具之路”。潜在的含义是科技也能成为人类的朋友。布兰德在创刊号的第一页上写道：“一个关乎私密的个人力量的领域正在蓬勃发展——这样的力量可以让个人实现自己的教育，找到自己的灵感，塑造自己的环境，与任何感兴趣的人分享自己的经历。《全球概览》的宗旨就是寻找和推广可以协助这一发展进程的工具。”巴克敏斯特·富勒（Buckminster Fuller）紧随其后写了一首诗，开头是这样的：“我在那些可靠的工具和器械中看到了上帝……”

乔布斯对《全球概览》着了迷。他尤其钟爱的是1971年的停刊号，当时他还在上高中，之后他一直带着这期杂志，去了大学，去了团结农场。“在停刊号的封底上，有一幅清晨乡间小路的照片，就是那种如果你有冒险精神，会在搭便车旅行时看到的景象。照片下面有一行字：‘求知若饥，虚心若愚。（Stay hungry,

Stay foolish.)'" 布兰德将乔布斯视为该杂志致力于颂扬的那种混合文化的最完美的化身。"史蒂夫就处在反主流文化与科技的交汇处，"他说，"他看到了工具为人所用的本质。"

布兰德出版这份杂志得到了波托拉协会（Portola Institute）的帮助，这是一个致力于当时计算机教育这个新兴领域的基金会。该基金会也帮助成立了人民电脑公司（People's Computer Company），这并不是一家公司，而是一个出版通讯的组织，他们的口号是"向人民传输计算机的力量"。该组织偶尔会在周三的晚上举行聚餐，两名常客——戈登 · 弗伦奇（Gordon French）和弗雷德 · 摩尔（Fred Moore）——决定成立一家更正规的俱乐部，大家可以在这里分享个人电子设备的最新消息。

他们受到了《大众机械师》（*Popular Mechanics*）杂志 1975 年 1 月刊的启发，这期杂志的封面照是第一台个人计算机——阿尔泰（Altair）。阿尔泰其实没什么——只是价值 495 美元的一堆零部件，还必须被焊接到一块电路板上才能执行非常少的任务，但对于业余爱好者和黑客们来说，它预示着一个新纪元的来临。比尔 · 盖茨和保罗 · 艾伦（Paul Allen）看了那一期杂志后，就开始研发用于阿尔泰的BASIC语言版本。乔布斯和沃兹尼亚克也被这期杂志深深吸引了。当阿尔泰的评测样机来到人民电脑公司的时候，它立刻成为了弗伦奇和摩尔决定成立的俱乐部的首次会议的中心议题。

家酿计算机俱乐部

新成立的组织叫做家酿计算机俱乐部（The Homebrew Computer Club），它如同《全球概览》一般，融合了反主流文化与科技。这个俱乐部之于个人电脑时代，就如同土耳其人咖啡馆（Turk's Head coffee-house）之于约翰逊博士（Dr. Johnson）[①]那个时代，思想在其间得以交流和传播。会议于 1975 年 3 月 5 日，在弗伦奇位于门洛帕克的车库中举行，摩尔为此写了传单。"你想搭建自己的计算机吗？抑或是终端机，电视机，打印机？"传单上这么写着，"如果是的话，来

① 英国著名作家塞缪尔 · 约翰逊，他和多位友人定期会在土耳其人咖啡馆聚会。

参加与你志趣相投的人们的聚会吧！”

艾伦·鲍姆在惠普的公告栏上看到了这张传单，然后打电话告诉了沃兹尼亚克，沃兹同意跟他一起参加。“那天晚上是我一生中最重要的夜晚之一。”沃兹尼亚克回忆道。另外还有差不多30人出现在当晚的聚会上，弗伦奇的车库都被挤满了，大家轮流介绍自己的兴趣爱好。摩尔的会议记录显示，沃兹尼亚克——后来他承认自己当时极度紧张——说他喜欢“视频游戏、酒店里的收费电影、科学计算器设计以及电视机设计”。会上演示了阿尔泰计算机，但对于沃兹来说，更重要的是他见到了一枚微处理器的规格表。

当他想到微处理器时——也就是带有一整块中央处理单元的芯片——他有了一个想法。他一直在设计一台终端机，带有键盘和显示器，可以连接到一台小型机上。利用一枚微处理器，他就可以将小型机的一部分性能转移到终端机上，这样终端机就可以变成一台独立的小型台式机。这个主意在他脑海中萦绕了很久：键盘、屏幕、计算机整合在一套个人装置中。“我脑子里突然就冒出来这个关于个人电脑的设想，”他说，“那天晚上，我开始设计后来成为Apple I计算机的草图。”

起初他打算使用与阿尔泰上一样的微处理器，英特尔8080。但每一枚芯片“比我一个月的房租还贵”，所以他就开始寻找替代品。他找到了摩托罗拉6800，他有一个在惠普工作的朋友能以40美元一枚的价格搞到。之后他又找到了MOS科技公司（MOS Technologies）制造的一款芯片，在电子特性上与摩托罗拉6800是一样的，但每枚只要20美元。这样一来他的机器的价格就会更低廉，让人买得起，但也为此付出了一个长期的代价——英特尔的芯片后来成为了行业标准，而苹果的电脑因为与之不兼容而饱受困扰。

每天下班以后，沃兹尼亚克就回到家，一边看电视一边吃晚饭，然后就回到惠普公司连夜研究他的计算机。他把零件散布在他的小隔间里，搞清楚它们放置的部位，然后焊到主板上去。之后他开始编写软件程序，能够让微处理器在屏幕上显示图像。因为承担不起使用电脑的花费，他所有的代码都是手写的。几个月之后，他准备好测试了。“我在键盘上按了几个键，然后就震惊了！那些字母都显示在了屏幕上。”那天是1975年6月29日，星期天，个人电脑历史上具有里程碑意义的时刻。“那是历史上第一次，”沃兹尼亚克后来说，“一个人在键盘上按下几个键，然后在面前的屏幕上看到对应的字符立刻被显示了出来。”

乔布斯也大吃一惊。他连问了沃兹尼亚克好几个问题：这台电脑能联网吗？是否有可能添加一块磁盘作为存储器？他还开始帮沃兹尼亚克找来零件。最为重要的就是DRAM（动态随机存取存储芯片）。乔布斯打了几个电话，就免费从英特尔得到了一些芯片。“史蒂夫就是那样的人，”沃兹尼亚克说，“他知道怎么跟销售代表说话。我就不行，我太羞涩了。”

乔布斯开始跟随沃兹尼亚克一起参加家酿计算机俱乐部的会议，他背着显示器帮忙组装。这个会议已经吸引了100多个狂热爱好者，会议地点也转移到了斯坦福线性加速器中心的大礼堂，之前乔布斯和沃兹也正是在这个中心找到了那本帮助他们制造蓝盒子的电话系统手册。会议由另一位反主流文化与计算机产业融合的代表人物李·费尔森施泰因（Lee Felsenstein）主持，他手拿指示器，态度随意自由。他是工程学院的辍学生，曾经参加过言论自由运动，也是一名反战分子。他也曾为地下报纸《伯克利芒刺报》（*Berkeley Barb*）写过文章，之后又干回老本行，成为了一名电脑工程师。

每次会议开场，费尔森施泰因都会进行一个“映射”环节，发表一些简短的评论，然后由一名指定的爱好者进行正式的演示，最后是“随机存取”环节，大家随意走动，互相交流。沃兹由于太害羞，通常不会在会上发言，但大家在会议结束后会聚集在他的机器旁，他就会很自豪地演示他的进展。摩尔为这个俱乐部灌输的精神就是交换与分享，而不是做买卖。“这个俱乐部的主题，”沃兹说，“就是乐于奉献，帮助他人。”这是黑客伦理的一种体现：信息应该是免费的，也不能迷信权威。“我之所以设计Apple I，就是因为我想把它免费贡献给别人。”沃兹尼亚克说。

但比尔·盖茨不是这么想的。他和保罗·艾伦完成了阿尔泰电脑的BASIC语言编译器后，家酿计算机俱乐部的成员复制了该编译器并且在没有付费给他的情况下相互分享，这让盖茨很是没料到。于是他给俱乐部写了那封著名的信：“请大多数业余爱好者们意识到，你们的软件都是偷来的。这公平吗？……你们这样做只会让别人不再愿意编写好的软件。谁能承受得起无偿进行专业的工作？……如果有谁愿意付钱的话，给我来信，我会很感激。”

与盖茨类似，史蒂夫 · 乔布斯也不希望沃兹尼亚克的发明——不管是蓝盒子还是电脑——是免费的。所以他说服了沃兹，让他不要再免费送出他的设计原理图。反正大多数人也没时间来自己搭一台电脑，这是乔布斯的理由。“我们为什么不做好印刷电路板然后卖给他们呢？”这就是他们合作关系的一个写照。“每次我设计出一样很棒的东西，史蒂夫就会找到办法为我们赚到钱。”沃兹说。他承认，他自己绝不会有赚钱的想法。“我心里从没有想过要卖电脑，”沃兹回忆道，“是史蒂夫说的，我们把这些拿出来给大家看看，卖出去一些。”

乔布斯想到了一个计划，付钱给雅达利公司的一个熟人，让他帮忙绘制电路板，然后制作 50 张左右。这样的花费是 1 000 美元上下，还要加上给设计者的酬劳。他们可以把每块电路板卖 40 美元，这样的话利润大概是 700 美元。沃兹不相信他们能把电路板都卖掉。“我甚至看不出怎么收回成本。”他回忆说。因为银行拒付他的支票，他已经惹恼了房东，现在每个月只能用现金付房租。

乔布斯知道怎样说服沃兹。他没有争辩说他们一定能赚钱，而是说这一定会是一次有趣的经历。“即使我们赔了钱，我们也能拥有一家公司，”乔布斯说，当时他们正开着他的大众汽车转悠，“在我们的一生中，至少有这么一次，我们会拥有一家公司。”这句话对沃兹尼亚克的诱惑太大了，比变成富人的诱惑还要大。沃兹尼亚克回忆道：“想象一下那种情景我就兴奋，两个最要好的朋友创办一家公司！天哪！我立马就同意了，我怎么可能拒绝？”

为了筹集所需资金，沃兹尼亚克以 500 美元的价格卖掉了自己的惠普 65 计算器，但是最后买家只给了一半的钱。乔布斯则把自己的大众汽车卖了 1 500 美元。当初他父亲就反对他买这辆车，乔布斯也必须承认父亲是对的。事实证明那辆车的确让人头疼。实际上，买下这辆车的人两个星期之后就回来找乔布斯，说引擎坏掉了。乔布斯同意支付维修费用的一半。虽然有这些小挫折，但在把各自微薄的积蓄投入之后，他们现在已经拥有了 1 300 美元的运营资本，还有产品设计以及一个计划。他们就要建立自己的电脑公司了。

苹果诞生了

既然决定开公司了，就要给公司起个名字。乔布斯之前又去了一次团结农场，在那里给格拉文施泰因苹果树剪了枝，沃兹去机场接他。在回洛斯阿尔托斯的路上，两人讨论了好几个名字。他们考虑过一些典型的技术词汇，比如“矩阵”(Matrix)；或者自己创一个新词，像“Executek”，融合了“执行”与“科技”；又或者干脆用个直白又无趣的名字，比方说“个人电脑股份有限公司”(Personal Computer Inc.)。决定名字的截止日期是第二天，因为乔布斯准备递交申请文件了。最后，乔布斯提议叫“苹果电脑公司”[①]。“我那段时间正在吃水果餐，”他解释说，“我刚刚从一个苹果农场回来。这名字听上去有意思，有活力，不吓人。‘苹果’削弱了‘电脑’这个词的锐气。还有，这能让我们在电话簿上排在雅达利之前。”他告诉沃兹，如果到第二天下午还想不到更好的名字，那就用“苹果”。结果，他们真的用了。

“苹果”——这是个明智的选择。这个词立刻释放出友好而简洁的信号。这个名字既有一点儿标新立异，又不会让人觉得古怪。名字里带有一点点反主流文化、返璞归真的气息，又十分美国化。这两个词放在一起——苹果电脑——制造了一种有趣的分裂感。“这个名字有点儿无厘头，”迈克·马库拉（Mike Markkula）说，他后来成了这家新公司的第一任董事长，“它会让你仔细回味。苹果和电脑，这两者根本扯不上关系啊！如此一来，就增加了我们的品牌知名度。”

沃兹尼亚克还没有准备好全身心加入苹果。他骨子里还是个惠普的人，至少他是这么想的，他还想保留自己在那儿的工作。乔布斯意识到，自己需要一个盟友，一来是要帮助说服沃兹，二来是在自己和沃兹有意见分歧的时候打破僵局。所以他请来了朋友罗恩·韦恩，雅达利那个曾经开过老虎机公司的中年工程师。

韦恩知道，要让沃兹尼亚克离开惠普很困难，当下也没有必要让他离开那儿。当前的关键问题是说服他将他的电脑设计归为苹果公司所有。“沃兹对自己设计的电路有一种家长情结，他希望这些电路能有其他应用，或者让惠普也可以使用，”韦恩说，“乔布斯和我意识到，这些电路将会是苹果公司的核心。我们在我的公寓里讨论了两个小时，终于让沃兹接受了这个条件。”他的理由是，一个

① 苹果公司当时名为Apple Computer，之后公司名称中去掉了Computer。

伟大的工程师，只有和一个伟大的营销人员合作，才有可能被世人所铭记，这就要求沃兹的设计全部专属于这家新公司。乔布斯很高兴，也很感激，因此他将新公司 10%的股份赠与了韦恩，让他成为了苹果公司的皮特 · 贝斯特（Pete Best）。更为关键的是，当乔布斯和沃兹在某个问题上有分歧时，韦恩可以决定最后的结果。

“他们两个很不同，却组成了一支强大的队伍。”韦恩说。乔布斯有时候像恶魔附身一样，而沃兹则像个被天使控制着的孩子。乔布斯有虚张声势的本事，这让他可以做成事情，虽然有时候要利用别人。他有时候极富魅力，能让你着迷，但他也可以冷酷、残忍。而沃兹尼亚克却很害羞，有点儿社交障碍，这让他显得如同孩子一般可爱。“沃兹在某些方面十分聪明，但他就像个天才白痴一样，跟不认识的人打交道的时候就会手足无措。”乔布斯说，“我们是最佳拍档。”乔布斯敬畏沃兹在技术设计方面的才华，沃兹则佩服乔布斯的商业能力，这样相得益彰。“我从来都不愿意跟别人打交道，也不想触怒别人，但史蒂夫就有这个本事，给陌生人打电话还能让人家帮他做事，”沃兹尼亚克说，“他对他认为不聪明的人会很粗暴，但他从没有粗鲁地对待过我，即使到了后来，有些问题我给不出一个让他满意的答案。”

在沃兹尼亚克同意让他的新电脑设计成为苹果公司的财产之后，他还是觉得这些设计应该首先提供给惠普，因为那是他工作的地方。“我觉得，在我还任职于惠普的情况下，把我作出的设计告知他们是我的责任，”沃兹尼亚克说，“这是正确的，也是符合伦理标准的。”于是在 1976 年的春天，他向老板以及高级经理们展示了自己的成果。会上的高级主管对这个设计印象颇佳——也有些难以取舍——但最后他还是说这不是惠普所能开发的。至少就现阶段而言，它还只是业余爱好者的玩具，无法融入公司的高品质细分市场。“我很失望，”沃兹回忆道，“但这也意味着我可以自由地投入到苹果公司的合作关系中去了。”

1976 年 4 月 1 日，乔布斯和沃兹去韦恩在山景城的公寓起草合作协议。韦恩说他有“用法律术语书写文件”的经验，所以这份三页纸的协议是由他完成的。他的“法律术语”确实运用得很好，各个段落都是以这样华丽的辞藻开头的：“在此注意……在此进一步注意……据此，考虑到各方利益分配……”但对于股权和利润的分配是简单明了的——45%—45%—10%——协议中还规定，任何超过 100 美元的支出，都需要得到至少两名合伙人的同意。此外，各方的责任也都划分明确。“沃兹尼亚克主要负责电子工程的执行；乔布斯负责电子工程和市场营销；韦恩负责机械工程以及文书工作。”乔布斯用小写字母签上了自己的名字，沃兹小心翼翼签上了草体字，韦恩的签名是难以辨认的潦草字体。

之后韦恩就退缩了。乔布斯开始计划借入并花掉更多的钱，韦恩便想起了以前自己公司失败的教训，他不想再经历一次那样的过程。乔布斯和沃兹都没有个人资产，但韦恩在他的床垫里藏了金币（他担心世界经济崩溃）。因为构成苹果公司的是非常简单的合伙人关系，而不是公司体系，所以合伙人个人需要对债务负责任，因此韦恩担心潜在的债权人会向自己追债。所以 11 天之后，他就回到了圣克拉拉的办公室里，带着一份“退出声明”和一份合作协议修正案。“经过协议各方的重新评估，”修正案开头说，“韦恩将不再以‘合伙人’身份参与公司运作。”文件中提到，作为对他持有的 10%公司股份的回购，他得到了 800 美元，此后不久又得到了 1 500 美元。

如果当初他留在了苹果公司并继续持有这 10%的股份，那么到 2010 年底这些股票的价值是大约 26 亿美元。然而，现在他住在内华达州帕朗市的一座小房子里，玩玩老虎机，靠社会保险金度日。他宣称自己毫不后悔。“我作了当时对我最有利的选择，”他说，“他们两个都是疯狂的家伙，我知道自己的承受能力，我不准备冒那样的险。”

苹果公司正式成立之后不久，乔布斯和沃兹尼亚克就共同登台，在家酿计算机俱乐部进行了一次演示。沃兹展示了他们最新生产出来的一块电路板，描述了上面使用的微处理器、8kb的内存，以及他编写的BASIC语言的程序版本。他还强调了“关键部件”是人性化的键盘，而不再是笨重的、让人困惑的由大堆灯泡和开关组成的面板。然后轮到乔布斯讲话。他指出苹果的产品与阿尔泰不同，所有的关键元部件都已经内置在机器中了。然后他问了大家一个问题：人们愿意花多少钱来购买这么一台完美的机器？他是在努力让大家看到苹果电脑的惊人价值。这是他在后来几十年的产品发布会上一直沿用的华丽辞藻。

然而观众并不是很感兴趣。苹果电脑使用的是二流的微处理器，而不是英特尔8080。但是有一个重要人物留了下来，想要获得更多信息。他的名字叫保罗·特雷尔（Paul Terrell），1975年他开了一家电脑商店Byte Shop，就在门洛帕克的国王大道上。而一年之后的现在，他已经有了三家店，并且计划将其发展为全国连锁。乔布斯非常兴奋能给他私下作演示。“看看吧，”他说，“你会喜欢上你看到的东西。”特雷尔看后印象深刻，把自己的名片给了乔布斯和沃兹。他说：“保持联系。”

“我来跟你联系了。”第二天，乔布斯光着脚兴冲冲地走进了Byte Shop。他做成了买卖。特雷尔同意订购50台电脑。但是有一个条件。特雷尔并不想要只值50美元的印刷电路板，因为顾客买了这个之后还要再去买芯片然后自己组装。这也许能吸引一些狂热的爱好者，但大多数顾客不愿意这么麻烦。他要的是完全组装好的产品。为此他愿意每台出价500美元，货到付款，现金结账。

乔布斯立刻给还在惠普的沃兹打了电话。“你现在坐着吗？”他问。沃兹回答说没有。不管怎样乔布斯还是把消息告诉了他。“我被震住了，完全震住了，”沃兹尼亚克回忆说，“我永远都忘不了那一刻。”

为了完成订单，他们需要价值15 000美元的零部件。在家园高中和他们一起搞恶作剧的艾伦·鲍姆以及他的父亲，愿意借给他们5 000美元。乔布斯想从洛斯阿尔托斯的一家银行借一些钱，但银行经理看了看他，不出所料，拒绝了。他去了哈尔泰克商店，提出拿苹果公司的股权换取一些零部件，但商店老板认为他们只是“两个年轻的邋遢小子”，也拒绝了。雅达利的奥尔康愿意卖给他们芯片，但必须预付现金。最终，乔布斯说服克拉默电子公司（Cramer Electronics）的经理亲自打电话给保罗·特雷尔，确认对方是否真的下了一个25 000美元的订单。当时特雷尔正在开会，他听到喇叭里在叫他，说有紧急来电（乔布斯不停地打电话）。克拉默公司的经理对他说，两个衣着邋遢的小子走进自己的店里，挥舞着一张Byte Shop的订单。订单是真的吗？特雷尔确认了订单的真实性，克拉默商店同意将零件预支给他们，账期30天。

车库工厂

乔布斯一家位于洛斯阿尔托斯的房子，成为了这50块Apple I主板的组装工厂。主板必须在30天内送到Byte Shop，因为零件的付款期限就是30天。所有人都加入了——乔布斯和沃兹，还有丹尼尔·科特基和他的前女友伊丽莎白·霍姆斯（她已经脱离了之前加入的邪教组织），以及乔布斯怀孕了的妹妹帕蒂。帕蒂空出来的卧室，以及厨房的桌子，还有车库都变成了工作地点。霍姆斯曾经上过珠宝课程，所以她被安排焊接芯片。“大多数我都做得不错，可是有几个被我滴上了助焊剂。”她说。这让乔布斯很不高兴，他埋怨道：“我们可没有多余的芯片。”事实的确如此。他把霍姆斯调到了厨房桌子上去负责记账和文书工作，他自己负责焊接。他们做完一块电路板后，就交到沃兹尼亚克手中。“我会把装好的主板连接上电视机和键盘进行测试，看看能不能工作，”他说，“如果能工作了，我就把它装进盒子里，如果不能的话，我还要找出哪只管脚没插好。”

保罗·乔布斯也停下了自己修理汽车的副业，这样一来苹果公司的一帮人就能占用整个车库了。他在车库里放了一张长长的旧工作台，在他刚弄好的石膏板墙上挂了一张电脑示意图，还装了一排贴好标签的抽屉用来放零件。他还用好几台加热灯搭了一个高温箱，这样就可以测试主板在高温下连夜运转的状态。每当他的儿子脾气爆发的时候（这是很常见的现象），保罗·乔布斯就会把自己的冷静传输给他一些。“怎么啦？”他会说，“火烧屁股了？”作为交换，他偶尔会把电视机借走，因为这是家中唯一的一台，他要看橄榄球比赛的终场。这时候，乔布斯和科特基就会到外面的草坪上弹吉他。

乔布斯的母亲并不介意自己的家被一大堆零件和客人占领，但是儿子越来越怪异的饮食习惯让她很受挫。“史蒂夫的饮食强迫症总是招来她的白眼，”霍姆斯回忆说，“她只想要儿子健康，而史蒂夫却会发表一些奇怪的宣言，比如：‘我是个果食主义者，我只吃由处女在月光下采摘的叶子。’”

12块组装好的主板经过沃兹尼亚克检验合格后，被乔布斯送到了Byte Shop。特雷尔有点儿吃惊——没有电源，没有外壳，没有显示器也没有键盘——他期待的可不是这样的产品。但乔布斯死死盯着他，他只好同意收货付钱。

30天之后，苹果公司已经接近赢利状态了。“这些主板的实际造价比我们预想的要低，因为零件我买得很划算，”乔布斯回忆道，“所以我们卖给Byte Shop 50块主板收回的钱，足够支付100块主板的材料费。”通过把剩下的50块卖给朋友和家酿计算机俱乐部的同仁，他们可以真正实现赢利了。

伊丽莎白·霍姆斯正式成为了苹果的兼职记账员，时薪4美元，她每周从旧金山回来一次，想办法把乔布斯支票簿上的数目移入总账。为了看上去像一家正规公司，乔布斯租用了接听电话服务，所有的留言都会被转给他母亲。罗恩·韦恩为公司设计了商标，他使用维多利亚时代插图小说风格的华丽线描，画的是牛顿坐在一棵树下，边框上还引用了华兹华斯的一句诗："一个灵魂，永远孤独地航行在陌生的思想海洋中。"这是略显古怪的一句格言，其实更加符合罗恩·韦恩的自身形象，而不是苹果公司。也许更加贴切的诗句来自华兹华斯对法国大革命发起者的描述："能活在黎明时光是何等幸福/但在那时是个青年更胜似天堂！（Bliss was it in that dawn to be alive/ But to be young was very heaven！）"正如后来沃兹欣喜谈到的："我想我们参与了历史上最伟大的革命，我很高兴自己是其中的一分子。"

沃兹已经开始思考下一代机器了，所以他们把当时的机型称为Apple I（苹果I型）。乔布斯和沃兹不停地奔走于国王大道，希望电子商店能够出售自己的电脑。除了卖给Byte Shop的50台以及卖给朋友的50台，他们又开始生产100台供给零售商店。果然，他们两人之间又有了矛盾：沃兹想以成本价出售，而乔布斯想好好赚一笔。乔布斯赢了。他设定了一个零售价，差不多是成本的3倍，在特雷尔和其他商店支付的500美元批发价的基础上又上涨了33%，也就是666.66美元。"我一直都很喜欢重复的数字，"沃兹尼亚克说，"我的'打电话听笑话'服务的号码是255-6666。"他们两个都不知道的是，666是《圣经·启示录》中"恶魔的数字"。不过很快他们就遭到了抗议，特别是在当年大热的电影《凶兆》重点突出了数字666之后。（2010年，一台原版Apple I在佳士得的一场拍卖中以213 000美元售出。）

这台新机器的第一次专题报道出现在1976年7月的《界面》（*Interface*）杂志上，这是一本面向业余爱好者的杂志，现在已经停刊。乔布斯和朋友们还在家中动手组装机器，但报道文章中已经称他为"市场总监"和"前雅达利的私人顾问"了。这让苹果听上去像个真正的公司。"史蒂夫与许多电脑俱乐部进行交流，以掌握这一新兴产业的脉搏，"报道中称，并且还引用了乔布斯的解释，"如果我们可以了解他们的需求、感受和动机，我们就可以作出正确的回应，生产出他们所需要的产品。”

那个时候，他们已经有了阿尔泰之外的竞争者，其中最著名的是IMSAI 8080和处理器科技公司（Processor Technology Corporation）的SOL-20。后者是由家酿计算机俱乐部的李 · 费尔森施泰因和戈登 · 弗伦奇设计的。1976 年的劳工节周末，第一届年度个人电脑节在新泽西州的大西洋城举行，活动地点在一座陈旧的酒店里，酒店位于当时已经开始破败的木板路上。所有人都有机会展示自己的产品。乔布斯和沃兹尼亚克搭乘环球航空公司的航班前往费城，他们将Apple I放在一只雪茄盒子里，沃兹正在开发的第二代样机放在另一只盒子里。费尔森施泰因就坐在他们后面一排，他看到Apple I后，称之“十分平庸”。这番评论让沃兹失去了信心。“我们听见他们在用很高深的商业术语讲话，”他回忆说，“用的都是我们从没有听过的类似商业术语的缩略词。”

沃兹大多数时间都待在酒店房间里，研究他的新样机。展览大厅的后面有一张桌子被安排给了苹果公司，沃兹太害羞了，根本没勇气站在那里介绍产品。当时在哥伦比亚大学就读的科特基，从曼哈顿搭乘火车来到了这里，他坚守在桌旁，乔布斯则四处走动观察竞争对手的情况。他看到的东西并不能打动他。他确信，沃兹尼亚克是最好的电路工程师，Apple I（当然也包括它的第二代）在功能上绝对可以击败所有对手。然而，SOL-20 拥有更加迷人的外观。它有一个造型优美的金属盒子，附带键盘、电源以及线缆。看上去这才是成年人设计的产品。相比之下，Apple I就显得和它的发明者一样邋遢不堪。

第六章

The Apple II

Dawn of a new age

Apple II

新时代的曙光

Apple II

一体机

乔布斯在个人电脑节的展厅考察了一番后，意识到Byte Shop的保罗 · 特雷尔说对了：个人电脑应该以整套设备的形式呈现给消费者。他决定，下一代的苹果电脑需要自带一个漂亮的箱子和内置键盘，整合其他关键元素，从电源到软件到显示器。“我的想法是制造第一台整合所有部件的电脑，”他回忆道，“我们的目标客户不再是少数喜欢自己组装电脑、知道如何购买变压器和键盘的业余爱好者。希望电脑拿到手就可以运行的人，其数量是业余爱好者的 1 000 倍。”

1976 年的那个劳工节周末，在他们的酒店房间里，沃兹尼亚克在完善新一代机器的样机——也就是后来的Apple II，乔布斯希望这台机器能将他们的事业带上一个新的台阶。这台机器只被他们带出过房间一回，是在某一天的深夜，他们将它带到了一间会议室，连接上彩色投影电视进行测试。沃兹尼亚克有一个绝妙的想法，可以让机器芯片运行出色彩，他想要看看这种方法在一台使用投影仪显示图像的电视机上能否起作用。“我想，投影仪使用的色彩电路不同，和我的色彩生成方法一起工作的时候可能会发生错误，”他回忆道，“所以我就把Apple II连接到了这台投影仪上，结果运行非常完美。”他在键盘上一番敲击之后，彩色的线条和螺旋图案就在屏幕上出现了。唯一一个见到Apple II的局外人是酒店的技术员。他说他见过所有的机器，但这一台才是他愿意购买的。

要生产整套的Apple II需要大量的资金投入，于是他们考虑将股权出售给更大的公司。乔布斯去找了阿尔·奥尔康，希望能得到机会向雅达利的管理层进行推销。奥尔康安排他与公司的总裁乔·基南（Joe Keenan）会面，此人相比奥尔康和布什内尔要保守许多。“史蒂夫进去向他推销，但是乔根本无法忍受他，”奥尔康回忆说，“史蒂夫的个人卫生状况让他很不满。”当时乔布斯光着脚，还一度把脚搁到了桌子上。“我们不光不会买你的东西，”基南吼道，“还要请你把脚放下来！”奥尔康回忆自己当时的想法：“完了，没戏了。”

9月，康懋达电脑公司（Commodore Computer）的查克·佩德尔（Chuck Peddle）来到乔布斯家中观看他的演示。“我们打开了史蒂夫家的车库门，让阳光照射进来，查克走了进来，穿着西装，戴着牛仔帽。”沃兹回忆道。佩德尔非常喜欢Apple II，他于数周后在公司总部为高层人员安排了一场演示。“你也许有兴趣花几十万买下我们公司。”乔布斯到那儿后说了这样一句话。沃兹尼亚克记得当时自己被这个“荒唐的”建议惊得目瞪口呆，但乔布斯坚持要这么做。几天之后，康懋达公司打来电话说，他们认为研发自己的电脑更加省钱。乔布斯并不沮丧，他全面考察了康懋达公司后，认为该公司的管理层太“卑劣”了。沃兹尼亚克对于失去了这笔投资并不感到遗憾，但是当9个月后，该公司推出了他们自己的电脑“Commodore PET”的时候，他作为一名工程师，在感情上受到了极大的伤害。“那玩意儿让我觉得恶心，”他说，“他们太急于求成了，所以做出这么一个蹩脚的产品。他们本来可以拥有苹果的。”

对康懋达公司的这次出售未果也让一直暗藏在乔布斯与沃兹尼亚克间的冲突浮出水面：他们对苹果公司的贡献真的一样多吗？他们之间的利益又该如何分配？杰里·沃兹尼亚克一直都认为工程师的价值要远超过企业家和营销人员，他觉得大多数钱都应该归他儿子所有。乔布斯来家里作客时，杰里当面向他提出了自己的不满。“你不配得到这么多，”他告诉乔布斯，“你没有做出过任何产品。”乔布斯哭了起来，这在他身上是很常见的事情。他一直都不擅长控制自己的情绪——以后也不会擅长。乔布斯告诉沃兹尼亚克，他愿意停止他们的合作关系。“如果我们不能对半分账的话，”他对自己的朋友说，“你可以全部收为己有。”然而，沃兹尼亚克比自己的父亲更加了解自己与乔布斯之间的共生关系。如果不是乔布斯的话，他可能还在家酿计算机俱乐部的会议上免费发放自己设计的电路板的原理图，是乔布斯将他的技术工程天赋转化成了蓬勃发展的生意，正如当年的蓝盒子一样。他同意继续保持合作关系。

这是个明智的决定。要想让Apple II取得成功，需要的不仅仅是沃兹尼亚克杰出的电路设计能力。Apple II需要成为一台完整的全功能消费产品，这就需要乔布斯施展拳脚了。

他第一步便是请以前的合伙人罗恩 · 韦恩设计一个箱子。“我想他们没什么钱，于是我就做了一款不需要使用工具加工的箱子，普通的五金商店就能制造出来。”他说。他的设计结果出来了：一个有机玻璃制成的壳子，附带有金属条以及一扇可以盖住键盘的卷门。

乔布斯并不喜欢这个箱子。他想要的是简单又精致的设计，可以让苹果电脑从那些配有笨重的灰色金属箱的电脑中脱颖而出。有一次他在梅西百货的家用电器通道闲逛时，厨艺公司（Cuisinart）的食品加工机触发了他的灵感，他决定要一个光滑的机箱，由轻便的模制塑料制成。在一次家酿计算机俱乐部的会议上，他出价 1 500 美元，请一名当地的技术顾问杰里 · 马诺克（Jerry Manock）将这个设计制造出来。乔布斯的着装形象让马诺克有些半信半疑，他要求乔布斯预支报酬。乔布斯拒绝了，但马诺克还是接受了这份工作。几个星期后，他就做出了一个简单的发泡成型的塑料箱，整齐简洁，看上去很友好。乔布斯十分激动。

接下来是电源的问题。像沃兹尼亚克这样的数字极客是不大会关注电源这种不起眼的部件的，但乔布斯认为这是一个关键部件。具体地说，他想要的——也是他整个职业生涯中一直追求的——是在不使用风扇的情况下供电。计算机内部的风扇有悖于禅意，它们的噪音会让人无法集中精神。乔布斯去雅达利公司咨询奥尔康，他了解老式的电气工程。“奥尔康把一个叫罗德 · 霍尔特（Rod Holt）的聪明家伙介绍给我，这是个烟不离手的马克思主义者，结过多次婚，精通所有事物。”乔布斯回忆。和马诺克以及其他第一次见到乔布斯的人一样，霍尔特打量了他一番，满腹狐疑。“我收费很高的。”霍尔特说。乔布斯感觉到此人一定物有所值，于是说钱不是问题。“他就这么说服我为他工作了。”霍尔特说，他后来加入苹果公司，成为了一名全职员工。

霍尔特并没有使用传统的线性电源，而是制造了一个与示波器等仪器上使用的相类似的开关电源。这就意味着，在一秒钟之内，通断电的次数不是60次，而是上千次，这样电源存储电能的时间就大大减少，散热量也随之减少。“那个开关电源和Apple II电脑上的逻辑电路板一样，都是革命性的发明，”乔布斯后来说，“罗德并没有因此得到太多的赞誉，但他应该名垂青史。现在所有的电脑都使用开关电源，而这都是盗用了罗德的设计。”尽管沃兹尼亚克天赋异禀，电源设计却非他能力所及。“我只大概知道开关电源是个什么东西。”他说。

乔布斯的父亲曾经教导过他，追求完美意味着：即便是别人看不到的地方，对其工艺也必须尽心尽力。乔布斯将这一理念应用到了Apple II的内部电路板布局上。他否决了最初的设计，理由是其中的线路不够直。

这种完美主义的激情也让乔布斯更加放纵自己的控制欲。大多数的黑客和业余爱好者都喜欢定制和改装自己的电脑，往上面插上各种部件。对乔布斯来说，这会威胁到无缝的用户体验。骨子里还是一名黑客的沃兹尼亚克并不同意。他想要Apple II带上8个扩展槽，可以让用户随心所欲地插上小型电路板或者外接设备。乔布斯坚持只能有两个扩展槽，一个给打印机，另一个给调制解调器。“通常我是个很好说话的人，但这一次我告诉他：‘你要是只想要两个扩展槽的话，就自己去做一台吧。’”沃兹回忆道，“我知道，像我这样的人最终总是会想出点儿东西来加到电脑上的。”这场争执以沃兹的胜利告终，但他能感觉到自己的影响力正在减弱。“当时我还能有那样的话语权，但我不会一直都有。”

迈克 · 马库拉

这一切都需要用钱。“塑料箱子的加工要花费大概10万美元，”乔布斯说，

“实现量产需要差不多 20 万美元。”他又回去找诺兰 · 布什内尔，想让他投资一笔钱，换取小部分股权。“他问我能不能投入 5 万美元，他会把公司 1/3 的股权给我，”布什内尔说，“我当时自认为很聪明，拒绝了他。现在想想这件事，觉得挺有意思的，当然更多的是欲哭无泪的感觉。”

布什内尔建议乔布斯去找唐 · 瓦伦丁（Don Valentine）试试。唐是个心直口快的人，曾在国家半导体公司任营销经理，后来创办了风险投资界的先驱企业——红杉资本（Sequoia Capital）。瓦伦丁开着奔驰来到了乔布斯家的车库，穿着蓝色西装和系领扣的衬衫，打着棱纹领带。布什内尔回忆说，瓦伦丁后来给他打电话，半开玩笑半严肃地问：“你为什么要让我去见那些连人类都算不上的怪胎？”瓦伦丁说不记得是否说过这样的一句话了，但他承认自己当时觉得乔布斯的样子和身上的气味都很怪异。“那时候史蒂夫努力要成为反主流文化的化身，”瓦伦丁回忆说，“他留着一撮胡子，非常消瘦，看上去就像胡志明。”

当然，如果仅仅以貌取人，瓦伦丁也不可能成为硅谷的顶尖投资者。让他烦恼的是，乔布斯对市场营销一窍不通，而且满足于到各个电子商店挨家叫卖这种销售模式。“如果你想要我给你投资的话，”瓦伦丁告诉他，“你必须找一个合作伙伴，这个人要了解销售，还要能写商业计划书。”当有长者给乔布斯建议的时候，他有时候会愤怒，有时候则又显得很热切，在瓦伦丁这儿，他表现出的是后者。“给我三个推荐人选吧。”他回复说。瓦伦丁照做了，乔布斯见了这三个人，并与其中一个一拍即合——这个人叫迈克 · 马库拉，他在苹果公司未来 20 年的发展中，扮演了关键的角色。

马库拉当时才 33 岁，但已经处于退休状态，之前他先后供职于仙童公司和英特尔，后者上市之后，他凭着股票期权赚了几百万。他是个谨慎而又精明的人，作为高中时期的体操运动员，每一步行动都力求精准，同时他还精于定价策略、销售网络、市场营销以及财务。在享受自己新赚来的财富时，尽管已经有所克制，但还是显得极尽奢华。他先是在太浩湖边给自己建了一座房子，之后又在伍德赛德的山区建了一座超大豪宅。他第一次去乔布斯的车库与其会面时，没有像瓦伦丁那样开深色奔驰，而是开着一辆锃亮的金色克尔维特（Corvette）敞篷车。“我到车库的时候，沃兹就在工作台边，他立刻就开始展示Apple II，”马库拉回忆说，“我没有太关心他们两个的长头发，而是被桌上的东西吸引了。头发什么时候都可以剪嘛。”

乔布斯立刻就喜欢上了马库拉。“他个子不高，在英特尔的时候寻求晋升市场营销的最高职位遭遇过失败，我觉得这些都让他很想要证明自己。”他的正直和公正也给乔布斯留下了深刻的印象：“你可以看得出来，即便他有能力骗你，他也不会那么做。他有很强的道德意识。”沃兹尼亚克也对他印象颇佳。“我觉得他是世界上最好的人，”他说，“更棒的是，他真的很喜欢我们的产品！”

马库拉向乔布斯提议一起撰写商业计划书。“如果计划出的结果很好，那我就投资，”马库拉说，“如果不好的话，你也免费得到了我好几个星期的时间。”乔布斯开始在晚上拜访马库拉家，考虑各种方案，整夜整夜地谈话。“我们作了很多设想，比如有多少家庭会拥有个人电脑，好几个晚上我们都工作到凌晨4点。”乔布斯回忆说。最终，大部分的计划书是由马库拉完成的。“史蒂夫会说，我下次把这一部分带给你。但他一般都不能准时完成，所以只好我来做。”

马库拉的计划中设想了一些方法，来开拓业余爱好者以外的市场。“他谈到了将电脑带入寻常百姓家，推广到普通人当中，用来做一些诸如记录食谱、记账这样的事情。”沃兹回忆说。马库拉作了一个大胆的预测：“两年之后我们就会成为一家《财富》500强的公司。”他说，“这是一个产业的萌芽，十年一遇的机会。”苹果公司最终用了7年时间才跻身《财富》500强，但马库拉的预言中蕴含的精神得到了证实。

马库拉成为了拥有公司1/3股权的合伙人，作为回报，他主动提出为公司提供高达25万美元的信用贷款。苹果成为了股份有限公司，马库拉、乔布斯和沃兹尼亚克三人各持26%的股份，剩下的股份保留，用以吸引未来投资者。他们三个在马库拉家游泳池边的小屋会面，签订了协议。“我当时想，迈克也许再也见不到自己那25万美元了，我很钦佩他敢于承受这种风险。”乔布斯回忆道。

这时候有必要说服沃兹尼亚克全职加入苹果公司了。“为什么我不能在这边工作，同时保留惠普的职位作为我的铁饭碗呢？”沃兹问道。马库拉说这样是行不通的，他给了沃兹几天时间作决定。“创办一家公司，我觉得很不安稳，因为这就意味着我要督促周围的人去做事，还要对他们加以控制。”沃兹回忆说，“很久之前我就决定了，我永远都不想当发号施令的人。”于是他跑到马库拉的小屋，宣布自己不会离开惠普。

马库拉耸了耸肩，说好吧。但乔布斯非常沮丧。他给沃兹打电话，对他好言相劝。还让朋友帮忙去说服沃兹。他又哭又叫，大发雷霆。他甚至跑到沃兹的父母家，痛哭流涕，寻求杰里·沃兹尼亚克的帮助。这时候沃兹的父亲意识到，利用Apple II真的可以狠狠赚上一笔，于是他站到了乔布斯这边。“不管是在公司还是在家，我开始接到父母、兄弟和很多朋友打来的电话，”沃兹说，“他们每个人都跟我说，我的决定是错误的。”但这些没有起到丝毫作用。接着，艾伦·鲍姆——高中时代巴克鱼苗俱乐部的好友——给他打电话了。“你真的应该放手一搏。”艾伦说。他说如果沃兹全职加入了苹果，并不一定非要进入管理层，还可以继续当工程师。“那正是我想听到的，”沃兹尼亚克说，“我可以待在组织架构的最底层，当一个普通的工程师。”他给乔布斯打电话，告诉他，自己准备好入伙了。

1977年1月3日，新的公司——苹果电脑有限公司——正式成立了，它买断了9个月前乔布斯和沃兹成立的旧公司的全部股权。几乎没有人注意到这一点。那个月，家酿计算机俱乐部在会员中作了一次调查，发现在181名拥有个人电脑的人中，只有6个人拥有苹果的产品。但是，乔布斯深信不疑，Apple II会改变这一局面。

马库拉对于乔布斯来说，是一个父亲般的人物。他像乔布斯的养父一样，迁就他的强烈意愿；最终却和他的生父一样，抛弃了他。风险投资人亚瑟·罗克（Arthur Rock）说：“马库拉和史蒂夫之间就是一种父子关系。”马库拉开始向乔布斯传授市场和销售方面的经验。“迈克真的非常照顾我，”乔布斯说，“他的观念与我也十分一致。他强调说，你永远不该怀着赚钱的目的去创办一家公司。你的目标应该是做出让你自己深信不疑的产品，创办一家生命力很强的公司。”

马库拉把自己的原则写在了一页纸上，标题为“苹果营销哲学”，其中强调了三点。第一点是**共鸣**（empathy），就是紧密结合顾客的感受。“我们要比其他任何公司都更好地理解使用者的需求。”第二点是**专注**（focus）。“为了做好我们决定做的事情，我们必须拒绝所有不重要的机会。”

第三点也是同样重要的一点原则，有一个让人困惑的名字，**灌输**（impute）。

这涉及人们是如何根据一家公司或一个产品传达的信号，来形成对它的判断。“人们确实会以貌取物，”他写道，“我们也许有最好的产品、最高的质量、最实用的软件等等，如果我们用一种潦草马虎的方式来展示，顾客就会认为我们的产品也是潦草马虎的；而如果我们以创新的、专业的方式展示产品，那么优质的形象也就被**灌输**到顾客的思想中了。”

在乔布斯的职业生涯中，他一直十分关注——有时甚至过度关注——营销策略、产品形象乃至包装的细节。“当你打开iPhone或者iPad的包装盒时，我们希望那种美妙的触觉体验可以为你在心中定下产品的基调。”他说，“这是迈克教我的。”

里吉斯 · 麦肯纳

新公司成立后的第一件事，就是要将硅谷杰出的公关人员里吉斯 · 麦肯纳（Regis McKenna）招至麾下。麦肯纳来自匹兹堡的一个工人阶级大家庭，外表的魅力掩盖了他骨子里的冷酷坚韧。大学辍学的他曾先后供职于仙童公司和国家半导体公司，后来创办了自己的公关和广告公司。他有两项专长，一是把对他的客户进行独家专访的机会留给自己熟识的记者，二是策划令人难忘的广告方案，为诸如微芯片这样的产品提升品牌知名度。其中有为英特尔打造的一系列色彩绚烂的杂志广告，以疾驰的赛车和扑克筹码为主要元素，取代了以往枯燥的性能图表。这些引起了乔布斯的注意。他致电英特尔公司询问广告的设计方。他被告知了这样一个名字：里吉斯 · 麦肯纳。“我问他们里吉斯 · 麦肯纳是什么，”乔布斯回忆说，“他们告诉我是一个人的名字。”乔布斯打去了电话，却未能直接与麦肯纳通话。他的电话被转给了一个叫做弗兰克 · 伯奇（Frank Burge）的业务经理，此人只想把乔布斯打发走。之后，乔布斯几乎每天都会打来电话。

最终伯奇同意了，驱车前往乔布斯的车库与之会面，他回忆起自己当时的想法：“天哪，这个人肯定是个怪胎。我跟这个小丑待在一起的时间越短越好，但是又不能显得无礼。”之后，当他见到邋里邋遢、不修边幅的乔布斯时，有两件事触动了他。“第一，他是个异常聪明的年轻人；第二，他侃侃而谈的东西我一句都听不懂。”

于是乔布斯和沃兹尼亚克获邀去拜访“麦肯纳，本人”——他的名片上就是这么写的。这一次，一贯羞涩的沃兹尼亚克变成了刺儿头。麦肯纳瞥了一眼沃兹正在写的关于苹果公司的文章，提出文章的技术性太强，需要修改得生动一些。“我不想任何公关人员碰我的稿子。”沃兹恶狠狠地说。麦肯纳于是让他们离开了自己的办公室。“但史蒂夫立刻给我打了电话，说他想再跟我见一面，”麦肯纳说，“这一次他是一个人来的，我们聊得很投机。”

麦肯纳让自己的团队为Apple II设计宣传册。团队要做的第一件事就是换掉罗恩·韦恩设计的维多利亚木版画风格的华丽标识，因为它不符合麦肯纳色彩斑斓、活泼顽皮的广告风格。于是，艺术指导罗布·雅诺夫（Rob Janoff）被指派去设计一个全新的标识。“不要设计成可爱风格的。”乔布斯命令。雅诺夫想出了两个版本，都是简单的苹果图标，一个是完整的苹果，另一个则是被咬了一口的苹果。第一个看上去太像樱桃了，于是乔布斯选择了第二个。乔布斯还挑选了另一个版本，其中的苹果由六种颜色的水平色条构成，在大地的绿色和天空的蓝色中间夹着另外四种炫丽的颜色，但这一版本的印刷费用也因此大大提高了。在宣传册顶端，麦肯纳放上了一句格言，这句话被普遍认为出自列奥纳多·达·芬奇，也成为了乔布斯设计理念的决定性准则：“至繁归于至简。（Simplicity is the ultimate sophistication.）”

首次盛大的产品发布会

Apple II的发布时间被设定为与首届西海岸电脑展览会同步。该展会将于1977年4月在旧金山举办。展会的组织者是一名家酿计算机俱乐部的中坚会员——吉姆·沃伦（Jim Warren），乔布斯在得到展会的信息之后立刻为苹果公司预定了一个展位。他想确保得到展厅最前端的位置，这样就可以用最盛大的方式来发布Apple II，于是他预先支付了5 000美元，这让沃兹大感震惊。“史蒂夫认为这是我们的重要发布，”沃兹尼亚克说，“我们要让全世界知道，我们有很棒的电脑，我们是一家很棒的公司。”

这是马库拉的营销准则的一次实际应用：通过给人们留下深刻的印象从而把你和产品的卓越品质“灌输”给他们，这是至关重要的一点，尤其是发布新产品的时候。这也反映在了乔布斯对苹果公司的展示区域所下的工夫上。其他的参展商用的都是普通的桌子和硬纸板做的牌子。苹果则用上了盖着黑色天鹅绒的柜台，和一大块背光式的有机玻璃，上面印着雅诺夫新设计的标识。他们展示的是仅有的三台Apple II成品，但在周围堆满了空的包装箱，这样就显得他们拥有充足的存货。

送到展会的电脑箱子上都有细小的污点，这让乔布斯大为光火，他让为数不多的几名员工把这些污点都打磨掉。"灌输"工作甚至还扩展到了给乔布斯和沃兹尼亚克穿衣打扮上。马库拉让他们去见一个旧金山的裁缝，定做了三件套西装，但两人穿上之后显得很滑稽，就好像小孩子穿着晚礼服一样。"马库拉解释了我们必须怎样盛装打扮，以怎样的形象登台亮相，以及怎样举手投足。"沃兹尼亚克回忆说。

这些努力是值得的。置于漂亮的米黄色箱子内的Apple II显得既牢固结实又亲切友好，完全不像其他展台上那些镀着金属的丑陋机器或者干脆裸露的电路板。苹果在这次展会上接到了300份订单，乔布斯还遇到了一个日本的纺织品制造商水岛聪（Mizushima Satoshi），后来这个人成为了苹果在日本的第一位经销商。

然而，华丽的服装和马库拉的谆谆教导都无法阻止闲不住的沃兹搞些恶作剧。他展示的一个程序，会根据人们的姓氏来猜测国籍，然后冒出一些跟种族有关的笑话。他还自己印制并分发恶作剧的小册子，介绍一种新型的名叫"扎尔泰"（Zaltaire）的电脑，附上了各种从别的广告上抄来的夸张言辞，诸如"想象一辆有5个轮子的汽车……"乔布斯轻易地信以为真，甚至还因为Apple II在和扎尔泰的对比中不相上下而颇感自豪。直到8年后，沃兹将一份镶了框的宣传册送给乔布斯做生日礼物，他才意识到当年是谁制造了这场闹剧。

迈克·斯科特

苹果现在是一家真正的公司了，拥有一批员工，获得了信贷额度，每天都要承受来自顾客和供应商的压力。公司甚至最终搬出了乔布斯的车库，进驻了库比蒂诺史蒂文斯溪大道上租来的办公室——这里距离乔布斯和沃兹读高中的地方仅仅一英里。

乔布斯并没有从容地承担自己身上日益增加的责任。他一直都是喜怒无常，令人生厌的。还在雅达利公司的时候，他的行为招致自己被赶出办公室，只能上晚班，但在苹果公司，这是不可能的。“他变得越来越专横，批评人的话也越来越尖锐，”马库拉说，“他会告诉别人：‘那个设计看起来就是一坨狗屎。’”他对待沃兹尼亚克手下的年轻程序员兰迪・威金顿（Randy Wigginton）和克里斯・埃斯皮诺萨（Chris Espinosa）的方式尤为粗暴。“史蒂夫会走进来，很快地扫一眼我做的东西，然后告诉我那全是垃圾，而他根本就不知道我做的是什么，也不知道我为什么要做那个。”威金顿说道，他当时刚高中毕业。

乔布斯的个人卫生问题也依然存在。尽管各种证据摆在面前，但他还是坚信，他的素食习惯意味着他不需要使用香体剂，也不需要经常洗澡。“我们把他请出门外，让他去洗个澡，”马库拉说，“开会的时候还不得不看着他的脏脚。”有时候，为了缓解压力，乔布斯会把他的脚泡在马桶里，让同事们颇感不适。

马库拉不愿意再面对这些问题了，他决定聘请迈克・斯科特（Mike Scott）为公司的总裁，对乔布斯加以管束。马库拉和斯科特于 1967 年同一天加入仙童公司，两人的办公室相邻，生日也是同一天，所以每年还一起庆祝生日。1977 年 2 月，斯科特即将 32 岁，在他们的生日午餐上，马库拉邀请他成为苹果公司的新任总裁。

从履历上看，斯科特是个完美的人选。当时他正管理着国家半导体公司的一条生产线，身为经理但充分了解工程学，也是他的一大优势。然而，他自身却有一些问题。他超重，饱受痉挛和健康问题的折磨，神经高度紧张以至于闲逛的时候都会紧攥着拳头。他有时候还十分爱争辩。在跟乔布斯过招的时候，这可能是好事，也可能是坏事。

沃兹尼亚克十分欢迎雇用斯科特。和马库拉一样，他也厌恶解决那些由乔布斯引起的矛盾。不出所料，乔布斯对这一决定十分抵触。“我当时才 22 岁，我知道自己还没作好准备管理一家真正的公司，”他说，“但苹果就是我的孩子，我不想放弃它。”失去控制权对他来说是异常痛苦的。在鲍勃的大男孩汉堡（Bob’s Big Boy hamburgers，沃兹最喜欢的餐厅）和美好地球餐厅（Good Earth restaurant，乔布斯的最爱）的午饭桌上，乔布斯就这个问题斗争了很久。最终，他极不情愿地同意了。

迈克 · 斯科特——人称“斯科蒂”，以将他和迈克 · 马库拉区别开——有一个主要的职责：管住乔布斯。这一任务通常是在乔布斯喜欢的会面方式中进行的：一起散步。“我们第一次散步，我就告诉他要多洗澡，”斯科特回忆说，“他说，作为交换，我必须看他的关于果蔬饮食的书，并且将其视为减肥的一种方法。”斯科特一直没能接受果蔬饮食，也没减轻多少体重，而乔布斯在个人卫生问题上也只是作了一点小小的改变。“史蒂夫坚持每周只洗一次澡，他坚信，只要自己还在坚持果蔬饮食，一周洗一次就足够了。”斯科特说。

乔布斯喜欢控制别人，但不喜欢被控制。这注定会成为他跟斯科特之间的一个问题——因为斯科特就是被派来管束他的——尤其是当乔布斯发现，斯科特是他遇到的少数几个不会屈服于他的意志的人之一时。“史蒂夫跟我之间的问题就是，我们谁更顽固，这可是我的强项。”斯科特说，“他必须受到管制，但他显然不喜欢那样。”正如乔布斯后来所说：“我朝斯科蒂吼的次数是最多的。”

早期的一次争议出现在员工编号的分配问题上。斯科特把“1 号”给了沃兹，“2 号”给了乔布斯。不出所料，乔布斯要求当“1 号”。斯科特说：“我不会让他得逞的，那样只会让他更加自负。”乔布斯大发脾气，甚至痛哭流涕。最终，他提出了一个解决方案。他想要当“0 号”。斯科特在员工编号这件事上妥协了，但美国银行的工资系统中要求员工编号必须是正整数，所以乔布斯还是“2 号”。

除了个人性格外，他们两人之间还有更加实质性的分歧。杰伊 · 埃利奥特（Jay Elliot）是一次在餐厅偶遇乔布斯后被苹果公司雇用的，他注意到了乔布斯的显著特点：“他的执著是一种对产品的激情，对于完美产品的激情。”而迈克 · 斯科特从不会让对完美的追求凌驾于产品的实用性之上。Apple II 箱子的设计便是例证之一。苹果曾经在潘通公司（Pantone Company）的帮助下确定所用塑料的颜色，该公司有超过 2 000 种不同的米黄色。“没有一种能让史蒂夫满意，”斯科特对此感到十分惊讶，“他想要创造一种全新的颜色，我不得不阻止他。”在调整箱子设计的过程中，乔布斯花了好几天时间，苦苦思索边角应该多圆润。“我根本不关心它到底多圆润，”斯科特说，“我只想赶快确定下来。”另一场争论是关于工程师使用的工作台。斯科特想要标准的灰色，而乔布斯坚持要定制纯白色的。这一切最终导致两人在马库拉面前摊牌，争夺采购订单的签署权。马库拉站在了斯科特这一边。乔布斯还坚持要改变对待顾客的方式。他想让Apple II带有一年保修期。这个想法让斯科特目瞪口呆，因为保修期一般只有90天。在他们对此问题的一次争论中，乔布斯又一次潸然泪下。他们在停车场散步以平复心情，斯科特再次屈服了。

沃兹尼亚克开始反感乔布斯的处事风格。"史蒂夫对别人太苛刻了，"他说，"我想让我们公司像一个大家庭一样，大家都能愉快工作，分享自己的劳动成果。"而乔布斯则觉得，沃兹尼亚克就是个长不大的孩子。"他非常幼稚，"乔布斯说，"他开发出了一个很棒的BASIC版本，但之后就是没能认真编写我们需要的浮点BASIC，最后我们不得不和微软做交易。他太不专注了。"

但性格上的冲突暂时还没有到失控的地步，主要是因为公司的运营状况不错。身为一名分析师，本·罗森（Ben Rosen）撰写的通讯报道对科技界产生了深远的影响，他也成为了Apple II的热情歌颂者。一名独立开发者编写出了第一款供个人电脑使用的电子制表和个人财务程序VisiCalc，在一段时间内，这款程序只能在Apple II上运行，这使得Apple II成为了企业和家庭有理由购买的一样产品。公司开始吸引有影响力的新投资者。风险投资界的先驱亚瑟·罗克第一次见到马库拉派来的乔布斯时，并未被他打动。"他看起来好像刚从印度见了他的导师回来，"罗克回忆说，"闻起来也是。"但在仔细考察了Apple II之后，罗克投资了，并且加入了苹果的董事会。

在接下来的16年中，各种型号的Apple II共售出了接近600万台。相比其他电脑，Apple II真正开创了个人电脑产业。沃兹尼亚克理应得到历史的赞誉，因为是他设计出了Apple II上令人赞叹的电路板和相关的操作软件，这是20世纪最伟大的个人发明之一。但是，是乔布斯把沃兹的电路板整合成了一台完美的机器，加上了电源和漂亮的箱子。也是他创办了这家依靠沃兹的电脑而迅速崛起的公司。正如里吉斯·麦肯纳后来说的："沃兹设计出了一台伟大的机器，但如果没有史蒂夫·乔布斯的话，这台机器到今天还只能陈列在业余爱好者的商店里。"尽管如此，大多数人还是将Apple II看做是沃兹尼亚克的发明。这激励着乔布斯去追求下一次伟大的革新，属于他自己的革新。

第七章

Chrisann and Lisa

He who is abandoned...

克里斯安和丽萨

被遗弃者……

乔布斯高中毕业那年的夏天，他和克里斯安 · 布伦南开始同居，从那之后，布伦南就在乔布斯的生活中进进出出。1974 年他从印度回来之后，他们两人在罗伯特 · 弗里德兰的农场度过了一段时光。“史蒂夫邀请我去那儿的，那时候我们年轻、自由、无忧无虑，”她回忆说，“那里有一种能量注入我心中。”

在他们搬回洛斯阿尔托斯之后，两人的关系基本上变成了普通朋友。乔布斯住在家中，在雅达利上班；布伦南住在一间小公寓里，很多时间都待在乙川弘文的禅宗中心。到 1975 年初，她开始跟两人共同的朋友格雷格 · 卡尔霍恩交往。“她跟格雷格交往，但偶尔又会回到史蒂夫身边，”伊丽莎白 · 霍姆斯回忆说，“这种现象当时在我们中间很正常。我们的约会对象都是换来换去的，毕竟是 70 年代嘛。”

卡尔霍恩和乔布斯、弗里德兰、科特基以及霍姆斯一起就读于里德学院。与其他人一样，他也深深沉迷于东方精神之中，退了学，加入了弗里德兰的农场。在那里，他找来一个 8 英尺宽、20 英尺长的鸡笼，将它放置在一堆煤渣砖上，又在笼子里搭了个卧铺，就这样把它改造成了一处小房子。之后他就住了进去。1975 年春天，布伦南搬进鸡笼与卡尔霍恩同住，第二年，他们决定去印度进行自己的朝圣之旅。乔布斯建议卡尔霍恩不要带布伦南同去，说她会妨碍他的精神探索，但最终两人还是一同前往了。她说：“史蒂夫的印度之旅深深触动了我，让我想亲身去体验一番。”

这是一段非常虔诚的旅程，从1976年3月开始，持续了将近一年。他们一度用光了所有的钱，于是卡尔霍恩搭便车去了伊朗，在德黑兰教英语。布伦南则待在印度，卡尔霍恩的教学工作结束之后，他们分别搭便车前往两地的中点——阿富汗——与对方会合。那时候的世界是另外一个样子。

一段时间后，两人的关系破裂了，他们从印度返回的时候也没有同行。到1977年夏天，布伦南又搬回了洛斯阿尔托斯，在乙川弘文的禅宗中心的空地上搭帐篷生活了一段时间。这时候乔布斯已经搬出了父母的房子，和丹尼尔·科特基一起，在库比蒂诺的城郊租下了一间月租金600美元的房子。那是一个奇怪的场景：两个自由奔放的嬉皮士住在一栋被他们称为"郊区牧场"的房子里。"房子有4间卧室，我们有时候会把其中一间租给各种各样疯狂的人，有一段时间还租给了一个脱衣舞女。"乔布斯回忆道。科特基不明白乔布斯为什么不自己买套房子，因为当时他已经有那个经济实力了。"我觉得他是想有个伴儿吧。"科特基推测。

尽管布伦南与乔布斯的关系断断续续，但她很快也搬进了他们的房子。这样一来，房间的分配问题就成了一出闹剧。房子分成两个大房间和两个小房间。毫无疑问，乔布斯霸占了最大的一个房间，而布伦南（既然她并没有和史蒂夫同居）搬进了另一个大房间。"剩下的两个房间小得像是给婴儿住的，我一个都不想要，于是我就搬进了客厅，睡在一块泡沫垫子上。"科特基说。他们把一个小房间变成了他们冥想和服迷幻药的地方，就像他们在里德学院的时候在阁楼上开辟的那块空间。房间里堆满了苹果电脑包装箱里用的泡沫填充物。"邻居家的小孩经常会过来玩，我们就把孩子们往泡沫上扔，非常有意思，"科特基说，"但后来克里斯安带了几只猫回来，它们会往泡沫上撒尿，于是我们只能把泡沫全扔掉了。"

同在一个屋檐下，克里斯安·布伦南和乔布斯有时候会欲火重燃。几个月后，她怀孕了。"在我怀孕前，史蒂夫和我的关系已经断断续续维持了5年，"她说，"我们不知道怎样在一起，也不知道怎样分开。"1977年的感恩节，格雷格·卡尔霍恩搭便车从科罗拉多州来拜访他们，布伦南把怀孕的事情告诉了他。她说："之前史蒂夫和我复合了，现在我怀孕了，但我们的关系又开始时断时续，我不知道该怎么办。”

卡尔霍恩注意到，乔布斯对此毫不关心。他甚至还想劝说卡尔霍恩留下来和他们住在一起，然后去苹果公司工作。“史蒂夫根本不管克里斯安和她怀孕的事情，”他说，“他有时候会非常关心你，但之后又完全不管不顾。他的性格中有一面冷漠得吓人。”

当乔布斯不想被一件事情分散注意力的时候，他就会完全忽略它，就好像此事完全不存在一样。有时候，他不仅能对别人扭曲现实，甚至也能对自己扭曲现实。在布伦南怀孕这件事上，他就简单地让自己置身事外。遭到质问的时候，他就说并不知道自己是孩子的父亲，尽管他承认自己和布伦南上过床。“我不确定那就是我的孩子，因为我确信，跟她上过床的不光我一个人，”他后来告诉我，“她怀孕的时候我们俩都不算是真正在交往。她不过是住在我们的房子里而已。”布伦南确定孩子就是乔布斯的。那段时期她没有跟格雷格或其他男人有过交集。

他是在欺骗自己呢，还是真的不知道自己就是孩子的父亲？“我认为他就是不愿去想这事儿或承担责任。”科特基猜测。伊丽莎白·霍姆斯同意这一说法。“他考虑过到底要不要承担起一个父亲的责任，但最终还是决定放弃。他对人生有其他规划。”

结婚自然更不用考虑。“我知道她不是我想娶的那个人，我们在一起不会快乐，婚姻也不会维系太久，”乔布斯后来说，“我希望她能把孩子拿掉，但她有些不知所措。她反复思考之后，打算留下孩子，其实我也不知道她的决定到底是怎样的——我想是时间替她作出了决定吧。”布伦南告诉我，留下孩子是她自己的选择：“他说他赞成堕胎，但并没有逼迫我。”有趣的是，鉴于自己的身世，乔布斯却坚决反对一种做法，布伦南说：“他强烈阻止我把孩子送人领养。”

还有一个很讽刺的巧合。乔布斯和布伦南当时都是23岁，而乔安妮·席贝尔和阿卜杜勒法塔赫·钱德里也是在23岁这年有了乔布斯。乔布斯还没有找自己的亲生父母，但他已经从养父母那里知道了一些情况。“那时候我并不知道年龄上的巧合，所以它没有影响到我和克里斯安对此事的讨论。”他后来说。他否认自己沿袭了生父在23岁那年逃避现实和责任的行事风格，但也承认这个颇为讽刺的巧合让他十分震惊。“当我发现乔安妮也是23岁怀上我的时候，我想——天哪！”

乔布斯和布伦南之间的关系急速恶化。“克里斯安会摆出一副受害者的嘴脸，说史蒂夫和我联合起来对付她，”科特基回忆说，“史蒂夫就会笑笑，并不把她当回事。”布伦南后来也承认，自己当时情绪不是很稳定。她开始摔盘子、扔东西、在家里乱丢垃圾，还用炭笔在墙上写些粗俗的话。她说乔布斯的麻木不仁一直激怒着她。“他是个性格明朗的人，但十分冷酷，真是很奇怪的性格组合。”科特基被夹在了两人中间。“丹尼尔不是个无情的人，他是受到了史蒂夫行为的影响，”布伦南说，“他有时候会对我说：‘史蒂夫对待你的方式不对。’但也会和史蒂夫一起嘲笑我。”

罗伯特·弗里德兰拯救了她。“他听说我怀孕了，就让我立刻到农场去，在那儿把孩子生下来，”她回忆说，“我于是去了。”伊丽莎白·霍姆斯和其他朋友当时还住在农场里，他们找了一个俄勒冈州的助产士来帮她接生。1978 年 5 月 17 日，布伦南产下了一名女婴。3 天之后，乔布斯飞到农场看望他们，顺便帮孩子起名。公社里的惯例是给孩子起一个带有东方精神的名字，但乔布斯认为孩子是在美国出生的，坚持要给她起一个符合美国文化的名字。布伦南也同意这点。他们给她起名丽萨·妮科尔·布伦南（Lisa Nicole Brennan），并没有让她随乔布斯的姓。之后乔布斯就返回苹果公司上班去了。布伦南说：“他不想和孩子或者我扯上任何关系。”

她和丽萨搬到了门洛帕克，住在一户人家后面又小又破的房子里。她们靠政府救济金生活，因为布伦南觉得自己没有能力打官司争取抚养费。最终，圣马特奥县起诉了乔布斯，试图证明他和孩子的亲子关系，并让他承担经济责任。起初，乔布斯下定决心把这场官司打到底。他的律师们想让科特基作证，称自己从未见过他们上床，同时他们还想搜集证据，以证明布伦南当时还跟别的男人发生过关系。“我曾经在电话里对史蒂夫吼道：‘你知道那不是真的。’”布伦南回忆，“他想让我带着孩子出现在法庭上，然后证明我是个荡妇，任何人都可能是孩子的父亲。”

丽萨出生一年之后，乔布斯同意进行亲子鉴定。布伦南一家对此感到很吃惊，但乔布斯知道，苹果公司即将上市，最好在此之前把问题解决。DNA 测试在当时还是新鲜事物，乔布斯在加州大学洛杉矶分校进行了测试。“我曾经看到过关于DNA测试的介绍，我很乐意进行测试，把事情弄清楚。”他说。结果是决定性的。报告显示：“亲子关系的可能性是 94.41%。”加州法院判决乔布斯开始支付每月 385 美元的抚养费，签署协议承认亲子关系，并偿还 5 856 美元的政府救济金。他享有探视权，但很长一段时间内他并没有行使这项权利。

即便法院已经作出了判决，乔布斯有时还是会歪曲事实。“他最后在董事会上把整件事告诉了我们，”亚瑟 · 罗克回忆道，“但他一直坚称，他不是孩子父亲的概率非常大。他有点儿妄想。”他告诉《时代》杂志的记者迈克尔 · 莫里茨（Michael Moritz），只要分析一下数据，就会发现“全美国 28%的男性都有可能是孩子的爸爸”。这种论断不但是错误的，也是荒谬可笑的。更糟糕的是，后来克里斯安 · 布伦南听说了乔布斯的言论，她误以为乔布斯是在夸张地形容她可能跟全美国 28%的男人上过床。“他就是想把我描绘成一个荡妇，”她回忆说，“他在我身上打上荡妇的烙印，这样他就不用负责任了。”

多年以后，乔布斯对自己当时的表现十分懊悔，平生罕见地承认了如下事实：

> 我真希望当时以另一种方式处理整件事情。那时候我还没有准备好当一个父亲，所以没能勇敢地面对。但是当亲子鉴定结果显示她是我女儿的时候，我绝没有怀疑过。我同意提供她的抚养费直到她 18 岁，还给了克里斯安一笔钱。我在帕洛奥图找了一处房子，装修好，然后让她们免费住在里面。她母亲送她去最好的学校读书，费用也是由我来承担的。我努力把事情做好。但如果让我重来一次的话，我肯定会做得更好。

这场官司结束之后，乔布斯继续着自己的生活——尽管没有脱胎换骨，但在有些方面，他确实成熟了不少。他戒掉了迷幻药，不再奉行严格的素食主义，也减少了花在禅修上的时间。他开始剪时髦的发型，到旧金山的高档服装店威尔克斯 · 巴什福德（Wilkes Bashford）购置西装和衬衫。他还和里吉斯 · 麦肯纳的一名员工开始了一段正式的恋爱关系，这个女人名叫芭芭拉 · 亚辛斯基（Barbara Jasinski），是一个有波利尼西亚和波兰血统的美女。

当然，乔布斯的骨子里还留有几分孩子般的叛逆。他和亚辛斯基、科特基三人喜欢到斯坦福大学附近的 280 号州际公路边的费尔特湖里裸泳，乔布斯还买了一辆 1966 年产的宝马 R60/2 摩托车，在车把上挂上了橙色流苏。他还是很惹人讨厌。他瞧不起餐厅里的女侍者，经常把食物退回并称之为“垃圾”。1979 年，在公司的第一次万圣节派对上，他穿上袍子扮成了耶稣基督，自认为这是带有些许讽刺意味的有趣行为，但却招致诸多白眼。即使在他刚刚开始的居家生活中，他也表现出一些怪癖。他在洛斯加托斯山区买下了一间不错的房子，在家中布置了一幅马克斯菲尔德 · 帕里什（Maxfield Parrish）的画、一台博朗（Braun）咖啡机和双立人刀具。但由于他在挑选家具的时候太过挑剔，家中大多数地方还是空的，没有床，没有椅子，也没有沙发。在他的卧室里，中间放着一张床垫，旁边有镶在相框中的爱因斯坦和马哈拉杰-吉的照片，地上还有一台 Apple II。

第八章

Xerox and Lisa

Graphical User Interfaces

施乐和丽萨

图形用户界面

一个新孩子

Apple II的问世把苹果公司从乔布斯家的车库推向了一个新兴产业的顶峰。它的销量急剧上升，从1977年的2 500台猛增到1981年的21万台。但是乔布斯并没有满足。Apple II不可能长盛不衰，而且他知道，无论自己如何从电源线到机箱对其进行包装，人们永远都只会将它视为沃兹尼亚克的杰作。他需要一台属于他的电脑。不仅如此，用他自己的话说，他需要一个在宇宙中留下印迹的产品。

最初，他希望Apple III能承担这个角色。Apple III内存更大，屏幕可以一行显示80个字符而不是40个，并且能区分大小写字母。沉浸在对工业设计的狂热中的乔布斯，严格限定了机箱的尺寸和形状，并拒绝任何人对其进行修改，即便是在工程师往电路板上增加了更多的部件之后。其结果是附加的小电路板因连接不稳定而频繁失灵。1980年5月，Apple III上市，但销量惨淡。工程师兰迪·威金顿总结道："Apple III有点儿像集体狂欢时怀上的孩子，事后大家都头痛得厉害，至于这个野孩子，人人都说不是自己的。"

那个时候，乔布斯已经疏远了Apple III项目，正焦急地想办法创造出更加与众不同的东西。起初他想过用触摸屏，但后来又泄气了。一次触摸屏技术的演示会上，他迟到了，坐立不安地待了一会儿，然后突然打断了正在演示的工程师，很无礼地说了句“谢谢你们”。工程师们被他弄糊涂了。“你想要我们离开吗？”其中一个问道。乔布斯说是的，然后就痛斥同事们浪费了他的时间。

之后，他和苹果公司从惠普雇来了两名工程师，设计一台全新的电脑。乔布斯为新电脑挑选的名字能让最迟钝的精神病医生也闻之一怔，随后恍然大悟：丽萨。其他电脑也有以设计者女儿的名字命名的，但是丽萨是被乔布斯抛弃的女儿，他甚至还没有完全承认那孩子是自己的。“他这么做也许是出于内疚吧。”安德烈娅 · 坎宁安（Andrea Cunningham）说，她当时供职于里吉斯 · 麦肯纳公司，负责丽萨项目的公关事务。“我们要把丽萨（Lisa）视为一个缩略词，想出和它对应的一句短语。这样就可以宣称这不是以乔布斯女儿的名字来命名的。”他们把这个缩写逆推，得到了“本地集成系统架构”（Local Integrated Systems Architecture），尽管这个短语毫无意义，它还是成为了丽萨这个名字的官方解释。工程师们私下把这个名字解释为“丽萨：编造的愚蠢缩写（Lisa: Invented Stupid Acronym）”。多年以后，当我向乔布斯问起这个名字的时候，他坦率地承认：“这很显然是以我女儿的名字命名的。”

丽萨被定位成一台售价 2 000 美元的电脑，采用 16 位微处理器，取代了 Apple II 上使用的 8 位微处理器。缺少了当时仍在 Apple II 项目中埋头苦干的沃兹尼亚克的才华，工程师们开始制造一台中规中矩的电脑，它使用传统的文本显示，也无法释放微处理器的强大性能去完成激动人心的任务。这款产品日渐显现出它的平庸，乔布斯开始失去耐心了。

然而，有一名叫比尔 · 阿特金森（Bill Atkinson）的程序员给这个项目注入了一些活力。他是神经系统科学专业的博士生，也尝试过不少迷幻剂。最初受邀加入苹果的时候，他拒绝了。但是后来苹果公司给他寄去一张不可退票的机票，于是他决定用上这张机票，让乔布斯设法说服他。“我们正在创造未来，”乔布斯在长达 3 个小时的劝说接近尾声时表示，“想象一下在海浪的最前端冲浪是什么感觉，一定很兴奋刺激吧；再想象一下在浪的末尾学狗刨游泳，一点儿意思都没有。来苹果吧，你可以吸引全世界的目光。”阿特金森于是入伙了。

蓬松的头发和长长的胡子并不能掩盖阿特金森脸上的活力，他有着沃兹的创造天赋和乔布斯追求卓越产品的热情。他的第一份工作是开发一个程序，该程序可以自动拨打道琼斯的服务热线，获取报价，然后挂断电话，以此来追踪股票投资组合。“我必须尽快完成，因为一本杂志刊登的Apple II广告上出现了这样的场景：丈夫在厨房的餐桌旁盯着满是股价图表的Apple II屏幕，而妻子正对着他微笑——实际上根本就没有这样的程序，所以我必须创造一个。”接下来他又成功地将Pascal语言移植到Apple II上，这是一种高级编程语言。乔布斯起初很抵制Pascal，因为他觉得Apple II有BASIC就足够了，但他告诉阿特金森：“既然你对这个有这么大的热情，我就给你6天时间来证明我是错的。”阿特金森做到了，从此乔布斯对他很是尊敬。

到1979年的秋天，Apple II的潜在继任者已经有了三种机型。有命运凄惨的Apple III，还有已经开始让乔布斯失望的丽萨项目。另外一个是乔布斯当时还不知道的一个小项目。这个项目致力于制造一款廉价的电脑，研发代号为“安妮”（Annie），开发者名叫杰夫·拉斯金（Jef Raskin），他曾是个教授，还教过比尔·阿特金森。拉斯金的目标是制造价格低廉、就像家用电器一样的“大众电脑”——整合了电脑、键盘、显示器和软件的全功能设备——并且拥有图形界面。他试图让苹果的同事们关注一家优秀的研究中心，这家研究中心就坐落在帕洛奥图，是图形界面技术的先驱。

施乐PARC

施乐公司的帕洛奥图研究中心（Palo Alto Research Center）——常被叫做“施乐PARC”——成立于1970年，目的是为数字领域的创想提供成长环境。这里距离康涅狄格州的施乐公司总部3 000英里，无论是好是坏，都脱离了那里的商业压力。工作在这里的诸多梦想家中，有一位叫做艾伦·凯（Alan Kay）的科学家，他的两句格言深得乔布斯认同：“预见未来最好的方式就是亲手创造未来”以及“对待软件严肃认真的人，应该制造自己专属的硬件”。凯推出了小型个人电脑的理念，他称之为“动态笔记本”（Dynabook），使用简便，即便是小孩子也能轻松操作。于是，施乐PARC的工程师们开始研发友好的用户图形界面，以取代电脑屏幕上那些拒人于千里之外的命令行和DOS提示符。他们想到，可以把桌面的概念应用到屏幕上。屏幕上会有很多文件和文件夹，用户可以使用鼠标指向并点击自己想要使用的内容。

图形用户界面——也就是GUI——的发展，也受到了当时施乐PARC另一个先锋概念“位图显示”的推动。那个时候，大多数电脑还是基于字符的。你在键盘上输入一个字符，计算机就会在屏幕上显示那个字符，通常是荧光绿色的字符衬上深色的背景。因为字母、数字、符号的数量是有限的，所以这样的显示方式并不需要大量的电脑代码或是很强的处理器性能。位图显示则相反，屏幕上的每一个像素都是由电脑内存控制的。要在屏幕上显示某些内容——比如一个字母——电脑就要控制每个像素的明暗，如果是彩色显示的话，则要控制每个像素的颜色。这会占用大量的系统资源，但是能够支持炫丽的图像、字体和惊人的显示效果。

位图显示和图形界面成为了施乐PARC开发的电脑样机（比如“奥图”电脑）和面向对象的编程语言Smalltalk的特性。杰夫 · 拉斯金认为，这些特性是电脑产业的未来。于是他开始催促乔布斯和苹果的其他同事去施乐PARC考察一番。

拉斯金有一个麻烦。乔布斯认为他是个让人难以忍受的理论家，用乔布斯的原话来说，就是个“糟糕透顶的白痴”。因此，拉斯金只好找来自己的朋友阿特金森，让他去说服乔布斯关注一下施乐PARC的研究进展，因为在乔布斯“不是天才就是白痴”的世界中，阿特金森是属于天才这一边的。拉斯金不知道的是，乔布斯正在进行一项更为复杂的交易。施乐的风险投资部门想要参与苹果公司在1979年夏天进行的第二轮融资。乔布斯开出了条件：“如果你们愿意揭开施乐PARC的神秘面纱，我就同意你们投资100万美元。”施乐公司接受了，同意向苹果展示其新技术；作为回报，他们可以每股10美元的价格购买10万股苹果公司的股票。

一年之后，苹果公司上市了，施乐花100万美元购买的股票已经价值1 760万美元。但在这场交易中，苹果公司获益更多。乔布斯和同事们在1979年12月参观了施乐PARC的技术成果，但乔布斯觉得他看到的并不是全部，于是几天之后又得到了一次更加全面的展示。拉里 · 特斯勒（Larry Tesler）是奉命进行展示的施乐科学家之一，他对有机会展示自己的工作成果非常兴奋，因为这些从来都得不到远在东部的老板们的赏识。但另一名展示者，阿黛尔 · 戈德堡（Adele

Goldberg），对于公司愿意把自己最宝贵的科研成果拱手示人感到震惊。“那么做是无比愚蠢、彻底疯狂的，我想尽办法，阻止乔布斯获取太多信息。”她说道。

第一次展示会上，戈德堡得逞了。乔布斯、拉斯金以及丽萨团队的负责人约翰·库奇（John Couch）被带到大厅，在那里，一台施乐的奥图电脑已经准备就绪。“只给他们展示了很有限的几个应用，最主要的是一个文字处理程序。”戈德堡回忆说。乔布斯并不满意，他致电施乐总部，要求得到更多信息。

于是，几天之后，他又被邀请去了施乐PARC，这次他带来了一个更为庞大的团队，包括比尔·阿特金森和曾经在施乐PARC工作过的苹果程序员布鲁斯·霍恩（Bruce Horn）。这两个人都知道该寻找什么。戈德堡说：“我上班后，发现公司里很喧闹，有人告诉我，乔布斯和他的一群程序员正在会议室里。”施乐的一名工程师在展示那个文字处理程序的更多细节，想以此应付他们。但乔布斯越来越不耐烦了，他不停地喊：“别说这狗屁玩意儿了！”施乐的几个人聚在一起商量了一下，决定向乔布斯展示部分核心技术，但只是一点点。他们同意特斯勒展示一下编程语言Smalltalk，但只能展示“非机密”版本的。“这就足够让他眼花缭乱了，他不会知道我们还有机密部分的。”团队负责人这么告诉戈德堡。

但他们错了。阿特金森和其他人都读过施乐PARC发表的论文，所以他们知道自己并没有得到全部信息。乔布斯给施乐风投部门的负责人打电话抱怨，远在康涅狄格的公司总部立刻打来了电话，命令向乔布斯和他的团队展示全部成果。戈德堡愤然离场。

当特斯勒真正开始展示全部的成果时，苹果的一群人都惊呆了。阿特金森盯着屏幕检查每一个像素，他靠得如此之近，以至于特斯勒都能感觉到他呼出来的气吹到自己脖子上。乔布斯跳了起来，兴奋地挥舞着胳膊。“他跳来跳去的，我都不知道他有没有看清楚整个演示，但事实证明他是看到了的，因为他不停问问题，”特斯勒说，“我每展示一部分，他都会发出惊叹。”乔布斯反复说自己不敢相信施乐还没有把这项技术商业化。“你们就坐在一座金矿上啊，”他叫道，“我真不敢相信施乐竟然没有好好利用这项技术。”

Smalltalk的演示展现了三项惊人的成果。包括电脑之间如何实现联网，以及面向对象编程是如何工作的。但乔布斯和他的团队对这些并不感兴趣，因为他们的注意力被图形界面和位图显示屏幕完全吸引了。“仿佛蒙在我眼睛上的纱布被揭开了一样，”乔布斯后来回忆，“我看到了计算机产业的未来。”

历时两个多小时的施乐PARC会面结束之后，乔布斯开车带着比尔 · 阿特金森返回位于库比蒂诺的苹果公司。他车开得很快，心跳得很快，嘴上说得也很快。“就是它了！”他喊道，每一个字都铿锵有力，“我们要把它变成现实！”这是他一直以来寻找的突破：将电脑推广到普通人家，让他们享受到埃奇勒建造的房屋一般美好又廉价的设计，以及厨房电器一般的简易操作。

“实现这个目标需要多久？”乔布斯问。

“我不确定，”阿特金森回答，“也许6个月吧。”这个预测过于乐观了，但也激发了大家的动力。

“伟大的艺术家窃取灵感”

苹果公司对施乐PARC的这次技术盗窃，有时被形容为工业史上最严重的抢劫行为之一。乔布斯偶尔也会骄傲地承认这一说法。“归根结底，我们只是想尽量了解有史以来最棒的发明，然后将它运用到我们正在做的事情中。”他有一次说，“毕加索不是说过么：‘好的艺术家只是照抄，而伟大的艺术家窃取灵感。’在窃取伟大的灵感这方面，我们一直都是厚颜无耻的。”

乔布斯认同的另一个说法是，与其说是苹果公司实施了抢劫，不如说是施乐公司自己酿下了苦果。“他们就是一帮白痴，根本没有意识到电脑的巨大潜力。”他如此形容施乐的管理层，“在这场计算机产业最伟大的胜利中，他们被打败了。施乐本可以称霸整个计算机产业的。”

以上两种说法都有道理，但并不能说明全部问题。概念与造物之间，如同T · S · 艾略特（T. S. Eliot）所说的“落下影子”。在创新的过程中，新颖的想法只是一部分，具体执行也同样重要。

乔布斯和他的工程师们对在施乐PARC看到的图形界面技术进行了巨大改进，然后又以施乐永远无法实现的方式对这些技术作了进一步完善。比如说，施乐的鼠标有三个按键，结构复杂，每只造价300美元，移动不够平滑。乔布斯在第二次造访施乐PARC之后没几天，就找到了一家当地的工业设计公司，告诉该公司的创始人之一迪安·霍维（Dean Hovey），自己想要一种简单的、只有一个按键的、造价只要15美元的鼠标，“而且它要能在塑料面板和我的牛仔裤上正常使用。”霍维答应了。

得到提升的并不仅仅是细节，还有整个概念。施乐PARC的鼠标并不能用来在屏幕上拖拽窗口。而苹果工程师们设计出的界面上，用户不仅可以任意拖拽窗口和文件，还可以将它们拖到文件夹中。施乐的系统中，不管是调整窗口的大小还是更改文件的扩展名，用户都必须选择一条指令后才能执行操作。苹果的系统将桌面的概念转化为了虚拟现实，允许用户直接触摸、操作、拖拽和移动文件。苹果的工程师和设计师每天都受到乔布斯的鞭策。他们协同工作，完善了桌面概念：添加了漂亮的图标和位于窗口顶端的下拉菜单，以及双击鼠标打开文件和文件夹的功能。

施乐的管理层并没有忽略他们的科学家在PARC创造出来的东西。事实上，他们的确尝试过利用这些研究成果——而这一过程恰恰证明了为什么好的执行力和杰出的创意同样重要。在苹果的丽萨和麦金塔电脑问世之前，早在1981年，施乐就推出了他们的“施乐之星”（Xerox Star），这台电脑上运用了图形用户界面、鼠标、位图显示、窗口以及桌面概念。但它运行缓慢（保存稍大一点儿的文件需要耗费数分钟），价格昂贵（零售价高达16 595美元），且主要瞄准的是计算机网络化的企业市场。它的销售情况十分不好，仅仅卖出去3万台。

施乐之星刚刚发布，乔布斯和他的团队就去一家施乐经销商那里查看情况。但他觉得这台机器毫无价值，他告诉同事们根本犯不着花钱买一台。“我们都松了一口气，”他回忆说，“我们看得出来，施乐没能把产品做好，但我们可以，而且价格要便宜得多。”几个星期之后，乔布斯给施乐之星团队的硬件设计师之一鲍勃·贝尔维尔（Bob Belleville）去了电话。“你这一辈子做出来的东西都是垃圾，”乔布斯说，“干脆来为我工作吧。”贝尔维尔同意了，一起跳槽的还有拉里·特斯勒。

乔布斯十分兴奋，开始插手丽萨项目的日常管理，该项目当时的负责人是曾经的惠普工程师约翰·库奇。乔布斯完全忽略了库奇的存在，直接与阿特金森和特斯勒通气，灌输自己的想法，尤其是关于丽萨的图形界面设计。“他会在任何时间给我打电话，凌晨两点或者早上5点，"特斯勒说，"我喜欢这样。但是丽萨项目的头儿们不高兴了。"乔布斯被要求停止越级管理。他安静了一段时间，但很快又按捺不住了。

阿特金森认为应该把屏幕的深色背景换成白色的，这引发了一次重大冲突。屏幕背景色的改变可以实现阿特金森和乔布斯都想要的一个特性：WYSIWYG，这是"所见即所得"（What You See Is What You Get）的缩写。你在屏幕上看到的是什么样，打印出来就还是什么样。"硬件团队一片哀嚎，"阿特金森回忆说，"他们说，这样的话就必须使用一种持久性差且闪烁严重的磷光体。"阿特金森只好搬来乔布斯帮忙，乔布斯自然站在了他的一边。硬件团队抱怨连连，但之后还是实现了这个功能。"乔布斯本人算不上是个工程师，但他十分擅长评估别人的答案。他能看得出来工程师是心存戒备还是缺乏自信。"

阿特金森的伟大功绩之一（时至今日我们已经对它习以为常，感觉不到它的神奇）就是实现了屏幕上窗口间的重叠，这样一来"上面的"窗口就叠在了"下面的"窗口上。这一功能让人们可以像堆叠桌子上的文件纸张一样移动屏幕上的窗口，在你移动上面的窗口时，下面的窗口就会被隐藏起来或者被显示出来。当然，在电脑屏幕上，并没有层层像素隐藏在你看到的画面下，所以在你看到的"上面的"窗口之下，并没有隐藏的窗口。制造窗口重叠的假象，需要编写复杂的代码，其中运用到了"区域"（Region）这样一个概念。阿特金森强迫自己一定要做出这个效果，因为他觉得自己在施乐PARC见过这个功能。而实际上，施乐PARC的人从来没能实现这个功能，他们后来还对阿特金森完成这一壮举表示了震惊。"我终于知道什么叫无知者无畏了，"阿特金森说，"正因为我不知道这个任务是如此困难，我才得以完成它。"阿特金森拼命工作，以至于一天早上，他在恍惚之中开着自己的克尔维特撞上了一辆停在路边的卡车，差点儿送命。乔布斯立刻驱车前往医院探望。阿特金森恢复意识后，乔布斯对他说："我们很担心你。"阿特金森苦笑了一下，回答道："不用担心，我还记得那些'区域'。"

乔布斯还狂热地追求页面滚动的平滑。当你滚动浏览一个文件时，文件内容不应该一行一行地滚动，而应该十分平滑地予以呈现。"他固执地认为，界面上的任何东西都要给使用者留下好印象。"阿特金森说。他们还想要一个可以操纵光标向任意方向移动的鼠标，而不仅仅是上下左右。这就需要使用一个滚球，而不是通常使用的两个轮子。一个工程师告诉阿特金森，这样的鼠标是不可能批量生产的。阿特金森在吃晚饭的时候向乔布斯抱怨了这件事，等他第二天上班时，发现那名工程师已经被乔布斯解雇了。接任的工程师见到阿特金森的第一句话就是："我能做出那种鼠标。"

阿特金森和乔布斯在一段时间内成为了挚友，大多数晚上都在美好地球餐厅一起吃饭。但约翰·库奇和丽萨团队中的其他专业工程师们（大多都是惠普工程师那种类型的传统保守之人），痛恨乔布斯插手丽萨项目，也被他不断的侮辱所激怒。双方在观念上也有冲突。乔布斯想要制造大众电脑，操作简单、价格低廉，适合普通人使用。他回忆说："像我这样的人，我们想要制造适合大多数人的电脑，而那帮和库奇一样在惠普干过的人，他们的目标是企业市场，我们之间进行了激烈的拉锯战。"

斯科特和马库拉一心要给苹果公司带来秩序，也越来越担心乔布斯制造分裂的行为。于是，1980 年 9 月，他们秘密策划了公司的重组。库奇成为了丽萨项目不容置疑的管理者。乔布斯失去了对以自己女儿命名的电脑的控制。他同时还被解除了研发部门副总裁的职务，被任命为董事会的非执行主席，也就是说，他依然代表苹果公司的公众形象，但手中再无实权。这深深刺痛了乔布斯的心。"我很难过，感觉被马库拉遗弃了，"他说，"他和斯科蒂觉得我无法胜任丽萨项目的管理工作。这件事让我郁闷地思考了很久。"

第九章

Going Public

A man of wealth and fame

上市

名利双收

1981年，与沃兹尼亚克

期权纷争

1977年1月，马库拉加入了乔布斯和沃兹尼亚克的生意，将这两个新手创立的事业转变成了苹果计算机公司（Apple Computer Co.），当时他们对公司的估价是5 309美元。过了不到4年，他们认为公司上市的时机到了。苹果公司造就了自1956年福特汽车之后，超额认购最为火爆的首次公开募股（IPO）。到1980年12月底，苹果的估值已高达17.9亿美元。没错，是“亿”。它也让300个人变成了百万富翁。

丹尼尔·科特基却不在其中。他一直都是乔布斯的挚友，两人一起读大学，一起去印度，一起待在团结农场，一起经历了克里斯安·布伦南的怀孕风波。苹果公司还在乔布斯的车库时，他就加入了公司，到公司上市时，他仍然以时薪员工的身份在那里工作。但是他的级别不够高，无法获得IPO之前奖励给员工的股票期权。“我完全相信史蒂夫，我想，他会像我以前照顾他那样照顾我，所以我没有催促他。”科特基说。苹果公司方面对此给出的理由是：科特基是一名领时薪的技术人员，不是领固定薪水的工程师，而只有全职的工程师才可以得到期权奖励。然而即便如此，他也完全有资格获赠一些“发起人股”，但乔布斯对这些一直陪伴在自己身边的人十分冷漠。“史蒂夫就是忠诚的反义词，”苹果公司早期的工程师、一直与乔布斯保持着朋友关系的安迪·赫茨菲尔德说，“他完全处在忠诚的对立面，他总会抛弃那些和自己亲近的人。”

科特基决定守在乔布斯的办公室外，当面请他解决这个问题。但每次碰面，乔布斯都对他置之不理。“最让我难过的是，史蒂夫从没跟我说过我没有资格得到期权，”科特基说，“作为朋友，他有义务告诉我。我问到关于股票的事情，他就让我去跟我的经理谈。”IPO之后过了大约6个月，科特基终于鼓起勇气，冲进乔布斯的办公室，想要解决这个问题。但当他走进办公室后，乔布斯的冷漠让他呆住了。“我气疯了，大哭了起来，再也说不出话来。”科特基回忆，“我们的友谊在那一刻彻底破裂了，太伤心了。”

设计出电源的工程师罗德·霍尔特分到了很多股票期权，他试图让乔布斯改变主意。“我们必须为你的朋友丹尼尔做点儿什么。”他说，并且建议他们两人从自己的期权中拿出一部分送给科特基。霍尔特说：“你给他多少，我就给他多少。”乔布斯说：“好的。我什么都不给他。”

沃兹尼亚克在处理此事的态度上，自然是与乔布斯截然不同的。在苹果的股票公开上市之前，他就把自己期权中的2 000份以极低的价格卖给了40名中层员工。大多数受益人都赚到了足够买一套房子的钱。沃兹尼亚克为自己和新婚妻子买下了一幢梦幻般的屋子，但她很快与他离婚并得到了房子。后来，他又把自己的股份赠与了那些在他看来受到了不公正待遇的员工，包括科特基、费尔南德斯、威金顿和埃斯皮诺萨。所有人都喜欢沃兹尼亚克，在他的慷慨捐赠之后更是如此，但很多人也同意乔布斯对他的评价，认为他“极其天真幼稚”。几个月后，公司的公告板上出现了一张联合慈善总会（United Way）的海报，画面上是一个穷困潦倒的人。有人在海报上涂鸦道：“1990 年的沃兹。”

乔布斯可不天真。在IPO之前，他已经签好了和克里斯安 · 布伦南之间的协议。

乔布斯是此次IPO的公众形象，他也帮助挑选了负责IPO的两家投资银行：一家是传统的华尔街公司摩根士丹利，另一家是旧金山的汉布里克特–奎斯特（Hambrecht & Quist），这并不是一家传统的投行，当时的服务只针对部分领域。“摩根士丹利当时是极端保守的公司，史蒂夫对他们公司的人十分无礼。”比尔 · 汉布里克特（Bill Hambrecht）回忆说。尽管苹果的股票必然会迅速暴涨，但摩根士丹利计划将股价定为每股 18 美元。“我们把这只股票定价为 18 美元，接下来会怎么样？”他问那些银行家，“你们难道不会把这只股票卖给你们的优质客户吗？如果卖的话，那你怎么可以收取我 7%的佣金？”汉布里克特意识到，体系中存在着基本的不公平，他提出了自己的想法：在IPO之前，通过反向竞拍来为股票定价。

苹果公司在 1980 年 12 月 12 日的早晨上市了。银行家们最终定下的股价是 22 美元一股。当天收盘时，股价已经涨到了 29 美元。乔布斯赶到汉布里克特–奎斯特的办公室，观看了开市。在 25 岁这一年，他的身家达到了 2.56 亿美元。

老兄，你发财了！

在史蒂夫 · 乔布斯的一生中，他贫穷过，也富裕过；既做过亿万富翁，也尝过破产的滋味，所以他对待财富的态度是很复杂的。他是个反对物质主义的嬉皮士，但他把朋友准备免费送出的发明转化成了获利的工具；他是佛教禅宗的狂热信徒，在印度进行过朝圣之旅，但之后又认定创业才是自己的使命。然而，很奇怪的是，这些特性在他身上并没有彼此矛盾，而是完美交织在了一起。

他对一些实体物质有着强烈的喜好，尤其是那些设计优雅、工艺精湛的物品，比如保时捷和奔驰汽车、双立人刀具和博朗电器、宝马摩托车和安塞尔 · 亚当斯（Ansel Adams）的摄影作品、贝森朵夫（Bösendorfer）钢琴和邦·奥陆芬（Bang & Olufsen）的音响设备。但不管多么富有，乔布斯居住的房子从来都是朴实低调的，家中摆设之简单，即便一个震颤教[①]的教徒看了也会自惭形秽。他出行的时候从不会有浩浩荡荡的随行人员，他也没有个人助理，甚至从未雇过保镖。他买下一辆豪华轿车，但从来都是自己开。马库拉邀他一起买里尔（Lear）喷气式飞机的时候，他拒绝了（不过后来他要求苹果公司给他购置了一架湾流飞机）。和自己的父亲一样，乔布斯在和供应商讨价还价的时候也十分坚定，但他不允许对利润的追求凌驾于他对制造伟大产品的狂热之上。

在苹果公司上市30年后，他回顾了当年一夜暴富的感受：

> 我从来没有为钱担心过。我成长在一个中产阶级家庭，所以我从没担心过会挨饿；我在雅达利公司的时候，意识到自己是个还不错的工程师，所以我知道自己肯定可以维持生计；我读大学和在印度的时候，自己选择了过苦日子，后来尽管我开始工作了，但我还是过着十分简单的生活。我经历过极度贫穷，那种感觉很美好，因为我不用为钱担忧，后来我变得特别有钱了，还是不用为钱担心。
>
> 我看到苹果公司的一些人，大赚一笔后就觉得自己要过不同的生活。他们买下劳斯莱斯汽车和许多房子，每所房子都有管家，然后再雇一个人管理所有的管家。他们的妻子去做整形手术，把自己变得稀奇古怪。这不是我想要的生活方式。这太疯狂了。我答应过自己，不会让钱毁了我的生活。

乔布斯并不是一个特别乐善好施的人。他曾短暂地创立过一个基金，但发现他雇来管理基金的那个家伙十分烦人，总是谈及做慈善的新方法以及如何运用捐赠。乔布斯开始轻视那些总是把慈善挂在嘴上或是认为自己可以彻底改变慈善事业的人。早些时候，他曾悄悄送出一张5 000美元的支票，帮助成立拉里·布里连特的塞瓦基金会（Seva Foundation），该基金会致力于帮助穷人对抗疾病，乔布斯甚至同意了加入其董事会。但在一次会议上，乔布斯与董事会中

① 美国的一个教派，其教徒共同生活，生活方式很简朴。

一位著名的医生发生了争执，乔布斯认为基金会应该雇用里吉斯 · 麦肯纳来帮助筹款以及处理公关事务，但这位医生提出了异议。这次争议以乔布斯在停车场痛哭流涕结尾。第二天晚上，在感恩而死乐队为塞瓦基金会举办的慈善音乐会的后台，乔布斯与布里连特重归于好。然而，在苹果完成IPO之后，布里连特带着几位董事会成员——包括维维 · 格里维（Wavy Gravy）和杰里 · 加西亚（Jerry Garcia）——来到苹果公司募集善款的时候，乔布斯并没有满足他们。相反，他努力说服他们，自己之前捐赠的一台Apple II和VisiCalc程序可以帮助基金会简化他们计划中的针对尼泊尔民众失明情况的调查。

乔布斯最大的一次个人赠与是送给自己的父母——保罗 · 乔布斯和克拉拉 · 乔布斯的，他送出了价值约75万美元的股票。老两口出售了其中一部分，用以偿还洛斯阿尔托斯的房子的抵押贷款，他们的儿子也回到家中庆祝。"这是他们人生中第一次没有背负贷款，"乔布斯回忆道，"他们请来了少数几个朋友，到家中开派对，那场面太温馨了。"但他们并没有考虑换一套好点儿的房子。"他们对那个没有兴趣，"乔布斯说，"他们对现在的生活很满意。"他们唯一的奢侈举动就是每年都乘坐公主号游轮度假一次。据乔布斯说，穿越巴拿马运河的那条航线是"我爸爸的最爱"，因为会让他想起自己在海岸警卫队的时候，他们的船穿越巴拿马运河驶往旧金山退役的情景。

苹果公司的成功给乔布斯带来了名声。1981年10月，《公司》（*Inc.*）成为了第一家将乔布斯搬上封面的杂志。"这个人永久改变了商业世界。"杂志上如此宣称。封面上的乔布斯留着修剪整齐的胡子，时髦的长发，穿着牛仔裤和白衬衫，还有一件有些过于光滑的西装。他靠在一台Apple II上，用他从罗伯特 · 弗里德兰那里学来的迷人眼神直视着镜头。杂志文章写道："史蒂夫 · 乔布斯说话的时候是极富热情的，他能预见未来，也正在努力创造未来。"

接下来是《时代》杂志，它在1982年2月推出了一个关于年轻企业家的专题报道。封面上是一幅乔布斯的画像，依然带着他极富魅力的眼神。故事中写道，乔布斯"实际上单独开创了个人电脑产业"。由迈克尔 · 莫里茨撰写的人物简介中写道："6年前，这家公司还窝在乔布斯父母家中的卧室和车库里，在他的带领下，该公司有望在今年实现6亿美元的销售额，而乔布斯才不过26岁……

作为管理人员，乔布斯有时候对待下属是脾气暴躁、严苛无情的。他自己也承认：‘我得学会控制自己的情绪。’”

尽管已经名利双收了，但乔布斯还是把自己看做一个反主流文化的孩子。有一次访问斯坦福大学的课堂时，他脱下了自己的威尔克斯·巴什福德西装和鞋子，坐在桌子上，盘腿打坐。学生们问了一些诸如苹果的股价何时会上涨之类的问题，乔布斯一概置之不理，而是开始讲对于未来产品的激情，比如某一天造出一台和书本一样小的电脑。渐渐地，不再有人问商业方面的问题了，乔布斯开始向这些衣冠整齐的学生们提问。“你们中还有多少人是处男处女？”他问道。下面有人不安地傻笑。“你们中有多少人尝试过迷幻药？”笑声更大了，只有一两个人举起了手。后来，乔布斯抱怨这一代的孩子，在他看来，这群孩子比他那一代的人更加物质主义，一心追求名利。“我上学的时候，60 年代的那股思潮刚过，实用主义、目的性很强的社会风气还没有盛行，”他说，“现在的孩子根本不愿意用理想主义的方式来思考，连接近理想主义都谈不上。他们自然不会让现今的任何哲学问题占用他们太多的时间，因为他们要忙于学习自己的商科专业。”他说，自己那一代人就不一样。“60 年代的理想主义之风仍然影响着我们，我认识的与我年龄相仿的人中，大多数人的心里都永远打上了理想主义的烙印。”

第十章

The Mac is Born

You say you want a revolution...

Mac诞生了

你说你想要一场革命……

1982 年的乔布斯

杰夫 · 拉斯金的宝贝

杰夫 · 拉斯金是那种能让史蒂夫 · 乔布斯着迷——或者是厌烦的人。事实证明，两者他都做到了。拉斯金是个很有哲学家范儿的人，有时幽默顽皮，有时又呆板沉闷，他学习过计算机科学，教过音乐和视觉艺术，管理过一家室内歌剧院，还组织过街头剧场。他 1967 年在加州大学圣迭戈分校完成的博士论文中提出，计算机应该拥有图形界面，而不是基于文本的界面。他在厌倦了教书之后，就租了一只热气球，飞到校长家上空，大声喊出了自己的辞职决定。

1976年，乔布斯找人为Apple II编写操作手册，他给当时已经拥有一家小型咨询公司的拉斯金打了电话。拉斯金来到乔布斯的车库，看到了在工作台上埋头苦干的沃兹尼亚克，并被乔布斯说服，接受了以50美元的报酬为他们编写操作手册。后来，拉斯金成为了苹果公司出版部门的全职经理。他有一个梦想，就是为大众制造价格低廉的电脑。1979年，他说服了迈克·马库拉，成为了小规模项目“安妮”的负责人。然而拉斯金认为，用女人的名字命名电脑是带有性别歧视成分的，所以他更换了项目代号，用的是自己最喜欢的一种苹果的名字：麦金托什（McIntosh）。但为了避免与音频设备制造商麦金托什实验室（McIntosh Laboratory）的名字有冲突，他故意改变了字母的拼写。于是，新电脑的名字变成了麦金塔（Macintosh）。

拉斯金预想中的电脑售价1 000美元，像家用电器一样操作简单，并且将屏幕、键盘和电脑本身整合为一体。为了降低成本，他计划使用5英寸的小屏幕，以及非常便宜（性能也很落后）的微处理器——摩托罗拉6809。拉斯金自诩为哲学家，他不断地把自己的想法记录在本子上，称之为“麦金塔之书”。他还会偶尔发表一些宣言，其中之一叫做“数以百万计的电脑”，开头就表达了他远大的志向：“如果个人电脑能真正走向每个人的话，那么任何一个家庭都应该拥有一台。”

从1979年到1980年初，麦金塔项目一直处于奄奄一息的状态。每隔几个月，它就会面临被解散的命运，但每一次拉斯金都能让马库拉善心大发，项目便能得以延续。它的研究团队只有4名工程师，办公地点在苹果公司以前的办公楼，紧邻美好地球餐厅，跟公司新建的主楼隔了几个街区。办公室里堆满了玩具和无线电遥控的飞机模型（拉斯金的最爱），看上去就像个为极客们服务的日托中心。大家会时不时地停下手中的工作，玩一场组织松散的Nerf球游戏。正如安迪·赫茨菲尔德回忆的：“这让大家都在自己的办公区域四周围上了纸板做成的挡板，以便在游戏的时候提供遮挡，这么一来，办公室看上去就像个用纸板围成的迷宫。”

团队中的明星是一个叫伯勒尔·史密斯（Burrell Smith）的无师自通的年轻工程师。他有一头金发，长着一张娃娃脸，内心却极其严肃认真，他十分崇拜沃兹尼亚克编写的代码，自己也想做出一些耀眼的成就。阿特金森在苹果的服务部门发现了在那里工作的史密斯，惊叹于他随时想出补救方法的能力，于是将他推荐给了拉斯金。史密斯后来饱受精神分裂症的折磨，但在20世纪80年代初期，他还是将自己疯狂的热情投入到不分节假日的工作中，并展现了完美的工程天赋。

乔布斯十分赞赏拉斯金的想象力，但并不同意他为了降低成本而牺牲产品性能。1979年秋的一天，乔布斯告诉拉斯金，集中精力把他反复念叨的“终极完美”的产品做好就行。“你不用担心价格，把电脑的性能列出来。”乔布斯告诉他。作为回应，拉斯金送上了一份充满讽刺的备忘录。其中列出了当时所有人梦寐以求的功能：每行可显示96个字符的高分辨率彩色屏幕，无需使用色带、能以每秒1页的速度打印所有彩色图像的打印机，可以不受限地访问ARPA（美国国防部高级研究计划署）网络，还能够识别语音和合成音乐，“甚至可以模拟卡鲁索与摩门大教堂合唱团共同演唱并伴有各种混音效果的场景”。备忘录最后总结道：“一切只从性能出发是毫无意义的。我们必须设定一个价格目标和相应的一系列性能，同时还必须关注当下以及不远的未来的科技。”换句话说，乔布斯认为只要对产品有足够的热情就可以扭曲现实，但拉斯金对此并不认同。

因此，他们两人之间注定会有冲突，尤其是乔布斯在1980年9月被逐出丽萨项目后，他开始寻找其他能让自己创造辉煌的地方。不可避免地，他的目光落到了麦金塔项目上。拉斯金“为大众制造一台拥有简单图形界面和简洁设计的廉价电脑”的宣言触动了乔布斯的心灵。同样不可避免的是，一旦乔布斯盯上了麦金塔项目，拉斯金的日子也就到头儿了。“史蒂夫开始将他的想法灌输给我们，杰夫陷入了苦闷的思考之中，会有怎样的结果一目了然。”Mac团队的成员乔安娜 · 霍夫曼（Joanne Hoffman）回忆说。

第一次冲突是关于拉斯金钟爱的低性能微处理器——摩托罗拉6809。这又一次成为了拉斯金将Mac价格控制在1 000美元以下的愿望与乔布斯建造一台完美机器的决心之间的冲突。于是，乔布斯开始强烈要求Mac换上性能强劲的摩托罗拉68000，这也是当时丽萨使用的微处理器。1980年圣诞节前，在没有告知拉斯金的情况下，乔布斯给了伯勒尔 · 史密斯一个考验战：设计一台使用摩托罗拉68000的样机。就像自己的偶像沃兹尼亚克一样，史密斯不分昼夜地投入到了任务当中，工作了3个星期，在编程中运用了各种惊人的创举。在他成功之后，乔布斯如愿让所有Mac换上了摩托罗拉68000，拉斯金只能郁闷地重新计算Mac的成本。

还有更大的麻烦等着拉斯金。他想要的那款廉价微处理器无法完全驾驭那些炫目的图形——窗口、菜单、鼠标等他们在施乐PARC见过的东西。当初正是拉斯金说服大家去参观了施乐PARC，而且他本人也很喜欢位图显示和窗口的概念。但是他并不迷恋那些漂亮的图形和图标，也很反感用鼠标取代键盘的想法。“项目里的一些人过于追求用鼠标完成所有操作了，”他后来埋怨说，“还有一个例子就是滥用图标，在所有的人类语言中，图标都是一种很让人费解的符号。人类发明表音文字是有原因的。”

拉斯金以前的学生比尔·阿特金森这次站到了乔布斯的阵营中。他和乔布斯都想使用更强大的处理器，以支持炫丽的图形效果和鼠标的运用。“史蒂夫不得不把这个项目从杰夫手里夺走，”阿特金森说，“杰夫是个很坚定、很固执的人，史蒂夫把项目夺过来是正确的，世界得到了一件更好的产品。”

乔布斯和拉斯金之间的分歧不仅仅是产品理念上的。他们的个性也互不相容。“我认为他是那种喜欢发号施令的人，”拉斯金曾经说，“我感觉他不值得信赖，他受不了别人发现他的不足。他也不喜欢那些不将他奉若神明的人。”乔布斯对拉斯金也很不屑。“杰夫非常的自命不凡，”他说，“他对界面并没有太多了解。所以我决定从他的人马里挖来几个精兵强将，比如阿特金森，再让我手下的几个人加入进来，接管整个项目，然后造出一台低价版的丽萨，我可不想制造垃圾电脑。”

团队中的一些人觉得与乔布斯共事实在太困难了。“正是乔布斯给整个团队带来了压力、权力争斗和激烈的冲突，而不是化解这些让人分心的事情。”一名工程师在1980年12月份交给拉斯金的一份备忘录中写道，“我很喜欢和他交谈，也很仰慕他的思想、实用性的观点和充沛的精力。但我觉得他提供不了我需要的那种充满信任、支持和氛围轻松的工作环境。”

但其他很多人意识到，尽管乔布斯有喜怒无常的毛病，但他非凡的魅力和团队影响力都足以引领大家改变世界。乔布斯告诉员工，拉斯金只是一个空想家，而自己是一个实干家，他会在一年之内完成Mac项目。很明显，从丽萨项目中被逐出后，他需要证明自己，而竞争可以进一步激励他。他公开与约翰·库奇打赌5 000美元，赌Mac会在丽萨之前完工。“我们能够造出一台比丽萨更便宜也更好的电脑，而且我们能更快完成它。”他告诉团队里的人。

拉斯金原定于1981年2月要主持一场全公司范围的自带午餐的研讨会，但乔布斯为了树立自己在项目组的威信，宣布取消了研讨会。然而那天拉斯金碰巧走过会议室，发现里面坐了上百人在等着自己发言。乔布斯根本没有把取消研讨会的决定通知项目以外的其他人。于是拉斯金就走进去发表了一番讲话。

这件事导致拉斯金向迈克·斯科特递交了一份言辞激烈的备忘录，斯科特又一次陷入了艰难的境地：身为公司的总裁，他又要去管束那个喜怒无常的联合创始人兼大股东了。备忘录的标题是“为（和）史蒂夫·乔布斯工作”，拉斯金写道：

> 他是个糟糕透顶的管理者……我一直都很喜欢史蒂夫，但我发现自己无法为他工作……乔布斯经常错过预定安排。这个人尽皆知，几乎已经流传成笑话了……他总是不经过思考就行动，而且判断力很差……他不给别人应得的赞扬……经常发生的情况是，你告诉他一个新想法，他会立刻攻击这个想法，说它是毫无价值的甚至是愚蠢的，并且告诉你研究它就是在浪费时间。光这个就已经很糟糕了，但如果他听到的是一个好点子，他很快就会到处宣传，就好像是他自己想出来的一样……他喜欢打断别人的讲话，从不耐心倾听。

那天下午，斯科特叫来了乔布斯和拉斯金，让他们在马库拉面前摊牌。乔布斯开始哭泣。他和拉斯金只在一件事上达成了共识：两人谁都无法为对方工作。当年在丽萨项目上，斯科特选择了支持库奇。这一次，他认为最好能让乔布斯赢一次。毕竟，Mac只是个小规模的开发项目，而且办公地点在别处，这样一来就可以让乔布斯离开公司总部了。于是，拉斯金被要求休假。“他们想要迁就我，给我找点儿事情做，我觉得挺好，”乔布斯回忆，“对我来说就好像回到了当年的车库一样。我有了自己的小团队，一切尽在我的掌控之中。”

拉斯金遭到驱逐看起来也许不是很公平，但事后证明这对麦金塔项目起到了积极的作用。拉斯金想要的机器内存小、处理器差，使用的是磁带存储，没有鼠标，图形效果也很糟糕。与乔布斯不同，他也许可以将价格压到接近1 000美元，也许可以帮助苹果公司赢得市场份额。但他永远也达不到乔布斯的高度：乔布斯创造并推广的电脑改变了整个个人电脑产业。实际上，我们也可以看看，如果当年按照拉斯金的思路发展，会是怎样的结果。拉斯金后来受雇于佳能公司，制造了他一直想要的电脑。"就是佳能猫（Canon Cat），这是一个彻底的败笔，"阿特金森说，"没人想要它。史蒂夫将Mac变成了简洁版的丽萨，它不单单是消费类电子设备，更是一个运算平台。"①

德士古塔

拉斯金离开后没几天，乔布斯就出现在了安迪·赫茨菲尔德的小隔间里。安迪是Apple II团队的一名年轻工程师，有着一张娃娃脸和顽童般的行为举止，就像他的朋友伯勒尔·史密斯一样。赫茨菲尔德回忆说，他的大多数同事都很害怕乔布斯，"因为他动不动就会发怒，而且他喜欢把心中所想毫无顾忌地说出来，通常都是很难听的话。"但赫茨菲尔德还是因为他的到来而感到兴奋。"你很棒吗？"乔布斯一走进来就问道，"我们Mac团队只想要真正有才华的人，我不知道你是不是足够好。"赫茨菲尔德知道怎样回答。"我告诉他是的，我觉得我自己很棒。"

乔布斯离开了，赫茨菲尔德继续自己的工作。那天下午，他注意到乔布斯正在小隔间外盯着自己看。"我有好消息告诉你，"乔布斯说，"你现在是Mac项目的成员了。跟我来。"

赫茨菲尔德回答说他还需要几天来完成手头正在忙的Apple II产品。"还有什么比制造麦金塔更重要的事情吗？"乔布斯问道。赫茨菲尔德解释说，他要把他的Apple II上的DOS程序弄好，然后交给某人。"你这么做就是浪费时间！"乔布斯说，"谁在乎Apple II啊？用不了几年Apple II就会消亡了。麦金塔才是苹果

---

① 作者注：1987年3月，第100万台Mac下线，苹果公司在上面刻上了拉斯金的名字后，将它送给了拉斯金，这让乔布斯大为不悦。2005年，拉斯金死于胰腺癌，此前不久乔布斯也被诊断患上了该疾病。

公司的未来，你现在立即开工！”说完，乔布斯一把拔掉了桌上Apple II的电源线，赫茨菲尔德一直在弄的代码也毁了。“跟我来，”乔布斯说，“我带你去你的新办公桌。”乔布斯开着他的银色奔驰，载着赫茨菲尔德和他的电脑等所有物品，来到了麦金塔项目的办公室。“这就是你的新办公桌，”他说着，把他带到了伯勒尔·史密斯隔壁的工位，“欢迎来到Mac团队！”赫茨菲尔德打开抽屉后才发现，那张桌子是拉斯金的。事实上，拉斯金离开得太匆忙，有几个抽屉里还塞满了他的杂物，包括一些飞机模型。

1981年春天，乔布斯在为自己的Mac团队招兵买马，他招募成员的主要标准就是要对产品有激情。有时候，他会把应试者带入一个房间，里面有一台被布盖住的Mac样机，然后他会像变戏法一样把布揭开，观察对方的反应。“如果他们两眼放光，立刻拿起鼠标开始操作，史蒂夫就会微笑着雇用他们，”安德烈娅·坎宁安回忆说，“他就是想看到他们喊出一声‘哇’！”

布鲁斯·霍恩是施乐PARC的一名程序员。在他的一些朋友，比如拉里·特斯勒决定加入麦金塔项目后，霍恩也考虑过加入。但他从另一家公司得到了一份很好的工作，还有15 000美元的签约奖金。乔布斯在一个周五的晚上给他打了电话：“你明天早上必须到苹果公司来，”他说，“我有很多东西要给你看。”霍恩照做了，乔布斯也借此机会成功地将他招至麾下。“史蒂夫是如此充满激情地要造出这台可以改变世界的令人惊奇的设备，”霍恩回忆说，“他强大的人格魅力让我改变了主意。”乔布斯向霍恩完整展示了塑料外壳是怎样铸造成型的，又怎样以完美的角度拼装在一起，以及内部的电路板看上去有多漂亮。“他想要我看到，整个项目必定会取得成功，方方面面都已经考虑周到了。我说，哇，这种对产品的狂热可不是每天都能见到的。于是我就签约了。”

乔布斯甚至还尝试了让沃兹尼亚克重新入伙。他后来告诉我，“沃兹那时候已经没做出过什么成绩了，这让我很不满。但我又想，管它呢，要是没有他的聪明才智的话，我也不会有今天的成就。”但是，就在他刚开始让沃兹对Mac产生兴趣的时候，沃兹在圣克鲁兹驾驶着他新买的单引擎比奇飞机尝试起飞时，飞机坠毁了。他差点儿丧命，并因此失去了部分记忆。乔布斯陪他在医院里度过了一段时间。但当沃兹康复后，他决定是时候离开苹果公司了。在从伯克利退学十年后，他决定重返校园拿到自己的学位，并以洛基·浣熊·克拉克（Rocky Raccoon Clark）的名字登记入学。

为了给整个项目打上自己的印记，乔布斯决定项目名称不应该再使用拉斯金最爱的苹果种类了。在各种访谈中，乔布斯一直把电脑比做思想的自行车：人类创造了自行车，从而让自己的移动比秃鹰还要高效；类似的，电脑的发明也将让人们的思维效率大为提高。于是有一天，乔布斯宣布，从今以后，麦金塔更名为“自行车”。然而这一决定并不受欢迎。“伯勒尔和我认为这是我们听说过的最愚蠢的事情，我们都拒绝使用新名字。”赫茨菲尔德回忆。不到一个月时间，这个变更名字的想法就被放弃了。

到 1981 年初，Mac团队的规模已经扩展到了差不多 20 人，乔布斯觉得他们该有个更大的办公区了。于是他们都搬到了一栋棕色墙面的双层建筑的二楼，那里跟苹果公司的主楼大约隔了三条街。新办公室紧邻一家德士古加油站，因此被称为“德士古塔”（Texaco Towers）。丹尼尔·科特基尽管仍在为股票期权的事情伤心，还是被招来给几台样机连接电路。著名的软件工程师巴德·特里布尔（Bud Tribble）设计的开机启动画面，是一句亲切的“hello!”乔布斯觉得办公室里还需要更有活力一点儿，于是让他们去买一套立体声音响。“趁他还没有改主意，伯勒尔和我立刻跑出去，买回了一台银色卡式立体声音响。”赫茨菲尔德回忆。

乔布斯很快就夺取了全面的胜利。在赢得了与拉斯金之间的Mac团队管理权之争后，过了几个星期，他又为将迈克·斯科特从苹果公司总裁的位置上赶下来助了一臂之力。斯科特已经变得越来越反复无常。他时而横行霸道、恃强凌弱，时而又会鼓励、培养员工。在他以冷酷无情的方式推行了一轮裁员之后，终于失去了员工中大多数人的支持。除此之外，他也开始遭受一系列肉体上以及精神上的病痛折磨，包括眼部感染以及间歇性嗜睡症。在斯科特前往夏威夷度假期间，马库拉召集了公司的高层，询问是否应该开除斯科特。大多数人，包括乔布斯和约翰·库奇在内，都表示同意。于是马库拉接管工作，成为了公司不怎么管事的临时总裁。如此一来，乔布斯发现自己可以完全不受约束地在Mac项目中为所欲为了。

第十一章

The Reality Distortion Field

Playing by his own set of rules

现实扭曲力场

以自己的游戏规则行事

1984年最早的Mac团队：乔治·克罗、乔安娜·霍夫曼、伯勒尔·史密斯、安迪·赫茨菲尔德、比尔·阿特金森，以及杰里·马诺克

安迪·赫茨菲尔德加入Mac团队后，另一名软件设计师巴德·特里布尔给他介绍了项目的基本情况，让他知道了还有大量工作尚未完成。乔布斯希望项目能在1982年1月之前完工，也就是说只有不到一年时间。“这太疯狂了，”赫茨菲尔德指出，“不可能的。”特里布尔说，乔布斯是不能接受违背自己意愿的事情发生的。“能最好地形容这种情况的就是《星际迷航》里的一个术语”，特里布尔解释道，“史蒂夫拥有现实扭曲力场。”赫茨菲尔德有些疑惑，特里布尔便进一步解释道：“有他在的时候，现实都是可塑的。他能让任何人相信几乎任何事情。

等他不在的时候，这种力场就会逐渐消失，但这种力场让我们很难作出符合实际的计划。”

特里布尔回忆说，自己是从《星际迷航》中著名的一集——“宇宙动物园”中学来的这个短语，“在那一集中，外星人通过极致的精神力量建造了新世界。”他说他使用这个短语既是一种称赞，也是一种警示。“陷入史蒂夫的扭曲力场中是一件很危险的事情，但也正是这种力场让他可以真正地改变现实。”

起初，赫茨菲尔德认为特里布尔一定是夸张了。但在对乔布斯进行了两个星期的观察后，他有了切身感受。“现实扭曲力场是几种因素的混合物，其中包含了极富魅力的措辞风格、不屈的意志和让现实屈从于自己意图的热切渴望，”他说，“如果他的一个论点没能说服别人，他会娴熟地切换到另一个论点。有时候，他会突然把你的观点占为己有，甚至都不承认自己曾有过不同的想法，这会让你猝不及防。”

赫茨菲尔德还发现，没有人可以避开这股力量的影响。“让人惊奇的是，即使你敏锐地意识到了现实扭曲力场，它还是可以在你身上产生作用，”他说，“我们经常讨论有没有方法可以屏蔽这个力场，但一段时间之后，大多数人都放弃了，只能认为它是一种自然力量。”有一次乔布斯宣布，办公室冰箱里的苏打水都会被替换成奥德瓦拉（Odwalla）牌有机橙汁和胡萝卜汁，之后团队里就有人制作了一批T恤，前面写着“现实扭曲力场”，背后写着“它藏在果汁里！”

在某种程度上，称之为现实扭曲力场只是换了种好听的说法来描述乔布斯喜欢说谎的特性。但事实上，它是一种更复杂的掩饰行为。乔布斯会断言一些事情——可能是世界历史上的一个事件，或者是叙述一场会议上某人提出了一个观点——而完全不考虑事实是什么。这源自他对现实的有意蔑视，不光是对别人，也对他自己。“他可以欺骗他自己，”比尔·阿特金森说，“这就让他可以说服别人相信他的观点，因为他自己已经接受并吸收了这个观点。”

当然，很多人都会扭曲现实。当乔布斯这么做的时候，通常都是一种策略，为了实现某个目的。天性诚实的沃兹尼亚克就惊叹于这种力量的效果。“当他对于未来有一些不合常理的想法时，比如说告诉我，我能只用几天时间就设计出‘打砖块’游戏的时候，他的现实扭曲力场就会起作用。你意识到那是不现实的，但他就是有办法让它变为现实。”

当Mac团队的成员们陷入他的现实扭曲力场时，他们就好像被催眠了一样。“他让我想起了拉斯普京[①]，”黛比·科尔曼（Debi Coleman）说，“他会死死地盯着你，眼睛一眨都不眨。哪怕他端给你一杯毒药，你也会乖乖地喝下去。”但是，和沃兹尼亚克一样，她也认为现实扭曲力场是充满力量的：它让乔布斯激励自己的团队，在掌握的资源远不及施乐及IBM的情况下，改变了计算机产业的进程。“那是一种自我实现的扭曲，”她说，“你完成了不可能完成的任务，因为你并没有意识到那是不可能完成的。”

现实扭曲力场的根源在于乔布斯内心深处不可动摇的信念：世界上的规则都不适用于他。这在他身上是有迹可循的：小时候，他就经常可以让现实屈服于自己的欲望。但他认为自己可以无视规则的信念还有更深层次的原因，就是深深植根于他性格中的叛逆与固执。他觉得自己很特别：他是被上天选中并受到启示的。“他认为有一些人是很特别的——比如他自己、爱因斯坦、甘地以及他在印度遇到的那些导师——而他就是其中之一，”赫茨菲尔德说，“他跟克里斯安讲过这些。有一次他甚至暗示我，他是受到过上天启示的。这些话就像是从尼采口中说出来的。”乔布斯从没有研究过尼采，但他的天性与尼采的一些思想不谋而合：对权力的渴望，以及“超人”（Überman）的特殊本性。尼采在《查拉图斯特拉如是说》中写道：“精神现在拥有了自己的意志；被世界所驱逐的人，终于赢得了自己的世界！”如果现实与乔布斯的意愿不一致的话，他就会忽略现实，他的女儿丽萨出生时他就是这么做的；多年以后，当他第一次被诊断患上了癌症时，他也是这么做的。即使平时一些小小的叛逆行为，比如汽车不装牌照，或是将车停在残疾人停车位上，他也表现得好像完全不受规则和现实的约束。

乔布斯的世界观的另一个重要方面，就是他对人或物进行分类时，非黑即白的思维方式。人要么就是“受到过启示的”，要么就是“饭桶”；人们的工作成果要么是“最棒的”，要么就是“完全的垃圾”。Mac的设计师比尔·阿特金森在这样的二分法中获得的总是积极的评价，他有如下描述：

---

① 俄国尼古拉二世时期的神秘主义者、俄国沙皇及皇后的宠臣，有高超的催眠术。

在史蒂夫手下工作太难了，因为“神”与“白痴”之间的两极分化太严重了。如果你是神，你就是高高在上，存在于神坛上的，绝不能犯错误。我们当中被认为是神的那些人，比如说我，都知道自己实际上也是凡人，我们也会作出糟糕的工程决定，也会像任何人一样吃饭放屁，所以我们总是害怕会被赶下神坛。而那些被认为是白痴的人，他们其实也是辛勤工作的杰出工程师，但他们就会觉得自己永远都得不到赏识，永远无法摆脱白痴的身份。

但这样的分类并不是永恒不变的。尤其是当乔布斯的看法是关于想法而不是关于人的时候，他有时会很快推翻自己先前的结论。特里布尔在向赫茨菲尔德介绍现实扭曲力场时，特别叮嘱他：乔布斯就像高压交流电一样善变。“他告诉你某样东西是糟糕的或者绝妙的，并不代表他明天还会这么想，”特里布尔解释说，“如果你告诉他一个新想法，他通常会告诉你他认为这个想法很愚蠢。但之后，如果他真的喜欢上了这个想法，一个星期之后，他会找到你，然后把你的想法再提出来，就好像是他自己想出来的一样。”

这种脚尖旋转技巧的大胆程度，即便是迪亚吉列夫[①]看了，也会眼花缭乱。布鲁斯·霍恩是和特斯勒一起从施乐PARC跳槽到苹果的程序员，他就多次亲历了这样的事情。“某一天，我会跟他提一个自己的想法，他会说那太疯狂了，”霍恩说，“到下一周，他会跑过来跟我说：‘嘿！我有个很棒的主意’——而那正是我的主意！我跟他说：‘史蒂夫，一个星期之前我就跟你说过这个了。’他就会说：‘知道了知道了。’然后继续讲下去。”

乔布斯的大脑电路中似乎缺少一个装置，这个装置可以调节在他脑中闪现的冲动观点的峰值。于是，在跟他打交道的过程中，Mac团队运用了音频上的一个概念——低通滤波器。在乔布斯向大家灌输观点时，他们学会了将他的高频信号的振幅减小。如此一来就可以平滑地输出数据集，并且为他不断变化的态度提供一个让人不那么紧张的平均值。“几个周期后，”赫茨菲尔德说，“我们就学会了怎样低通过滤他的信号，以及如何不对他的极端态度作出反应。”

乔布斯做出这些极端的行为是因为他缺乏情感上的敏感性吗？不，恰恰相

① 俄国艺术评论家，创办了著名的俄国芭蕾舞团。

反。他的情感理解能力是超强的。他有着不可思议的阅人能力，可以看出他人心理上的优势、弱点以及不安全感。他能在别人毫无防备的情况下，直击对方心灵最深处。他凭直觉就能看出一个人是在说谎还是真的知道一些事情。这让他成为了哄骗、安抚、劝说、奉承、威胁他人的大师。“他就是有这种神奇的力量，能准确地知道你的弱点是什么，怎样能让你觉得自己很渺小，怎样能让你畏缩，”霍夫曼说，“这是那些极富魅力、知道如何操纵他人者身上的共同特质。你知道他能摧毁你，这就让你感觉自己变弱了，你渴望得到他的认可，然后他就可以把你推上神坛并彻底拥有你。”

这样也有一些好处。那些没有被摧毁的人都变得更为强大。他们能更好地完成工作，既是出于畏惧，又是渴望取悦他，也是意识到自己身上背负着这样的期待。“他的行为可以让你在情感上饱受折磨，但如果你能挺过去，它就能起到积极的作用。”霍夫曼说。有时候，你可以对抗乔布斯的力量，这样的话不但可以幸存下来，还能茁壮成长。但这并不总能成功，拉斯金尝试过，短时间内他成功了，但之后还是被摧毁了。但如果你很自信而且你是正确的，如果乔布斯审视你一番后认为你清楚自己在干什么，他就会很尊重你。多年来，无论是在他的私人生活还是职业生涯中，他的核心圈子里集中的都是真正的强者，而不是谄媚者。

Mac团队也深知这一点。从1981年开始，他们每年都会将一个奖项颁发给最能勇敢面对乔布斯的人。这个奖在一定程度上是个玩笑，但也有认真的成分，乔布斯知道这个奖并且还很喜欢它。第一年，该奖被授予了乔安娜·霍夫曼。她来自一个东欧难民家庭，脾气和意志都很强硬。比如，有一天，她发现乔布斯以一种完全扭曲事实的方式更改了她的市场规划。她愤怒地冲向他的办公室。她回忆说：“在我上楼梯的时候，我就告诉他的助理，我要拿把刀插进他的心脏。”公司的法律顾问阿尔·艾森斯塔特（Al Eisenstat）跑过来制止了她。“但史蒂夫听我说完后作出了让步。”

霍夫曼在1982年再一次赢得了这个奖项。“我记得我当时很羡慕乔安娜，因为她敢于面对史蒂夫，而我却没那个胆子。”那一年加入Mac团队的黛比·科尔曼说，“然后，1983年，我赢得了那个奖项。我认识到，我必须坚守自己的信念，乔布斯也很尊重这种做法。从那以后我开始得到晋升。”最终，她成为了制造部门的负责人。

一天，乔布斯冲进了阿特金森手下一名工程师的小隔间，说出了自己常说的那句话：“这是狗屎。”阿特金森回忆说：“那个家伙回答：‘不，这其实是最好的方法。’然后他向史蒂夫解释了自己在工程方面作的一些权衡。”乔布斯败下阵来。阿特金森告诉他的团队，乔布斯的话不能照字面理解，需要转化一下。“我们把‘这是狗屎’解读为一个问句，它真实的意思是‘告诉我，这为什么是最好的方法？’”但这个故事的结尾让阿特金森也觉得很有教育意义。最终，那名工程师找到了一个更好的方法，来实现乔布斯之前指责的那个功能。“正因为史蒂夫挑战了他，他才找到了更好的方法。”阿特金森说，“这意味着，你可以反驳他的意见，但也应该认真听他说的话，因为他通常都是正确的。”

乔布斯这种带刺的行为，一定程度上是受到了两种因素的驱使：一是他的完美主义，二就是，他无法容忍那些为了让产品及时面世或为了压缩成本而作出合理（甚至明智）妥协的人。“他不会在产品上作出妥协，”阿特金森说，“他是个控制欲极强的完美主义者。如果哪个人不愿意把产品做到完美，那他就是笨蛋。”举例来说，1981 年的西海岸电脑展览会上，亚当 · 奥斯本（Adam Osborne）发布了第一款真正意义上的便携式个人电脑。它并不出众——屏幕只有 5 英寸、内存也不大——但运行状况尚可。正如奥斯本那句著名的宣言：“够用就好，多出来的功能都是浪费。”乔布斯认为这整个想法都是可怕的，好几天的时间里他都在嘲笑奥斯本。“这家伙就是不明白，”他走在苹果公司的走廊里还反复骂道，“他不是在创造艺术品，而是在制造垃圾。”

一天，乔布斯走进了拉里 · 凯尼恩（Larry Kenyon）的办公隔间，他是负责麦金塔电脑操作系统的工程师，乔布斯抱怨说开机启动时间太长了。凯尼恩开始解释，但乔布斯打断了他。他问道：“如果能救人一命的话，你愿意想办法让启动时间缩短 10 秒钟吗？”凯尼恩说也许可以。乔布斯于是走到一块白板前开始演示，如果有 500 万人使用Mac，而每天开机都要多用 10 秒钟，那加起来每年就要浪费大约 3 亿分钟，而 3 亿分钟相当于至少 100 个人的终身寿命。“这番话让拉里十分震惊，几周过后，乔布斯再来看的时候，启动时间缩短了 28 秒，”阿特金森回忆说，“史蒂夫能看到宏观层面，从而激励别人工作。”

受到乔布斯的影响，麦金塔团队也充满激情地要制造一台完美的产品，而不仅仅是可以赚钱的产品。“乔布斯认为自己是艺术家，他鼓励设计团队的人把自己也当成艺术家，”赫茨菲尔德说，“我们的目标从来都不是打败竞争对手，或者是狠赚一笔，而是做出最好的产品，甚至比最好的还要好一点儿。”乔布斯还带领团队去曼哈顿大都会博物馆参观蒂芙尼的玻璃制品展览，因为他觉得，大家可以从路易斯 · 蒂芙尼（Louis Tiffany）创造出可以量产的伟大艺术品这个例子中获益匪浅。“我们谈论道，这些玻璃制品并不都是路易斯 · 蒂芙尼亲手制作的，但他成功地将自己的设计传授给了别人，”巴德 · 特里布尔回忆道，“我们对自己说，‘既然我们要制造产品，何不也把它做得漂亮点儿呢？’”

他所有这些暴躁、恶劣的行为都是必要的吗？也许不是，而且这些行为也并不都是合乎情理的。还有其他方式可以激励他的团队。尽管麦金塔电脑后来被证明是一件伟大的产品，但由于乔布斯的鲁莽干预，它的生产进度已远远落后，预算也严重超支。受到残酷对待的员工在感情上也很受伤，大多数人都已心力交瘁。“史蒂夫用不着让员工如此恐惧也可以为团队作出他的贡献，”沃兹尼亚克说，“我喜欢更加耐心一点儿，不要有那么多矛盾冲突。我觉得一家公司可以像一个和睦的家庭一样。如果麦金塔项目是以我的方式运行的话，事情可能会一团糟。但我想，如果能把我们两人的风格中和一下的话，结果会比只用史蒂夫的方式要好一点儿。”

然而，乔布斯的行事风格也有其优势。它给苹果的员工们注入了持久的热情，让他们去创造革命性的产品，也让他们相信，自己可以完成看上去不可能完成的事情。他们制作了T恤，上面写着“我爱每周工作90小时”。出于对乔布斯的畏惧以及想取悦他的强烈愿望，他们的工作都超出了自己的预想。虽然乔布斯禁止团队为了降低Mac成本或是赶进度而在产品上作出让步，但这也同时阻止了一些看似合理实则粗劣的折中方案。

“多年以来，我认识到，当你拥有真正优秀的人才时，你不必对他们太纵容，”乔布斯后来解释说，“你期待他们做出好成绩，你就能让他们做出好成绩。最初的Mac团队让我知道，最顶级的人才喜欢一起工作，而且他们是不能容忍平庸的作品的。你到那个Mac团队里随便找个人问问。他们会告诉你，那些痛苦都是值得的。”

大多数人确实这么认为。“他会在开会的时候大喊：‘你这个蠢货，你从来就没有把事情做对过。’”黛比 · 科尔曼回忆道，“类似的事情好像每个小时都会发生。但我还是认为，能够和他并肩作战，我真的是世界上最幸运的人了。”

第十二章

The Design

Real artists simplify

设计

大道至简

包豪斯式的美学标准

和大多数在埃奇勒建造的房子中长大的孩子不同，乔布斯了解这些房子，也知道它们好在哪里。他喜欢“面向大众的简洁现代主义设计”这个概念。他还喜欢听父亲讲述不同的汽车上纷繁的设计细节。所以，从苹果公司建立之初，他就相信杰出的工业设计——多彩简单的标识以及Apple II使用的雅致时髦的箱子——可以突出自己的公司，也让公司的产品显得与众不同。

在公司搬出乔布斯的车库后，第一个办公场所在一栋小建筑里，这里还有索尼公司的一处销售办事处。索尼以其独特的风格和令人难忘的产品设计而闻名，所以乔布斯经常到他们的办公室去研究宣传材料。“他走进来，邋里邋遢的，抚弄着产品宣传册，指出一些产品设计上的特点。”在那儿工作的丹·卢因（Dan'l Lewin）说，“时不时地，他还会问我：‘我能把这个册子拿走吗？’”到1980年，乔布斯把卢因聘请到了苹果公司。

从1981年6月开始，乔布斯开始参加在阿斯彭举办的一年一度的国际设计大会（International Design Conference），这一时期，他对暗色调、工业气息十足的索尼风格的喜爱逐渐减弱。那年会议的焦点是意大利风格，出席的有建筑师兼设计师马里奥·贝里尼（Mario Bellini），电影制片人贝纳多·贝托鲁奇（Bernardo Bertolucci），汽车制造商塞尔吉奥·平尼法瑞那（Sergio Pininfarina）

和菲亚特汽车公司的女继承人、政治家苏珊娜·阿涅利（Susanna Agnelli）。“我就是去膜拜那些意大利设计师的，就好像电影《告别昨日》（*Breaking Away*）中的孩子膜拜意大利自行车手一样。”乔布斯回忆说，“那次会议真是一个奇妙的启示。”

在阿斯彭，乔布斯接触到了包豪斯运动干净、实用的设计理念，这一理念深受赫伯特·拜尔（Herbert Bayer）的推崇，被他运用到了建筑、家居房屋、无衬线字体排印以及阿斯彭研究所的家具上。拜尔和他的导师沃尔特·格罗皮乌斯（Walter Gropius）以及路德维希·密斯·凡德罗（Ludwig Mies van der Rohe）一样，也认为艺术和应用工业设计之间不应该有区别。包豪斯拥护的现代主义国际风格告诉人们，设计应该追求简约，同时具有表现精神。它通过运用干净的线条和形式来强调合理性和功能性。密斯和格罗皮乌斯宣扬的准则中就有“上帝就在细节之中”和“少即是多”这样的话。正如埃奇勒的房屋一样，艺术敏感性和大规模生产的能力结合到了一起。

1983 年的阿斯彭设计大会上，乔布斯发表了一篇以“未来绝对不会和过去相同”为主题的演讲，公开阐述他对包豪斯风格的热情拥护。演讲在一个巨大的音乐帐篷中举行，乔布斯称赞了包豪斯风格的简单朴素，也预言了索尼风格的消亡。“当下工业设计的潮流就是索尼的那种高科技感，也就是金属灰色，要么就涂成黑色，加一些怪异的设计。”他说，“这么做很容易，但不够好。”他提出了一个源自包豪斯风格的替代方案，更加忠实于产品的功能和本性：“我们要做的，就是让产品科技感十足，然后用上简单干净的包装，让科技感一目了然。我们会把产品放在小包装盒里，让它们看上去纯白漂亮，就像博朗生产的电器一样。”

他反复强调苹果公司的产品会是干净而简洁的。“我们会把产品做得光亮又纯净，能展现高科技感，而不是一味使用黑色、黑色、黑色，满是沉重的工业感，就像索尼那样。”他朗声说道，“我们的设计思想就是：极致的简约，我们追求的是能让产品达到在现代艺术博物馆展出的品质。我们管理公司、设计产品、广告宣传的理念就是一句话：让我们做得简单一点，真正的简单。”苹果奉行的这一原则也在它的第一版宣传册上得到了突出：“至繁归于至简。”

乔布斯认为，简约化设计的一个核心要素就是让人能直观地感觉到它的简单易用。设计上的简单并不总能带来操作上的简易。有时候，设计得太漂亮、太简化，用户用起来反而不会那么得心应手。“我们作设计的时候，最重要的事情就是让产品特性一目了然。”乔布斯告诉一群设计专家。作为例子，他高度赞扬自己为麦金塔电脑创造的桌面概念：“人们直观上就知道该怎么处理桌面。你走进办公室，桌子上有一堆文件。放在最上面的就是最重要的。人们知道怎样转换优先级。我们在设计电脑的时候引入桌面这个概念，一定程度上就是想充分利用人们已经拥有的这一经验。”

那个周三下午，在乔布斯演讲的同时，另一场演讲正在一个小型会议室里进行，发言人是23岁的林璎（Maya Lin）。前一年的11月份，林璎设计的越南战争纪念碑在华盛顿落成，她也因此一举成名。乔布斯和她成了亲密的朋友，并邀请她访问苹果公司。有林璎这样的人在身边的时候，乔布斯会有些羞怯，于是他找来了黛比·科尔曼，带着林璎参观。“我和史蒂夫一起工作了一个星期，”林璎回忆说，“我问他，为什么电脑看上去就像笨重的电视机？为什么你们不把它做得薄一点儿？为什么不做成平板的便携式电脑？”乔布斯回答说那正是他的目标，只是现在技术还没有成熟。

那一时期，乔布斯觉得工业设计领域没有多少令人兴奋的事情。他有一盏理查德·萨珀（Richard Sapper）设计的台灯，这是他很欣赏的一个作品，同时，他还喜欢伊姆斯夫妇（Charles and Ray Eames）设计的家具，以及迪特尔·拉姆斯（Dieter Rams）设计的博朗产品。但没有人能像当年的雷蒙德·洛伊（Raymond Loewy）和赫伯特·拜尔两位大师一样，推动工业设计领域的发展。“工业设计界真的没有什么激动人心的事情，尤其是在硅谷，而史蒂夫急切盼望改变这一局面。”林璎说，“他的设计理念是：造型优美，但不能华而不实，同时还要充满乐趣。他崇尚极简派的设计风格，这源自他作为一名佛教禅宗信徒对简单的热爱，同时他又竭力避免陷入过度的简单而让产品显得冷冰冰的，要使产品的趣味感得以保留。他对待设计充满热情、极其严肃，同时，其中也带有一点玩乐精神。”

随着乔布斯设计鉴赏力的不断提升，他开始尤其青睐日式风格，还渐渐地和三宅一生及贝聿铭这样的明星人物进行更多接触。他的禅修对此有很大影响。

“我一直都认为佛教——尤其是日本的佛教禅宗——在审美上是超群的。”他说，“我见过的最美的设计，就是京都地区的花园，这一文化的产物深深打动了我，而它们都直接源自佛教禅宗。”

像保时捷那样

杰夫·拉斯金设想中的麦金塔电脑就像一只四四方方的手提箱，可以将键盘翻起来盖住屏幕从而合上电脑箱。乔布斯接管项目之后，他决定牺牲便携性，改用一个不会占用太多桌面空间的独特设计。他把一本电话簿扔到众人面前，然后宣布，电脑占用的桌面面积不能超过这本电话簿，这让一群工程师吓傻了眼。于是，设计团队的负责人杰里·马诺克和他雇来的天才设计师大山特里（Terry Oyama）开始研究一个方案：将屏幕放到机箱的上方，再用上可拆卸的键盘。

1981年3月的一天，安迪·赫茨菲尔德吃完饭回到办公室，发现乔布斯正站在一台麦金塔样机旁，和公司的创意总监詹姆斯·费里斯（James Ferris）激烈地争论着。“我们要设计出一个经典的外形，不会过时的那种，就像大众的甲壳虫汽车一样。”乔布斯说。受他父亲的影响，他对经典车型的外形轮廓十分赞赏。

“不，不对，”费里斯说，“外形应该很性感诱人，就像法拉利那样。”

“法拉利也不对，”乔布斯反驳，“应该更像保时捷！”这么说并不奇怪，乔布斯当时就拥有一辆保时捷928。（费里斯后来离开了苹果公司，到保时捷担任广告经理。）一个周末，比尔·阿特金森来了，乔布斯把他带到外面去欣赏那辆保时捷。他告诉阿特金森：“伟大的艺术品不必追随潮流，它们自身就可以引领潮流。”他还十分欣赏奔驰汽车的设计。“多年来，他们把汽车的线条做得更加柔和，但细节之处的用心依然清晰可见，”一次他在停车场周围散步时说，“这正是我们要在麦金塔电脑上实现的目标。”

大山特里拟出了一个初步设计方案，并制作了一个石膏模型。Mac团队的成员们聚集到一起观看展示然后发表自己的看法。赫茨菲尔德大赞“可爱”，其他人似乎也很满意。但乔布斯却给出了猛烈的批评：“这造型太方正了，必须再多一些曲线美的感觉。第一个倒角的半径要再大一点儿，斜角的尺寸我也不大喜欢。”他把刚刚熟练掌握的工业设计术语用上了，其实指的就是电脑相邻两个面之间的弯曲过渡。但紧接着，乔布斯还是给出了一句响亮的称赞。他说："这是一个开始。"

每一个月左右，马诺克和大山特里都会将这样的流程重复一次，当然是根据乔布斯前一次的批评进行了改进。每次最新的模型都会像变戏法一样现出庐山真面目，而前几次的模型则在它旁边一字排开。这不仅有助于大家对改进之处给予评价，也能防止乔布斯坚称自己的某条建议或意见被忽视了。"到第四个模型的时候，我已经很难看出它跟上一个之间的不同了。"赫茨菲尔德说，"但史蒂夫总是很挑剔也很肯定地说，他喜欢或者讨厌某个细节，而他说的东西是我几乎无法觉察到的。"

一个周末，乔布斯去了帕洛奥图的梅西百货，又开始研究各种电器，特别是厨艺公司的产品。周一，他冲进办公室，让设计团队去买了一台厨艺公司的电器，然后根据它的轮廓、曲线和斜角提出了一系列新的建议。于是大山特里尝试了一种新的设计，但看上去就像是一台厨房电器，乔布斯觉得行不通。这让整个进程停顿了一个星期，最终，乔布斯还是批准了Mac的机箱设计。

乔布斯一直坚持电脑的外形必须友好。所以，它不断地改进，看上去就像一张人脸。磁盘驱动器安装在屏幕的下方，使得整台机器比大多数电脑都要狭长，使人联想到一张脸。靠近底座有一块凹进去的地方，就像是下巴；乔布斯还把顶端的塑料边框变得更细，这样麦金塔就不会像丽萨那样有个克鲁马努人（Cro-Magnon）般的额头，外形更加好看。这款苹果机箱的设计专利属于史蒂夫·乔布斯、杰里·马诺克和大山特里。"虽然这个设计不是史蒂夫亲手画出来的，但正是他的思想和灵感成就了这个设计。"大山特里后来说，"老实说，在史蒂夫告诉我们之前，我们根本不知道电脑的'友好'指的是什么。"

乔布斯对于屏幕上显示的内容也同样痴迷。有一天，比尔·阿特金森兴奋地冲进德士古塔。他刚刚想出了一个绝妙的算法，可以在屏幕上快速画出圆和椭圆。要在屏幕上画圆，通常需要计算平方根，而68000微处理器并不支持这个功能。但阿特金森想出了一个变通的方法，因为他发现，一组奇数序列相加，可以得到一组完全平方数序列（例如，1+3=4，1+3+5=9，等等）。赫茨菲尔德回忆说，在阿特金森演示的时候，所有人都震惊了，除了乔布斯。"圆和椭圆挺好的，"他说，“不过，要是能画出带圆角的矩形，你觉得怎么样？”

“我认为我们用不着这个。”阿特金森说道，他解释说那几乎是不可能做到的。“我想把图形程序做得精简一点儿，能满足基本的需要就可以了。”他回忆道。

“圆角矩形到处都有啊！”乔布斯说着就跳了起来，显得更加激动，“你就看看这个房间里！”他指出白板、桌面和其他一些东西都是带圆角的矩形。“你再看看外面，更多，基本上哪儿都有！”他把阿特金森拖出去转了一圈，指着车窗、广告牌和街道指示牌给他看。“走了3条街，我们发现了17处这样的例子，”乔布斯说，“走到哪里我都能指出来，后来他完全信服了。”

“最后直到他指着一个‘禁止停车’的标示牌时，我说：‘好了，你说对了，我认输。圆角矩形也要成为我们电脑上的基本要素。’”正如赫茨菲尔德回忆的：“第二天下午，比尔回到了德士古塔，脸上带着大大的笑容。他在演示中可以飞快地画出漂亮的圆角矩形。”在丽萨和麦金塔，以及后来几乎所有的苹果电脑中，对话框和窗口都带上了圆角。

还在里德学院的时候，乔布斯在旁听书法课时爱上了各种衬线字体和无衬线字体，以及合适的字距和行距。“在我们设计第一台麦金塔电脑的时候，当年的记忆都冒了出来。”他后来在谈及书法课的时候说。因为Mac采用了位图显示，它可以支持无数种字体——从优雅的到古怪的，然后在屏幕上逐个像素地显现出来。

为了设计这些字体，赫茨菲尔德招募了来自费城郊区的高中好友苏珊·卡雷（Susan Kare）。在给这些字体命名时，他们采用了费城梅因莱恩区火车线路上车站的名字：欧弗布鲁克（Overbrook）、梅里昂（Merion）、阿德莫尔（Ardmore）和罗斯蒙特（Rosemont）。乔布斯觉得这一过程十分有趣。一天傍晚，乔布斯路过他们那里，也开始给字体想名字。那都是些“从没有人听说过的小地方”，他抱怨说，“应该用世界级的大城市来命名！”卡雷说，正是这个原因，才有了现在的这些字体名称：芝加哥、纽约、日内瓦、伦敦、旧金山、多伦多和威尼斯。

马库拉和其他一些人从来都无法欣赏乔布斯对于版面设计的痴迷。“他对于字体的了解是很让我们惊讶的，而且他一直坚持要设计好看的字体。”马库拉回忆说，“我一直说：‘字体?!?难道我们就没有更重要的事情了吗？’”事实上，麦金塔上各种漂亮的字体，再结合激光打印技术和强大的图形功能，推动了桌面出版产业的诞生，也成为了苹果公司的赢利点。同时，它也让普通人——不管是中学校报记者还是编辑PTA（家长和教师联谊会）时事通讯的母亲，都享受到了掌握字体知识带来的奇异乐趣，而这种乐趣，之前只有印刷工人、满头白发的编辑和其他跟油墨打交道的人才能体会得到。

卡雷也开发了图标——例如放置被删除文件的垃圾箱，这是图形界面中不可缺少的。她和乔布斯很合得来，因为他们都喜欢简约设计，也都想让Mac成为一台充满创意的电脑。“他通常在一天快要结束的时候过来，”她回忆说，“他总想知道最新的进展，他品位一流，而且对视觉细节的判断也很准确。”有时候，乔布斯会在星期天早上过来，所以卡雷那个时间段都会在工作岗位上，好向他展示最新的成果。她会时不时地遭到否定。她设计了一个兔子图标，用来表示增加鼠标的点击速率，但遭到了乔布斯的反对，理由是这个毛茸茸的生物看上去“太娘娘腔了”。

乔布斯在窗口、文件以及屏幕顶端的标题栏上也耗费了大量精力。他要求阿特金森和卡雷反复修改，因为他对标题栏的样子总是不满意。乔布斯不喜欢丽萨上使用的标题栏，因为它们太黑、太粗糙了。他希望Mac上的标题栏能够更加平滑，再有些细条纹。“我们做了20种不同的标题栏才让他满意。”阿特金森回忆说。卡雷和阿特金森曾一度抱怨说乔布斯在标题栏的修改上耗费了他们太多时间，而他们有更重要的事情要做。乔布斯大发脾气。“你能想象一下每天都要看着它是什么感觉吗？”他吼道，“这不是件小事，这是我们必须做好的事！”

克里斯·埃斯皮诺萨找到了一个方法，既可以满足乔布斯对设计的要求，又可以满足他疯狂的控制欲。苹果公司还在车库里办公的时候，埃斯皮诺萨就是沃兹尼亚克的助手之一，在乔布斯的劝说下，他从伯克利退了学，乔布斯的理由是，学习的机会有很多，但研发Mac的机会只有一次。他自己决定在电脑上设计一款计算器程序。“大家都聚到一起，看克里斯向史蒂夫展示程序，他屏住了呼吸，等待史蒂夫的反应。”赫茨菲尔德回忆说。

“这只是个开始，”乔布斯说，“但基本上来说，很烂。背景颜色太深，一些线条的粗细不对，按键也太大了。”根据乔布斯提出的批评，埃斯皮诺萨日复一日地不断对程序进行完善，但每次展示的最新版本都会受到新的批评。最终，在一个下午，乔布斯再次出现的时候，埃斯皮诺萨展示了他灵机一动做出的解决方案——“史蒂夫 · 乔布斯自己动手做的计算器程序”。这个程序允许用户改变线条的粗细、按键的大小、阴影、背景及其他属性，从而实现计算器外观的调整和个性化。乔布斯没有只顾着笑，他开始认真地根据自己的喜好调整计算器的外观。大约 10 分钟后，他终于得到了让自己满意的答案。毫无疑问，他的设计出现在了最终问世的Mac上，并在之后 15 年的时间里一直作为标准使用。

尽管乔布斯关注的重点在麦金塔电脑上，但他还在寻求为所有的苹果产品创造统一的设计风格。于是，在杰里 · 马诺克和非正式团体“苹果设计协会”的帮助下，乔布斯组织了一次选拔赛，为苹果挑选世界级的设计师，如同博朗公司的迪特尔 · 拉姆斯一样。这个计划命名为“白雪公主”，起这个名字并不是因为对白色的偏爱，而是因为比赛中需要选手设计的产品是以七个小矮人的名字命名的。最终的赢家是德国设计师哈特穆特 · 艾斯林格（Hartmut Esslinger），他曾负责设计了索尼特丽珑电视的外观。乔布斯飞到巴登–符腾堡州的黑森林地区与他会面，给乔布斯留下深刻印象的不仅是艾斯林格的激情，还有他开着奔驰以超过 100 英里的时速狂奔的勇猛精神。

艾斯林格虽然是德国人，但他提出“苹果产品的DNA中应该有土生土长的美国基因”，有独特的加利福尼亚风情，就像“好莱坞和音乐一样，有一点叛逆，还有自然散发的性感魅力”。他的指导思想是“形式追随情感”，这套用了那句众人皆知的“形式追随功能”。他制作了 40 个模型来阐述这一概念，当乔布斯看到这些模型的时候，他宣布：“对，就是这样！”“白雪公主”的外观立即被运用到了Apple II上：白色的机箱，紧致的圆润曲线，既能散热又起到装饰作用的细密通风槽。乔布斯给艾斯林格提供了一份合同，条件是他必须搬到加州居住。两人握手达成了协议，用艾斯林格不那么谦虚的话说：“那次握手开启了工业设计史上最为决定性的一次合作。”艾斯林格的公司——青蛙设计[①]——1983 年年中在帕洛

① 作者注：2000 年，“青蛙设计”（frogdesign）更名为“青蛙 设计”（frog design）并迁至旧金山。当初艾斯林格为公司挑选这样一个名字，不仅是因为青蛙具有变态（形态变化）的能力，也是为了向自己的祖国德意志联邦共和国［(f)ederal (r)epublic (o)f (g)ermany］致敬。他说：“小写字母体现的是包豪斯运动的无层级语言观念，强化了公司民主合作的精神。”

奥图成立，并从苹果公司得到了一份每年 120 万美元的大合同，从那时起，所有的苹果产品上都可以见到这句自豪的宣言：加利福尼亚设计。

乔布斯从父亲身上学到，充满激情的工艺就是要确保即使是隐藏的部分也能做得很漂亮。这种理念最极端也是最有说服力的例子之一，就是乔布斯会仔细检查印刷电路板。电路板上有芯片和其他部件，深藏于麦金塔的内部，没有哪个用户会看到它，但乔布斯还是会从美学角度对它进行评判。“那个部分做得很漂亮，”他说，“但是，看看这些存储芯片。真难看。这些线靠得太近了。”

一名新手工程师打断他说这有什么关系，“只要机器能运行起来就行，没人会去看电路板的”。

乔布斯的反应和往常一样：“我想要它尽可能好看一点儿，就算它是在机箱里面的。优秀的木匠不会用劣质木板去做柜子的背板，即使没人会看到。”几年之后，在麦金塔电脑上市后的一次访谈中，乔布斯再一次提到了当年父亲对他的教导：“如果你是个木匠，你要做一个漂亮的衣柜，你不会用胶合板做背板，虽然这一块是靠着墙的，没人会看见。你自己知道它就在那儿，所以你会用一块漂亮的木头去做背板。如果你想晚上睡得安稳的话，就要保证外观和质量都足够好。”

在迈克 · 马库拉的影响下，乔布斯把父亲的“关心隐藏部分的美观”的理念进一步延伸：漂亮的产品包装和展示也同样重要。人们确实是会“以貌取物”的。所以，乔布斯为麦金塔电脑的包装选择了全彩设计，并不断对其进行改善。“他让大家重做了 50 次，”阿兰 · 罗斯曼（Alain Rossmann）回忆说，他是Mac 团队的成员之一，后来娶了乔安娜 · 霍夫曼，“用户一打开包装，这些东西就会被扔进垃圾箱，但他还是执著于包装的式样。”对于罗斯曼来说，这显得有点失衡：一方面大把的钱被花在了昂贵的包装上，另一方面他们又试图在存储芯片上压缩成本。但对于乔布斯来说，要让麦金塔在性能和外观上都给人惊艳的感觉，每一个细节都是至关重要的。

最终的设计方案敲定后，乔布斯把麦金塔团队的成员都召集到一起，举行了一个仪式。他说：“真正的艺术家会在作品上签上名字。”于是他拿出一张绘图纸和一只三福笔（Sharpie pen），让所有人都签上了自己的名字。这些签名被刻在了每一台麦金塔电脑的内部。除了维修电脑的人，没有人会看到这些名字。但团队里的每个成员都知道那里面有自己的名字，就如同每个人都知道那里面的电路板已经被设计得尽善尽美了。乔布斯一个一个叫出大家的名字，让他们签名。伯勒尔 · 史密斯是第一个。乔布斯等到了最后，其他 45 个人都签过名后，他在图纸的正中间找到了一个位置，用小写字母潇洒地签下了自己的名字。然后他以香槟向大家祝酒。“在这样的时刻，他让我们觉得自己的成果就是艺术品。”阿特金森说。

第十三章

Building the Mac

The journey is the reward

制造Mac

过程就是奖励

竞争

1981 年 8 月，IBM推出了他们的个人电脑，乔布斯让自己的团队买了一台并进行详细的分析。大家一致认为这是个很糟糕的产品，克里斯 · 埃斯皮诺萨称其“性能低下、毫无创新”，这话不无道理。它使用的是过时的命令行提示符，屏幕也只能显示字符，而不是图形界面的位图显示。苹果的员工显得过于自信了，他们没有意识到，企业的技术经理也许更愿意从IBM这样的老牌企业购买产品，而不是他们这家以水果命名的公司。IBM发布个人电脑的那天，比尔 · 盖茨恰巧在苹果公司的总部参加一场会议。“他们看上去根本不在意，”他说，“他们用了一年时间才意识到发生了什么。”

有一件事表现出了苹果公司狂妄的自信：他们在《华尔街日报》上刊登了一幅整版广告，标题是：“欢迎IBM——真的。”它把即将来临的电脑产业大战定位成了两家公司之间的竞争：生气蓬勃而又叛逆的苹果和老牌巨头IBM。而当时和苹果公司表现同样出色的康懋达公司、坦迪公司（Tandy）以及奥斯本，则被归入了“不相干公司”的行列。

乔布斯在整个职业生涯中，都喜欢把自己看做对抗邪恶帝国的反抗者，一名与黑暗力量作斗争的绝地战士或是佛教武士。IBM是他的完美陪衬。乔布斯把即将到来的产业战争看做商业竞争和精神较量的结合体。“如果因为某个原因，我们犯下了巨大错误，IBM赢了我们，那我个人的感觉就是，我们将进入计算机领域长达20年的黑暗时代。”他告诉一个采访者，“一旦IBM控制了市场，他们几乎总是会停止创新。”即使30年后的现在，在回顾那场竞争时，乔布斯还是把它当做神圣的改革运动：“IBM本质上就是最差状态下的微软公司。他们不是创新的力量，而是邪恶的力量。IBM就像AT&T、微软或者谷歌一样。”

对于苹果公司来说不幸的是，乔布斯还将矛头对准了麦金塔的另一个竞争对手：苹果公司自家生产的丽萨。这么做一定程度上是心理原因。他曾经遭到过丽萨项目的驱逐，现在他要打败它。乔布斯还认为，良性的竞争也是一种激励下属的方法。正因如此，他才跟约翰·库奇打赌5 000美元，赌Mac会在丽萨之前上市。问题是，竞争逐渐变成了恶性的。乔布斯总是把自己手下的一帮工程师描绘成酷小孩，与丽萨团队那群惠普工程师风格的无趣之人形成鲜明对照。

更实质性的问题是，他当初放弃了杰夫·拉斯金生产廉价、低性能便携电脑的计划，将Mac重新定义为拥有图形用户界面的台式机。这样一来，Mac就成了小尺寸版本的丽萨，很有可能削弱丽萨的市场影响力。当乔布斯敦促伯勒尔·史密斯围绕摩托罗拉68000微处理器来设计Mac，并让Mac的运行速度超过了丽萨时，这一状况就变得愈加真实。

负责管理丽萨电脑应用软件的拉里·特斯勒意识到了一件很重要的事情，就是让许多软件在两款机器上都能使用。于是，为了促成两个团队间的和平，他安排史密斯和赫茨菲尔德来到了丽萨的工作区，展示一下Mac的样机。25名工程师聚到了一起，正当演示进行到一半、大家在认真聆听的时候，门被猛然推开了。冲进来的是里奇·佩奇（Rich Page），他负责丽萨的大部分设计工作，是个性格反复无常的工程师。“麦金塔会毁了丽萨的！”他大吼道，“麦金塔也会毁了苹果公司！”史密斯和赫茨菲尔德都没有作出回应，于是佩奇继续咆哮：“乔布斯想要毁了丽萨，就因为我们没让他来管。”他说着，好像要哭出来一样：“没人会买丽萨的，因为大家都知道Mac就要问世了！但你们根本不在乎！”他冲出房间，砰地关上了门，但过了一会儿又闯了进来。“我知道这不是你们的错，”他对史密斯和赫茨菲尔德说，“史蒂夫·乔布斯才是问题所在。告诉史蒂夫，他正在毁掉苹果公司！”

乔布斯的确把麦金塔变成了丽萨的低价竞争者，并且使用的是丽萨不能兼容的软件。更糟糕的是，这两款机器与Apple II都不兼容。苹果没有人全面管理公司，也就没有人能管得住乔布斯。

彻底的控制

乔布斯不愿意让Mac兼容丽萨的架构，并不只是出于竞争或复仇目的。还有一个原因，就是他对于控制权的迷恋。他认为一台电脑要真正做到优秀，它的硬件和软件必须是紧密联系在一起的。如果一台电脑要兼容那些在其他电脑上也能运行的软件，它必定要牺牲一些功能。他认为最好的产品是“一体的”，是端到端的，软件是为硬件量身定做的，硬件也是为软件度身定制的。正因为此，才使得麦金塔有别于微软（以及之后谷歌的安卓）所创造的环境，麦金塔上使用的操作系统只能在自己的硬件上运行，而微软和安卓的操作系统可以在许多不同厂家制造的硬件上运行。

“乔布斯是一个固执的杰出艺术家，他不希望看到自己创造的东西被二流的程序员给糟蹋了。”ZDNET的编辑丹 · 法伯（Dan Farber）写道，“这就好像街边的某个人在毕加索的画作上涂了几笔或是改写了鲍勃 · 迪伦的歌词一样。”到后来，乔布斯软硬件结合的一体化产品理念也让iPhone、iPod和iPad从诸多竞争者中脱颖而出。这一理念造就了伟大的产品，但这并不总是占领市场的最佳战略。“从最初的Mac到最新的iPhone，乔布斯的系统一直都是封闭的，用户无法对其进行干预或修改。”《Mac信徒》一书的作者利安德 · 卡尼（Leander Kahney）说。

乔布斯当初和沃兹尼亚克争论是否应该在Apple II上设置扩展槽，从而允许用户在电脑主板上插入扩展卡来增加一些新功能时，就表现出了他心中那种控制用户体验的强烈欲望。沃兹尼亚克在那场争论中获得了胜利。Apple II上有8个扩展槽。但这一次，这台电脑是属于乔布斯的，不是沃兹尼亚克的。麦金塔电脑不会有扩展槽。用户甚至都不能打开机箱碰到主板。对于业余爱好者或者黑客来说，这就少了很多乐趣。但对乔布斯来说，麦金塔是为大众设计的。他想让用户的体验是可控的。他不希望看到有人往扩展槽里随便插上电路板，破坏他的优雅设计。

“这反映了他喜欢掌控一切的个性。”贝里 · 卡什（Berry Cash）说，卡什于1982年被乔布斯聘请到苹果担任市场策划，成为了德士古塔的常驻员工，“史蒂夫在谈到Apple II的时候会抱怨说：‘我们没有控制权，只能看着那些人对它做疯狂的事情。我再也不会犯这种错误了。’”他甚至设计了专门的工具，这样的话用户就无法使用常规的螺丝刀来打开机箱。“我们要把这台电脑设计成只有苹果员工才能打开。”他告诉卡什。

乔布斯还决定取消麦金塔键盘上的光标方向键。要移动光标，唯一的方法就是使用鼠标。这就迫使一些传统用户必须适应鼠标的指向和点击这样的操作，尽管他们并不情愿这么做。和其他的产品开发者不一样，乔布斯不相信顾客永远是正确的。如果他们抵制使用鼠标的话，那他们就错了。这又一次证明，乔布斯把制造伟大产品的激情摆在了比迎合消费者的欲望更为重要的位置上。

取消方向键还有另一个好处（也是坏处）：它迫使苹果公司以外的软件开发商们针对Mac的操作系统编写专门的程序，而不是编写一个通用的程序从而能安装到不同的电脑上。这有助于应用软件、操作系统和硬件设备间的紧密的垂直整合，而这正是乔布斯所钟爱的。

将麦金塔的操作系统授权给其他厂家，进而允许别人能制造出麦金塔的仿制品，这样的提议对于渴望端到端整体掌控局面的乔布斯来说是极为反感的。新上任的麦金塔营销总监是精力充沛的迈克 · 默里（Mike Murray），他在1982年5月交给乔布斯的机密备忘录中，提出了一份授权计划。“我们希望麦金塔的用户环境可以成为行业标准，”他写道，“但这其中有一个障碍：如果想要使用这个用户环境，就必须购买Mac的硬件。很少有公司（实际上根本就没有）可以创造并维持一个无法与其他厂家共享的行业标准。”他建议将麦金塔的操作系统授权给坦迪公司。默里认为，坦迪旗下的Radio Shack商店拥有的客户群与苹果公司不同，所以不会严重影响苹果产品的销售。但以乔布斯的天性，他必然反对这样的计划。他无法想象自己的完美创作不在自己的控制之下。最终，麦金塔依照乔布斯的标准，仍然作为一个封闭的用户环境存在，但正如默里所担心的，在一个到处都是IBM兼容机的世界里，麦金塔想要守住行业标准的地位将会遭到重重困难。

年度机器

随着1982年临近尾声，乔布斯开始相信，自己将成为《时代》杂志的“年度人物”。一天，他和《时代》旧金山分部的总编迈克尔·莫里茨一同出现在公司，他还鼓励同事们接受莫里茨的采访。但最终，乔布斯并没有登上该杂志封面。《时代》将“计算机”选为了年终刊的主题，并称之为“年度机器”。和主题报道一起的有一篇乔布斯的介绍，是根据莫里茨的报道，由杰伊·科克斯（Jay Cocks）撰写的，而科克斯以往只是负责摇滚乐信息方面的编辑。文中写道：“他有高超的推销技巧，他的盲目信仰甚至让早先的基督教殉道者都嫉妒不已，正是他——史蒂夫·乔布斯——开启了个人电脑产业。”这是一篇内容十分丰富的文章，但也不乏粗糙之处，以至于莫里茨本人（在他写了一本关于苹果公司的书，又进入风险投资公司红杉资本、和唐·瓦伦丁成为了合伙人之后）也予以驳斥，并抱怨说自己的报道被“一个来自纽约、日常工作是记录摇滚音乐界不羁生活的编辑断章取义，还添加了一些八卦消息”。那篇介绍文章中引用了巴德·特里布尔关于乔布斯“现实扭曲力场”的言论，还提到乔布斯“有时候会在会议上突然哭起来”。最精彩的一句引用也许来自杰夫·拉斯金，他说，乔布斯“可以成为杰出的法兰西国王”。

让乔布斯沮丧的是，杂志公开了一件事：他有一个被他抛弃的女儿——丽萨·布伦南。就是这篇文章提到了乔布斯说过的那句话：“全美国28%的男性都有可能是孩子的爸爸。”这激怒了克里斯安。乔布斯知道是科特基把丽萨的事情告诉了杂志，他在Mac团队的办公区当着一群人的面痛斥了科特基。“《时代》的记者问我，乔布斯是不是有个叫丽萨的女儿，我说当然是。”科特基回忆说，“朋友是不会让朋友否认自己是一个孩子的父亲的。我不会让我的朋友这么浑蛋，否认自己是个父亲。他真的很生气，觉得受到了冒犯，然后当着所有人的面说我背叛了他。”

但真正伤害了乔布斯的是，他终究没能被选为“年度人物”。正如他后来告诉我的：

> 《时代》已经决定要让我成为“年度人物”了，当时我才27岁，所以我真的很在意这件事，我觉得那很酷。他们派迈克尔·莫里茨来写篇文章。我们两个同龄，而我当时事业已经非常成功了，我能看得出来他很嫉妒，他又恰好掌握了有利条件。所以他写了一篇恶毒诽谤的文章。纽约的编辑们看到这篇文章后说，我们不能让这种人当“年度人物”。这真的让我很伤心。不过也是个很好的教训，它告诉我永远不要为了那样的事情过分激动，因为媒体就像马戏团一样。他们用联邦快递把杂志寄给了我，我记得当时拆开包装的时候，满心希望在封面上看见自己的脸，结果却是个电脑的雕像。我还想：“怎么回事？”然后我看了那篇文章，写得太糟糕了，我真的哭了出来。

事实上，没有理由相信莫里茨当时嫉妒乔布斯，或者故意想进行不公正的报道。乔布斯也从没有被定为“年度人物”，尽管他自己不这么认为。那一年，编辑们（我也在其中，只是资历较浅）早就决定刊登“计算机”而不是某个人了，而且他们提前几个月就委托著名的雕塑家乔治·西格尔（George Segal）制作一件艺术品，作为折页封面上的图像。雷·凯夫（Ray Cave）当时是杂志的一名编辑。“我们从没有考虑过乔布斯，”他说，“你无法把电脑比做人，所以那是我们第一次决定选用一个无生命的物体。请西格尔做雕塑是件大事，我们从没有想让某个人出现在封面上。”

1983年1月，苹果公司发布了丽萨电脑——比Mac早了整整一年，乔布斯在和库奇的这场赌局中输掉了5 000美元。尽管乔布斯并不是丽萨团队的一员，他还是以苹果董事长及形象代言人的身份前往纽约为丽萨作宣传。

乔布斯从自己的公关顾问里吉斯·麦肯纳那里学会了如何以戏剧化的方式限量派发独家专访的机会。来自指定媒体的记者按次序一个个被带进他在卡莱尔酒店的套房，对他进行采访，房间里的桌子上摆着一台丽萨电脑，周围用切花装饰着。宣传计划要求乔布斯专注于介绍丽萨，不要谈及麦金塔，因为对麦金塔的猜测可能损害丽萨的销售。但乔布斯没能控制住。根据那天对他的采访而写成的大多数报道——包括刊登在《时代》、《商业周刊》、《华尔街日报》以及《财富》

上的——都提到了麦金塔。“今年晚些时候，苹果公司将推出一款性能稍弱、售价更低的丽萨版本，即麦金塔电脑。”《财富》报道说，“乔布斯亲自领导那个项目。”《商业周刊》引用了乔布斯的话：“Mac问世后，将成为全世界最不可思议的电脑。”他还坦承Mac和丽萨是无法兼容的。这就像是在发布丽萨的同时给它送上了死亡之吻。

丽萨确实慢慢地消亡了。不到两年，它就停产了。“它太贵了，我们试图把它卖给大公司，但我们擅长的是出售给个人用户。”乔布斯后来说。不过这让他看到了一线希望：丽萨刚刚面世几个月，有一件事情就很明显了，那就是，苹果公司必须把希望寄托在麦金塔身上。

我们当海盗吧！

随着麦金塔团队的不断扩大，它从德士古塔搬到了位于班德利大道（Bandley Drive）的苹果公司主办公区，并于1983年年中在班德利3号楼安顿下来。那里有一个可以玩电子游戏的现代化中庭大厅，游戏都是由伯勒尔·史密斯和安迪·赫茨菲尔德挑选出来的，还有一套东芝的CD音响系统，配上了马丁·洛根（Martin Logan）扬声器和100张CD光盘。从大厅就能看到软件小组的员工，他们的办公区域被玻璃围住，看上去就像待在鱼缸里一样，厨房里每天都备有奥德瓦拉果汁。逐渐地，中庭里的玩物越来越多，最醒目的就是一架贝森朵夫钢琴和一辆宝马摩托车，乔布斯觉得这些东西可以让员工迷上简洁高雅的工艺风格。

乔布斯对招聘流程有着严格的控制，目的是招到具有创造力、绝顶聪明又略带叛逆的人才。软件小组会让应聘者玩史密斯最爱的电子游戏《守护者》（*Defender*）。乔布斯会问一些他常问的古怪问题，以考验求职者在突发状况下的思维能力，以及他们的幽默感和反抗精神。有一天，他和赫茨菲尔德、史密斯一起，面试一个应聘软件经理的人，这个人一走进来，身上的保守和刻板气息就显露无遗，很明显无法管理鱼缸里的那群天才。乔布斯开始无情地捉弄他。“你是几岁失去童贞的？”乔布斯问。

应聘者听得一头雾水。“你说什么？”

“你还是处男吗？”乔布斯问道。应聘者坐在那儿，显得格外紧张不安，于是乔布斯换了个问题："你服用过多少次迷幻药？"赫茨菲尔德回忆说："那个可怜的家伙满脸通红，于是我试图转移话题，问了他一个很直白的技术问题。"但是，当应聘者开始唠唠叨叨地回答问题时，乔布斯打断了他。"咯咯，咯咯，咯咯，咯咯……"他发出这样的声音，一旁的史密斯和赫茨菲尔德也都笑了起来。

"我想我不适合这份工作。"那个可怜的人说着就起身离开了。

乔布斯虽然有很多让人讨厌的行为，但他也能给自己的队伍注入团队精神。在把别人贬得一文不值之后，他又能找到办法激励他们，让他们觉得成为麦金塔项目的一员是一项美妙的任务。每半年，他都会带着团队的大部分人，去附近的一处度假胜地举行为期两天的集思会。

1982 年 9 月的那次集思会是在蒙特雷附近的帕加罗沙丘（Pajaro Dunes）进行的。大约 50 名Mac团队成员坐在小屋里，面朝着壁炉。乔布斯坐在他们前面的一张桌子上。他小声地说了一会儿话，然后走到一个画架旁，开始逐一列出自己的想法。

第一条是"决不妥协"。这一条在日后的岁月里被证明是一把双刃剑。大多数技术团队都会妥协。另一方面，Mac最终要成为乔布斯和他的队伍所能做出的最"酷毙了"（Insanely Great）的产品——但它又不能再花上 16 个月才上市，远远晚于计划时间。提出一个计划中的完工日期后，他告诉他们："即便错过上市日期，也不能粗制滥造。"换做愿意作出妥协的项目经理，也许会敲定一个完工日期，之后不得再作出任何改动。但乔布斯不是这样的人，他的另一句名言就是："直到上市，产品才能算是完工。"

另一张纸上写下了一句公案[①]一样的短语，他后来告诉我那是他最爱的一句格言。上面写的是："过程就是奖励。"他喜欢强调，Mac团队是一支有着崇高使命的特殊队伍。未来的某一天，他们会回顾这段共同度过的时光，对于那些痛苦的时刻，只是过眼云烟，或者付之一笑，他们会把这段时光看做人生中奇妙的巅峰时刻。

① 佛教禅宗用语。

演讲的最后，他问道："你们想看点儿好东西吗？"然后他拿出了一个日记本大小的装置。他翻开之后，大家发现那是一台可以放在腿上使用的电脑，键盘和屏幕接合在一起，就像笔记本一样。他说："这是我的梦想，希望我们能在 80 年代中晚期造出这种电脑。"他们正在创建一家基业长青的公司，一家开创未来的公司。

接下来的两天，各团队的负责人和颇具影响力的计算机行业分析师本 · 罗森都发表了演讲，晚上的时间就用来举行泳池派对和跳舞。到最后，乔布斯站在众人面前，发表了一番独白。"随着时间的流逝，这里的 50 个人所做的工作将会对整个世界产生深远影响。"他说道，"我知道我可能有一点儿难以相处，但这是我一生中做过的最有趣的事情。"多年之后，当时观众中的大多数人想到乔布斯的那句"有一点儿难以相处"时都会笑起来，并且都同意他的说法：能深远地影响世界，是他们一生中最大的乐趣。

接下来的一次集思会是在 1983 年 1 月底，丽萨发布的当月。会议的调子有了转变。4 个月前，乔布斯在他的挂图上写下了"决不妥协"，这一次，他的格言变成了"真正的艺术家总能完成作品"。火气一下子被拱了起来。阿特金森未能得到在丽萨发布时接受采访的机会，他冲进乔布斯的酒店房间，威胁要辞职。乔布斯努力安抚他，但他根本不吃这一套。乔布斯发怒了，"我现在没时间处理这个。"他说，"我还有 60 个员工全身心投入在麦金塔项目上，他们在等着我去开会呢。"说完他就径自走开，去给自己的忠实员工们演讲了。

乔布斯发表了一通振奋人心的演讲，宣称他已经就使用麦金塔这个名字一事，和麦金托什音频实验室解决了纷争。（事实上，当时此事仍然在谈判之中，但那样的时刻需要乔布斯略略施展他的现实扭曲力场。）他拿出一瓶矿泉水，象征性地给台上的样机施了洗礼。阿特金森在很远的地方就听到了巨大的欢呼声，他叹了口气，也加入到了人群中。接下来的派对上，有泳池裸泳，有沙滩上的篝火，还有整晚播放的音乐，嘈杂的声音让卡梅尔的海滩酒店（La Playa）要求他们再也不要光顾了。几个星期之后，乔布斯设法让阿特金森被评为了"苹果特别员工"，这意味着加薪、获得股票期权以及自主选择项目的权利。此外，公司还同意，当麦金塔启动阿特金森创作的画图程序时，屏幕上都会显示：

"MacPaint——作者比尔 · 阿特金森。"

1 月份集思会时，乔布斯的另一条著名言论是"当海盗，不要当海军"。他想给自己的团队灌输叛逆精神，让他们像侠盗一样行事：既为自己的工作感到自豪，又愿意去窃取别人的灵感。就像苏珊 · 卡雷说的："他的意思是，我们的团队里要有一种叛逆的感觉，我们能快速行动，做成事情。"为了庆祝乔布斯几周之后的生日，团队在通往苹果公司总部的马路边买下了一块广告牌，上面写着：

> 史蒂夫，28 岁生日快乐。过程就是奖励。
>
> ——海盗们贺

Mac团队最酷的程序员之一史蒂夫 · 卡普斯（Steve Capps）认为，需要为这种新的精神升起一面海盗旗。他拿了一块黑布，让卡雷画成一面骷髅旗。骷髅所戴的一只眼罩被她画上了苹果的标识。一个周日的深夜，卡普斯爬到了新落成的班德利 3 号楼的楼顶，在建筑工人留下的一个脚手架支柱上升起了那面海盗旗。这面旗帜高高飘扬了几个星期，后来丽萨团队的成员在一次深夜突袭中偷走了它，并给Mac团队送去了一张索取赎金的通知。卡普斯为了把旗子抢回来，带人突袭了丽萨团队，并成功地从一个负责看管海盗旗的秘书手中夺回了它。一些心态成熟的人担心乔布斯的海盗精神正在逐渐失控。"升海盗旗这件事真的非常愚蠢，"亚瑟 · 罗克说，"这是在告诉公司的其他人，他们不够出色。"但乔布斯喜欢这样，一直到Mac项目完成，他始终让那面海盗旗飘着。"我们很叛逆，我们想让大家知道这一点。"他回忆说。

Mac团队的资深成员意识到，他们可以勇敢地面对乔布斯。如果他们清楚自己在说什么，乔布斯就能容忍反对的声音，甚至微笑面对、表达赞赏之情。到 1983 年，那些最熟悉他现实扭曲力场的人有了进一步的发现：如果必要，他们可以不动声色地忽略他的命令。如果事实证明他们是正确的，乔布斯就会欣赏他们的叛逆态度和敢于无视权威的意愿。毕竟，他自己就是这么做的。

迄今为止，乔布斯的叛逆精神影响最重大的一次事件，是在为麦金塔选择磁盘驱动器这件事上。当时苹果公司有一个部门是生产大容量存储设备的，他们开发了一套磁盘驱动系统，代号“崔姬”（Twiggy），它可以读写那些纤薄、精致的5.25英寸软盘，年长一些的读者（那些还记得模特崔姬是谁的人）一定还能回想起那种软盘。但到了1983年春天，丽萨准备上市的时候，崔姬系统的高故障率已经很明显了。因为丽萨还带有一个硬盘驱动器，所以对它来说情况并不算太糟。但Mac没有硬盘，所以它就面临着危机。“Mac团队开始感到惊慌了，”赫茨菲尔德说，“我们只用了一个崔姬系统作为软盘驱动器，又没有硬盘可以备用。”

1983年1月，在卡梅尔的那次度假中，他们讨论了这个问题，黛比·科尔曼把崔姬系统故障率的数据给了乔布斯。几天之后，乔布斯开车来到苹果公司在圣何塞的工厂，视察崔姬的生产过程。生产中的每一个流程，都有超过一半的产品不合格。乔布斯愤怒了。他的脸气得通红，开始咆哮，气急败坏地说要开除那儿的所有员工。Mac工程团队的负责人鲍勃·贝尔维尔镇定地把他带到了停车场，在那儿一边散步一边讨论替代方案。

有一个办法，也是贝尔维尔一直在探索的，就是使用索尼公司刚刚研发的新型3.5英寸磁盘。这种磁盘被包裹在更加牢固的塑料中，小巧到可以塞进衬衫口袋。还有一个办法，就是使用日本的一家小供应商——阿尔卑斯电子公司（Alps Electronics Co.）生产的索尼3.5英寸磁盘的仿制品，这家公司一直为Apple II供应磁盘驱动器。阿尔卑斯电子公司当时已经获得了索尼的技术授权，如果他们能及时生产出自家版本的驱动器的话，价格将便宜不少。

乔布斯和贝尔维尔，以及苹果的资深员工罗德·霍尔特（帮乔布斯设计Apple II第一款电源的人）一起飞到了日本，寻求解决问题的办法。他们从东京乘坐高速列车前往阿尔卑斯电子公司的工厂。那里的工程师甚至连一件可以使用的样机都没有，只有一个未完工的模型。乔布斯觉得不错，但贝尔维尔对这种状况感到震惊。他认为，阿尔卑斯电子公司绝不可能在一年之内将它准备就绪，然后应用到Mac上。

接着，他们又参观了另外几家日本公司。乔布斯举止十分粗鲁，穿着牛仔裤和运动鞋去跟那些身穿深色西装的日本经理会面。对方按照惯例，郑重地递给乔布斯一些小礼物，但这些礼物经常被他丢在一边，他也从没有回赠礼物给他们。

工程师们列队欢迎他，向他鞠躬，然后恭敬地送上自己的产品供他检查，他只会冷笑一声。乔布斯既讨厌他们的产品，又讨厌他们的谄媚。“你给我看这个干什么？”他在一家工厂的时候厉声问道，“这就是一块垃圾！随便找个人做出来的驱动器都比这个好。”虽然接待方的大多数人都对他的举止感到震惊，但有一些人似乎被他逗乐了。他们事先听说过关于他令人生厌的作风和鲁莽行为的传闻，现在总算亲眼见到了。

参观的最后一站是坐落在东京一片死气沉沉郊区的索尼工厂。在乔布斯看来，这家工厂很杂乱，要价也很高。很多工作都是手工完成的。他痛恨这一点。回到酒店后，贝尔维尔主张使用索尼的磁盘驱动器，因为它们已经可以直接用到Mac上了。乔布斯不同意，他决定跟阿尔卑斯电子公司合作，自己生产驱动器，同时命令贝尔维尔停止与索尼的一切合作。

贝尔维尔认为，最好在一定程度上忽略掉乔布斯。他向迈克·马库拉解释了情况，马库拉悄悄告诉他，采取一切必要措施，确保在短时间内准备好一款磁盘驱动器——但是不要告诉乔布斯。贝尔维尔在自己的顶级工程师们的支持下，向索尼的一位高管提出，让索尼的磁盘驱动器准备好应用在麦金塔电脑上。万一阿尔卑斯电子公司无法按时供货，苹果公司就会转用索尼的产品。于是索尼把开发这款驱动器的工程师嘉本秀年（Hidetoshi Komoto）派到了苹果公司，嘉本毕业于普渡大学，幸运的是，他对于这项秘密任务充满了幽默感。

每当乔布斯离开公司办公室，前去视察Mac团队工程师的时候——基本上是每天下午——他们都会赶紧找个地方让嘉本藏起来。有一次，乔布斯恰巧在库比蒂诺的一处报刊亭遇到了嘉本并且认出了他（两人在日本见过），但乔布斯并没有起疑心。最险的一次是有一天，乔布斯出人意料地急匆匆来到Mac团队的办公区，而当时嘉本正坐在一个办公隔间里。Mac的一名工程师一把抓住他，指了指清洁间。“快点儿，躲到里面去。拜托！现在就去！”赫茨菲尔德回忆说，当时嘉本一脸迷惑，但还是跳起来一头冲进了清洁间。他在里面待了5分钟，直到乔布斯离开。事后，Mac团队的工程师们向嘉本道歉。“没关系，”他回答道，“但美国的商业习惯真是非常奇怪，非常奇怪。”

贝尔维尔的预言变成了现实。1983年5月，阿尔卑斯电子公司的人承认，至少还需要 18 个月，才能生产出索尼驱动器的仿制品。在帕加罗沙丘休假时，马库拉追问乔布斯打算怎么办。最终，贝尔维尔打断了他们的对话，说自己可能有阿尔卑斯驱动器的替代产品，并且很快就可以投入使用。乔布斯困惑了一会儿，但很快就明白了自己为什么会在库比蒂诺遇到索尼的顶尖磁盘设计师。“你这个浑蛋！”乔布斯冲口而出，但语气中并没有愤怒。他咧开嘴笑了起来。赫茨菲尔德说，乔布斯在知道了贝尔维尔和其他工程师背着他做的事情后，“收起了自己的傲慢，感谢他们没有服从自己的命令，做了正确的事”。毕竟，如果是乔布斯遇到这样的状况，他也会这么做的。

第十四章

Enter Sculley

The Pepsi challenge

斯卡利来了

百事挑战

1983 年，与约翰 · 斯卡利

求爱

迈克 · 马库拉从来就没想过要当苹果公司的总裁。他喜欢设计自己的新房子，驾驶自己的私人飞机，靠股票期权过着豪华的生活。他并不喜欢裁决纠纷，也不喜欢领导一群很难伺候的自我主义者。他之前被迫赶走了迈克 · 斯科特，然后很不情愿地当上了总裁，他答应过妻子，这份差事只是暂时的。到 1982 年底，马库拉已经在这个职位上干了差不多两年，妻子给他下了最后通牒：马上寻找接班人。

虽然跃跃欲试，但乔布斯知道自己还没有能力管理公司。他很高傲，但还是有自知之明的。马库拉也赞成乔布斯的想法。他告诉乔布斯，要担任苹果公司的总裁，他还稍显毛躁、不成熟。于是，他们开始在公司以外寻找合适人选。

他们最中意的人是唐·埃斯特里奇（Don Estridge），他白手起家，创建了IBM个人电脑部门，并且开创了这条产品线。尽管乔布斯及其团队对此不屑一顾，但如今IBM个人电脑的销量已经超过了苹果。埃斯特里奇为保护团队免受纽约州阿蒙克市IBM总部企业文化的影响，将其公司设立在佛罗里达州的博卡拉顿。和乔布斯一样，埃斯特里奇富有上进心，能启发灵感，才思敏捷，还有一点儿叛逆。而和乔布斯不同的是，他能够让别人觉得他的一些绝妙想法也是他们的。乔布斯飞到博卡拉顿，开出了100万美元薪水外加100万美元签约奖金的条件，但是埃斯特里奇拒绝了他。埃斯特里奇不是那种会投敌的人，而且，他也愿意做机构的一部分，喜欢做海军，而不是海盗。乔布斯讲述的当年用蓝盒子盗打电话的故事，让埃斯特里奇觉得很不舒服。当别人问起他在哪儿工作时，他喜欢"IBM"这个名字从口中说出时的感觉。

于是，乔布斯和马库拉找来社交广泛的企业猎头格里·罗齐（Gerry Roche），帮他们另择人选。他们决定不局限在技术高管这个圈子里。他们需要的是一位懂得广告宣传和市场研究的消费产品营销专家，得有大企业人士的风范，能在华尔街吃得开。罗齐将目光锁定在当时最红的消费产品营销奇才、百事公司百事可乐部门总裁约翰·斯卡利（John Sculley）的身上，他的"百事挑战"（Pepsi Challenge）系列推广活动在广告宣传方面曾经取得了巨大胜利。乔布斯在给斯坦福大学商学院的学生们演讲时，听到了一些关于斯卡利的好话，斯卡利之前也曾在这个班作过演讲。于是乔布斯告诉罗齐，他很乐意见见斯卡利。

斯卡利的背景和乔布斯很不一样。他母亲是曼哈顿上东区一位很有身份的夫人，出门会戴上白手套；他父亲是一位体面的华尔街律师。斯卡利被送到圣马克学校读书，后来在布朗大学获得了本科学位，在沃顿商学院获得了商学学位。作为一名富有创新力的营销和广告专家，他在百事公司步步高升，但对产品开发和信息技术却没有什么热情。

斯卡利为了看望他和前妻所生的两个十几岁的孩子，飞到洛杉矶过圣诞节。他带孩子们去了一家电脑商店，那里产品营销的糟糕状况让他觉得非常惊讶。孩子们问他为什么这么感兴趣，他说他正打算北上库比蒂诺会见史蒂夫·乔布斯。孩子们惊叹不已。尽管是在电影明星聚居地长大的，但对他们来说，乔布斯才是真正的名人。这让斯卡利对于去苹果公司担任乔布斯老板的事情格外上心。

斯卡利初到苹果公司总部时，那里平实的办公室和轻松的氛围让他大吃一惊。"大多数人都穿着随意，甚至没有百事公司的维护人员穿得正式。"他说道。午餐时，乔布斯静静地拨弄着盘子里的沙拉，但当斯卡利提出大多数主管都觉得计算机带来的麻烦比用处多的时候，乔布斯突然用一种传道士的口吻说："我们想要改变人们使用计算机的方式。"

在回程的飞机上，斯卡利理了理自己的想法，最后写出了一份长达 8 页的备忘录，内容是关于向消费者和企业主管推销电脑。这份备忘录里的一些内容虽然还很简单——里面全是加了下划线的短语、图表和方框，但却意味着斯卡利对设法销售比汽水更有意思的东西产生了热情。他的建议里有这样一条："投资店内营销，让顾客知道苹果公司的产品有<u>丰富他们生活</u>的潜力，从而<u>吸引</u>顾客。"（他喜欢使用下划线。）他仍然不愿离开百事，但是乔布斯激起了他的兴趣。"我被这位年轻的、急性子的天才征服了，我觉得更深入地了解他将会很有意思。"他回忆说。

因此，斯卡利同意在乔布斯下次来纽约的时候再次同他会面，而那天恰好是 1983 年 1 月在卡莱尔酒店举行丽萨电脑发布会的时候。一整天的记者会后，苹果公司的人惊奇地看到一位意外造访的客人。乔布斯松了松领带，向大家介绍了斯卡利，称他为百事公司的总裁和一位潜在的大公司客户。在约翰·库奇展示丽萨电脑的时候，乔布斯时不时地突然插进来补充评论，频繁地称赞丽萨在改变人机互动的本质方面具有"革命性"且"不可思议"，这是他最喜欢的两个词。

接着，他们前往四季餐厅。这家餐厅由密斯·凡德罗和菲利普·约翰逊（Philip Johnson）设计，优雅与力量并存，恍若人间天堂。乔布斯一边吃着特制的素食，一边听斯卡利介绍百事公司在营销方面取得的成功。斯卡利说，"百事新一代"（Pepsi Generation）营销活动销售的不仅是一种产品，而且是一种生活方式和乐观的人生态度，“我觉得苹果公司有机会创造‘苹果新一代’”。乔布斯热情地赞同了斯卡利的说法。另一方面，“百事挑战”宣传活动旨在聚焦产品，结合广告、活动和公关来造势。乔布斯说，发布一款新产品能引起举国沸腾，这正是他和里吉斯 · 麦肯纳希望苹果公司能做到的。

谈话结束时已近午夜。“这是我一生中最兴奋的一个夜晚，”在回卡莱尔酒店的路上，乔布斯对陪在身边的斯卡利说道，“你不知道我有多开心。”而当斯卡利最终回到康涅狄格州格林尼治的家中时，他难以入睡。跟乔布斯打交道要比跟装瓶工谈判有趣多了。“这刺激了我，唤起了我心中压抑已久的、成为一名思想建筑师的愿望。”他后来说道。第二天早晨，罗齐给斯卡利打电话说：“我不知道你们俩昨晚都干了些什么，但是我告诉你，史蒂夫 · 乔布斯可高兴坏了。”

求贤之旅仍在继续，斯卡利摆出一副“你很难聘请到我，但并不是完全没有可能”的姿态。2 月的一个周六，乔布斯到东部拜访斯卡利，坐着豪华轿车来到格林尼治。他看到斯卡利新盖的房子极尽奢华，落地窗从地板一直延伸到天花板；还很欣赏那扇重达 300 磅的定制橡木门，安装非常讲究，平衡性也很好，手指轻轻一推就打开了。“史蒂夫对此非常着迷，因为他跟我一样，是个完美主义者。”斯卡利回忆说。斯卡利感到乔布斯身上有一种明星般迷人的特质，是他认为自身也具有的。这种迷恋的感觉不太正常。

斯卡利平时都开着一辆凯迪拉克，但是（意识到客人的品位）他借了妻子的奔驰 450SL 敞篷车，载着乔布斯去参观百事公司占地 144 英亩的奢华总部，这和苹果公司的简朴风格大相径庭。对于乔布斯来说，这彰显了充满活力的新兴科技公司和《财富》500 强公司之间的差别。车子载着他们弯弯曲曲地穿过修剪整齐的田地和一座雕塑花园（这里有罗丹、摩尔、考尔德和贾科梅蒂的作品），来到一座由爱德华 · 达雷尔 · 斯通（Edward Durrell Stone）设计的混凝土玻璃建筑。斯卡利的大办公室配有波斯地毯、9 面窗户、一座小型私人花园、一间隐匿的书房和独立卫生间。乔布斯参观公司健身中心的时候惊讶地发现，主管们有一个带按摩浴池的专用区域。“这太奇怪了。”他说。斯卡利马上表示同意，他说：“实际上，我是反对这样划分的，我有的时候也会去员工区锻炼。”

他们再一次会面是在库比蒂诺，当时斯卡利刚从夏威夷参加百事一家装瓶公司的会议回来，途经这里。麦金塔电脑营销经理迈克·默里负责带领团队迎接斯卡利的访问，但他并不了解这次会面的真正意图。“在未来几年里，百事公司最终可能会购买成千上万台Mac电脑，”默里在给麦金塔团队成员的一份备忘录中欣喜地写道，“去年一年里，斯卡利先生和某位乔布斯先生成为了朋友。斯卡利先生被认为是行业中顶级的营销专家之一，因此，让我们好好招待他吧。”

乔布斯希望和斯卡利分享他对麦金塔电脑的兴奋之情。“这款产品对我来说比我做过的任何事情都重要，”乔布斯说道，“我希望你成为苹果公司以外第一个见到它的人。”他变戏法一般从塑料袋里拿出麦金塔样机，进行演示。斯卡利觉得乔布斯和他的电脑一样，令人难以忘怀。“他看上去更像是一名演出主持人，而不是商人。每一步都计划好了，就好像排练过一样，恰到好处。”

乔布斯事先让赫茨菲尔德和他的手下们准备了一个电脑屏幕欢迎画面，好让斯卡利开心。“他真的很聪明，”乔布斯说，“你无法相信他有多聪明。”乔布斯解释说，斯卡利可能会为百事采购很多麦金塔电脑。“这听起来有点可疑。”赫茨菲尔德回忆说，但他和苏珊·卡雷还是制作了一个显示画面，带有百事公司和苹果公司标识的瓶盖和罐子在屏幕上一跃而出。赫茨菲尔德十分兴奋，甚至在演示的时候挥舞起了胳膊，但是斯卡利并没有什么热情。“他问了几个问题，似乎并不是很感兴趣。”赫茨菲尔德回忆说。实际上，他从来没有对斯卡利有过什么好感。“他是个不可思议的骗子，从头到尾都在装模作样。”他后来说道，“他装作对技术很感兴趣的样子，但其实他并不感兴趣。他是个搞营销的，这就是搞营销的人的本质：靠装模作样赚钱。”

乔布斯于3月来到了纽约，向斯卡利发起了猛烈攻势，事情的发展到了关键时刻。“我真的觉得你很适合，”乔布斯在和斯卡利散步穿过中央公园的时候说，“我希望你来和我一起工作。我能在你身上学到很多东西。”乔布斯曾结识过一些忘年交，知道怎样利用斯卡利的自负和不安全感。他的话奏效了。“我被他征服了，”斯卡利后来说，“史蒂夫是我所认识的最聪明的人之一。对于创新，我们都富有激情。”

斯卡利对艺术史很感兴趣，于是他带乔布斯走向大都会博物馆，他想试试乔布斯，看他是否真的愿意向别人学习。“我想看看他在自己没有涉猎过的领域里学习能力怎么样。”斯卡利回忆说。他们漫步在希腊和罗马古迹之间，斯卡利详细解释着公元前6世纪的早期雕塑和一个世纪后的伯里克利时代的雕塑有什么区别。乔布斯喜欢学习在大学从未学过的这些历史典故，因此他似乎沉浸其中了。“我感觉自己真的像个老师，在教一个聪颖的学生。”斯卡利回忆说。斯卡利又一次沉溺在幻想里，他认为他们俩很相像。“我在他身上看到了自己年轻时候的影子。我那时也没有耐心，固执、傲慢、冲动。我的脑子里总是充满了新鲜的想法，装不下任何其他的事情。我也不能容忍那些做事达不到我要求的人。”

他们继续着这次长时间的漫步。斯卡利透露说，他度假的时候，会带着自己的写生簿去巴黎左岸画画；如果没有成为生意人，他会成为一名艺术家。乔布斯回答说，如果不和计算机打交道，他可能会在巴黎当一名诗人。他们继续沿着百老汇大街走，来到第49街的殖民地音像店（Colony Records），乔布斯把自己喜欢的音乐介绍给斯卡利，包括鲍勃·迪伦、琼·贝兹、埃拉·菲茨杰拉德（Ella Fitzgerald）和温德姆·希尔唱片公司（Windham Hill）的爵士乐歌手的作品。然后他们又一路返回到中央公园西路和第74街交汇处的圣雷莫（San Remo），乔布斯当时正计划在这里购买一幢两层的塔式顶楼公寓。

在公寓的一个露天平台上，事情终于圆满成功了。斯卡利当时紧贴着墙——他恐高。首先他们谈了钱的问题。“我告诉他，我需要100万美元的薪水、100万美元的签约奖金，如果最后成不了，还要100万美元离职补偿。”斯卡利说。乔布斯答应了这个条件：“就算我自掏腰包，我们都得解决这些问题。因为你是我见过的最优秀的人。我知道对于苹果公司来说你是完美的，而苹果公司应该得到最好的人才。”接着，他补充说，他还从没有为自己真正钦佩的人工作过，然而他知道斯卡利教给他的东西将会是最多的。乔布斯目不转睛地看着斯卡利。他一头浓密的黑发给斯卡利留下了深刻的印象。

斯卡利最后还是有一点儿犹豫，他试探性地提议说也许他们应该只做朋友，他可以作为局外人给乔布斯提出建议。斯卡利后来讲述了接下来那个最为激动人心的时刻：“史蒂夫低着头，看着自己的脚。在一段沉重的、不舒服的沉默之后，他向我抛出了一个问题，让我几天都无法释怀，‘你是想卖一辈子糖水呢，还是想抓住机会来改变世界？’”

斯卡利感觉就像有人往他的肚子上狠狠揍了一拳。除了默许，他无言以对。“他有一种非凡的能力，永远都能得到自己想要的东西，能够很好地判断一个人，并知道该说些什么来赢得那个人的心。”斯卡利回忆说，“4个月来，我第一次意识到自己无法说‘不’。”冬日的太阳开始西沉，他们离开公寓，穿过公园，回到了卡莱尔酒店。

蜜月

马库拉最后说服斯卡利接受了50万美元的薪水和同等数额的奖金，斯卡利到达加利福尼亚的时候，正好赶上了1983年5月苹果公司管理人员在帕加罗沙丘的集思会。尽管他只带了一套深色西装，其余的都丢在了格林尼治的家中，但仍然很难适应苹果公司轻松的氛围。在会议室前方，乔布斯坐在地板上，盘着腿、光着脚、心不在焉地玩着脚趾。斯卡利试着提出一个方案：他们将讨论如何区分他们的产品——Apple II、Apple III、丽萨和Mac，以及是否应该围绕产品线、市场或者职能来组织公司。结果，这次讨论慢慢变成了自由交换观点、提出抱怨和进行争辩的一次活动。

乔布斯一度攻击丽萨项目组，说他们制造了一个失败的产品。“是啊，”有人回击说，“你们的麦金塔还没有发布呢！你为什么不等到自己的产品问世以后再来批评别人？”斯卡利吓了一跳。在百事公司，没有人会这样反驳董事长。“接着，众人开始责怪起史蒂夫来。”这让斯卡利想起以前从一位苹果公司广告业务员那里听来的笑话：“苹果和童子军有什么不同？答案是，童子军有大人管着。”

就在大家争吵的时候，发生了一次小地震，房屋开始发出隆隆声。“快到海滩去。”有人喊道。于是所有人都冲出门向海边跑去。然后又有人喊道，上一次地震引发了海啸。于是大家又转过身往回跑。“优柔寡断、意见冲突、自然灾害，这些都预示着接下来会发生什么。”斯卡利后来说。

不同产品团队之间的竞争是很残酷的，但是也有开心的一面，比如海盗旗引发的那场闹剧。乔布斯自夸他的麦金塔小组一周工作90个小时，黛比·科尔曼还制作了许多连帽运动衫，上面炫耀地印着：“我爱每周工作90小时！”这促使丽萨团队制作了一些衬衫进行回应，上面印着：“一周工作70小时，但产品已面市。”Apple II团队虽然乏味枯燥，但赢利却不少，于是他们写道：“一周工作60小时——赚钱养活丽萨和Mac。”乔布斯轻蔑地将Apple II团队的人称为“克莱兹代尔马”（Clydesdales，一种拉重物的马），但是他心里明白一个令人痛心的事实：真正拉动苹果这辆马车的也只有这些驮马。

一个周六的早晨，乔布斯邀请斯卡利和他的妻子利兹（Leezy）来家中共进早餐。他和当时的女友芭芭拉·亚辛斯基住在洛斯加托斯一栋漂亮而寻常、都铎建筑风格的房子里，亚辛斯基是里吉斯·麦肯纳的员工，是个聪慧、矜持的美丽女子。利兹带了一个平底锅来，做了素食煎蛋卷（乔布斯当时已经慢慢脱离了严格的素食主义）。“很抱歉，房子里的家具不多，”乔布斯道歉说，“我还没抽出时间来买家具。”他一直以来就有这样一个癖好：对工艺有着严格的标准，而且崇尚斯巴达式的简朴，这让他不愿意购买任何他不喜欢的家具。他有一盏蒂芙尼台灯、一张年代久远的餐桌和一台连接着索尼特丽珑电视的激光影碟机，但是房内没有沙发和椅子，取而代之的是泡沫塑料制成的垫子。斯卡利微微一笑，误以为那跟他职业生涯早期“在凌乱的纽约城公寓里疯狂的、斯巴达式的生活”相似。

乔布斯向斯卡利坦言，他觉得自己年轻的时候就会死去，因此他需要尽快取得成就，在硅谷的历史中留下自己的名字。“我们在地球的时间都很短，”那天早上围坐在桌旁的时候，乔布斯告诉斯卡利，“我们或许只有机会做几件真正伟大的事情，并把它们做好。我们谁也不知道自己能活多长时间，我也不知道，但是我感觉必须趁着自己年轻，多取得一些成就。”

在他们建立友情的最初几个月里，乔布斯和斯卡利每天都会聊很多次。“史蒂夫和我成了知己，就像永远的伴侣一样，”斯卡利说道，“我们倾向于只说半句话或半个短语就够了。”乔布斯不断讨好斯卡利。他每次造访斯卡利，跟他探讨一些问题时都会说：“你是唯一能理解的人。”他们反复告诉对方在一起共同工作是多么快乐，事实上他们这些话说得太多了，多得甚至令人担心。一有机会，斯卡利就会寻找自己和乔布斯的相似之处并指出来：

> 我们志趣相投，因此能够说出对方没说完的话。史蒂夫会在凌晨两点钟打电话叫醒我，跟我聊他突然想到的一个点子。“嗨！是我。”他会这样对

一个迷迷糊糊拿起电话的人说，他毫无恶意，只是完全没有意识到当时是几点。很奇怪，我以前在百事的时候也干过这种事。史蒂夫会把他第二天早上要作的一个演示拆得七零八落，删除一些幻灯片和文字。而我早年在百事的时候也这么做过，试着将公众演讲变成一个重要的管理工具。身为一名年轻的主管，我那时总是急不可耐地要把事情做完，并且常常觉得要是自己来做肯定比别人做得好。史蒂夫同样如此。有时候我感觉自己在看一部电影，而史蒂夫在片中扮演的就是我。我们俩异乎寻常地相似，这推动着我们之间那种令人惊叹的合作关系不断发展。

这是一种自我欺骗，迟早会酿成灾难。乔布斯很早就察觉到了这点。“我们的世界观、人生观、价值观都不同，”乔布斯说，“他来了几个月之后，我就开始认识到这点。他学东西并不快，而他想提拔的人往往都是些笨蛋。”

然而乔布斯知道，他可以加深斯卡利心中认为他俩很相似的想法，以此来操纵斯卡利。而他对斯卡利操纵得越多，就越是看不起斯卡利。Mac团队里一些精明的旁观者，比如乔安娜 · 霍夫曼，很快就意识到正在发生的状况，并预料到这种局面会使乔布斯和斯卡利之间本就不可避免的破裂来得更猛。“史蒂夫让斯卡利觉得自己很杰出，”她说，“斯卡利之前从没这样觉得，他被冲昏了头脑，因为史蒂夫把许多他并没有的特点都加在了他身上。这样史蒂夫就把斯卡利搞得晕头转向，让斯卡利对他更加着迷。然而当事情最终变得明显，斯卡利并不符合所有这些评价时，史蒂夫的现实扭曲力场已经为事件的爆发埋下了隐患。”

斯卡利的热情最后也开始冷却下来。他正试图管理一家功能紊乱的公司，而他的管理存在一个弱点，那就是他总想取悦别人，而这个问题在乔布斯身上并不存在。简单地说，斯卡利是个很有礼貌的人，而乔布斯不是。因此，当他看见乔布斯粗鲁地对待自己的同事的时候，他会有些畏缩。“我们晚上 11 点会去Mac项目的办公楼，”他回忆说，“他们会把代码拿给他看。有时候他甚至看都不看一眼，拿过来就立刻扔回给他们。我就问他，你怎么这样就把人家否定了？他会说：‘我知道他们能做得更好。’”斯卡利试着教导他。“你得学会控制情绪。”有一次他对乔布斯说。乔布斯表示同意，但是他天生就无法过滤自己的情绪。

斯卡利开始相信，乔布斯善变的个性和对人飘忽不定的态度深深根植于他的心理构成中，或许这反映出他性格里有轻微的两极化。乔布斯的情绪波动很大。他有时候欣喜若狂，有时候又低沉沮丧。有时候他会没有任何征兆地开始严厉斥责别人，斯卡利就得让他平静下来。“20分钟以后，我会接到另一个电话让我过去，因为史蒂夫又在发脾气了。”他说道。

他们第一次产生重大分歧是在给麦金塔电脑定价时。按照最初的设想，麦金塔的售价将是1 000美元，但由于乔布斯对设计进行了更改，成本提高了，于是计划售价又被调整为1 995美元。然而，当乔布斯和斯卡利开始为盛大的发布和营销工作制订计划时，斯卡利认为他们需要将售价再提高500美元。对于他来说，营销成本就像其他任何生产成本一样需要计入售价。乔布斯愤怒地拒绝了。“这会破坏我们所有的理念，”他说道，“我想让它成为一次革命，而不是努力榨取利润。”斯卡利说这是个很简单的选择：他可以保持1 995美元的售价，或者可以拿营销预算去举办一场盛大的产品发布会，二者只能选其一。

“有个坏消息，”乔布斯告诉赫茨菲尔德和其他工程师，“斯卡利坚持要求我们将Mac的定价从1 995美元上调至2 495美元。”果不其然，工程师们大为震惊。赫茨菲尔德指出，Mac是为像他们自己这样的人设计的，定价过高将会“违背”他们的立场。于是乔布斯向他们承诺：“不用担心，我不会让他得逞的！”但最后还是斯卡利获胜了。虽然这件事已经过去了25年，但当乔布斯回忆起当时的决定时，他依然非常气愤。“这是麦金塔销量下滑的主要原因，然后微软才得以占领市场。”他说道。这个决定让他感到他正在失去对自己的产品和公司的控制，而这就如同把猛虎逼入角落一样危险。

第十五章

The Launch

A dent in the universe

麦金塔电脑的发布

在宇宙中留下印迹

© Apple Inc.

"1984" 广告

真正的艺术家总能完成作品

1983年10月，苹果公司在夏威夷举行销售会议，乔布斯上演了一出根据电视节目《约会游戏》改编的小品剧，掀起了会议的高潮。乔布斯扮演主持人，三位"单身汉嘉宾"分别是比尔·盖茨和另外两位软件领域的高管——米切尔·卡普尔（Mitch Kapor）与弗雷德·吉本斯（Fred Gibbons）。开场音乐演奏完毕，三位嘉宾就座并进行自我介绍。盖茨看上去就像个高二的学生，他说"微软期望1984年全年收入的一半都来自为麦金塔电脑研发的软件"。台下750名苹果销售人员对他的话报以热烈掌声。乔布斯胡子刮得很干净，精神饱满，他笑着问盖茨是否认为麦金塔电脑的新操作系统会成为行业的新标准之一。盖茨答道："要创建新标准并非只做出一点不同的东西就够了，而是需要真正全新且能抓住人们想象力的东西。在我见过的所有机器中，只有麦金塔电脑符合这一标准。"

尽管盖茨当时这样表示，但是微软正逐渐褪去苹果主要合作者的身份，而更多地以竞争对手的姿态出现。微软仍将继续为苹果公司编写应用软件，如Word，但是其快速增长的那部分收入则来自为IBM个人电脑编写的操作系统。1982年，苹果个人电脑Apple II的销量为27.9万台，IBM个人电脑及其同类产品共售出24万台。1983年的数据则呈现了大逆转：Apple II电脑销量42万台，IBM个人电脑及其同类产品销量130万台，而Apple III电脑和丽萨电脑都彻底失败。

就在苹果销售人员抵达夏威夷参加销售会议时，《商业周刊》（*Business Week*）当期的封面报道凸显了这一形势转变，其标题为："个人电脑：赢家是……IBM"。文章详细介绍了IBM个人电脑的崛起。"对市场主导权的争夺已经结束，"《商业周刊》宣布，"通过惊人的闪电出击，IBM用两年的时间获取了超过26%的个人电脑市场份额。同时预计到1985年，该公司将占领全球一半的市场。IBM兼容机则将占据25%的市场份额。"

这一切都令将在3个月后（即1984年1月）发布的麦金塔电脑压力更大，它将成为扭转败局的关键。在销售会议上，乔布斯决定全力以赴，一决高下。他走上台，历数IBM自1958年以来的所有失误，然后声音里带着可怖的意味开始描述IBM正如何试图主宰整个个人电脑市场："我们能让IBM主宰整个电脑产业吗？我们能让IBM控制整个信息时代吗？乔治·奥威尔在《1984》中的描述会成真吗？"话音刚落，一块屏幕徐徐落下，播放了一段专为麦金塔电脑制作的广告片，这则即将推出的60秒广告有点儿科幻电影的意味。在数月之后，这则广告注定要名垂史册。但当时，它凝聚了苹果公司销售人员低落的士气。一直以来，乔布斯都将自己想象成一个抗击黑暗势力的反叛者，并从中获取能量。现在，他也这样激发自己的团队。

不过当时还有一个障碍。赫茨菲尔德和其他工程师必须完成麦金塔电脑的编程工作，而程序已定于1月16日（周一）交付运行，距离交付日只剩一周的时候，工程师们认为他们无法按时完成工作。程序还存在一些毛病。

当时，乔布斯正在曼哈顿的君悦酒店（Grand Hyatt）为媒体沟通会作准备，因此，同工程师们的电话会议就定在周日上午进行。软件经理镇定地向乔布斯说明了情况，赫茨菲尔德和其他人都围着电话，屏息凝神。他们只要求将期限延长两周，公司可以先给经销商一个"演示版"软件，只要新程序在当月月底完成，就能马上进行替换。片刻沉默之后，乔布斯并没有生气。相反，他用冷静低沉的语调告诉工程师们，他们真的很棒。事实上，这些人的确非常棒，乔布斯相信他们能够搞定。"我们决不会推迟！"他郑重声明。电话另一头，班德利大楼工作间里的工程师们都倒吸了一口气。"这个东西你们已经做了好几个月了，再多两个星期也不会有很大差别。你们还是赶快把它做完。我会在一周后将你们的程序交付运行，上面会标有你们的名字。"

"好吧，我们得完成它。"史蒂夫·卡普斯说道。他们确实做到了。又一次，乔布斯用自己的现实扭曲力场让团队成员完成了自认为不可能完成的任务。周五，为熬过最后三个通宵，兰迪·威金顿带来了一大包巧克力口味浓缩咖啡豆。1 月 16 日周一早晨 8点半，乔布斯来到公司，发现赫茨菲尔德趴在沙发上，几近昏睡。他们聊了聊剩下的一些细微毛病，乔布斯认为这不成问题。赫茨菲尔德拖着疲惫的身子钻进自己的蓝色大众高尔夫（车牌MACWIZ），开车回家睡觉。过了一会儿，苹果公司位于弗雷蒙的工厂开始生产印有彩色条纹苹果标识的盒子。乔布斯曾称，真正的艺术家总能完成作品，现在他们名副其实。

"1984"广告片

1983 年春，乔布斯开始计划麦金塔电脑的发布，他希望那部广告片能和自己所创造的产品一样富有革命性，令人惊奇。"我想要一种能让人们当场停下来观看的东西，"他说道，"我想要的是一声惊雷。"这个任务落在了Chiat/Day广告公司的肩上，该公司在收购了里吉斯·麦肯纳的广告业务后，拿下了苹果公司的合同。负责这项工作的是李·克劳（Lee Clow），他身材瘦高，皮肤晒成了棕色，胡须浓密，头发蓬乱，喜欢憨笑，双眼熠熠放光，他是Chiat/Day广告公司的创意总监，办公室就在洛杉矶威尼斯海滩。克劳经验丰富，为人风趣，看似散漫却很专心；至今，他与乔布斯之间的合作已走过了 30 年。

当时，克劳和他的两位团队成员——文案史蒂夫 · 海登（Steve Hayden）和艺术总监布伦特 · 托马斯（Brent Thomas），一直在玩味着一句反驳乔治 · 奥威尔小说的话："这就是为什么 1984 不会变成《1984》。"乔布斯很喜欢这句话，并让他们加以演绎，用于麦金塔电脑的发布当中。于是，他们编写了一个 60 秒广告的故事脚本，看上去有点儿像科幻电影中的场景。广告讲述了一个反叛的年轻女子，从奥威尔式思想警察的追捕中逃脱，当老大哥[①]正在大屏幕上进行控制人心的讲话时，她将大锤砸向屏幕。

这个广告抓住了个人电脑革命的时代精神。许多年轻人，尤其是反主流文化人士，认为计算机是奥威尔式的政府和大企业用以消除人们个性的工具。但在 20 世纪 70 年代末，电脑也被视做能够释放个人能量的工具。这则广告恰恰抓住了后一种心态，将麦金塔电脑塑造成为个人自由而战的斗士——面对邪恶的大企业意欲统治世界并实行完全的精神控制，唯有苹果这家冷静、反叛、英勇的公司能够阻止它。

乔布斯喜欢这个创意。事实上，这则广告的观念与他有着特殊的共鸣。乔布斯幻想自己是一个反叛者，他招入麦金塔团队的人都充满了黑客气质和海盗精神，他喜欢将自己与这种价值观联系起来。在打造麦金塔电脑的时候，他们还在办公楼挂起了海盗旗。尽管乔布斯离开位于俄勒冈州的"苹果社区"创办了苹果公司，但他仍然希望别人将自己看做是一个反主流文化的人，而非大企业文化的代言人。

但他内心深处意识到，自己正日益摒弃黑客精神。有些人甚至指责乔布斯出卖了黑客精神。当沃兹尼亚克秉承家酿计算机俱乐部的准则，免费分享自己对Apple I电脑的设计时，乔布斯坚持将产品（主板）卖给俱乐部的成员。尽管沃兹尼亚克不愿意，但乔布斯想让苹果成为一家商业公司，让它上市，而不是无偿地向曾在车库里一起奋战的朋友分发股票期权。现在，乔布斯要推出麦金塔电脑，他很清楚这一产品违背了黑客信条的许多原则。麦金塔电脑的价格过高，不设插槽，这样电脑爱好者就无法插入自己的扩展卡或在主板上添加自己期望的新

---

① 英国作家乔治 · 奥威尔小说《1984》中的角色，极权主义的象征。

功能。他甚至将麦金塔电脑设计成一个无法从外部进入的电脑，光是打开塑料外壳就需要用到特殊工具。麦金塔电脑是一个封闭和受控的系统，它更像是“老大哥”设计的东西，而非出自黑客之手。

因此，乔布斯希望通过“1984”广告片向自己和世界重新确立他所希冀的自我形象。广告中的女主角是意图挫败老大哥世界的反叛者，她穿着纯白色背心，上面印有一台麦金塔电脑。刚刚凭借《银翼杀手》（*Blade Runner*）一片大获成功的雷德利·斯科特（Ridley Scott）被乔布斯起用，作为广告片的导演。乔布斯借此可以将自己和苹果公司与那个时代的赛博朋克精神联系起来。通过这则广告，苹果公司能够在那帮想法与众不同的叛道者和黑客之中获得认同，而乔布斯也能重塑自己的形象。

斯卡利最初看到故事脚本时持怀疑态度，但乔布斯坚持认为，他们需要具有革命性的东西。他得以拿到一笔空前的预算——75 万美元来拍摄广告。雷德利·斯科特在伦敦完成了广告片的拍摄，为了表现群众如痴如醉聆听老大哥在屏幕上讲话的场面，他找来了数十个真正的光头来拍摄这一幕。女主角的扮演者是一位女子铁饼运动员。广告片以金属灰色调为主，渲染了一种冷漠的工业环境背景，斯科特以此诱发人们联想到《银翼杀手》的反乌托邦氛围。当老大哥在屏幕上宣布“我们必胜！”时，女主角的锤子击碎了屏幕，一切在一阵闪光和烟雾中消失。

乔布斯在夏威夷销售会议上展示这段广告时，人们激动不已。于是，他决定在 1983 年 12 月的董事会会议上播放这则广告。广告播放完毕，会议室的灯重新亮起来后，所有人都沉默了。梅西百货公司加利福尼亚分公司的CEO菲利普·施莱因（Philip Schlein）趴在桌子上。马库拉静静地凝视前方，一开始别人还以为他是为这则广告的力量所折服。但接着，他问道：“有谁想另找一家广告公司？”斯卡利回忆说：“大多数人都认为这是自己看过的最差的广告片。”

斯卡利此时信心全无，他让Chiat/Day公司廉价卖掉已经买下的两个广告时段，一个 60 秒，另一个 30 秒。乔布斯为此愤怒不已。一天晚上，沃兹尼亚克溜达到麦金塔办公楼——此前的两年时间里他一度淡出苹果公司，在苹果的工作并不固定。乔布斯逮住他说：“过来看看这个东西！”他找来一台录像机，开始播放“1984”广告片。“我一下子被震住了，”沃兹回忆说，“我认为它是最了不起的东西。”乔布斯告诉他，董事会决定不在“超级碗”大赛中播放这则广告，沃兹尼亚克就开始询问广告时段的价钱。乔布斯说要80万美元。在一贯的善意冲动下，沃兹尼亚克立即提出：“好吧，如果你愿意出一半钱，我就付另一半。”

不过，他最终根本无须出这一半的钱。广告公司把30秒的广告时段卖掉了，但是出于消极反抗的心理，他们没有出售那个时长60秒的广告时段。“我们告诉苹果公司，60秒的卖不掉，而事实上我们根本试都没试。”李 · 克劳说道。斯卡利也许是为了避免同董事会和乔布斯摊牌，于是决定由负责营销的比尔 · 坎贝尔（Bill Campbell）来考虑怎么做。坎贝尔曾担任过橄榄球教练，他决定用这60秒的广告时间放手一搏。“我认为我们应该努力争取一下。”他告诉自己的团队。

第十八届“超级碗”大赛中，突击者队和红人队比赛的第三节刚开始，占优势的突击者队就触底得分。但是，电视没有即时重播这一得分画面，相反，全美的电视屏幕突然诡异地黑屏了两秒钟。接着，屏幕上开始出现一幕可怕的黑白画面——一支队伍踩着令人毛骨悚然的音乐前进……超过9 600万人观看了这则和以往任何广告都不一样的片子。广告的结尾处，人群惊恐地看着老大哥消失，此时，旁白平静地念道：“1月24日，苹果电脑公司将推出麦金塔电脑。你将明白为什么1984不会变成《1984》。”

这则广告红极一时。当天晚上，美国三大电视网和50个地方电视台都播放了关于该广告的新闻，让它在前YouTube时代获得了前所未有的病毒式的生命力。这则广告最终被《电视指南》（*TV Guide*）和《广告时代》（*Advertising Age*）评为有史以来最伟大的商业广告。

爆炸式宣传

多年来，史蒂夫 · 乔布斯已成为产品发布大师。以麦金塔电脑的发布为例，雷德利 · 斯科特的惊人广告仅仅是产品发布的一部分，还有一部分是媒体报道。乔布斯知道如何激发媒体进行爆炸式宣传，这种宣传方式威力强大，会像连锁反应一样越来越疯狂。只要有重要的产品发布，乔布斯就会重复使用这一方法，从1984年的麦金塔电脑到2010年的iPad发布都是如此，这已经成为一种现象。他就像一个魔术师，能够一遍又一遍地施用相同的伎俩，即便记者们已经目睹多次，也知道事情会如何发展。有一些窍门是他从里吉斯 · 麦肯纳那里学来的，麦肯纳擅长引导和激发自负的记者。但是，在如何挑起记者的兴奋之情、操纵新闻工作者的竞争本能和通过透露独家新闻获得丰厚回报方面，乔布斯也有着自己的直觉。

1983 年 12 月，他带着自己的天才工程师安迪 · 赫茨菲尔德和伯勒尔 · 史密斯，前往纽约拜访《新闻周刊》，想让对方写一篇关于“创造麦金塔电脑的小伙子们”的报道。在进行了麦金塔电脑的演示之后，他们被带上楼与凯瑟琳 · 格雷厄姆（Katherine Graham）见面。格雷厄姆是媒体界的一位传奇人物，她对所有新生事物都充满莫大的兴趣。之后，《新闻周刊》杂志派遣自己的科技专栏作家和一位摄影师前往帕洛奥图，与赫茨菲尔德和史密斯共度一段时光。最后发表的报道共 4 页，介绍了这两位工程师，溢美之情尽显，此外还配上两人在家中的图片，令他们看上去就像是新时代的天使。文章援引史密斯的话来表述他接下来要做的事：“我想要打造 90 年代的计算机，明天就开始。”文章还描写了两人的那位老板的反复无常和领袖魅力。“乔布斯有时会发怒，高声为自己的想法辩护，但并不会动不动就咆哮；乔布斯认为光标键已经过时，有传言称，他曾因员工坚持表示苹果电脑应该有光标键而威胁要开除对方。但是，当乔布斯处于最佳状态时，他是魅力和急躁的奇特融合体，时而含蓄，时而酷毙了。而‘酷毙了’正是他最喜欢用来表达自己激情的短语。”

当时还在《滚石》杂志工作的科技作家史蒂芬 · 列维（Steven Levy）来采访乔布斯，乔布斯立即要求该杂志将麦金塔团队登在封面上。“简 · 温纳（Jann Wenner）同意换下斯汀而让一群电脑狂人登上封面的可能性几乎为零。”列维如此认为。他是对的。乔布斯带列维去吃比萨，谈论对麦金塔电脑团队的报道：“《滚石》杂志的处境岌岌可危，净登些烂文章，它正在拼命发掘新的话题和受众。麦金塔电脑就是《滚石》的救命稻草！”列维反驳说，《滚石》杂志事实上很好，并问乔布斯最近真的读过《滚石》吗？乔布斯说自己在飞机上读了上面一篇关于MTV的文章，他认为这篇文章就是“一坨狗屎”。列维回答说，那正是自己写的文章。值得赞扬的是，乔布斯并没有转换话题停止评论，尽管他确实换了个目标，开始抨击《时代》杂志一年前对他的“肆意捏造”。接着，在谈论麦金塔电脑的时候，他又变得豁达了。他表示，人类一直都在从超前的知识进步中获益，并且在使用超前者所研发出来的东西。“能够创造出在人类经验和知识史上占有一席之地的东西，是一种美妙和令人欣喜若狂的感觉。”

列维的报道并没有登上《滚石》的封面。但是后来，乔布斯参与的所有主要产品的发布——无论是在NeXT、皮克斯，还是多年后重回苹果公司——都登上了《时代》杂志、《新闻周刊》或《商业周刊》的封面。

发布会：1984 年 1 月 24 日

和同事完成麦金塔软件的那个早晨，安迪 · 赫茨菲尔德到家时已筋疲力尽，他想，自己或许会在床上至少躺上一天。但是当天下午，仅仅睡了 6 个小时后，他就开车回到了办公室。他想要确认软件是否存在任何问题，而大多数同事也和他一样。乔布斯走进来时，他们正躺在地板上，昏昏沉沉但又兴奋不已。“嘿，赶紧起来，还没完呢！”他说道，“我们需要为麦金塔电脑做一个演示！”乔布斯计划在一大群观众面前戏剧性地揭开麦金塔的面纱，并且想在电影《烈火战车》(*Chariots of Fire*）鼓舞人心的主题曲中，向人们展示机器的特性。“这周末就要完成，为预演作好准备。”他补充道。赫茨菲尔德回忆说，办公室里的人听了他的话都呻吟起来，“但是我们讨论了一阵子就意识到，如果能做出令人印象深刻的东西，肯定很有意思。”

麦金塔的发布仪式定在 8 天之后的 1 月 24 日，与苹果年度股东大会同期举行，地点在迪安扎社区学院的弗林特礼堂。除了电视广告和疯狂的媒体预热，发布仪式也是其新产品发布的一个组成部分——乔布斯能将新消费产品的发布变成具有划时代意义的时刻，产品在一片热闹与喧嚣中正式揭晓，观众推崇备至，记者也被兴奋席卷。

赫茨菲尔德完成了一个了不起的壮举——在两天时间内编了一个音乐播放器程序，让电脑能够播放《烈火战车》的主题曲。但乔布斯听过后觉得很糟糕，于是他们决定用录音代替。另一方面，乔布斯完全被语音发生器所折服，这个程序能够将文本转变为迷人的电子语音。他决定以此作为演示的一部分：“我要麦金塔成为第一台可以自我介绍的电脑！”乔布斯邀请“1984”广告的文案史蒂夫 · 海登来撰写脚本。史蒂夫 · 卡普斯设法让“麦金塔”这个词在屏幕上以大字体滚动展示，苏珊 · 卡雷（Susan Kare）则设计出了开场画面。

在发布仪式前夜的预演中，这一切都没能顺利进行。乔布斯讨厌动画在屏幕上滚动的方式，不断要求作出调整。此外他对舞台灯光也不满意，他让斯卡利在礼堂的不同座位上感受各种调整带来的效果并给出意见。斯卡利从来没有对舞台灯光的变化考虑过多，也没想过自己要不断给出调试意见，就像病人要告诉眼科医生哪个镜片能更清晰地看到视力表。预演和调试持续了 5 个小时，直到深夜。“我当时都以为我们没法为第二天上午的展示作好准备。”斯卡利说道。

最主要的是，乔布斯为自己的演示很是焦躁。“他扔掉了幻灯片，”斯卡利回忆，“他把人都逼疯了，发言展示中有一点儿问题他都要对舞台工作人员发火。”斯卡利自认为是个优秀的作家，于是他建议乔布斯对讲稿作一些改动。据回忆，乔布斯对此有些烦躁，但是两人的关系当时仍然很好，乔布斯不断赞扬和激励斯卡利。“我觉得你就像沃兹和马库拉一样，”他告诉斯卡利，“你就像苹果公司的又一个创始人。他们创立了苹果，但是我和你在创造未来。”斯卡利欣然接受了乔布斯的鼓舞，多年后，他仍然能复述乔布斯的这些话。

次日上午，可容纳 2 600 人的弗林特礼堂被挤得水泄不通。乔布斯穿着一件蓝色双排扣西装，里面是一件笔挺的白衬衫，打着浅绿色领结。“这是我人生中最重要的时刻，”在后台等待活动开始时，乔布斯对斯卡利说，“我真的很紧张。你可能是唯一知道我对这次发布会感受的人。”斯卡利抓住他的手，握了片刻，低声说了句好运。

作为苹果公司的董事长，乔布斯首先登台，宣布股东大会正式开始。他用自己的方式开场：“我想用迪伦——鲍勃 · 迪伦 20 年前的一首歌来开场。”他笑了笑，然后低下头开始诵读《时代在变》（*The Times They Are A-Changin'*）的第二段。在诵读这十行歌词时，他的声音高亢，语速很快，直至结尾：“……此刻的失败者终将胜利/因为时代在变。”这首歌让乔布斯这位千万富豪董事长保持住了自己反主流文化的自我形象。他最喜欢的版本来自迪伦与琼 · 贝兹的一场现场演唱会——1964 年万圣节在林肯中心交响音乐厅举行，他还有这场演唱会的盗版录音带。

接着，斯卡利上台汇报苹果公司的营收状况。随着他枯燥无味的讲话，观众们开始变得烦躁不安。终于，他以一段富有个人感情的话收尾。“在苹果公司过去9个月的时间里，对我来说最重要的事情就是有机会与史蒂夫·乔布斯发展一段友谊，”他说道，“我们之间所建立的默契，对我来说意义非常重大。”

乔布斯再次上台，灯光暗了下来，他用一种戏剧性的方式，喊出了在夏威夷销售会议上的战斗口号。“1958年，IBM错过了收购一家羽翼未丰的公司的机会。这家小公司发明了一种称为静电复印的新技术。两年后，施乐公司诞生了，IBM从此追悔莫及。”观众都笑了起来。这段话赫茨菲尔德在夏威夷和其他地方都听过，但是此刻再度聆听觉得更富激情，备感震撼。在历数了IBM的其他失误后，乔布斯语锋一转，加快了节奏，谈到了当前的状况：

> 如今到了1984年。IBM想占有一切。苹果被视做唯一能够与之抗衡的希望。经销商最初张开双臂欢迎IBM，现在他们害怕IBM主宰和控制未来，他们回到了苹果的怀抱，认为苹果能够保障自己在未来的自由。IBM想占有一切，苹果是它控制整个产业的最后一道障碍，它正把枪口指向苹果。我们能让IBM主宰整个电脑产业吗？我们能让IBM控制整个信息时代吗？乔治·奥威尔的描述会成真吗？

随着他的发言将现场气氛推向高潮，观众们从喃喃低语转为热烈鼓掌，最后开始疯狂地欢呼和高喊着回应。但他们还没来得及回答关于奥威尔的问题，整个礼堂就陷入了黑暗，随即，“1984”电视广告出现在屏幕上。广告播映结束后，全场起立，欢声雷动。

天生就知道如何激荡人心的乔布斯穿过黑暗的舞台，走向一张小桌子，桌上摆着一个布包。“现在，我要亲自向各位展示麦金塔电脑，”他说道，“接下来你们在大屏幕上所看到的画面，都是这个包里的东西实现的。”他拿出电脑、键盘和鼠标，熟练地组合起来，在观众的又一阵掌声中，他从衬衣口袋里拿出了一张新的3.5英寸软盘。《烈火战车》的主题曲开始响起，麦金塔屏幕上的图像被投影到大屏幕上。有那么一瞬，乔布斯屏住了呼吸，因为昨晚的演示从未成功。但是现在，一切运行得完美无缺。“麦金塔”在屏幕上横向滚动，接着下方出现了“酷毙了”的字样，就像用手慢慢写上去一样，观众安静了片刻。在寂静中，可以听到有人在喘息。然后，一系列屏幕截图开始接连快速出现：比尔·阿特金森的QuickDraw图形程序包之后，屏幕上紧接着就展现了不同字体、文件、图表、图画、象棋比赛、电子表格，以及一张乔布斯的渲染图——图中他的脑海里浮现出一台麦金塔电脑。

展示结束后，乔布斯笑着说道：“最近，关于麦金塔我们已经说得很多了，但是今天，有史以来第一次，我要让麦金塔自己说话。”说完，他怡然地退到电脑后，按下鼠标，麦金塔发出了轻颤但可爱的低沉声音，它成为了第一台介绍自己的电脑。“你好，我是麦金塔。从包里面出来的感觉真好。”它致以开场白。要说这台电脑有什么不会做的事，那就是还不知道应当在观众爆发疯狂欢呼和尖叫的时候停顿一下。它继续快速独白：“我还不习惯公开演讲，但我想要和大家分享自己第一次见到IBM大型机时的感想。千万不要相信一台你搬不动的电脑。”欢呼声又一次响起，几乎淹没了麦金塔的最后几句话。“显然，我能说话。但是现在，我想要坐下来聆听。接下来，让我非常自豪地请出一个人，他就如同我的父亲一样——史蒂夫·乔布斯。”

礼堂里一片喧闹，人们上蹿下跳，疯狂地挥舞着拳头。乔布斯缓缓地点了点头，双唇紧闭但笑得很开心，接着他低下头开始哽咽。掌声持续了将近 5 分钟。

当天下午，麦金塔团队回到班德利 3 号楼后，一辆卡车开进了停车场，乔布斯把所有团队成员都召集起来。卡车里是 100 台全新的麦金塔电脑，每一台都配有一个个性化的铭牌。“史蒂夫为每位团队成员逐个送上一台电脑，同他们微笑握手，其余的人就在周围欢呼。”赫茨菲尔德回忆道。麦金塔电脑的诞生过程令人筋疲力尽，许多人都被乔布斯可恶有时甚至残酷的管理风格伤害过。但是，无论拉斯金还是沃兹尼亚克，抑或是斯卡利或公司任何其他人，都不可能创造出麦金塔电脑。它也不可能诞生于常规的市场调查组和产品设计团队。麦金塔发布当天，来自《大众科学》（*Popular Science*）的一位记者问乔布斯做过什么类型的市场调研工作。乔布斯语带嘲笑地回应：“亚历山大·格雷厄姆·贝尔在发明电话之前作过任何市场调研吗？”

第十六章

Gates and Jobs
When orbits intersect

盖茨与乔布斯
当轨道相交

1991 年，乔布斯和盖茨

因麦金塔而合作

在天文学中，当两颗星体轨道交织，由于引力相互作用，就会出现双星系统。在人类历史上也有类似情形，同领域两位超级巨星之间的关系与竞争谱写出他们所属的时代之音。例如，20 世纪物理学界的两位巨匠阿尔伯特 · 爱因斯坦和尼尔斯 · 玻尔（Niels Bohr），以及美国建国初期的政治家托马斯 · 杰斐逊

(Thomas Jefferson) 和亚历山大 · 汉密尔顿 (Alexander Hamilton)。20 世纪 70 年代末，人类步入了个人电脑时代。在其发展的头 30 年中，出现了两位重量级人物，他们都生于 1955 年，都中途辍学，精力充沛，他们演绎了个人电脑领域的“双星系统”。

这就是比尔 · 盖茨与史蒂夫 · 乔布斯。尽管两人对技术和商业的融合都抱有相似的雄心，但是他们背景不同，个性迥异。盖茨的父亲是西雅图一位杰出的律师，母亲是一名民众领袖，并担任众多著名机构的董事。他就读于当地最好的私立学校湖滨中学 (Lakeside High)，并从此走上技术极客的道路。但盖茨绝称不上反叛者、嬉皮士和灵性追寻者，也不是反主流文化人士。他没有做过“蓝盒子”去盗用电话线路，而是为学校编写排课程序，在这个程序的帮助下，他得以和自己心仪的女孩上同样的课程；他还为当地交通管理部门编写了一个车辆计数程序。进入哈佛大学之后不久，盖茨决定辍学，但并非因为要跟随印度灵性导师寻求启蒙，而是为了创立自己的软件公司。

与乔布斯不同，盖茨懂计算机编程；他更务实、更有原则，且拥有很强的分析处理能力。乔布斯则更相信直觉，更浪漫，并且在技术实用化、设计愉悦感和界面友好方面有着更高的天分。乔布斯狂热地追求完美，以致他为人非常苛刻，他的管理主要依靠自身的领袖魅力和四溢的激情。盖茨更有条理；他会频繁召开产品评估会议，并在会上精准地切入问题核心。乔布斯和盖茨都可能做出粗鲁无礼的举动，但是盖茨的无礼刻薄通常并不针对个人，更多的是出于对技术的深刻理解，而非情感上的麻木不仁。在职业生涯的早期，盖茨似乎就和那些典型的极客一样，有些阿斯伯格综合征的倾向。乔布斯会用能灼伤人的眼神盯着对方，而盖茨有时会无法与人进行眼神接触，但他很富有人情味儿。

“两个人都觉得自己比对方聪明，但是史蒂夫总体上认为与自己相比，比尔稍逊一筹，尤其在品位和风格上。”安迪 · 赫茨菲尔德说道，“比尔瞧不起史蒂夫则是因为史蒂夫不会编程。”从两人结识起，盖茨就被乔布斯所吸引，并有些嫉妒他蛊惑人心的能力。但同时，他也认为乔布斯“极其古怪”，而且“作为一个人，有着奇特的缺陷”。盖茨反感乔布斯的无礼，以及他的那种倾向——“不是觉得你狗屁不如，就是在试图引诱怂恿你”。而在乔布斯看来，盖茨太狭隘。乔布斯曾说："如果他年轻的时候服过迷幻药或是进行一下禅修，那整个人的心胸就会更为开阔。"

个性和性格上的差异，终究使他们走上了对立面并引发了数字时代的根本分立。乔布斯是个完美主义者，渴望掌控一切，并且很享受艺术家这种不妥协不让步的性情；他和苹果公司将硬件、软件和内容无缝整合，铸成一体，这种数字化战略堪称典范。盖茨则是商业和技术领域里精明务实、深谋远虑的分析师；他愿意将微软的操作系统和软件授权给各种不同的制造商使用。

两人相识 30 年后，盖茨对乔布斯产生了有所保留的敬意。"他真的对技术了解不多，但他有一种惊人的天赋，知道什么东西能成功。"盖茨说道。但反过来，乔布斯从来没有充分肯定过盖茨的长处。"比尔基本上缺乏想象力，也从没创造过什么东西，这就是为什么我觉得他更适合像现在这样做慈善，而不是留在技术领域。"乔布斯是这么说的，尽管他的说法并不公允，"他只是无耻地盗用别人的想法。"

当苹果开始着手研发麦金塔电脑时，乔布斯前去拜访盖茨。微软曾为苹果的 Apple II 电脑编写过一些应用程序，其中包括名为"Multiplan"的电子表格程序。这一次，乔布斯想鼓动盖茨和微软为其即将推出的麦金塔电脑编写更多程序。坐在盖茨位于西雅图华盛顿湖边的会议室中，乔布斯勾画出一幅诱人的图景——加利福尼亚的某家自动化工厂将会大批量生产界面友好的大众电脑。在他的描述中，硅元件被送进工厂，完整的麦金塔电脑鱼贯而出。微软团队因此给该项目取了个代号，叫"沙"（Sand）[①]。他们甚至又把它演绎成了一句话的缩略词：史蒂夫的神奇新机器（Steve's Amazing New Device）。

盖茨创立微软，是源于为阿尔泰计算机编写BASIC语言版本（BASIC是Beginner's All-purpose Symbolic Instruction Code的缩写，即初学者通用符号指令代码，是一种编程语言，非技术人员能够用它更容易地编写出可以跨平台运行的软件程序）。乔布斯希望微软为麦金塔电脑编写BASIC程序，因为尽管乔布斯多

① 沙中含硅，制造电脑的硅材料实际上是从沙子里面提取出来的。

次敦促，沃兹尼亚克从未改进Apple II的BASIC语言版本以提高处理浮点数的能力。此外，乔布斯还希望微软能为麦金塔电脑编写一些应用软件，如文字处理软件、图表和电子表格程序。当时，乔布斯已功成名就，盖茨还只是个跟班：1982年，苹果公司的年销售额达10亿美元，而微软只有3 200万美元。盖茨签下了合同，除BASIC程序外，还为苹果公司开发图形界面版本的软件——全新的电子表格软件Excel和文字处理程序Word。

盖茨当时常去库比蒂诺观看麦金塔操作系统的演示，但他并没有觉得自己看到的东西有多了不起。“我记得第一次去的时候，史蒂夫运行了一个应用程序，不过就是一些东西在屏幕上跳来跳去，”他回忆说，“这是唯一能够在他们机器上运行的应用程序。当时MacPaint[①]还未完成。”此外，乔布斯的态度也令盖茨反感。“我们此行有点儿被诱骗的诡异感觉。史蒂夫说，我们也不是真的需要你们，我们正在做的这个东西很伟大，它还处于保密之中。这是他自己惯用的销售方式，潜台词是‘我不需要你，但可能会让你参与进来。’”

麦金塔团队的“海盗们”也觉得盖茨令人难以忍受。“你会发现，比尔·盖茨不是个很好的听众——他不接受任何人向自己解释某个东西如何运作，他要抢在别人前面提出他对这个东西如何运转的推断，猜想他觉得这个是怎么运作的。”赫茨菲尔德回忆道。他们向盖茨展示麦金塔电脑的光标如何不闪烁而能在屏幕上流畅地移动。盖茨发问：“你们用什么硬件来绘制光标？”赫茨菲尔德感到非常自豪，因为他们只依靠软件就实现了这个功能。他回答说：“我们没有用任何特殊的硬件！”盖茨不信，坚持认为必须有某种特殊硬件的支持，光标才会出现这样的移动效果。麦金塔团队的一位工程师布鲁斯·霍恩后来说：“你还能跟这样的人说什么呢？这件事让我明白，盖茨不是那种能够理解或欣赏麦金塔电脑优雅之处的人。”

尽管两队人马互有戒心，但想到微软为麦金塔电脑制作图形界面软件，能将个人电脑带入一个新境界，双方都非常兴奋，他们前往一家豪华餐厅吃饭庆祝。微软很快组建了一个大型团队负责这个项目。“我们在Mac项目上的人比苹果公

① 苹果早期的图形处理软件。

司的还多，”盖茨说道，“他们有大约十四五个人，我们有将近二十人。我们真的把命都押在这上面了。”尽管乔布斯觉得他们没什么品位，但微软的程序员们非常坚持不懈。“他们一开始做出的应用程序很糟糕，”乔布斯回忆说，“但是他们坚持努力，越做越好。”最后，乔布斯对Excel非常喜爱，以至于和盖茨作了个秘密协议：如果微软在未来两年的时间里只为麦金塔做Excel，而不开发IBM个人电脑版本，那么乔布斯就同意撤掉麦金塔电脑的BASIC团队，而无限期使用微软开发的BASIC程序。盖茨精明地接受了这一提议，而此事却激怒了苹果公司遭到解散的BASIC团队，也让微软在日后的谈判中获得了优势。

盖茨和乔布斯暂时结下了良好的关系。那年夏天，他们前往威斯康星州日内瓦湖的花花公子俱乐部，参加行业分析师本 · 罗森举办的一个会议。当时没人知道苹果正在开发图形界面。盖茨回忆：“当时所有人好像都觉得IBM个人电脑就是一切。这样很好。但是史蒂夫和我就暗自得意，嘿，我们也有个好东西。当时他也多多少少透露出我们在做什么了，但没有人真正理解。”盖茨成了苹果公司的常客，他说：“每次聚餐我都去，已经成了那儿的一分子了。”

盖茨很喜欢频繁地造访库比蒂诺，在苹果公司，他有机会观察乔布斯和雇员们古怪的交流方式以及乔布斯的执著。“史蒂夫用自己超级蛊惑人心的方式，宣称Mac将如何改变世界，疯了似的让人们超负荷工作，气氛异常紧张，人际关系也很复杂。”有时，乔布斯上一秒还很兴奋，下一秒就开始与盖茨分享自己内心的恐惧。“我们周五晚上出去吃饭的时候，史蒂夫还在大谈一切都很好。第二天他就一定会说，‘哦，该死，我们就要卖这玩意儿？哦，天哪，我得提高价格，抱歉这样对你，但是，我的团队都是一群白痴。’”

施乐公司推出施乐之星（Xerox Star）电脑时，盖茨见识到了乔布斯的现实扭曲力场。一个周五，苹果和微软团队共进晚餐，乔布斯问盖茨，施乐之星卖了多少。盖茨回答说600台。第二天，乔布斯全然忘了盖茨刚刚告诉大家施乐之星售出了600台，当着盖茨和整个团队的面，说施乐之星卖了300台。“这时，他的团队成员们开始看着我，好像在说，‘你要不要告诉乔布斯他在瞎扯淡？’”盖茨回忆，“我没蹚那浑水。”还有一次，乔布斯及其团队成员到微软参观，并在西雅图网球俱乐部吃晚餐。乔布斯开始宣扬麦金塔机器和软件将非常易于使用，根本就用不着使用手册。“他那样子就好像在说，如果有人想过Mac应用程序要配上使用手册，那这人一定是天大的白痴，”盖茨说，“我们这边就在想，‘他是认真的吗？是不是不该告诉他，我们有人正在做使用手册？’”

一段时间过后，苹果和微软之间的关系开始出现问题。双方最初的计划是将微软的一些应用程序，如Excel、Chart和File，打上苹果的标识，并且和麦金塔进行捆绑销售。乔布斯推崇一体化的系统，这样一来，计算机从包装盒里拿出来就能直接使用。他还打算在麦金塔上预装苹果自己开发的软件MacPaint和MacWrite。“每台电脑上的每个应用能给我们带来10美元的收入。”盖茨说道。但是这种方式令软件制造领域的竞争对手很不舒服，如莲花公司（Lotus）的米切尔·卡普尔。此外，当时微软的一些软件程序可能会迟些才能完成。因此乔布斯援引合同中的某个条款，决定不预装微软的软件；这样，微软就得努力把自己的软件直接卖给消费者。

盖茨对此并没有太多抱怨。用他自己的话来说，乔布斯“反复无常”，自己已经习惯了这一点。而盖茨当时也在猜想，或许这种分拆实际上对微软有好处。“如果单独销售软件，我们能赚更多，”盖茨表示，“如果你愿意相信自己能获得不错的市场份额，那事情发展成这样反倒更好。”后来，微软把软件卖给了其他各种平台，并在开始为IBM个人电脑开发文字处理软件Word后，立即停止赶工麦金塔版的Word软件。乔布斯退出捆绑销售的决定，最终让苹果比微软更受伤。

麦金塔版本的Excel软件发布时，乔布斯和盖茨共同在纽约绿苑酒廊餐厅（Tavern on the Green）参加媒体答谢晚宴。当被问及微软是否会为IBM个人电脑开发Excel软件时，盖茨没有透露他和乔布斯的契约，只是说“以后”可能会。乔布斯拿过麦克风，开玩笑地说，“我相信，‘以后’我们都会死。”

图形用户界面之争

从与微软打交道的第一天开始，乔布斯就在担心微软会盗用麦金塔电脑的图形用户界面并开发自己的版本。微软当时已经开发出了DOS操作系统，并授权给IBM和兼容电脑使用。DOS系统采用老式的命令行界面，会显示出小而呆板的系统提示符，如C:\>。乔布斯及其团队担心微软会抄袭麦金塔的图形界面的思路。安迪·赫茨菲尔德注意到，微软方面的联系人就麦金塔操作系统如何运作询问了太多细节问题，这令苹果更感忧虑。“我跟史蒂夫说，我怀疑微软打算抄袭Mac，”赫茨菲尔德回忆说，“但是他并不那么担心，因为他觉得，就算有Mac作为范本，微软也没有能力做出像样的操作系统。”但事实上，乔布斯也感到担心，非常担心，只是不想表现出来。

他的担忧不无道理。盖茨相信，图形界面是未来的方向；他觉得，微软完全有权像苹果一样，仿照施乐PARC所开发的东西，开发自己的图形界面。后来，盖茨坦率地承认：“我们多少是这么想的，‘嘿，我们也看好图形界面，我们也见识过施乐PARC的成果。’”

麦金塔最初定于1983年1月发布。在双方最开始的合同中，乔布斯说服盖茨同意，一年之内微软不得将任何图形软件卖给其他公司。但对苹果来说不幸的是，他们没有想到麦金塔会推迟一年发布。因此，1983年11月，盖茨宣布微软计划为IBM个人电脑开发Windows操作系统，此举完全在其权利范围内。Windows操作系统采用图形界面，有窗口、图标和可以指向并点击的鼠标。盖茨在纽约赫尔姆斯利大饭店（Helmsley Palace Hotel）主持了一次乔布斯风格的产品发布会，这是微软当时所举办的最豪华的发布活动。当月，他还在拉斯维加斯举行的计算机分销商展览会（COMDEX）上发表了自己的首次主题演讲，盖茨的父亲当时在现场帮助播放幻灯片展示。在题为“软件人体工程学”的演讲中，他说计算机图形将“超级重要”，界面将更加友好，鼠标将成为所有电脑的标配。

乔布斯对此很愤怒。他知道自己无计可施——微软有权这么做，因为微软答应不做图形操作软件的合同即将到期。尽管如此，他仍然对微软进行了猛烈的抨击。他命令迈克·贝尔奇（Mike Boich）“叫盖茨马上过来”；贝尔奇负责向其他软件公司宣传苹果。盖茨来了，一个人，而且愿意和乔布斯讨论问题。“他叫我来是想冲我发脾气，”盖茨回忆说，“我来到库比蒂诺，就好像自己应该来一样。我告诉他，‘我们在做Windows操作系统。’我对他说，‘我们把整个公司都押在了图形界面上。’”

他们的会面地点在乔布斯的会议室。盖茨发觉自己被十名苹果员工包围着，他们迫切想看到乔布斯和他对质。赫茨菲尔德说：“史蒂夫开始对比尔大呼小叫的时候，我看得很入迷。”乔布斯没有辜负围观员工的期望。“你在盗用我们的东西！”他叫喊道，“我信任你，而你却在偷我们的东西！”赫茨菲尔德回忆道，盖茨只是冷静地坐着，直视史蒂夫的眼睛，接着他用刺耳的声音反驳道：“好了，史蒂夫，我觉得我们可以换一种方式来看待这个问题。我觉得现在的情况更接近于这样——我们都有个有钱的邻居，叫施乐，我闯进他们家准备偷电视机的时候，发现你已经把它盗走了。”后来，这段话成了一个经典的反驳。

乔布斯的情绪化反应和操控人的技巧，在盖茨为期两天的造访中都爆发了出来。两人此次的交涉也清晰地表明，苹果和微软的共生关系就如两只蝎子跳舞，双方都小心翼翼地周旋，他们知道无论谁出刺都会给双方造成问题。在会议室对峙后，盖茨私下平静地向乔布斯演示了研发中的Windows操作系统。“史蒂夫不知道该说些什么，”盖茨回忆道，“他完全可以说，‘哦，它违反了某些协议。’但是他没有。他当时说的是，‘哦，它可真是一堆狗屎。’”盖茨听了很高兴，因为这样他就有机会暂时让乔布斯平静下来。“我说，‘是的，它是堆可爱的狗屎。’”听盖茨这么一说，乔布斯又百感交集。“在这次会面的过程中，他粗鲁无礼至极，”盖茨回忆说，“接着，有那么一会儿他几乎都快哭了，就好像在说，‘哦，就让我宣泄一下自己的痛楚吧。’”盖茨则变得非常平静。“别人情绪激动的时候，对我更有利，因为我比较不容易激动。”

乔布斯提议两人一起出去好好走走，一般他想要进行严肃谈话的时候都会如此。他们在库比蒂诺的街道上走了很久，在迪安扎学院来来回回，他们停下一起吃了晚饭，然后又接着往前走。“我们不得不边走边说，但这并非我所擅长的，”盖茨说道，“这时候他开始说，‘好吧，好吧，只是你们别搞得太像我们做的东西了。’”

乔布斯也没有其他的话可以说了。他要确保微软会继续为麦金塔编写应用程序软件。事实上，斯卡利之后曾威胁将微软告上法庭，而微软为了反击，则以威胁停止开发麦金塔版的Word、Excel及其他应用程序作为回击。如果微软真的这么做，会毁掉苹果。因此，斯卡利被迫妥协，签署了一份合同。他同意微软有权在其即将推出的Windows系统中使用苹果公司的部分图形功能。作为回报，微软同意继续为麦金塔编写软件，并且在一段时间内，只允许苹果独家使用Excel软件，而不会用于IBM兼容机中。

事实上，微软直到1985年秋季才发布Windows 1.0操作系统。即使花了这么长时间进行开发，它仍然是一款劣质产品。它缺乏麦金塔界面的优雅，窗口平铺；相比之下，麦金塔采用的是比尔·阿特金森设计的神奇的重叠窗口“截取”算法[①]。因此，评论家嘲笑它，消费者唾弃它。然而，就像微软的其他产品一样，Windows操作系统因为他们的不懈努力，后来主宰了个人电脑操作系统领域。

乔布斯从未走出这场愤怒。“他们完完全全盗用了我们的东西，因为盖茨没有廉耻。”事情发生近30年后，乔布斯这样对我说。盖茨得知后，回应道：“如果他觉得自己说的是事实，那么他还真是走进了自己的现实扭曲力场。”从法律意义上来说，盖茨没错，多年来，此案的法律裁决都判定盖茨无错。而在现实情况中，盖茨的说法也很合理。尽管苹果公司签署了合同，有权使用自己在施乐PARC看到的东西，但其他公司也必然会开发出相似的图形界面。正如苹果公司所发现的，无论在法律上还是现实中，计算机界面设计的“外观和感觉”都很难受到保护。

不过，乔布斯的沮丧之情也可以理解。苹果公司一直以来在执行上更富创新，更有想象力，也更有品位，而且他们的设计也更好。但是，虽然一开始微软只做出了一系列粗制滥造的复制品，它最终还是赢得了操作系统之争。这一事实说明世界并非完美：最好最创新的产品并非总是赢家。这也致使乔布斯在此事十年后对微软大肆批判，虽然他说的话多少有点儿夸张，但也有几分道理。“微软唯一的问题就是他们没有品位，一点儿都没有，”他说，“并不是狭义上的没有品位，而是广义上的，他们没有独到的见解，也不会在产品中注入多少文化……因此，我想自己之所以感到难过并不是因为微软成功了，我对他们的成功没有异议，大部分都是他们应得的。我难过的是，他们做的确实只是三流产品。”

---

① window clipping，即让计算机处理器只计算窗口中显示的部分，而略去对未显示部分的计算，从而节省了处理器的运算时间，提高系统运算速度。

第十七章

Icarus
What goes up…

伊卡洛斯[1]
凡升起的……

春风得意

麦金塔电脑的发布使得乔布斯的名气如日中天，他的一次曼哈顿之行便是佐证。当时，他应邀参加小野洋子（Yoko Ono）为儿子肖恩·列侬（Sean Lennon）举办的派对，并送给9岁的肖恩一台麦金塔电脑；肖恩很喜欢。艺术家安迪·沃霍尔（Andy Warhol）和基斯·哈林（Keith Haring）当时也在，他们如此着迷于自己通过麦金塔做出来的东西，以致当代艺术几乎发生了天翻地覆的转折。在用过QuickDraw软件之后，沃霍尔自豪地惊呼："我画了个圈。"沃霍尔坚持要乔布斯也给摇滚明星米克·贾格尔（Mick Jagger）送一台麦金塔。当乔布斯和比尔·阿特金森一同来到贾格尔的联排别墅时，贾格尔有些疑惑。他并不太知道乔布斯是谁。后来，乔布斯告诉自己的团队："我觉得他一定是嗑了药，要么就是脑残了。"不过，贾格尔的女儿杰德立刻喜欢上了这台电脑，并开始用MacPaint软件画画，于是乔布斯把电脑送给了她。

乔布斯买下了曼哈顿中央公园西街圣雷莫公寓顶楼的复式住宅，他曾带斯卡利看过这处房产，又聘请了贝聿铭公司的詹姆斯·弗里德（James Freed）对其进行翻修，但是由于对细节一贯挑剔，他从未搬进去过。后来，他把这处公寓以

① 希腊神话中的人物，忘记父亲的告诫，飞得太高，太阳将他羽毛上的蜡熔化而掉到海中死去。

1 500 万美元的价格卖给了波诺。他还在伍德赛德购置了一幢老式西班牙殖民地风格的豪宅，有 14 间卧室，可以俯瞰帕洛奥图。这幢豪宅最初由美国铜矿大亨丹尼尔·考恩·杰克林（Daniel Cowan Jackling）建造，乔布斯搬了进去，但从未着手进行装修。

在苹果公司，他的地位也开始恢复。斯卡利并未设法削弱乔布斯的权力，相反给了他更多控制权。负责丽萨电脑和麦金塔电脑的部门合并了，由乔布斯管理。他正一路高升，春风得意，却没有因此变得更加成熟。事实上，当乔布斯站在丽萨团队和麦金塔团队成员面前，告诉大家将如何进行合并时，他展示出了冷酷而坦诚的一面，让人难以忘怀。乔布斯表示，合并后的所有高层职位都将由他所率领的麦金塔部门中的领导者担任，而丽萨电脑部门 1/4 的员工都会被裁员。"你们失败了，"他直视着丽萨团队的人说道，"你们是二流团队，二流队员。这里许多人都是二流或三流队员，因此今天，我们遣散你们其中一部分人，让你们有机会在硅谷的兄弟公司工作。"

比尔·阿特金森同时供职于丽萨团队和麦金塔团队，他觉得这种合并方式不仅冷酷无情，而且不公平。"这些人工作非常努力，他们是杰出的工程师。"他说道。但是，乔布斯坚持认为：如果你想建设一个由一流队员组成的团队，就必须要狠。这是他从麦金塔团队中总结出的重要管理经验。"这个道理很简单，团队扩张时，如果吸收了几名二流队员，他们就会招来更多二流队员，很快，你的团队里甚至还会出现三流队员，"他回忆道，"麦金塔的经验告诉我，一流队员只喜欢同一流队员合作，这就意味着你不能容忍二流队员。"

当时，乔布斯和斯卡利相信彼此之间的友谊依然牢固。他们经常热情洋溢地表达对彼此的喜爱，看上去就像贺卡上的一对高中情侣。1984 年 5 月，斯卡利加入苹果一周年。为了庆祝，乔布斯为他在黑羊餐厅举行晚宴，那儿是库比蒂诺西南丘陵一带的一家高雅餐厅。让斯卡利吃惊的是，乔布斯还叫来了苹果公司的董事会、高层管理人员，甚至一些东海岸投资者。在鸡尾酒会上，大家都向斯卡利表示祝贺，他回忆道："史蒂夫神采奕奕地站在人群中，不住地点头，脸上挂着柴郡猫式的微笑。"乔布斯以一句夸张的祝酒词为晚宴做了开场白："对我来说，最快乐的日子有两个，一个是麦金塔交付运行的时候，另一个是约翰 · 斯卡利同意加入苹果公司的那天。”他说道，“今年是我整个人生中最棒的一年，因为我从约翰那里学到了很多。”接着，他送给斯卡利一本当年大事记的影集。

作为回应，斯卡利也滔滔地讲述了过去一年与乔布斯搭档的欣喜之情，他的结束语让在场的每个人都感到难忘，虽然原因各异。“苹果公司只有一个领导者，”他说，“那就是史蒂夫和我。”他眼光望向房间的另一端，与史蒂夫目光交错，看到他脸上的笑容。“当时就好像我们彼此心有灵犀一样。”斯卡利回忆道。但是，他也注意到亚瑟 · 罗克和其他一些人的古怪表情，或许甚至是怀疑的神色。他们担心乔布斯正完全控制着斯卡利，他们雇用斯卡利是为了控制乔布斯，现在很明显，控制权却在乔布斯手上。“斯卡利非常渴望得到史蒂夫的认可，以至于他无法对史蒂夫保持强硬态度。”罗克后来回忆道。

对斯卡利来说，让乔布斯高兴并听从他的专业意见，这可能是一个明智的策略，他认为这样比采取对立的态度要好，这没错。但是，他未能认识到，在乔布斯的天性里，控制权不能共享。乔布斯并没有自然而然学会服从，他开始愈发强烈地表达自己对公司运营的看法。例如，在 1984 年的公司经营战略会议上，乔布斯逼迫苹果公司的市场和销售部门通过竞标的方式获得为各产品部门的服务权。没有人赞成这种方式，但是乔布斯不断努力想要通过这个方案。“人们指望我来掌控局面，让乔布斯坐下闭嘴，但我没有这么做。”斯卡利回忆说。会议不欢而散，他听到有人低声说，“为什么斯卡利不让他闭嘴？”

乔布斯决定在弗雷蒙建一家最先进的工厂，用以生产麦金塔，这时他的审美激情和控制天性越发达到极致。他想要把机械设备也涂成明亮的色调，就像苹果的彩虹标识一样；但是，他在颜色选择上花了太多时间，以至于苹果公司的生产总监马特 · 卡特（Matt Carter）最后决定就用原本的米色或灰色。乔布斯去工厂参观时，又下令把机器重新喷刷成他想要的鲜艳色彩。卡特反对，他认为这都是些精密设备，重新喷刷可能会造成问题。卡特说的没错。一台最贵的机器被喷成亮蓝色后就再也无法正常工作了，它被人戏称为“史蒂夫的愚作”。最后，卡特辞职了。“跟他抗争太费精力了，而且常常是为一些毫无意义的东西，我受够了。”他回忆道。

乔布斯找来麦金塔团队的财务主管黛比·科尔曼接任卡特的职位。科尔曼精力充沛、为人和善，麦金塔团队有一个对抗乔布斯最佳人物年度大奖，科尔曼曾赢得该奖。但她也知道如何在必要的时候迎合乔布斯的奇想。苹果公司的艺术总监克莱门特·莫克（Clement Mok）通知科尔曼说，乔布斯想把墙都刷成纯白色，她反对说："工厂不能刷成纯白色，那样到处都会是灰尘和脏东西。"莫克的回复是："对乔布斯来说，多白都不过分。"科尔曼最后只好随他去了。纯白色的墙壁，亮蓝色、黄色或红色的机器，整个工厂车间"看上去就像亚历山大·考尔德（Alexander Calder）[①]的作品展"。科尔曼这样描述。

当被问及为何对工厂的外观如此重视时，乔布斯说，这样做是为了保持追求完美的激情：

> 我会到工厂去，戴上一只白色手套检查灰尘。我发现到处都是灰尘——机器上、机架顶部、地板上，然后就叫黛比清理。我跟她说，我们要一尘不染，这让黛比非常恼火，她不明白，为什么要这么干净。而我当时也无法说明这个原因。明白吗？在日本所看到的东西对我影响非常大。我十分钦佩日本的一部分原因就在于他们的团队精神和纪律意识，而这也是我们的工厂所缺少的东西。如果我们连保持工厂一尘不染都做不到，那么也无法让所有机器都保证运转。

一个周日的早晨，乔布斯把自己的父亲带到了工厂。保罗·乔布斯一向很讲究，要确保自己的工艺严格，工具摆放整齐；史蒂夫很自豪地向父亲展示，自己也能做到这样。科尔曼当时也陪同参观。"史蒂夫当时高兴得不得了，"她回忆说，"他很自豪地向他父亲展示自己的这一创造。"乔布斯向父亲解释工厂的运作方式，保罗似乎很欣赏。"他触摸了每一样东西，非常欣赏这一切干净和完美的程度，乔布斯则一直看着他。"

不过，当法国总统密特朗的夫人达妮埃尔·密特朗来工厂参观时，气氛就不那么融洽了。密特朗夫人对古巴很欣赏，那次是陪同丈夫来进行国事访问的。乔

---

① 美国著名雕塑家、艺术家，动态雕塑的发明者。

布斯让乔安娜·霍夫曼的丈夫阿兰·罗斯曼来做翻译。密特朗夫人通过自己的翻译人员，就工厂的工作条件问了很多问题，而乔布斯却一直在解释自己先进的机器人和技术。乔布斯谈论了准时生产制（JIT）计划后，密特朗夫人却开始询问工人的加班工资。他很恼火，于是开始描述自动化如何帮助自己压低了劳动成本，他知道这个话题会让她不高兴。“工人的活儿很重吗？”她问道，“他们有多少休假时间？”乔布斯按捺不住了。“如果她对工人的福利这么感兴趣，”他对密特朗夫人的翻译说，“告诉她，随时欢迎她来这儿工作。”翻译听了脸色苍白，什么都没说。过了一会儿，罗斯曼介入进来，用法语说：“夫人，乔布斯说，感谢您的到访及您对工厂的兴趣。”乔布斯和密特朗夫人都不知道到底发生了什么，而那位翻译顿时感到如释重负。

事后，乔布斯开着奔驰车驶上高速公路，准备回库比蒂诺，一路上对罗斯曼对密特朗夫人的态度感到异常愤怒。当时车速超过每小时 100 英里，一名警察拦下了车，准备开票。几分钟后，警察正潦草地书写罚单，乔布斯按起了喇叭。“有什么问题吗？”警察问道。乔布斯回答说：“我赶时间。”令人惊讶的是，那位警察并没有生气，而只是照常开完罚单，并警告，如果乔布斯的车速再超过每小时 55 英里并被抓住，就要进监狱。结果警察刚离开，乔布斯就重新回到高速路上，再次加速到每小时 100 英里。“他肯定认为常规对自己无效。”罗斯曼对此惊叹不已。

在麦金塔电脑发布几个月后，罗斯曼的妻子乔安娜·霍夫曼陪同乔布斯前往欧洲，她也见识到了同样的情形。“他非常令人讨厌，觉得自己可以不受任何事情的束缚。”她回忆说。在巴黎的时候，她已经安排好与法国的软件开发商们进行正式晚宴，但是乔布斯突然决定不想去了。他扔下霍夫曼独自上车，说自己要去拜访艺术家福隆（Folon）。“结果他的缺席让开发商们很生气，都不愿意跟我们握手。”她说道。

在意大利的时候，乔布斯打一见面就不喜欢苹果公司在当地的总经理——一位肉乎乎圆嘟嘟的男士，他以前在传统行业工作。乔布斯直截了当地对他说，自己对其团队及销售策略都不以为然。“你不配销售Mac。”乔布斯冷冷地说。不过，这位倒霉的经理受到的对待还算是好的了，他挑选的餐厅更惨。乔布斯点了一份素食，但服务员还是殷勤周到地往他的盘子里倒上了含有酸奶油的酱料。乔布斯的反应令人讨厌至极，以至于霍夫曼不得不靠威胁来阻止他。她低声对乔布斯说，如果他再不冷静下来，就把自己的热咖啡倒在他腿上。

欧洲之行中，最根本的分歧集中在销售预测上。在其现实扭曲力场的影响下，乔布斯总是让自己的团队作出更高的预测。在最初撰写麦金塔商业计划时，他这样做过，但这份计划最后又反过来给他带来了麻烦。在欧洲的时候他又故伎重演，不停地威胁欧洲的经理们，只有拿出更高的预测数据，才能得到他的拨款。经理们坚持实事求是，霍夫曼不得不从中进行调和。“行程最后，我整个身子都不由自主地颤抖。”霍夫曼回忆道。

此次欧洲之行，他第一次见到了让–路易 · 加西（Jean-Louis Gassée）——苹果公司的法国经理。加西是少数几个成功对抗乔布斯的人。“他对事实有自己的见解，”加西后来评论道，“对付他的唯一方法就是以其人之道还治其人之身，反过来更狠地威胁他。”当乔布斯像通常一样，威胁说如果不调高销售预测，他就会削减对法国公司的拨款，加西彻底怒了。“我记得自己当时抓住他的衣领，叫他少来这套，然后他就退缩了。”加西说道，“我以前也是个火气大的人，是个浑球。所以我也能看出史蒂夫身上的这种性格。”

不过，乔布斯能游刃有余地收放自己的个人魅力，这让加西印象深刻。密特朗发起了“大众信息技术计划”（informatique pour tous）——宣扬普及大众电脑，技术领域的各种学术专家都前来参与其中，如马文 · 明斯基（Marvin Minsky）和尼古拉斯 · 尼葛洛庞帝（Nicholas Negroponte）。在法国时，乔布斯在布里斯托酒店面向该计划的参与者发表了演讲，向人们描绘了一幅图景——如果法国所有的学校都配备电脑，这个国家将会出现多大的进步。巴黎也唤醒了乔布斯的浪漫心情。加西和尼葛洛庞帝都曾讲过乔布斯在那里为伊人憔悴的故事。

一落千丈

麦金塔电脑刚发布时引发了一阵热潮，但到 1984 年下半年，其销量就开始急剧下滑。问题是根本性的。这是一台虽然精美却运行缓慢、动力不足的电脑，再多的宣传也无法掩盖它的缺点。它的美丽之处在于，其界面看上去像一间阳光明媚的游戏室，而不是一块闪烁着绿色字母和呆板命令行的幽暗屏幕。然而，这也造成了麦金塔最大的弱点。采用文本方式显示，一个字符只占用不到一个字节；而Mac采用像素方式显示用户想要的优雅字体，这样，每个字符所需要的内存就比前者多出二三十倍。丽萨电脑为了解决这一问题，将内存扩展至1 000K以上，而麦金塔的内存只有128K。

另一个问题在于，没有内置硬盘驱动。乔安娜·霍夫曼曾坚持，要使用内置硬盘作为存储设备，乔布斯因此称她为“施乐偏执狂”[①]。麦金塔只有一个软盘驱动器，你如果想要复制数据，有可能会落下肘关节发炎的毛病，因为你得来回装卸软盘。此外，麦金塔没有风扇，这是乔布斯武断顽固的又一佐证。他觉得，风扇会增大电脑的噪音。没有风扇散热造成了很多组件故障，并让麦金塔赢得了“米色烤面包机”的绰号，而这一绰号显然无益于提高产品的流行度。麦金塔电脑外形诱人，因而在发布的头几个月，销量非常好；但当人们逐渐认识到这款电脑的局限后，销量便逐渐减少。霍夫曼后来感叹道：“现实扭曲力场可以作为一种鞭策，但最后总是要被现实打破的。”

1984年底，丽萨电脑销量几乎为零，麦金塔的销量跌至每月10 000台以下，乔布斯在绝望之下作出了一个低劣、不合规矩的决定。他决定在库存的丽萨电脑上安装麦金塔仿真程序，并作为新产品出售，命名为“Mac XL”。由于丽萨电脑已停产，且不会再投入生产，因此乔布斯这次要做自己都不看好的东西，就有点反常。“我很愤怒，因为它根本就不是什么Mac XL。”霍夫曼说道，“这么做的目的就是为了把剩下的丽萨电脑都卖出去。它卖得很好，但接下来我们不得不停止这个可怕的骗局，我也因此辞职了。”

这种负面情绪在苹果公司1985年1月的广告中也有所体现，这次的广告试图再次激起人们反对IBM的情绪共鸣，就像“1984”广告那样。不幸的是，这两则广告之间有一个根本区别：“1984”广告以一种英勇乐观的基调结束；但是这次，李·克劳和杰伊·恰特（Jay Chiat）写的新故事脚本，名为“旅鼠”（Lemmings），内容则是身着深色西装、被蒙住双眼的企业管理者迈向悬崖，走向

① 施乐推出的电脑采用内置硬盘存储。

死亡。从一开始，乔布斯和斯卡利就感到不安，这个故事似乎无法传达出苹果正面和光辉的形象，相反，只会侮辱购买过IBM电脑的每一个企业管理者。

乔布斯和斯卡利要求广告公司想想其他创意，但广告公司拒绝了。其中一位员工说："你们去年还不想要'1984'广告呢。"根据斯卡利的说法，李·克劳补充道："我会把自己的全部名声和一切都压在这个广告上。"然而当雷德利·斯科特的弟弟托尼把广告拍出来后，这个创意显得更糟了。行尸走肉般的经理们朝着悬崖前进，口中唱着葬礼版的《白雪公主》插曲，"嘿——嚯，嘿——嚯"，而枯燥的电影制作使得这部广告片比故事脚本还要沉闷。"我简直不敢相信，你竟然要放这么个广告来羞辱全美国的商务人士！"黛比·科尔曼看过广告后冲乔布斯吼道。营销会议上，她站起来表达了自己对这个广告的无比厌恶。"我郑重其事地在乔布斯桌上放了一封辞职信。信是在我的Mac电脑上打出来的。我觉得这个广告对企业管理者是一种侮辱。我们可是刚刚才在个人电脑领域立足。"

不过，乔布斯和斯卡利屈从于广告公司的意愿，在美国"超级碗"大赛中播放该段广告。两人一同前往斯坦福体育场观看比赛，同行的还有斯卡利的妻子利兹——她受不了乔布斯，以及乔布斯情绪亢奋的新女友蒂娜·莱德斯（Tina Redse）。在这场沉闷比赛的第四节的尾声时，苹果公司的广告播出了。球迷们抬头看着大屏幕，几乎没有反应。而在整个美国范围内，大多数反馈都是负面的。"它侮辱了苹果的目标用户群。"一家市场调研公司的总裁告诉《财富》杂志。苹果公司的营销经理随后建议，公司可能需要在《华尔街日报》上买个版面进行道歉。杰伊·恰特则威胁道，如果苹果敢这么做，他的广告公司就会买下旁边的版面，为苹果的道歉广告道歉。

同年1月，乔布斯前往纽约接受一对一的记者采访，其间表露出自己对该广告和苹果公司整体现状的不安。像以前一样，里吉斯·麦肯纳公司的安迪·坎宁安负责乔布斯在卡莱尔酒店的安排和后勤。乔布斯到达酒店后，命令坎宁安重新布置一遍套房，而当时已是晚上10点，第二天就要接受采访。另外，他觉得钢琴摆放的位置也不对，草莓也不是他想要的品种。但是，最大的问题在于他不喜欢房间里摆放的花。他想要马蹄莲。"我们为了马蹄莲到底什么样大吵了一场，"坎宁安说道，"我知道马蹄莲是什么，因为我结婚的时候就用过，但是他坚持要另一种类型的百合花，还说我很蠢，因为我不知道真正的马蹄莲什么样。”于是坎宁安只好出去买。幸好这里是纽约，她这么晚还能买到乔布斯要的那种百合花。房间重新布置好后，乔布斯又开始挑剔她的穿着。“这身套装好恶心。”他对她说。坎宁安知道乔布斯有时会爆发出无名怒火，因此她试图让他平静下来。“你看，我知道你在生气，我也知道你的感受。”她说。

“你知道个屁！”乔布斯吼道，“我的感受，你知道个屁呀！”

30 岁

对于大多数人，尤其是那些宣称绝不能相信 30 岁以上的人的那代人来说，30 岁是一个里程碑。1985 年 2 月，为了庆祝自己的 30 岁生日，乔布斯在旧金山圣弗朗西斯酒店的宴会厅举办了一场非常正式但又搞怪的派对——来宾被要求打黑领带、穿网球鞋。约有 1 000 人应邀出席。请柬上写着：“有句古老的印度谚语是这样说的，‘在人生的头 30 年里，你培养习惯；在后 30 年，习惯塑造你。’过来跟我庆祝我的 30 岁吧。”

宴会上，有一桌坐的都是软件业巨头，包括比尔 · 盖茨和米切尔 · 卡普尔。另一桌坐着他的老朋友，如伊丽莎白 · 霍姆斯，她还带来了一位身着燕尾服的女伴。安迪 · 赫茨菲尔德和伯勒尔 · 史密斯穿着租来的礼服，脚上踩着松软的网球鞋，一旁旧金山交响乐团演奏着施特劳斯的圆舞曲，两人伴着音乐起舞的样子使这场派对更加令人难忘。

由于鲍勃 · 迪伦拒绝了邀请，派对上献唱的是埃拉 · 菲茨杰拉德。她主要唱自己的传统曲目，偶尔也会改编一下曲目，如将《伊帕内玛姑娘》（*The Girl From Ipanema*）唱成“库比蒂诺小伙儿”。她要听众点歌，乔布斯就点了几首。最后，她用一首慢节奏的《生日快乐》结束了表演。

斯卡利走上台，提议为“技术领域最重要的远见者”干杯。沃兹尼亚克也走上台，送给乔布斯一个相框，里面装着一张 1977 年西海岸电脑展览会上子虚乌有的“扎尔泰”电脑宣传单，Apple II 电脑就是在该展会上发布的。唐 · 瓦伦丁对乔布斯十年间的转变感到惊奇。“他以前就跟胡志明似的，认为绝不能相信任何一个 30 岁以上的人，现在却和埃拉 · 菲茨杰拉德一起，给自己办了个这么棒的

30 岁生日宴会。”他说道。

许多人都为这个挑剔的家伙准备了特别的礼物。例如，黛比 · 科尔曼就为他找到了第一版《最后的大亨》（*The Last Tycoon*），这是弗兰西斯 · 斯科特 · 菲茨杰拉德（F. Scott Fitzgerald）的一部小说。乔布斯却将所有礼物都留在了酒店房间里，这个行为虽奇怪但也与他的性格相符。乔布斯一件礼物都没拿回家。沃兹尼亚克和一些苹果公司的元老没有吃派对上的山羊乳干酪和鲑鱼慕斯，派对结束后，他们聚在一起去丹尼餐厅吃饭。

“一个艺术家到了三四十岁还能做出惊人的东西来，这是很罕见的。”乔布斯对作家戴维 · 谢菲（David Sheff）说道，言语中流露出渴望之情。谢菲于乔布斯 30 岁生日的当月，在《花花公子》杂志上发表了一篇言语亲密的长篇访谈。“当然，有些人天生就有求知欲，永远像小孩一样对生命充满敬畏，但是这种人很少。”这次采访涉及许多话题，但是在变老和面对未来的问题上，乔布斯给出了最尖锐的反思：

> 你的想法会在自己的头脑中创建出模式，就像脚手架一样。大脑中的化学反应蚀刻出思维的模式。在大多数情况下，人们会陷入这些模式，就像唱片上的针槽，并且再也出不来了。
>
> 我会永远保持与苹果的关系。我希望这一生，能让自己的生命历程和苹果的命运彼此交错，就像编织一幅挂毯那样。可能我会离开苹果几年，但我终究是会回来的。而这就是我可能想要做的事情。关于我，应该谨记的关键一点就是，我仍然是个学生，我仍然在新兵训练营。
>
> 如果你想有创造性地过自己的生活，像艺术家一样，就不能常常回顾过去。不管你做过什么，以前是怎么样，你都必须心甘情愿地接受一切，并将一切抛诸脑后。
>
> 外界越是试图强化你的形象，你就越难继续做一名艺术家，这也是为什么很多艺术家要说，“再见，我得走了，我要疯了，我要离开这里。”然后他们就离开了，在某处休隐。也许之后他们又会重新出现，变得有些不同。

乔布斯说出这番话，似乎是有预感自己的生命将很快改变。也许他的生命历程确实会与苹果的命运彼此交错，也许他这时候应该将过去的自己抛诸脑后，也许是时候说“再见，我得走了”，然后重新回来，带着不同的思考方式。

出埃及记

1984 年麦金塔发布后，安迪 · 赫茨菲尔德休了一段时间假。他需要重新充电，并远离自己的上司鲍勃 · 贝尔维尔。赫茨菲尔德不喜欢他。有一天，他得知乔布斯给麦金塔团队的工程师每人发放了最高 5 万美元的奖金，他们团队工程师的工资此前一直没有丽萨团队的高。于是他找到乔布斯要自己的那一份。乔布斯回复说，是贝尔维尔决定休假的人没有奖金。赫茨菲尔德后来听说这其实是乔布斯的决定，于是来找乔布斯对质。最开始，乔布斯含糊其辞，后来又说，“好吧，就算你说的是真的，又对事情有什么改变呢？”赫茨菲尔德说，如果乔布斯扣着奖金不发是为了让他回来，那么出于原则，他根本就不会回来。乔布斯态度软化了，这却给赫茨菲尔德留下了不好的印象。

在休假快结束时，赫茨菲尔德与乔布斯约好共进晚餐，他们从办公室出来，走过几个街区，来到了一家意大利餐馆。“我真的想回来，”他告诉乔布斯。“但是现在情况好像真的很糟糕。”乔布斯隐约有些心烦意乱，但是赫茨菲尔德继续说下去，“软件开发团队士气彻底低落，几个月都没做出什么东西来，伯勒尔也非常沮丧，年底之前就会走人。”

这时，乔布斯打断了他。“你根本不知道自己在说什么！”他说道，“麦金塔团队现在很棒，我正在享受自己一生中最好的时光。你已经跟我们完全脱节了。”他的眼神里透露出极为挖苦的意味，但又试图表现自己是被赫茨菲尔德的评论逗乐了。

“如果你真的这么认为，那我觉得自己肯定没法回来了。”赫茨菲尔德闷闷不乐地说，“我想要回归的那个 Mac 团队甚至都已经不复存在了。”

“Mac 团队必须成长，你也一样，”乔布斯回应道，“我希望你回来，但是如果你不愿意，那也随你。反正你也并非自己所想象的那样重要。”

因此，赫茨菲尔德没有回来。

1985 年初，伯勒尔 · 史密斯也准备离开苹果。但他又担心，如果乔布斯试图说服他留下，那么自己就很难离开。乔布斯的现实扭曲力场太强大了，史密斯难以抗拒。于是，他同赫茨菲尔德一起商量如何冲破乔布斯的现实扭曲力场。“我想到了！”有一天，他告诉赫茨菲尔德说，“我想到了一个完美的辞职方法能抵抗他的现实扭曲力场。我会走进史蒂夫的办公室，解开裤子，在他的办公桌上小便。对这种事他还能说什么呢？这方法肯定能行。”而Mac团队打赌，即便再勇敢，伯勒尔 · 史密斯也没胆量这么做。在乔布斯生日聚会前后，他终于决定要豁出去了，他同乔布斯约好了见面。当史密斯走进乔布斯的办公室时，他惊奇地发现乔布斯笑得很开心。“你真的要那么做吗？真的要那么做吗？”乔布斯问他。他已经听说了史密斯的计划。

史密斯看着乔布斯。“我真的有必要这么做吗？如果万不得已，我会的。”乔布斯看了他一眼，史密斯又觉得确实没必要这么做。于是，他的辞职并没有那么戏剧化，而且他离开的时候拿到了很好的报偿。

很快，另一位了不起的麦金塔工程师布鲁斯 · 霍恩也决定离开。当他跟乔布斯告别的时候，乔布斯说：“Mac的所有问题都是你的错。”

霍恩回答道：“好吧，史蒂夫，事实上，Mac的许多好处也是我的错，我还得像疯了似的把这些好处都给弄进去。”

“没错。”乔布斯认可了这一回应，“如果你留下，我就给你 15 000 股股票。”霍恩拒绝了，乔布斯就展现出自己温柔的一面。“好吧，来给我个拥抱。”他说。于是，他俩拥抱在一起。

不过，当月最轰动的新闻还是苹果公司创始人之一史蒂夫 · 沃兹尼亚克的离开。也许是因为个性不同，这两位创始人之间从未有过激烈的冲突。沃兹尼亚克仍然充满梦想和童趣，乔布斯比以往更加紧张易怒。但是，在苹果的管理和战略问题上，两人有着根本的分歧。当时，沃兹尼亚克低调地在Apple II部门做中级工程师，作为公司谦卑的招牌人物而存在，并尽可能地远离管理和公司政治。在他看来，有理由相信乔布斯并不欣赏Apple II；而Apple II电脑仍然是苹果公司的摇钱树，而且 1984 年圣诞期间，其销量就占公司产品销量的 70%。“公司里其他人也认为Apple II团队的成员不重要，”他后来说道，“尽管在当时，Apple II是我们公司多年来销量最大的产品，而且未来几年它仍然可能是最畅销的机型。”沃兹尼亚克甚至强迫自己去做一些不合自己性格的事；有一天，他拿起电话打给斯卡利，痛斥他在乔布斯和麦金塔部门浪费了太多注意力。

沮丧万分的沃兹尼亚克决定悄然离去，创办一家新公司，制造自己发明的万能遥控器。有了这个装置，用户只需通过几个简单的按钮，就能控制家里的电视机、立体声音响和其他电子设备。他将自己的想法告诉了Apple II部门的工程师主管，但觉得自己并不那么重要，没必要通知别的部门，也没必要告诉乔布斯和马库拉。因此，直到看到《华尔街日报》报道，乔布斯才第一次得知此事。当记者致电时，沃兹尼亚克真诚坦率地回答了记者的问题。他说，是的，自己觉得苹果公司怠慢了Apple II部门。“苹果的发展方向已经严重错误，并持续5年了。”他表示。

不到两周后，沃兹尼亚克和乔布斯一同前往白宫，时任美国总统的罗纳德·里根授予他们首届国家技术奖章（National Medal of Technology）。里根引用第19任总统拉瑟福德·海斯（Rutherford Hayes）初次见到电话时所说的一句话——“惊人的发明，但是谁想要用这个东西呢？”然后打趣道：“我觉得，他当时可能弄错了。”鉴于沃兹尼亚克离开苹果公司的尴尬情形，苹果公司之后并未举行庆祝晚宴，斯卡利或其他高层也没有来华盛顿。乔布斯和沃兹尼亚克在领奖之后一起出去散步，在一家三明治店吃了些东西。沃兹尼亚克回忆说，他们亲切地聊了聊，避开了任何关于分歧的讨论。

沃兹尼亚克想让自己和苹果公司友好地分手，这是他的风格。于是，他同意兼职的方式，薪酬2万美元，并代表公司出席活动和展览。这是一种渐渐疏远彼此的优雅方式，但是乔布斯心里就没有那么舒服。在华盛顿领奖几周后的一个周六，乔布斯前往哈特穆特·艾斯林格在帕洛奥图的新工作室，他的青蛙设计公司（Frog Design）为了处理苹果公司的设计而搬到了这里。乔布斯碰巧在那里看到了一些草图，是该公司为沃兹尼亚克的新遥控器设计的，他暴跳如雷。苹果公司同青蛙设计公司的合同中有一条写着，苹果公司有权禁止青蛙设计公司为其他公司做计算机相关产品的设计，乔布斯援引这一条款。“我通知他们，”乔布斯回忆说，“我们不能接受他们做沃兹的项目。”

《华尔街日报》得知此事后，联系上了沃兹尼亚克，他像往常一样坦率真诚。

他说乔布斯在惩罚他。“史蒂夫 · 乔布斯恨我，可能是因为我针对苹果说的话。”他告诉记者。乔布斯这种行为显得很小气，但他之所以如此，部分原因是他知道产品的外观和风格就是产品品牌的一部分，其他人不像乔布斯这样明白这个道理。如果沃兹尼亚克的设备和苹果公司的产品使用同一种设计语言，就可能会让人误会他的设备是苹果公司的。“这并非私人恩怨。”乔布斯告诉《华尔街日报》，解释说自己想要确保沃兹尼亚克的遥控器不会像苹果生产的东西一样。“我们不想看到自己的设计语言用在别的产品上。沃兹得找到自己的资源。他不能利用苹果的资源，我们不能对他特殊对待。”

至于青蛙设计公司已经为沃兹尼亚克做了的东西，乔布斯表示愿意个人支付这笔费用。但即便如此，该公司的管理者也都吃了一惊。乔布斯要求青蛙设计公司把为沃兹尼亚克设计的图纸交给自己或毁掉，对方拒绝了。乔布斯不得不向他们发信，援引苹果公司的合同权利。青蛙设计公司的设计总监赫伯特 · 法伊弗（Herbert Pfeifer）冒着激怒乔布斯的风险，公开驳斥乔布斯关于同沃兹尼亚克的争端并非私人恩怨的说法。“他这是仗势欺人，”法伊弗对《华尔街日报》说，“他们之间有私人问题。”

听说了乔布斯的所作所为后，赫茨菲尔德异常气愤。他家离乔布斯的住处大约相隔 12 个街区，即使在他离开苹果后，乔布斯有时也会顺路去他家坐坐。“我对于沃兹尼亚克遥控器的事非常气愤，以至于乔布斯后来到我家来，我都没让他进门。”赫茨菲尔德说道，“他知道自己错了，但是试图把自己的所作所为合理化，也许在他自己的现实扭曲力场里，他能做得到。”而沃兹尼亚克即便是生气的时候，也像泰迪熊一样温顺。他换了一家设计公司，甚至同意继续留任苹果公司做发言人。

摊牌，1985 年春

1985 年春，乔布斯和斯卡利之间出现了裂痕。原因是多方面的。有些只是业务上的分歧，譬如，斯卡利意图维持麦金塔的高价来达到利润最大化，而乔布斯则想要让它的价格更实惠。另一些就是奇怪的心理因素，源自他们最初对彼此的狂热和不现实的迷恋。斯卡利苦苦渴求乔布斯的喜爱，而乔布斯则渴望在斯卡利身上获得父亲和良师益友般的感觉。当两人的热情开始降温时，就产生了情绪上的反弹。但是，造成两人之间裂痕日益加深的根本原因仍在他们自己身上。

对乔布斯来说，问题在于斯卡利从来都没有成为一个懂产品的人。他没有努力，也没有显示出自己有能力理解苹果公司所做产品的精妙之处。相反，斯卡利觉得乔布斯太过沉迷于细微的技术调整和设计细节，没有效率。他过去做的工作是销售汽水和零食，产品的配方在很大程度上与自己无关。他对产品也没有天生的热情，而这正是乔布斯所能想象的最深重的罪孽之一。"我试图教会他工程上的细节，"乔布斯后来回忆说，"但是，他不知道产品是怎样创造出来的，一段时间以后，这种培养变成了争论。但我知道，我的观点是正确的。产品就是一切。"他觉得斯卡利很愚蠢。但斯卡利渴望得到乔布斯的喜爱，并且产生了自己和他很相似的幻觉，这更加剧了乔布斯对他的蔑视。

而斯卡利觉得问题出在乔布斯身上，当乔布斯不再处于"求爱期"或有所图时，就常常很令人讨厌、粗鲁、自私并且对其他人脾气不好。斯卡利经历过寄宿学校和大客户销售工作的打磨，他觉得乔布斯的行为粗鲁可鄙，其程度就和乔布斯鄙视他对产品细节缺乏激情一样。斯卡利能和善、关切、彬彬有礼地对待错误，乔布斯则做不到。有一回，他们计划与施乐公司董事会副主席比尔·格拉文（Bill Glavin）会面，斯卡利乞求乔布斯到时候不要失礼。然而，刚一就座，乔布斯就跟格拉文说："你们这些家伙完全不知道自己在做什么。"会面不欢而散。"对不起，但我控制不住自己。"乔布斯告诉斯卡利。这只是许多类似情况中的一例。正如雅达利公司的阿尔·奥尔康后来评论的，"斯卡利想让别人高兴，并会顾及人际关系。史蒂夫对此则不屑一顾。但他对产品的关注又是斯卡利永远达不到的，而且乔布斯会侮辱任何一个算不上一流队员的人，以避免苹果出现太多的笨蛋。"

董事会对于两人关系的动荡越发警觉。1985年初，亚瑟·罗克及其他一些心怀不满的董事对他们俩进行了严厉的训诫。他们告诉斯卡利，本来应该由他来运营公司，他应该用更大的权力履行管理苹果公司的职责，而少花些心思同乔布斯交好。他们告诉乔布斯，他应该解决麦金塔部门内部的混乱状况，而不应该告诉别的部门如何做好本职工作。之后，乔布斯回到办公室，在自己的电脑上打着："我不再批评公司其他部门，我不再批评公司其他部门……"

1985年3月，麦金塔电脑的表现持续令人失望，其销量只有预测的10%，乔布斯躲在自己的办公室里生气，或是在大厅里训斥其他人。他的情绪起伏更大，对周围人的辱骂也更甚。中层主管们开始起来反抗他。营销主管迈克·默里在一个行业会议上与斯卡利私下会面。两人走向斯卡利的酒店房间时，乔布斯看到了，于是要求一起去。默里叫他不要跟过来。默里告诉斯卡利，乔布斯正在造成严重的破坏，必须把他从麦金塔部门的管理层踢走。斯卡利回答说，自己还没有到要和乔布斯摊牌的地步。默里后来直接给乔布斯发了一份备忘录，批评他对待同事的方式，并谴责其"人身攻击的管理方式"。

有好几个星期的时间，两人之间的问题似乎存在某种解决的可能。乔布斯开始着迷于一种平板显示屏技术，这是帕洛奥图附近的伍德赛德设计公司（Woodside Design）研发的，管理这家设计公司的是一位名叫史蒂夫·基钦（Steve Kitchen）的古怪工程师。另一家创业公司做出的触摸屏也让乔布斯兴致很浓，利用这种技术，用户可以直接用手指控制设备，而无需鼠标。这两种技术可能有助于实现乔布斯创造"Mac书"（Mac in a book）的愿景。和基钦的一次散步中，在门洛帕克附近的一幢建筑旁，乔布斯说道，他们可以开设一处科研基地，以实现这些想法。它可以叫苹果实验室（AppleLabs），由乔布斯来管理，这样，他又能重回带领小团队开发伟大新产品的喜悦之中。

斯卡利对这种可能性感到高兴。这将使乔布斯回到自己最擅长的领域，并且能让他远离库比蒂诺，不再给公司造成破坏，从而可以解决两人之间的大部分管理问题。他还物色了一个候选人，替代乔布斯担任麦金塔部门的管理者——让-路易·加西，他是苹果公司在法国的主管，曾在乔布斯造访法国时与之对抗。加西乘飞机前往库比蒂诺，并表示，只要能保证自己管理整个项目而不是在乔布斯手下工作，他就会接受这份工作。董事会成员之一，梅西百货的菲尔·施莱因竭力说服乔布斯，他如果能发明新产品并激励一个充满激情的小团队会更好。

但经过一番思考，乔布斯认为这并非他想走的路。他拒绝将控制权弃让给加西，后者明智地回到了巴黎，以躲开无可避免的权力冲突。在这个春季之后的日子里，乔布斯摇摆不定。他有时想要维护自己作为企业管理者的身份，甚至写下备忘录，要求取消免费饮料和头等舱航空旅行的福利，以节省开支；有时候，他又想离开，去管理新的苹果实验室研发团队。

当年3月，默里发出了另一份备忘录，并标明“请勿流传”，发送给了多位同事。“过去90天里，苹果公司出现如此多的混乱、恐惧和运转失常，是我在苹果这3年里从未见过的。”他在开头这样写道，“普通员工觉得我们就是一艘没有舵的船，在迷雾中漂流。”默里曾两头倒，有几次他还与乔布斯密谋诋毁斯卡利。但是在这份备忘录中，他把错误归咎于乔布斯。“无论公司的运转失常是原因还是结果，史蒂夫·乔布斯现在都在掌控着一个看似坚不可摧的权力基础。”

3月底，斯卡利终于鼓起勇气告诉乔布斯，他应该放弃麦金塔部门的管理权。一天傍晚，他走进乔布斯的办公室，为了让两人的会面更加正式，他还带上了人力资源部经理杰伊·埃利奥特。“没有人比我更钦佩你的才华和远见。”斯卡利开场道。他以前也说过这样的奉承话，但这次，显然后面会出现一个“但是”来打断这些赞美。事实确实如此。“但是，这真的行不通。”他说道。被“但是”打断的恭维话又继续下去。“我们彼此之间已经发展出深厚的友谊，”他继续说道，有些自作多情，“但是我对你管理麦金塔部门的能力失去了信心。”斯卡利还斥责乔布斯在背后说自己的坏话，把他当笨蛋。

乔布斯看上去惊呆了，说出了一句奇怪的反驳，意思是在这方面斯卡利应该多给他点儿帮助和指导。“你得花更多时间与我相处。”他说。接着他开始回击。他说斯卡利对电脑一无所知，管理公司一塌糊涂，并且自从斯卡利进苹果公司以来，就不断地令自己失望。然后，乔布斯又出现了第三个反应，他哭了起来。斯卡利则坐在那儿咬指甲。

“我会把现在的情况反映给董事会，”斯卡利说道，“我会建议他们让你离开麦金塔部门的管理岗位。我希望你知道这些。”他力劝乔布斯不要抵抗，并同意去开发新技术与产品。

乔布斯从座位上跳了起来，转过身来，目不转睛地盯着斯卡利。“我不相信你会这么做，”他说，“如果你做了，会毁掉公司的。”

在接下来的几个星期，乔布斯的行为出现了很大波动。他一会儿说自己要离开公司总部去管理苹果实验室，一会儿又开始争取支持去推翻斯卡利。刚同斯卡利示好，转眼又在背后大肆抨击斯卡利，有时候这种反复会发生在同一天晚上。一天晚上9点，他打电话给苹果公司法律总顾问阿尔·艾森斯塔特，说自己对斯卡利失去了信心，并需要艾森斯塔特的帮助来说服董事会；而两个小时后，他又一个电话吵醒斯卡利，对他说："你很了不起，我只想要你知道，我喜欢跟你合作。"

4月11日的董事会会议上，斯卡利正式提出，自己想要乔布斯离开麦金塔部门负责人的职位并专注于新产品开发。接着，最顽固最独立的董事会成员亚瑟·罗克说话了。他受够他们两个人了：在过去一年里，斯卡利没胆量负责指挥管理，而乔布斯则"像个任性的小孩儿"。董事会需要替他们解决这一争端，为此，董事会将跟他们分别进行谈话。

斯卡利离开了会议室，这样乔布斯可以先陈述。乔布斯坚持认为斯卡利才是问题所在，说斯卡利不懂电脑。罗克的回复则是对乔布斯的训斥。他怒吼道，乔布斯这一年的所作所为很愚蠢，而且他无权管理一个部门。即便是乔布斯最坚定的支持者，梅西百货的菲尔·施莱因，也试图劝乔布斯优雅退位，去为公司管理研究实验室。

轮到斯卡利单独与董事会见面时，他发出了最后通牒。"你们要么支持我，那我就负起掌管公司的责任；要么你们什么都不做，再去给苹果找一个新的CEO来。"斯卡利说，如果获权，他不会贸然行动，但会在接下来的几个月安抚乔布斯进入新的角色。董事会一致支持斯卡利。他有权在自己认为正确的时机将乔布斯革职。此时，乔布斯正在会议室外等着，他完全明白自己要输了；看到老同事德尔·约克姆，乔布斯哭了起来。

董事会作出决定后，斯卡利试图与乔布斯和解。乔布斯要求在接下来的几个月里慢慢过渡，斯卡利同意了。当天晚上，斯卡利的行政助理南妮特·巴克霍特（Nanette Buckhout）打电话给乔布斯，想知道他现在怎么样。乔布斯还待在自己的办公室里，精神沮丧。斯卡利已离开了，乔布斯就过来同巴克霍特交谈。他对于斯卡利的态度又开始疯狂地摇摆。"约翰为什么要这样对我呢？"他说道，"他背叛了我。"然后，他又换了另一种态度，认为自己或许应该花些时间来修复同斯卡利的关系。“约翰的友谊比任何事情都重要，我觉得自己也许应该这样做，专注于我们的友谊。”

策划政变

乔布斯并不习惯别人对自己说“不”。1985 年 5 月初，他来到斯卡利的办公室，要求给他更多时间来证明自己能够管理麦金塔部门。乔布斯表示，他将证明自己是个运营人才。斯卡利没有让步。乔布斯接着又直接挑战对方：叫斯卡利辞职。“我觉得你真的已经乱了阵脚，”乔布斯对他说，“你来苹果的第一年确实挺好，一切都很美妙。但是后来出问题了。”一向平和的斯卡利回击了，他指出乔布斯没能完成麦金塔的软件，没能开发出新机型，也没能赢得新顾客。两人的会面成了一场关于谁是更烂的管理者的争吵。乔布斯走后，斯卡利转了个身，背对着办公室的玻璃墙落下了眼泪。玻璃墙外都是围观他们争吵的人。

5 月 14 日，周二，麦金塔团队向斯卡利和其他苹果公司领导者进行季度回顾报告。事情至此达到高潮。乔布斯仍然没有放弃该部门的控制权，他目中无人地带领麦金塔团队来到董事会会议室。他和斯卡利开始就麦金塔部门的使命发生冲突。乔布斯认为这个团队的任务就是销售更多的麦金塔电脑，斯卡利说它应该服务于苹果公司的整体利益。和往常一样，苹果公司的部门之间几乎没有合作，麦金塔团队当时正计划开发新的磁盘驱动器，这种驱动器不同于Apple II团队正在做的那个。根据会议记录，两人的辩论持续了整整一个小时。

之后，乔布斯介绍了其团队正在进行的项目：一款更强大的Mac，这款机器将取代已经停产的丽萨电脑，以及一款名为“文件服务器”（FileServer）的软件，麦金塔电脑用户可以通过该软件在网络上共享文件。但斯卡利首次得知这些项目都会推迟发布。他冷酷地批评了默里的营销业绩、鲍勃 · 贝尔维尔错过的工程期限，以及乔布斯的整体管理状况。虽然如此，乔布斯还是在报告会结束时，当着所有其他人的面，要求斯卡利再给自己一次机会，让他证明自己能够管理一个部门。斯卡利拒绝了。

当晚，乔布斯带领麦金塔团队在伍德赛德的妮娜咖啡馆（Nina’s Café）吃晚饭。让-路易 · 加西当时也在苹果公司总部，因为斯卡利要他来准备接管麦金塔部门。乔布斯邀请加西一起吃晚饭。鲍勃·贝尔维尔举杯祝酒，“敬我们这些真正明白史蒂夫·乔布斯所构想的世界的人。”这句话是回应那些以“乔布斯所构想的世界”来诋毁乔布斯的人的。其他人离开后，贝尔维尔陪乔布斯坐在他的奔驰车里，鼓励他发起战斗同斯卡利抗争到底。

乔布斯精于操控别人，只要他愿意，他就能哄骗和迷惑其他人而不觉羞愧。但是，他并不善于算计和搞阴谋，尽管有些人不这么看；他不愿意也没耐心与别人交心。“史蒂夫从不玩办公室政治——天生就不会，后天也没去想。”杰伊·埃利奥特指出。此外，他天性傲慢，不屑于溜须拍马。例如，他在试图争取德尔·约克姆的支持时，不由自主地说，自己在运营管理方面比约克姆在行得多。

几个月前，苹果公司已经获得了向中国出口电脑的许可。乔布斯收到邀请，需要动身去中国，到人民大会堂签署协议的日期是美国阵亡将士纪念日[①]的那个周末之后。斯卡利决定自己去签协议，乔布斯表示没问题。乔布斯计划利用斯卡利不在公司的时间，发动政变。在临近阵亡将士纪念日的一周时间内，他同许多人分享了自己的计划。“约翰在中国的时候，我要发动政变。”他告诉迈克·默里。

关键七天：1985 年 5 月

5 月 23 日，周四：在麦金塔部门的高层例会上，乔布斯向核心成员讲述了自己推翻斯卡利的计划，还画了一张图表以说明自己将如何重组公司。他还向公司人力资源总监杰伊·埃利奥特透露了这个计划，埃利奥特直言这个阴谋不会成功。埃利奥特曾和一些董事会成员谈过，力劝他们支持乔布斯，但他发现大多数董事都站在斯卡利一边，苹果公司的大多数高级职员也是一样。尽管如此，乔布斯执意要将这个计划进行到底。他甚至还在去停车场的路上将自己的计划透露给了加西，而加西来这里正是为了接替他的工作。“我把这事告诉了加西，这是个错误。”乔布斯多年后自我挖苦道。

当晚，苹果的法律总顾问阿尔·艾森斯塔特在自己家为斯卡利夫妇和加西夫

---

① 5 月最后一个星期一。

妇举办了一个小型烧烤聚会。当加西告诉艾森斯塔特乔布斯的密谋时，艾森斯塔特建议他通知斯卡利。“史蒂夫正在策划阴谋，想要发动政变除掉约翰，”加西回忆说，“在阿尔 · 艾森斯塔特家，我用食指轻轻指着约翰的胸口，说，‘如果你明天出发去中国，就会被取代。史蒂夫正密谋除掉你。’”

5月24日，周五：斯卡利取消了自己的中国之行，决定在周五上午的苹果公司高级职员大会上与乔布斯对质。乔布斯迟到了，他发现自己平时的座位被人占了，他平时坐在会议桌的一头，旁边是斯卡利。于是，他挑了个最远的位置坐下。他穿着量身定做的威尔克斯 · 巴什福德西装，看起来精神饱满。斯卡利面色苍白，向大家宣布，自己取消了今天的安排，来此解决所有人心中的问题。“我注意到你想把我赶出公司。”他说道，眼睛直视乔布斯，“我想问问你，这是真的吗？”

乔布斯没料到会这样。但是他从不羞于表达自己残忍的诚实。他眯着眼，眨都不眨地盯着斯卡利。“我觉得你对苹果公司有害，而且我认为，你是管理公司的错误人选。”他语调冰冷、不慌不忙地回答道，“你真的应该离开苹果。你不知道如何经营，也从来没有经营过公司。”他指责斯卡利不理解产品开发流程，接着他又抛出了一句尖刻的、以自我为中心的话，“我要你来是为了助我一臂之力，可是你从来没有帮到过我。”

会议室里其他人都一动不动地坐着，斯卡利终于发火了。他小时候有过口吃，但已经20年没犯了，现在他又结巴起来。“我不信任你，我也不能容忍缺乏信任。”他结结巴巴地说道。当乔布斯声称，在经营企业方面，他比斯卡利更好时，斯卡利决定赌一把，他让房间里的所有人对这个问题进行投票。“他通过这个聪明的举动赢了。”乔布斯回忆道，这件事在25年后仍然让他觉得痛楚，“当时是执行委员会的会议，斯卡利说，‘我，还是史蒂夫，你们选吧。’他设计了这整件事，从而让人觉得，选我的人肯定是白痴。”

突然，纹丝不动的旁观者们骚动起来。德尔 · 约克姆不得不第一个发言，他说自己欣赏乔布斯，希望他能继续在公司发挥一定的作用。虽然乔布斯盯着他，但是约克姆鼓起勇气总结说，他“尊重”斯卡利并会支持他管理公司。艾森斯塔特直面乔布斯，说了差不多的话：他欣赏乔布斯，但是支持斯卡利。里吉斯·麦肯纳是一位外部顾问，坐在一群高级职员中间，他的回答更直接。他看着乔布斯，说他还没有准备好管理公司，这句话他之前也对乔布斯说过。其他人也支持斯卡利。对于比尔·坎贝尔来说，这个抉择尤为艰难。他很欣赏乔布斯，但并不是特别欣赏斯卡利。当告诉乔布斯自己有多欣赏他时，坎贝尔的声音抖了一下。虽然决定支持斯卡利，但是他敦促乔布斯和斯卡利解决彼此之间的问题，并让乔布斯在公司里担任别的职位。“你不能让史蒂夫离开苹果。”他告诉斯卡利。

乔布斯看上去都快崩溃了。“我想我知道大家的立场了。”他说完冲出了房间。没有人追上去。

他回到自己的办公室，召集了麦金塔团队共事已久的心腹成员，忍不住开始哭泣。他说自己有必要离开苹果。当他快走出办公室的门时，黛比·科尔曼拦住了他。她和其他人劝他静下心来，不要轻举妄动，他应该在周末重组团队，也许能想到办法阻止苹果公司分裂。

斯卡利被自己的胜利击毁了。他像一个受伤的战士，走进公司顾问阿尔·艾森斯塔特的办公室，并要他一起去兜兜风。当他们坐上艾森斯塔特的保时捷时，斯卡利悲叹道：“我不知道自己是否能继续做下去。”艾森斯塔特询问他是什么意思，斯卡利回答说：“我想我会辞职。”

“你不能，”艾森斯塔特抗议道，“苹果会垮的。”

“我打算辞职，”斯卡利重申道，“我觉得自己不是管理苹果的正确人选。你能打电话给董事会并告诉他们吗？”

“我会的。”艾森斯塔特回答说，“但是，我觉得你这是在逃避。你得勇敢地面对他。”然后，他开车把斯卡利送回了家。

斯卡利的妻子利兹很惊讶地看到丈夫在中午就回来，“我失败了。”他神色落寞地对利兹说。利兹是个心理不稳定的女人，她从来都不喜欢乔布斯，也不赞赏丈夫对乔布斯的迷恋。因此，在听说发生了什么事后，她跳上自己的车，一路加速来到乔布斯的办公室。得知乔布斯已经前往美好地球餐厅，她又赶到那里。在停车场，乔布斯正同黛比·科尔曼及其他麦金塔核心成员走下车来。利兹径直走到他面前。

“史蒂夫，能和你谈谈吗？”她说。乔布斯惊呆了。“你知不知道，能认识像约翰·斯卡利这样好的人是多么难得？”她质问道。乔布斯避开了她的目光。“我跟你说话的时候你难道就不能看着我的眼睛吗？”她问。乔布斯照做了，老练地眼睛眨都不眨地盯着她，利兹反而退却了。“算了，别看着我了。”她说道，“当我看大多数人的眼睛时，我能看到他们的灵魂。可我看你的眼睛时，只看到一个无底洞，一个空洞，一个死区。”说完，她就走了。

5月25日，周六：迈克·默里当天来到乔布斯位于伍德赛德的住所，向他提供一些建议。默里劝他应该考虑接受产品架构师的职位，启动苹果实验室项目，离开总部。乔布斯似乎愿意考虑这个建议。但首先，他得和斯卡利和解。于是，乔布斯拿起电话，向斯卡利伸出了橄榄枝，这令斯卡利感到惊讶。乔布斯询问，明天下午能否见个面，一起在斯坦福大学的山上散步。以前，两人关系和睦的时候，他们经常这样散步。也许走一走他们就能把事情解决。

乔布斯不知道斯卡利已经同艾森斯塔特说过要辞职，但是当时，这已经不重要了。一夜之间，斯卡利已经改变了注意。他决定留下来，尽管前一天两人大吵一架，但他仍然渴望乔布斯能喜欢自己。于是他同意第二天下午见面。

如果说乔布斯当时真的在准备调和彼此之间的矛盾，那么这个想法并没有在他当晚想看的电影中体现出来。他和默里准备看电影，结果乔布斯选了《巴顿将军》（*Patton*）——一部永不投降的将军的史诗。但是，他把《巴顿将军》的录像带借给父亲了，乔布斯的父亲曾为巴顿将军的部队运送过士兵。于是，两人开车到乔布斯的父母家去取录像带。但是家里没人，乔布斯也没有钥匙。他们环视这幢房子，看有没有门窗没上锁，最后还是放弃了。音像店里也没有《巴顿将军》，最后他们不得不勉强看了《危险女人心》（*Betrayal*）。

5月26日，周日：按照计划，当天下午，乔布斯和斯卡利在斯坦福大学校园后面碰头，两人在起伏的丘陵和马场上走了几个小时。乔布斯重申了自己的请求，认为自己应该在苹果公司担任一个运营职位。这一次，斯卡利的立场很坚定，不停地说不行。斯卡利力劝乔布斯接受产品架构师的职位，带领自己的小团

队。但是乔布斯拒绝了这个提议，因为这会让自己变成一个“有名无实的领导者”。乔布斯摒弃了现实，建议斯卡利让权给自己。如果这话不是出自乔布斯之口，肯定会令人惊讶。“你来当董事长，我来当总裁兼CEO，为什么不这样呢？”他说道。乔布斯说这话的时候一副非常认真的模样，斯卡利惊呆了。

“史蒂夫，这个提议完全没有意义。”斯卡利回复道。接着，乔布斯又提议他们一起分担管理公司的责任，他来处理产品方面的问题，斯卡利则负责营销和商业上的问题。董事会不仅让斯卡利有了底气，他们还命令斯卡利让乔布斯服从。“公司只能由一个人掌管，”他回答说，“董事会支持的是我，而不是你。”最后，他们握了握手，乔布斯又一次同意考虑接受产品架构师的职位。

开车回家的路上，乔布斯拐到了迈克·马库拉家。马库拉不在家，于是乔布斯就留了个口信，让他第二天晚上到自己家来吃晚饭。乔布斯还邀请了他在麦金塔团队的心腹。他希望他们能够说服马库拉，让他明白支持斯卡利是愚蠢的。

5月27日，周一：这一天是美国阵亡将士纪念日，天气晴朗温暖。麦金塔团队的黛比·科尔曼、迈克·默里、苏珊·巴恩斯（Susan Barnes）和鲍勃·贝尔维尔，提前一小时来到乔布斯位于伍德赛德的家中，这样他们就能够一起商量一下对策。夕阳西下时，他们坐在院子里，科尔曼表示，乔布斯应该接受斯卡利的提议，担任产品架构师，帮助创办苹果实验室。默里也曾这样劝过乔布斯。在所有心腹人员中，科尔曼是最愿意讲求实际的。在新的组织计划中，斯卡利安排她管理制造部门，因为他知道科尔曼忠于的是苹果，而不仅仅是乔布斯。其他一些人则更为强硬。他们想要劝服马库拉支持他们的重组计划，让乔布斯管理公司，或者至少让他保留对产品部门的控制权。

马库拉到了之后，表示同意听取他们的意见，不过有一个条件：乔布斯必须保持安静。“我非常想听听麦金塔团队的想法，但不想看到乔布斯怂恿他们叛乱。”马库拉回忆说。入夜后气温下降，他们走进装修简陋的屋里，围坐在壁炉边。乔布斯的厨师做了全麦素食比萨，摆在牌桌上。马库拉则慢慢吃着本地种植的奥尔森樱桃，这是乔布斯贮存的，放在一个小木箱里。为了不让谈话变成牢骚会，马库拉让大家集中于非常具体的管理问题，例如，制作“文件服务器”软件时，是什么造成了问题，以及为什么麦金塔电脑的分销系统没有对需求改变作出反应。大家说完后，马库拉直截了当地拒绝支持乔布斯。“我说过，我不会支持他的计划，一切到此为止。”马库拉回忆表示，“斯卡利才是老板。他们都疯了，情绪激动，聚在一起密谋反抗，但这不是做事情的方式。”

与此同时，斯卡利这一天里也在征求意见。他是否应该屈从于乔布斯的要求？几乎所有他咨询过的人都声称，有这种想法简直是疯了。即便只是问出这种问题，也让人觉得斯卡利在踌躇，他仍然在绝望中渴望乔布斯的垂青。“我们支持你，”一位高级管理人员告诉他，“我们希望你能展现出强大的领导力，你不能让史蒂夫重回运营岗位。”

5月28日，周二：在大家的支持下，斯卡利挺直了腰杆儿。马库拉告诉斯卡利，乔布斯前一天晚上试图推翻他。这无异于火上浇油，斯卡利怒火中烧。这天上午，他走进乔布斯的办公室与他对质。斯卡利表示，自己已经同董事会谈过并得到了他们的支持。他希望乔布斯离开。然后，他开车前往马库拉家，向他阐述自己的重组计划。马库拉问了些细节问题，最后祝福他。返回办公室后，斯卡利又给其他董事会成员打了电话，只是想确认他们仍然支持自己。他成功了。

当时，他打给乔布斯，想让他明白现在的状况。董事会已经最后通过了斯卡利的重组计划，并将于当周开始实施。加西将接手乔布斯心爱的麦金塔团队以及其他产品，乔布斯将不掌管任何团队。斯卡利仍有和解之意。他告诉乔布斯，乔布斯可以继续留在苹果，担任董事长兼产品架构师，但不履行任何运营职责。但此时，即便是成立一个研发小组，例如苹果实验室，都已经不在讨论范围内了。

一切终成定局。乔布斯意识到自己不可能翻案，也无法再扭曲现实。他泣不成声，开始给比尔·坎贝尔、杰伊·埃利奥特、迈克·默里和其他人挨个打电话。乔布斯打到默里家的时候，默里的妻子乔伊斯正在打越洋电话，接线员打断了她的电话，说有一个找默里的紧急电话。乔伊斯告诉接线员说，但愿这电话真的重要。“没错。”她听到乔布斯的声音。默里接过了电话，听到乔布斯正在哭。

“结束了。”他说，然后挂断了电话。

默里担心乔布斯太过伤心，可能做出什么鲁莽的事，于是他回拨过去。电话那头儿没人接。于是默里开车去了伍德赛德。他敲了敲乔布斯家的门，没人应答，于是他绕着屋子走了走，爬上屋外比较高的台阶，往卧室里看。在一个没有家具的房间里，乔布斯躺在一张床垫上。他开门让默里进来，两个人聊天直到黎明。

5月29日，周三：乔布斯终于拿到了一盘《巴顿将军》的录像带，并在当天晚上重温了一遍。但是默里阻止了他再次发起另一场抗争。相反，他劝乔布斯周五来公司，听斯卡利宣布重组计划。做好士兵，而不是叛军司令，除此之外，别无选择。

像一块滚石

乔布斯悄悄地溜进了坐席的后排，看斯卡利向苹果员工们解释公司重组计划。有很多人瞥见了他，但鲜有人向他打招呼，更没人过来跟他热络。他目不转睛地盯着斯卡利，即使多年后，斯卡利也仍然记得“史蒂夫蔑视的目光”。“他的目光很坚毅，”斯卡利回忆道，“就像穿筋透骨的X射线，直击你柔软脆弱的地方。”斯卡利站在讲台上，假装没有注意到乔布斯。有那么一瞬，他回想起两人的一次愉快旅行。那是一年前，他们前往马萨诸塞州剑桥市拜访乔布斯心目中的英雄埃德温·兰德，他被赶出了自己创办的宝丽来公司。当时，乔布斯带着厌恶之情跟斯卡利说：“他不过是损失了几百万，他们就把他赶出了公司。”现在，斯卡利反思到，自己正在夺走乔布斯的公司。

斯卡利继续自己的演讲，仍然无视乔布斯。他将组织结构图展示了一遍，介绍加西将负责整合后的麦金塔和Apple II团队，并出任新负责人。图表上有一个孤立的小方框写着“董事长”一职，却没有连接到任何其他部门和个人，甚至也没有与斯卡利的名字连上。斯卡利简要提到，乔布斯将在这个职位上发挥“全球架构师”的作用，说到这里时，他依旧无视乔布斯的存在。介绍完毕，会场响起了稀稀拉拉的掌声。

赫茨菲尔德从朋友处得知了这个消息后，驱车回到了苹果总部，这是他离职后第一次回来。他想要对这位老战友表达自己的同情。“我还是难以想象，董事会居然赶走了史蒂夫。虽然他有时候会很难相处，但很明显，他是苹果公司的心脏和灵魂。”赫茨菲尔德回忆道，“Apple II部门一些反感史蒂夫的人似乎扬眉吐气了，还有一些人觉得这次动荡是个人升迁的机会，但是大多数苹果员工对于未来感到忧虑、沮丧和不确定。”赫茨菲尔德一度以为乔布斯可能会同意创办苹果实验室。他曾设想，如果这样的话，自己会回来为他工作。但是这个设想并未实现。

接下来的几天时间，乔布斯都待在家里，拉下百叶窗，电话直接转入答录机，只见自己的女友蒂娜·莱德斯。鲍勃·迪伦的磁带一放好几个小时不停，尤其是《时代在变》。16个月前，他向苹果公司的股东揭开麦金塔的面纱时，朗诵了这首歌的第二段歌词。歌词的结尾很棒：“此刻的失败者终将胜利……”

周日晚上，安迪·赫茨菲尔德和比尔·阿特金森以及前麦金塔团队的一小组人来到乔布斯家，想为他驱散阴霾。乔布斯隔了好一会儿才给他们开门，把他们带进了厨房边上的一个房间，这是他家为数不多的有家具的角落。在莱德斯的帮助下，他给他们端上了自己叫来的素食外卖。“到底发生了什么？”赫茨菲尔德问道，“真的有这么糟吗？”

“不，更糟，”乔布斯一副愁眉苦脸的样子，“比你能想象的更糟糕。”他指责斯卡利背叛自己，并表示，没有自己，苹果将无法管理。乔布斯抱怨，他的董事长角色完全是名誉性质的。他被赶出自己在班德利3号楼的办公室，搬进一个几近空旷的建筑，他戏称它为“西伯利亚”。赫茨菲尔德将话题转向以前的快乐日子，他们开始怀念过去。

迪伦在那一周刚发布了一张新专辑《皇帝讽刺剧》(*Empire Burlesque*)。赫茨菲尔德给乔布斯带了一张，在他家的高科技唱片机上播放。最著名的一曲是《当夜幕降临》(*When the Night Comes Falling From the Sky*)，充满启示录的意味，似乎很适合这个夜晚。但是乔布斯并不喜欢，觉得它几乎和迪斯科一样。乔布斯沮丧地认为，自从《路上的血迹》这张专辑后，迪伦就在走下坡路。于是，赫茨菲尔德将唱针移到了最后一首歌曲《黑眼睛》(*Dark Eyes*)，没有电子乐的伴奏，只有吉他和口琴，回荡着迪伦一个人的歌声。这首歌节奏缓慢，感情哀伤。赫茨菲尔德本以为这能让乔布斯想起他所喜爱的迪伦的早期作品，但乔布斯同样不喜欢这首歌，也不想再听这张专辑里的其他歌曲。

乔布斯过激的反应可以理解。对他而言，斯卡利一度曾是个父亲般的人物。迈克·马库拉也是，亚瑟·罗克亦然。而那个星期，他们三个都抛弃了他。“小时候被拒绝的深切感受再次笼罩了他，”乔布斯的朋友兼律师乔治·莱利（George Riley）说道，“这是他个人神话的一个深层部分，定义了他是谁。”当乔布斯被马库拉和罗克这样父亲般的人物拒绝后，他再次感到自己被抛弃了。“我觉得自己像被人猛击了一样，没有空气，无法呼吸。”多年后，乔布斯这样回忆说。

失去亚瑟·罗克的支持让乔布斯尤为痛苦。“亚瑟就像我的父亲一样，”乔布斯多年后回忆道，“他庇护着我。”罗克给他讲过歌剧，和妻子托妮在旧金山和阿斯彭招待过他。乔布斯从来都不是个喜欢送礼物的人，但他偶尔会给罗克买些礼物，例如他去日本的时候，就给罗克买了一台索尼随身听。“我记得有一次驾车去旧金山，我跟他说，‘天啊，美国银行的大楼真丑。’他就说，‘不，它是最好的。’然后继续为我讲解，而他当然是对的。”即便是多年后讲述起这件事，乔布斯的眼中都会满含泪水。“他选择了斯卡利而不是我。这真的对我是个很大的打击。我从来没想过他会抛弃我。”

更糟的是，他心爱的公司现在正掌握在一个他认为是笨蛋的人手上。“董事会认为我不会运营公司，这就是他们作出的决定。”乔布斯说道，“但是，他们犯了一个错误。他们应该将我和斯卡利分开处理。就算他们觉得我还不够格管理苹果，也应该解雇斯卡利。”尽管内心的悲伤渐渐消失，乔布斯对于斯卡利的愤怒——被背叛的感觉——却更为深刻。他们两人共同的朋友试图打圆场。1985年夏末的一天晚上，鲍勃·梅特卡夫（Bob Metcalfe）邀请斯卡利和乔布斯来自己在伍德赛德的新家做客。梅特卡夫在施乐PARC的时候，与人共同发明了以太网。“这是个可怕的错误，”他回忆道，“约翰和史蒂夫就坐在房间的两端，一句交流也没有，我才意识到自己没法修复他们之间的裂痕。史蒂夫是个伟大的思想家，但在待人方面也可能是个十足的浑蛋。”

斯卡利告诉一些分析师，乔布斯与苹果公司没有关系，尽管这个人的头衔是董事长。这又加剧了两人关系的恶化。“从运营的角度来看，不管是现在还是未来，都没有乔布斯的事。”斯卡利说道，“我不知道他会做什么。”他直率的评论震惊了在座的分析师，大家倒吸了一口凉气。

乔布斯想，或许跑去欧洲能有所帮助。于是6月，他动身去巴黎，在苹果的一场活动中致辞，并参加了美国副总统乔治·H·W·布什（George H.W. Bush）的晚宴。不久，他又从法国直接去了意大利，和女友在托斯卡纳的山间开车兜风。乔布斯还买了一辆自行车，可以自己一个人骑出去玩。在佛罗伦萨，乔布斯沉浸在当地的建筑和建筑材料的质地中。尤为难忘的是铺路石，它们都来自托斯卡纳小镇附近费伦佐拉的一家采石场Il Casone。这些石头有着沉静的蓝灰色，颜色饱满悦目。20年后，他决定，大部分大型苹果店的地面就要用来自Il Casone采石场的砂岩铺设。

Apple II电脑当时刚刚进入俄罗斯市场，因此乔布斯又前往莫斯科，在那里偶遇阿尔·艾森斯塔特。由于苹果公司一些必要的出口许可没有获得美国政府的批准，乔布斯和艾森斯塔特于是同商务专员一起，在驻莫斯科的美国大使馆拜访了迈克·默文（Mike Merwin）。默文警告他们说，美国法律严格反对与苏联共享技术。乔布斯很恼火。在巴黎的贸易展上，副总统老布什刚刚鼓励过他把计算机引入苏联，以“掀起自下而上的革命”。他们在一家以烤串闻名的格鲁吉亚餐厅吃晚饭，席间，乔布斯继续宣泄不满。“这明显是对我们有利，你怎么能说违反了美国法律呢？”他质问默文，“俄罗斯人有了Mac以后就能打印他们所有的报纸了。”

在莫斯科，乔布斯还显示了自己争强好胜的一面，他坚持谈论托洛茨基——一位充满领袖魅力的革命家，失宠后被开除出党，最后被斯大林下令暗杀。跟随乔布斯的克格勃特工曾一度建议，乔布斯应当降低自己对这个话题的热情。“你不应该谈论托洛茨基，”他说，“我们的历史学家已经研究了他的情况，我们已经不再承认他是伟人了。”但这样的提醒并没有用。在国立莫斯科大学对计算机专业学生进行演讲时，乔布斯仍以对托洛茨基的赞扬作为开场。他是乔布斯所能认同的革命家。

7 月 4 日，乔布斯和艾森斯塔特参加了在美国大使馆举办的国庆聚会。在写给大使亚瑟 · 哈特曼（Arthur Hartman）的感谢信中，艾森斯塔特指出，乔布斯计划来年在俄罗斯更积极地拓展业务，“我们初步计划在 9 月重返莫斯科。”斯卡利希望乔布斯变成一位“全球架构师”。事情发展到现在，这个愿望几乎一度成真。但它最终并没有发生。一场巨变即将在 9 月拉开序幕。

第十八章

NeXT
Prometheus unbound

NeXT
自由的普罗米修斯

NeXT的标识

海盗弃船

在一次由斯坦福大学校长唐纳德·肯尼迪（Donald Kennedy）举办的午宴上，乔布斯结识了生物学家保罗·伯格（Paul Berg）。伯格是诺贝尔奖得主，闲谈中对他讲述了基因拼接和重组领域取得的进展。乔布斯喜欢摄取信息，尤其是和知识渊博的人在一起的时候。1985年8月，乔布斯从欧洲回来，正在琢磨接下来要做些什么。他打电话给伯格，询问能否再聚一次。他们在斯坦福大学的校园里散步，最后在一家小咖啡店里吃午饭，探讨问题。

伯格向乔布斯解释了在生物实验室做实验的困难程度，做一个实验并获得结果可能需要数周时间。“为什么不在计算机上进行模拟实验呢？”乔布斯问道，“这样不仅你自己能够更快地开展实验，而且，终有一天，美国的微生物学新生都会用到保罗 · 伯格的基因重组软件。”

伯格解释说，对于大学实验室来说，具备这种能力的计算机太贵了。“突然间，乔布斯就为这种现状所蕴含的可能性兴奋起来，”伯格回忆说，“他想到要创办一家新企业。他年轻、富有，要为自己今后的生活找点儿事做。”

乔布斯一直以来都在拜访学者，询问他们对计算机工作站的潜在需求。自1983年以来，他就开始对此产生兴趣。当时，他造访布朗大学计算机科学系，向他们展示麦金塔电脑，却被告知，在大学实验室里，要比这强大得多的机器才能做出些有用的东西。学术研究人员的梦想是拥有一台强大的个人工作站。作为麦金塔部门的负责人，为了生产这种计算机，乔布斯推出了一个新项目。该项目被戏称为“大Mac”（Big Mac），将采用Unix操作系统和友好的麦金塔界面。但是1985年夏天乔布斯被逐出麦金塔部门后，他的继任者让-路易 · 加西便取消了这一项目。

事情发生后，乔布斯接到了里奇 · 佩奇悲愤的控诉电话，佩奇之前一直在设计大Mac的芯片组。乔布斯被解除管理职务后，不满的苹果员工曾陆续找他谈话，力劝他创办一家新企业来拯救他们，佩奇正是其中之一。劳工节的周末，创办新公司的计划开始酝酿。乔布斯同原麦金塔软件主管巴德 · 特里布尔谈话，并说出了自己的想法——创建一家公司，专门生产强大的个人工作站。他还联系到其他两位麦金塔部门员工，工程师乔治 · 克罗（George Crow）和总监苏珊 · 巴恩斯，邀请他们加盟，这两人一直都在考虑辞职。

新团队还有一个关键的职位空缺：一个可以向高校营销新产品的人。很明显，这一职位的合适人选是丹 · 卢因，他曾在索尼工作，乔布斯研究过那家公司的宣传手册。早在1980年乔布斯就聘请了卢因。卢因后来组织了一个高校联盟，向多家大学批量出售麦金塔电脑。丹 · 卢因的名字虽然比丹尼尔 · M · 卢因（Daniel M. Lewin）[1]少了两个字母，但却拥有克拉克 · 肯特[2]般轮廓鲜明的

---

① 丹尼尔 · M · 卢因，数学家和企业家，是阿卡迈科技公司（Akamai Technologies）的联合创始人。

② 克拉克 · 肯特，超人作为地球人所使用的名字。

外貌、普林斯顿式的优雅，以及大学游泳队明星成员的魅力。尽管背景不同，卢因和乔布斯却有着共同的兴趣：卢因的大学毕业论文对鲍勃 · 迪伦和魅力型领导力进行了研究，而乔布斯对这两个话题都有所了解。

卢因的高校联盟对麦金塔团队来说是个天赐良机。但是，乔布斯离开后，卢因很泄气，比尔 · 坎贝尔也将营销部门进行了重组，降低了高校直销的重要性。劳工节那个周末，卢因本打算给乔布斯打电话，结果乔布斯先打了过来。他驱车来到乔布斯的空旷豪宅，与他一边散步一边讨论创办新公司的可能性。卢因对此很兴奋，不过还没准备好作出任何承诺。之后一周，他要同比尔 · 坎贝尔前往奥斯汀，他想在那之后再作决定。

从奥斯汀回来后，卢因给出了自己的答案：他决定加入。这个消息来得正是时候——9 月 13 日，苹果公司即将召开董事会会议。尽管乔布斯名义上仍然是该公司的董事长，但自从失去实权后，他就再没有参加过苹果公司的任何会议。他打电话给斯卡利，说自己要参加这一天的董事会会议，并要求在议程最后加上一项“董事长报告”。他没有告诉斯卡利自己要报告什么，斯卡利以为他会对最新的重组进行批评。相反，乔布斯在会议上描述了自己创办新公司的计划。“我想了很多，现在是时候继续我的生活了，”他以此开始自己的发言，“很明显，我该做些什么了。我才 30 岁。”然后，他根据已经准备好的便笺，描述了自己的计划——为高等教育市场开发一款计算机。他承诺，新公司不会同苹果公司存在竞争关系，并且只会带走少数非关键员工。他提出辞去苹果公司董事长一职，但希望仍能与苹果公司合作。乔布斯提议，也许苹果愿意购买其产品的经销权，或者授权新公司的产品使用麦金塔软件。

对于乔布斯可能会聘请苹果员工，迈克 · 马库拉颇有微词。

“你凭什么带走任何一个人？”他质问乔布斯。

“别生气，”乔布斯向他保证，“我要带走的都是些级别很低的员工，你们不会想念他们的，况且，他们反正都要辞职了。”

董事会最初表示希望乔布斯的新公司能一切顺利。私下讨论后，董事们甚至提议，苹果公司可以向这家新公司注资，占据 10%的股份，并且让乔布斯仍然留在苹果公司董事会。

当晚，乔布斯连同5名“反叛的海盗”又一次在他家见面吃晚饭。乔布斯愿意接受苹果公司的投资，但是在座的其他人认为这样做不明智，并说服了他。他们还一致认为，最好现在马上一起辞职，这样就能和苹果公司一刀两断了。

因此，乔布斯写了一封正式信函，告知斯卡利将要辞职的5位员工的姓名，并附上自己精巧的小写签名。第二天一早乔布斯就开车前往苹果公司，赶在7点半的员工会议之前将这封信交给了斯卡利。

“史蒂夫，这些都不是低级别职员。”斯卡利读完信后说道。

“好吧，但这些人早晚都会辞职，”乔布斯回答说，“他们会在今天上午9点之前递交辞职信。”

从乔布斯的角度来看，自己是诚实的。这5位准备弃船的员工并非部门经理，也不是斯卡利高层团队的成员。事实上，他们都觉得公司的重组削弱了自己的权力。但在斯卡利看来，这些都是重要的员工：佩奇是苹果公司的资深员工，卢因是苹果在高等教育市场的关键人物。而且，他们知道大Mac计划，虽然该计划已被束之高阁，但是这仍然属于专有信息。不过，斯卡利看上去很乐观，至少最开始是如此。他没有驳回这一提议，而是询问乔布斯是否会留在董事会。乔布斯表示自己会考虑一下。

7点半，斯卡利走进会议室，告诉自己的高级职员团队，公司里将有哪些人要离开。会场一片哗然。大多数人认为，乔布斯违反了董事长的职责，并且对公司表现出惊人的不忠。据斯卡利回忆，坎贝尔当时大喊道：“我们应该曝光他的欺诈行为，这样苹果公司的人就不会继续把他当做救世主！”

尽管坎贝尔后来成为了乔布斯真正的拥护者和董事会成员里的支持者，但他承认自己那天早上的确火药味儿十足。“我非常非常愤怒，尤其是他要带走丹 · 卢因，”坎贝尔说，“卢因已经同高校建立了关系。他总在嘟囔和史蒂夫共事多么难，可现在却要走人。”事实上，坎贝尔气得走出会议室，往卢因家里打电话。卢因的妻子说他正在洗澡，坎贝尔就说：“我等着。”几分钟后，她说卢因还在洗。坎贝尔又说了一遍：“我等着。”卢因最后终于接了电话，坎贝尔问他乔布斯说的是不是真的。卢因承认是的，坎贝尔听了什么都没说，挂了电话。

在感受到高级职员的愤怒后，斯卡利开始征询董事会的意见。他们同样认为，乔布斯曾向他们保证自己不会带走重要员工，如今看来，他误导了他们。亚瑟·罗克尤其感到气愤。虽然在美国阵亡将士纪念日的那次摊牌，罗克支持斯卡利，但是他已经修复了同乔布斯父子般的关系。就在一周前，他还邀请乔布斯带女友蒂娜·莱德斯到旧金山去，让自己和妻子见见她。四人在罗克位于太平洋高地（Pacific Heights）的家中吃了一顿愉快的晚餐，乔布斯当时并没有告诉他自己正在组建新公司。因此，从斯卡利口中得知这一消息时，罗克觉得自己遭到了背叛。“他来到董事会，向我们撒谎。”罗克后来怒吼道，“他跟我们说他正考虑组建一家公司，而事实上他已经组建好了。他说准备带走几个中层职员，结果却要带走五位资深人士。”马库拉的反应虽然较为平和，但也觉得愤怒。“他在走之前就偷偷笼络了一批高层管理人员，带走了他们。做事不能这样。这很下流。”

周末，董事会和高级职员说服斯卡利，表示苹果公司将向它的联合创始人乔布斯宣战。马库拉发表了一份正式声明，指控乔布斯“直接违反了自己在董事会会议上的声明，他曾表示不会在自己的公司中聘用任何重要的苹果公司员工”。这份声明还表示，“我们正在权衡应该采取哪些可能的措施”。《华尔街日报》援引比尔·坎贝尔的说法，他对乔布斯的行为“感到震惊”。该报还引用了另一位不愿具名的董事的话：“在我进行过商业合作的企业中，从来没有见过人们如此愤怒。我们所有人都觉得他意图欺骗我们。”

同斯卡利会面后，乔布斯觉得事情可能会顺利进行，于是他一直保持沉默。但在读完《华尔街日报》的报道后，乔布斯觉得自己必须作出反应。他给自己偏爱的几位记者打了电话，邀请他们第二天来自己家，私下通报一下情况。然后他又打给安德烈娅·坎宁安，叫她来帮忙，坎宁安曾处理过乔布斯的宣传事务。“我赶到他位于伍德赛德的空屋大宅，”她回忆说，“发现他和他的5个同事蜷缩在厨房里，而一些记者在外面的草坪上等着。”乔布斯告诉她说，自己准备开一个正式的新闻发布会，并把自己想说的一些贬损之辞统统告诉了她。坎宁安震惊了。“这会给你带来负面影响。”她告诉乔布斯。最后，他让步了，决定将辞职信副本发给记者，并且在公开场合只发表一些不痛不痒的评论。

乔布斯觉得，辞职信寄到苹果公司就行了，但是苏珊·巴恩斯认为这样会显得太过傲慢，并劝服了他。于是，乔布斯驾车前往马库拉家递辞职信，结果发现苹果公司的法律总顾问阿尔·艾森斯塔特也在那儿。他们进行了15分钟的紧张谈话，在乔布斯还没来得及说出些令自己后悔的话前，巴恩斯就上门把他接走了。乔布斯留下了辞职信，这封信是在麦金塔电脑上写的，并通过新的激光打印机打印了出来：

亲爱的迈克：

今早的报纸报道，苹果公司正考虑撤去我的董事长职务。我不知道这些报道的消息来源，但是它们具有误导性，对我来说也不公平。

你应该记得，在上周四的董事会会议上，我表示，自己决定创办一家新公司，并且提出辞去董事长一职。

董事会拒绝了我的辞职请求，并要求我将此事推迟一周解决。鉴于董事会对于我成立新公司提议的鼓励，以及苹果公司表示将进行投资，我同意了这个要求。周五，我告诉约翰·斯卡利哪些人将加入我的新公司，他明确表示苹果公司愿意讨论彼此之间可能的合作领域。

随后，公司似乎对我及新公司采取了敌对姿态。因此，我必须坚持，请立即接受我的辞职请求……

正如你所知，公司近期的重组让我没有工作可做，甚至无法接触到定期的管理报告。我不过才30岁，希望自己仍然能够有所贡献和成就。

我们曾共同做出了一番成就，鉴于此，我希望我们的分离能够友好而不失尊严。

你真诚的，

史蒂文·P·乔布斯

1985年9月17日

当后勤部门的一个家伙去乔布斯办公室整理他的物品时，发现地上有一个相框。里面是一张照片，照片上乔布斯和斯卡利正在热烈交谈，下面的题词是7个月前写的——“致伟大的想法、伟大的经历，和一段伟大的友谊！约翰”。玻璃镜框已被摔碎。乔布斯在离开时把它扔到了地上。从那天起，他再没有跟斯卡利说过一句话。

苹果公司宣布乔布斯辞职的消息后，其股价立刻上涨了 1 美元，涨幅接近 7%。“东海岸的股东总是担心这些不靠谱的加利福尼亚人来经营公司，”一位科技股票通讯的编辑解释说，“现在，沃兹尼亚克和乔布斯都走了，这些股东都松了口气。”然而雅达利公司的创始人、10 年前便成为乔布斯良师益友的诺兰 · 布什内尔对《时代》杂志表示，他们会非常想念乔布斯。“苹果的灵感将从哪里来？百事可乐味道的苹果还能续写美妙的传奇吗？”

几天后，双方仍然未能达成一致，斯卡利和苹果公司董事会决定起诉乔布斯，称其“违背受托义务”。该诉讼清楚地列出了乔布斯被指控的罪状：

> 作为苹果公司的董事长和领导者，乔布斯理应忠于苹果公司的利益，但他不顾对苹果公司负有的受托义务……
>
> (a) 暗中计划组建一家公司与苹果公司竞争；
>
> (b) 暗中策划其竞争性公司不正当地利用苹果公司的计划来设计、开发和营销新一代产品……
>
> (c) 暗中挖走苹果公司的重要员工……

当时，乔布斯拥有 650 万股苹果股票，占该公司的 11%，价值超过 1 亿美元。他立即开始卖出自己的股票。仅仅 5 个月，他就将所有的苹果股票都卖掉了，只留下了 1 股，这样如果自己愿意，就能参加股东会议。愤怒让乔布斯拼命想要创建一家以苹果为对手的公司，无论他自己怎样称呼。“他对苹果很气愤。”加入新公司的乔安娜 · 霍夫曼表示。“苹果在教育市场已经很强，新公司针对该市场只是因为史蒂夫的报复心和愤懑。他这么做都是为了复仇。”

当然，乔布斯并不这么认为。“我没有任何挑衅的意思。”他对《新闻周刊》说。乔布斯再次把自己最偏爱的记者邀请到伍德赛德的家中，这一次，他没有叫安迪 · 坎宁安过来劝自己保持谨慎。他驳斥了苹果公司指控他不正当地从苹果公司引诱 5 名员工。“这些人都给我打过电话。”他告诉那些在他的空屋子里来回转悠的记者，“他们早就考虑离开苹果公司。他们在苹果公司已经不被重视了。”

他决定与《新闻周刊》合作一篇封面报道，说出自己的故事。他在这次采访中真情流露。“我最擅长的就是发现一批天才，然后和他们一起创造东西。”他告诉《新闻周刊》说。他表示，自己对苹果会永远怀有感情。“我会永远记得苹果，就像所有男人都会记得自己爱上的第一个女人那样。”但是，如果有必要，他也会反抗苹果公司的管理层。“如果有人公开说你是贼，那你就得作出回应。”苹果公司威胁控告乔布斯及其同事的行为太过分，也令人伤心。这表明，苹果不再是一家自信、叛逆的公司。“很难想象，一个市值20亿美元、拥有4 300名员工的公司，会竞争不过6个穿牛仔裤的人。”

为了反击乔布斯，斯卡利找到沃兹尼亚克，劝他站出来说话。沃兹尼亚克从来没有控制欲和报复心，但是他也从不犹豫诚实地谈论自己的感受。“史蒂夫是一个会侮辱人、伤害人的家伙。”他的话登上了那一周的《时代》杂志。他透露，乔布斯曾打过电话找他，要他加入自己的新公司——这本来是狡猾的一招，用以进一步打击苹果公司当前的管理层——但是沃兹尼亚克表示，自己不想成为这种游戏的一部分，他也没有回复乔布斯的电话。根据《旧金山纪事报》（*San Francisco Chronicle*）的报道，沃兹尼亚克讲述了乔布斯曾经以可能会与苹果产品造成竞争为幌子，阻止青蛙设计公司参与他的远程遥控器项目。“我期待他们能做出伟大的产品，我也祝愿他成功，但是我不信任他的人品。”沃兹尼亚克告诉这家报纸。

靠自己

“对于史蒂夫来说，最好的事情就是我们解雇了他，叫他滚蛋。”亚瑟·罗克后来说道。许多人也认为，这种严厉的爱会让乔布斯更明智，更成熟。但事情并非如此简单。离开苹果后，在自己创建的新公司里，乔布斯能够释放自己的所有天性，无论好坏。他自由了。结果是一系列炫目的产品，但都遭遇了市场失败的重挫。这才是真正的经验学习。他后来的巨大成功，并非因为在苹果的下台，而是下台后华丽的失败。

他得以放纵的第一个天性便是对设计的热情。他为新公司选择的名称相当简单：Next。为了让其更加与众不同，乔布斯决定，需要设计一个世界级的标识。于是，他设法找到企业标识大师保罗·兰德（Paul Rand）。当时，这位出生于布鲁克林的平面设计师已经 71 岁，他曾设计出商界最知名的一些标识，包括《君子》杂志、IBM、西屋电器、美国广播公司以及联合包裹服务公司（UPS）。兰德当时已与IBM签订了合作协议，IBM公司的管理者表示，兰德为另一家计算机公司设计标识显然会造成冲突。于是，乔布斯拿起电话打给IBM的CEO约翰·埃克斯（John Akers）。埃克斯当时不在，乔布斯非常执著，最后联系到了IBM的副董事长保罗·里佐（Paul Rizzo）。两天后，里佐发现要拒绝乔布斯简直就是不可能的，于是，许可了兰德为这家新公司设计标识。

兰德飞到了帕洛奥图，和乔布斯一同走了走，听取了他的构想。乔布斯说，计算机将是一个立方体。他喜欢这种形状，完美而简单。因此，兰德决定将标识也做成立方体效果，并且倾斜 28 度，活泼漂亮。乔布斯询问兰德能否做出几个备选方案来供自己考虑。兰德表示，自己从不为客户做不同的备选方案。“我解决你的问题，你付钱给我。”他告诉乔布斯，“我设计出来的东西你用也行，不用也罢，都得付钱给我，但是我不做备选。”

乔布斯很钦佩这种想法。他对此也有同感。于是，乔布斯作出了赌博般的决定——以 10 万美元的费用，让兰德为新公司设计一个标识。“我们的关系非常清楚，”乔布斯说，“他具有艺术家的纯粹品质，但精于解决商业问题。他外表强硬，像个倔老头，但是内心就和泰迪熊一样。”这是乔布斯所给予过的最高评价之一：艺术家的纯粹品质。

兰德只用了短短两周就完成了工作。他再次飞到帕洛奥图，来到乔布斯在伍德赛德的家中，送上了设计结果。他们先是共进晚餐，然后，兰德递给乔布斯一个雅致而颜色鲜艳的小册子，里面描述了自己的构思过程。册子的最后一页，兰德呈现了自己选择的标识。“从设计、色彩搭配和定位来看，这个标识就是对比的杰作，”他的小册子中写道，“倾斜角度活泼漂亮，它充满了随和、友善、圣诞贴纸般的自然，以及橡皮图章式的权威感。”“Next”这个词被分成了两行，填补了立方体的立面，只有“e”是小写，从整个词中脱颖而出，兰德的小册子将“e”解释为“教育，卓越……$e=mc^2$”。

有时很难预测乔布斯对于某个东西的反应。他可能会认为它很低劣，也可能觉得它很杰出，但你绝对猜不到他会是哪一种反应。但是面对兰德这样的传奇设计师，乔布斯很有可能接受他的创意。乔布斯盯着最后一页，抬头看了看兰德，拥抱了他。不过，他们有一个小分歧：兰德在字母“e”上使用了暗黄色，而乔布斯希望能改成更为明亮和传统的黄色。兰德用拳头猛击桌子，说：“我做这行已经50年了，我知道自己在做什么。”乔布斯妥协了。

公司现在不仅有了新的标识，还有了个新名字。它不再叫Next，而变成了NeXT。其他人也许还不明白重视标识的必要，更不会为了一个标识花上10万美元。但对于乔布斯来说，一个好的标识意味着NeXT正在以世界级的感觉和身份起步，尽管它还没有设计出自己的第一款产品。马库拉曾教过他，你可以根据封面去评价一本书，而一家伟大的公司必须从给人的第一印象就映射出自己的价值观。从这一点来看，这个标识简直酷毙了。

作为免费赠品，兰德同意为乔布斯设计个人名片。兰德想出了一个颜色丰富的解决方案，乔布斯很喜欢；但是在“Steve P. Jobs”这个名字中字母P后面的缩写符位置问题上，两人产生了长久而激烈的分歧。兰德想把缩写符的位置靠右放一点儿，这样用铅字印刷的时候，这个符号就会比较清晰。史蒂夫比较喜欢缩写符离P更近一点儿，就放在“P”的曲线下，比较适合数字排版。“就这样，一件小事情引发了非常大的争论。”苏珊 · 卡雷回忆道。这一次，乔布斯占了上风。

为了将NeXT标识完全体现在真实的产品中，乔布斯需要一位值得信任的工业设计师。他和几位可能的人选谈了谈，但是没有人比他推荐给苹果公司的巴伐利亚狂人哈特穆特 · 艾斯林格更合适。艾斯林格的青蛙设计公司在硅谷设有工作室，由于乔布斯的缘故，艾斯林格和苹果公司签订了合同，收入颇丰。说服IBM公司允许保罗 · 兰德为自己设计NeXT标识，是乔布斯相信现实能被意志扭曲的一次小小奇迹。然而，与接下来说服苹果允许艾斯林格为NeXT工作相比，这要算是很容易的事情了。

但这并没有阻止乔布斯去尝试。1985年11月初，苹果对乔布斯提起诉讼5周后，乔布斯就写信给艾森斯塔特（苹果公司法律总顾问，诉讼由他发起），要求取消诉讼。“我这周同哈特穆特 · 艾斯林格聊过，他建议我给你写一封信，表达我想同他及青蛙设计公司合作NeXT新产品的原因。”乔布斯写道。令人惊讶的是，乔布斯的说法是，他自己不知道苹果公司正在做的东西，但是艾斯林格知道。“NeXT对于苹果公司产品设计现在和未来的方向都一无所知。如果我们和其他那些同样对苹果不了解的设计公司合作的话，那就有可能会不经意地设计出外观类似的产品。而哈特穆特他们了解苹果，能够确保不会让设计与苹果的产品类似，因此这对苹果公司和NeXT公司都最有利。”艾森斯塔特回忆，自己为乔布斯的厚颜无耻瞠目结舌，他对此作出了简短的回复。“我曾代表苹果公司表达过担忧，你所从事的业务会利用苹果公司的机密商业信息。”他写道，“你的信函无论如何无法减轻我的忧虑。事实上，它加深了我的担忧，因为你在信中表示自己‘对苹果公司产品设计现在和未来的方向一无所知’，而这一说法并非事实。”更令艾森斯塔特惊讶的地方在于，就在一年前，乔布斯本人就曾强迫青蛙设计公司放弃沃兹尼亚克遥控装置的项目。

乔布斯意识到，为了同艾斯林格合作（以及各种其他原因），必须解决苹果公司的诉讼。幸运的是，斯卡利愿意考虑撤销诉讼。1986年1月，他们达成庭外和解，不涉及经济损失。为了回报苹果公司放弃诉讼，NeXT公司同意了种种限制条款：其产品将作为高端智能终端直接销售给高校，而且NeXT公司不能在1987年3月之前推出产品。苹果公司还坚持，NeXT的机器“不能使用与麦金塔兼容的操作系统”。后来的情况表明，如果当时苹果公司的要求刚好相反，会对自身更为有利。

诉讼解决后，乔布斯继续游说艾斯林格，直到这位设计师决定终止与苹果公司的合同。1986年底，青蛙设计公司终于能够同NeXT合作了。艾斯林格坚持完全的自由，就像保罗·兰德一样。“有时候，你必须对史蒂夫采用大棒政策。”他表示。和兰德一样，艾斯林格是一位艺术家，所以乔布斯也愿意放任他自由设计，其他人可享受不到这种待遇。

乔布斯命令，计算机必须是绝对完美的立方体，每条边都正好1英尺长，每个角都是90度。他喜欢立方体，它们庄严但也有玩具的感觉。但是，NeXT立方体是乔布斯式功能适应形式的例子，而非形式顺应功能的设计，后者是包豪斯设计理念及其他功能设计师所强调的。本来电路板能够很好地契合传统的比萨饼盒的形状，但在NeXT电脑这里，为了适应立方体的结构，电路板必须重新配置和安装。

更糟的是，完美的立方体生产起来也很困难。大部分模具铸造出来的零件都不是纯直角，而是会稍微超过 90 度，因为这样会比较容易把零件从模具中拿出来。（就像平底锅锅沿的角度稍微超过 90 度，煎饼会比较容易拿出来一样。）但是，艾斯林格下令，不能有这种拔模角度，不能破坏立方体的纯粹和完美。乔布斯对此表示狂热支持。因此，每一面都必须分开制作，使用价格 65 万美元的模具，在芝加哥的一家专业机器加工厂制作。乔布斯对于完美的热情已然失控。当他注意到模具在机箱底盘上留下的微小细纹时，他就会飞到芝加哥，说服铸模工人重铸，直到完美。而这种微小瑕疵是其他任何计算机制造商都能接受的。“大部分铸模工人都想不到会有名人专程飞来找自己。”NeXT 项目的一位工程师戴维·凯利（David Kelley）指出。乔布斯还让这家公司购买了一台价值 15 万美元的砂光机，用来去除模具面相交处的所有细纹。乔布斯坚持镁合金外壳应该是亚光黑色，而这样，如果有瑕疵就会更明显。

凯利还得设法做出曲线优美的显示器支架，乔布斯坚持要让显示器有俯仰角度调整功能，这使得这项任务难上加难。“你会想要发出理智的声音。”凯利告诉《商业周刊》，“但是当你跟他说‘史蒂夫，这样做太贵了’或者‘不可能做得到’时，他就会说：‘你真够没劲的。’他会让你觉得自己是个思想狭隘的人。”因此，凯利及其团队日夜奋战，想尽办法将每一个美学奇想变成可行的产品。一位前来应聘营销部门职位的应聘者看到乔布斯掀开罩在机器上的盖布，露出有优美线条的显示器支架，上面放了个煤渣砖一样的东西，以后显示器将会放在这个上面。在这位造访者百思不得其解的注视下，乔布斯激动地把俯仰角度调整的功能演示了一遍，他已经以个人名义申请了这项专利。

乔布斯一直认为，产品看不见的地方也应该和露在外面的部分一样精美，就像他的父亲会用一块上好木材做衣柜的背板那样。当他发现自己在 NeXT 可以不受约束时，就任由自己在这方面走向极端。乔布斯要求机器内部的螺丝一定要有昂贵的镀层，甚至坚持把立方体的内部也涂成亚光黑色，即便只有维修人员才能看得到。

乔·诺切拉（Joe Nocera）当时为《君子》杂志写稿，记述了乔布斯在 NeXT 员工会议上的强烈表现：

如果说他坐着开完了员工会议，就不太准确，因为乔布斯从来没有耐着性子坐到会议结束。他控制局面的途径之一就是不断地动来动去。这一刻他还跪在自己的椅子上，下一分钟就懒散地窝在椅子里，过了一会儿又干脆跳出椅子，开始在身后的黑板上狂涂乱画。他有很多怪癖，包括咬指甲，还有用他那令人胆怯的认真劲儿盯着说话的人。他的手有些莫名的发黄，不断在动。

最让诺切拉震惊的是乔布斯“几乎故意地缺乏人际交往技巧”。当别人说出乔布斯认为愚蠢的意见时，他似乎早有准备，急迫地想要贬低、羞辱他人，以显示自己更聪明。例如，当丹·卢因拿出一份组织结构图时，乔布斯转了转眼珠。“这些东西狗屁不是。”他最终插话道。不过，他的情绪仍然喜怒无常，就像在苹果公司时一样，一会儿把人捧成英雄，过一会儿又把人贬成笨蛋。一位财务人员来到会议室，乔布斯慷慨地称赞他“在这个项目上的工作非常非常出色”；但是前一天，乔布斯才对他说过：“这笔交易跟垃圾没什么两样。”

NeXT最初的十名员工中，就有一位是室内设计师，负责帕洛奥图总部的设计，这是NeXT公司的第一个总部。虽然乔布斯租下的大楼是新建的，设计也漂亮，但他将内部设施全部拆毁重建。墙壁换成了玻璃，地毯换成了浅色的硬木地板。1989年，NeXT公司搬到雷德伍德一个更大的地方时，这一过程再次上演。尽管大楼是全新的，但是乔布斯坚持要将电梯挪走，让大堂显得更为恢弘。在大堂的中心，乔布斯委托贝聿铭设计了一段宏伟的楼梯，看上去就像飘浮在空中一样。承建商表示这个设计没法实现，乔布斯坚持能够做到，最终也确实建成了。多年后，乔布斯把这款楼梯变成了苹果零售店的特色。

NeXT计算机

NeXT公司成立的最初几个月，乔布斯和丹·卢因四处奔波，常常和其他一些同事一起走访校园，征求意见。在哈佛大学，他们遇见了正在Harvest餐厅就餐的莲花软件公司董事长米切尔·卡普尔。卡普尔正往面包上涂黄油，乔布斯看着他问道：“你听说过血清胆固醇吗？”卡普尔回答说：“我们来作个交易，你别评论我的饮食习惯，我也不谈论你的性格。”这是卡普尔的小幽默，莲花公司同意为NeXT操作系统编写电子表格程序，但是正如卡普尔后来评论的那样："人际关系不是他的长项。"

乔布斯想要在机器中预装出色的内容，于是工程师迈克尔·霍利（Michael Hawley）开发了一部电子词典。一天，他买了新版的莎士比亚作品集，翻阅时发现自己有位朋友在牛津大学出版社并参与了这本书的排版。这意味着，霍利或许可以拿到他们的排版，而且如果对方同意，就能把这本书存入NeXT。"于是，我打电话给史蒂夫。他说这主意很棒，我们就一起飞到牛津。"在1986年春天的一个美丽的日子，他们在牛津郡中心的出版社大楼见面，乔布斯提出，一次性支付2 000美元且每卖出一台电脑支付给出版社74美分，以获得牛津版莎士比亚作品集的版权。"这对你们而言就是轻而易举的收入，"乔布斯表示，"你们将走在潮流的前列，这是别人从来没有做过的事情。"出版社大体上同意了，然后他们一同前往拜伦曾经驻足的小酒馆，喝啤酒玩撞柱游戏。NeXT电脑还将囊括一部字典、一部百科汇编和一部《牛津引语词典》，这使得NeXT电脑成为实现可搜索式电子书概念的先驱之一。

NeXT电脑没有使用现成的芯片，乔布斯让工程师们设计定制芯片，能够在一个芯片上集成多种功能。这已经够困难的了，而乔布斯还在不断修改他想要的功能，这就使得这项工作几乎不可能完成。一年后，这成了产品延迟发布的一个主要原因。

乔布斯还坚持建设自己的全自动化和未来感十足的工厂，就像他曾经对麦金塔项目的设想一样。他并未从那次经历中学乖。这次，他犯了同样的错误，而且有过之而无不及。由于他强迫症似的不断修改配色方案，机器设备和自动装配线被喷涂了一遍又一遍。墙壁是博物馆式的纯白色，就和麦金塔工厂一样，工厂里还摆放着价值2万美元的黑色皮座椅，修造了一截定制的楼梯，就和NeXT公司总部一样。乔布斯坚持重新配置总长165英尺的装配线上的所有机器，从而在生产时，可以让电路板从右向左移动，这样在有人来参观时，站在观景台上就会看到更漂亮的生产流程。原始电路板从装配线的一端进入，20分钟后，做好的电路板再从另一端出来，完全无需人工接触。这种流程是学习了日本的"看板管理"（Kanban），只有当负责下一个流程的机器能够处理另一个零件时，负责上一个流程的机器才会开始执行自己的任务。

乔布斯没有缓和自己对待员工的苛刻方式。“他对施展魅力和公开羞辱这两种方式的运用，在大多数情况下非常奏效。”特里布尔回忆道。但有时候也不尽然。工程师戴维·保尔森（David Paulsen）在NeXT工作的头10个月里，每周工作90个小时。之后，他辞职不干了，他回忆说，“一个周五下午，乔布斯走进来，跟我们说，他对我们所正在做的东西非常之不屑一顾。”《新闻周刊》采访乔布斯，问他为什么要对员工如此严厉，乔布斯说，这样才会使公司更好。“我的一部分责任就是成为一个质量标杆，很多人并不知道如何适应那种追求卓越的环境。”另一方面，他仍然保持着自己的精神和领袖魅力。乔布斯组织了大量的实地考察以及外出集思会，还经常请合气道大师来公司参观。他仍然表现出英勇的海盗气质。苹果解雇了Chiat/Day广告公司，它曾做过“1984”广告，以及在报纸上刊登平面广告，上书“欢迎IBM——真的”。乔布斯就在《华尔街日报》买下了一整版版面，宣称“恭喜Chiat/Day广告公司——真的……因为我能保证：离开苹果后是重生”。

也许苹果和后苹果生活之间的最大共同点，便是乔布斯的现实扭曲力场。1985年底，NeXT在圆石滩（Pebble Beach）举行了第一次外出集思会，乔布斯的现实扭曲力场在离开苹果后第一次展现了出来。他对自己的团队断言，第一台NeXT将在18个月内出货。当时情况已经很明显，这是不可能的。一位工程师建议现实一点儿，将出货期改为1988年，乔布斯驳回了这个提议。“世界不会静止不动，如果我们这样做，领先的技术就会把我们甩下，而我们已经做出来的东西就不得不被扔进垃圾桶。”他争论道。

麦金塔团队的老成员乔安娜·霍夫曼是敢于挑战乔布斯的人之一，她又一次这样做了。“现实扭曲具有激励价值，我觉得这很好。”她说，当时乔布斯站在白板前，“但是，出货日期会影响产品的设计，所以在设定这种日期的时候，如果还扭曲现实就会带来大麻烦。”乔布斯不同意，“我觉得我们必须赌一把，而且，我认为，如果错过了这个时间，我们的信誉就会受损。”尽管很多人都怀疑之所以不能推迟，是因为目标如果没有实现就可能资金短缺，但乔布斯并没有提及这个原因。他自己在NeXT公司投了700万美元，但是按照他们当时的资金消耗速度，这笔钱只能撑 18 个月；如果那时还无法通过出货获得收入，他们就没钱了。

3 个月后，即 1986 年初，他们为又一次外出集思会回到了圆石滩，乔布斯训话时开场说道："蜜月结束了。" 1986 年 9 月，第三次外出集思会，整个时间表已不见踪影，看上去 NeXT 已经走上了财政末路。

救星佩罗

1986 年底，乔布斯向风投公司发出了招股说明书，300 万美元可购买 NeXT 公司 10%的股份。也就是说整个公司的估值为 3 000 万美元，这一数值是乔布斯凭空想出来的。NeXT 公司已经消耗了近 700 万美元，但这笔钱毫无成效，只体现在优雅的标识和时髦的办公室上。没有收入，没有产品，也没有即将发布产品实现营收的迹象。因此，毫不奇怪，风投公司都没有参与投资。

不过，倒是有一位颇具胆量的牛仔为 NeXT 公司神魂颠倒。罗斯 · 佩罗（Ross Perot）是个矮小精干的得克萨斯人，他创办了电子数据系统公司（Electronic Data Systems），后以 24 亿美元的价格卖给了通用汽车公司。1986 年 11 月，佩罗碰巧看到了美国公共广播公司的一部纪录片《创业者》（*The Entrepreneurs*），其中有一部分是关于乔布斯和 NeXT 公司的。佩罗当下就很欣赏乔布斯及其团队，他边看电视边想，"我会帮助他们完成想法。" 这句话与斯卡利过去常说的话极其相似。次日，佩罗就打电话给乔布斯，提出，"如果你需要投资者，给我打电话。"

乔布斯确实需要，非常需要。然而他也足够冷静，没有表现出来。过了一周他才回复佩罗的电话。佩罗派了一些自己的分析师来评估 NeXT，而乔布斯则谨慎地直接同佩罗打交道。佩罗后来表示，自己人生中的最大憾事之一就是，1979 年，当年轻的比尔 · 盖茨前来达拉斯拜访时，自己没有收购微软，或是买下大量股份。佩罗打给乔布斯的时候，微软刚刚上市，市值 10 亿美元。佩罗错过了发大财和拥有一番有趣冒险的机会。因此，他非常不愿意再犯下类似的错误。

乔布斯向佩罗提出的价钱，比数月前不动声色地向其他不感兴趣的风投公司提出的条件高出 3 倍。在乔布斯再投入 500 万美元后，佩罗可以用 2 000 万美元买下NeXT公司16%的股份。这意味着，该公司的估值将达到大约1.26亿美元。但是，钱并不是佩罗考虑的主要因素。同乔布斯会面后，他宣布自己入伙。“我挑选骑师，骑师挑选马匹并驾驭它们，”他对乔布斯说，“你们就是我赌的骑师，因此，你们看着办。”

除了2 000万美元的救命钱，佩罗也为NeXT公司带来了几乎同样宝贵的其他东西：他是公司津津乐道、精神昂扬的拉拉队长，给员工带来了信任的氛围。“就创业公司而言，这是我在计算机行业25年时间里所见过的风险最小的企业。”他告诉《纽约时报》，“我们请一些专业人士看了硬件，他们都被震住了。史蒂夫和整个NeXT团队是我所见过最厉害的完美主义者。”

佩罗还出入于商界和精英人物的社交圈，这弥补了乔布斯的不足。他带着乔布斯前往旧金山参加一个正式的晚宴舞会，这个晚宴是戈登·格蒂（Gordon Getty）和安·格蒂（Ann Getty）为西班牙国王胡安·卡洛斯一世举办的。当这位国王询问佩罗应该见见谁时，佩罗立刻介绍了乔布斯。两人很快就进入了佩罗后来所说的“兴奋无比的谈话”之中，乔布斯绘声绘色地描述着计算机行业的下一个浪潮。最后，卡洛斯一世写了一张纸条递给乔布斯。“怎么了？”佩罗问道。乔布斯回答，“我卖了一台电脑给他。”

佩罗走到哪儿都会讲起这些关于乔布斯的传奇。在华盛顿的国家记者俱乐部，他把乔布斯的人生故事夸大成一部恢弘的年轻人历险记：

> ……他穷得上不起大学，晚上在自己的车库里工作，摆弄电脑芯片，这是他的爱好。他的爸爸就像诺曼·洛克威尔（Norman Rockwell）画中的人物，一天他走进来说：“史蒂夫，要么做些能卖的东西，要么就去找份工作。”6天后，在父亲为他做的木箱中，第一台苹果电脑诞生了。这个高中毕业生切切实实地改变了世界。

这段描述中唯一真实的地方就是关于保罗·乔布斯的，他确实像诺曼·洛克威尔画中的人物。也许最后一句，乔布斯改变世界的那句，也是对的。显然，佩罗相信自己的故事。和斯卡利一样，他也在乔布斯身上看到了自己。“史蒂夫跟我很像，”佩罗告诉《华盛顿邮报》的戴维·雷姆尼克（David Remnick），“我们一样的古怪，我们性情相投。”

盖茨和NeXT

比尔·盖茨跟乔布斯性情并不相投。乔布斯曾说服盖茨为麦金塔做软件应用，最后给微软带来了丰厚利润。但是，比尔·盖茨抗拒乔布斯的现实扭曲力场，因此，他决定不为NeXT平台开发专门软件。盖茨会定期到加利福尼亚看NeXT的演示，但是每次他都不以为然。“麦金塔真的是独一无二，但是我个人不太理解史蒂夫的新电脑有什么特别之处。”盖茨对《财富》杂志表示。

造成这种情况的部分原因在于，这两位彼此竞争的巨头无法做到互相恭敬。1987年夏天，盖茨第一次造访NeXT公司位于帕洛奥图的总部，乔布斯让他在大堂里等了半个小时，盖茨甚至透过玻璃墙看到了乔布斯只是在里面走来走去地闲谈。“我到NeXT，喝了最贵的奥德瓦拉牌胡萝卜汁，见识了如此豪华的科技企业办公室，”盖茨回忆道，带着一抹笑容摇了摇头，“我们的会面史蒂夫迟到了半个小时。”

根据盖茨的说法，乔布斯的推销说辞很简单。“我们曾一起做过Mac项目。”乔布斯说，“结果对你怎么样？非常好。现在，我们一起做这个，也会非常棒。”

然而，盖茨对乔布斯很残忍，就像乔布斯对其他人一样。“这款机器就是垃圾，”他说，“光驱的反应时间太长，机箱太他妈贵，整个东西太荒谬。”当时盖茨就决定，微软不会分散其他项目的资源来为NeXT开发应用程序，并且在随后的每次到访都重申了这一点。更糟的是，他一再公开表态，致使其他软件公司也不愿意花时间为NeXT开发软件。“为它开发？我会在它上面撒尿。”他在《信息世界》（*Info World*）上说。

两人碰巧出席同一次会议并在走廊上遇见时，乔布斯开始因为盖茨拒绝为NeXT开发软件而训斥对方。“等你有市场的时候我会考虑。”盖茨回答说。乔布斯生气了。“当着周围所有人的面，他们俩开始大声争吵。”阿黛尔·戈德堡回忆说，她是施乐PARC的工程师，当时也在场。乔布斯坚持认为NeXT会是计算机产业的下一波浪潮。这次争执跟以往一样，乔布斯越是激动，盖茨就越是一言不发。最后盖茨摇摇头走开了。

在两人的争执以及偶尔不情愿地表示出的尊重背后，是基本理念上的差异。乔布斯看好硬件和软件集成的端到端一体化系统，这就致使他要创造出与其他软件和机器都不兼容的计算机。盖茨推崇不同的公司做出互相兼容的机器，自己从中获利：这些硬件设备都运行同一个标准的操作系统——微软的Windows操作系统，并都能运行同样的软件应用程序，如微软的Word和Excel。“他的产品有一个有趣的特点，就是不兼容性，”盖茨告诉《华盛顿邮报》说，“它不运行任何已有的软件。它是一台超级棒的电脑。如果要我来设计一款不兼容的计算机，我觉得自己做不到他那么好。”

1989年，在马萨诸塞州剑桥市的一个论坛上，乔布斯和盖茨先后现身，陈述彼此截然相反的世界观。乔布斯谈到，每隔几年，计算机产业就会出现新的浪潮。麦金塔电脑借图形界面推出了革命性的新方法。现在，NeXT通过将面向对象的编程方法与采用光盘为存储介质的功能强大的计算机捆绑起来，正在引领新一轮的革命。乔布斯表示，每个大型软件厂商都意识到了自己必须成为新浪潮的一部分，“除了微软”。轮到盖茨讲话时，他重申，乔布斯控制软件和硬件端到端一体化的系统终究会失败，就像苹果与微软Windows操作系统的竞争一样。“硬件市场和软件市场是分开的。”他说。当被问及乔布斯的方法可能会产生的伟大设计时，盖茨示意大家看看还在台上的NeXT样机，嘲笑道：“如果你想要黑色，我可以给你一罐油漆。”

IBM

乔布斯想出了一记漂亮的柔术招式来对抗盖茨，这一招可能永远改变计算机产业的权力制衡。这需要乔布斯违背自己的本性做两件事：授权自己的软件给另一个硬件制造商，并和IBM合作。乔布斯的个性有几分务实，虽然不多，因此他能够克服自己的不情愿。但是他从来没有全心投入于此，这也就是为什么他同其他公司的联盟会如此短暂。

一切始于一次聚会，一次令人难忘的聚会。1987年6月，《华盛顿邮报》发行人凯瑟琳·格雷厄姆举办了她的70岁生日聚会，共有600位嘉宾出席，其中包括美国前总统罗纳德·里根。乔布斯从加利福尼亚州赶来，IBM董事长约

翰 · 埃克斯从纽约州过来。这是两人第一次见面。乔布斯借此机会唱衰微软，并试图让IBM放弃微软的Windows操作系统。“我忍不住告诉他，IBM将整个软件战略都压在微软身上，这太冒险了，因为我不觉得微软的软件有多好。”乔布斯回忆说。

令乔布斯高兴的是，埃克斯回应道：“你打算如何帮助我们呢？”没过几周，乔布斯就和软件工程师巴德 · 特里布尔出现在IBM位于纽约州阿蒙克市的总部。他们演示了NeXT，令IBM的工程师难以忘怀。尤为意义重大的是，NeXT电脑面向对象的操作系统NeXTSTEP受到了格外关注。“NeXTSTEP会处理很多导致软件开发过程迟缓的琐碎的编程问题。”IBM智能终端部门的总经理安德鲁 · 海勒（Andrew Heller）表示，他非常欣赏乔布斯，以至于也给自己的儿子起名为史蒂夫。

双方的谈判一直持续到1988年，其间乔布斯对于微小的细节频频发怒。在颜色和设计问题上出现分歧时，他会在会议中途离席，只有特里布尔或丹 · 卢因才能令他平静下来。他不知道IBM和微软哪一个令自己更害怕。4月，佩罗决定在自己的达拉斯总部举办调停会议，一个令人震惊的交易就此诞生了——IBM将获得授权使用NeXTSTEP软件的目前版本，如果IBM喜欢这款软件，将会用在自己的一些工作站上。IBM给NeXT发送了一份125页的合同。乔布斯读都没读就扔掉了。“别来这一套。”他边说边走出办公室。他要一份只有几页的合同，不到一周，他所要求的合同就送到了。

乔布斯希望直到10月份NeXT电脑隆重推出之前，都不让比尔 · 盖茨知道他与IBM的合作。但是，IBM坚持立即宣布。盖茨得知后怒不可遏。他很清楚，这可能会让IBM放弃对微软操作系统的依赖。“NeXTSTEP和任何东西都不兼容。”他愤怒地对IBM的高管说。

起初，乔布斯似乎成了盖茨最可怕的噩梦。其他依赖于微软操作系统的电脑制造商也找到乔布斯，让其授权生产NeXT兼容机和使用NeXTSTEP，其中最著名的是康柏公司和戴尔公司。甚至有公司表示，如果NeXT放弃硬件业务，愿意付更高的价钱。

这对乔布斯来说难以接受，至少在当时是。他停止了关于生产NeXT兼容机的商谈，对IBM的态度也开始冷淡，这慢慢发展为相互的冷淡。当IBM发起该项合作的人离职后，乔布斯来到阿蒙克会见其继任者吉姆·坎纳维诺（Jim Cannavino）。两人进行了一对一的谈话。乔布斯提出，IBM需要支付更多的钱才能继续双方的合作并得到NeXTSTEP更新版本的授权。坎纳维诺没有作出任何承诺，他随后也拒绝回复乔布斯的来电。于是，之前的合同中止了。NeXT公司得到了一笔授权费，但始终没有得到改变世界的机会。

1988年10月，NeXT发布会

乔布斯将产品发布变成戏剧作品的艺术已经登峰造极。NeXT电脑全球首发式定于1988年10月12日在旧金山交响乐堂举行，乔布斯想要超越自己，他要澄清质疑。在发布会前几周，他几乎每天都要开车去旧金山，藏身于苏珊·卡雷的维多利亚风格的房子里。苏珊·卡雷是NeXT的图形设计师，她为麦金塔设计了最初的字体和图标。由于乔布斯操心发布会的每一个细节，从措辞到绿色背景的色调，所以要由卡雷来帮忙准备每一张幻灯片。“我喜欢这种绿。”他自豪地说，当时他们正在一些工作人员的注视下进行预演。“很棒的绿色，很棒的绿色。”众人一致低声说道。乔布斯精心制作、润色并修改了每一页幻灯片，就好像自己是T·S·艾略特，要将埃兹拉·庞德（Ezra Pound）的建议写进《荒原》（*The Waste Land*）一样。

所有细节都很重要。乔布斯亲自核查了邀请名单，甚至还有午餐菜单（矿泉水、牛角面包、奶油乳酪、豆芽）。他挑选了一家视频投影公司，并支付了6万美元聘用他们负责视听支持。他还聘请了后现代主义戏剧制作人乔治·科茨（George Coates）筹划这次发布会。不出所料，科茨和乔布斯决定采用庄重而极为简单的舞台外观。一个极简主义的舞台，背景是黑色的，桌子上罩着一块黑布，黑色遮布披在电脑上，旁边摆着一瓶简约的花束，完美的黑色立方体将在这种布置下揭晓。由于硬件和操作系统都还没真正完成，有人提议用模拟展示。但乔布斯拒绝了。他决定现场示范，尽管他知道，这会像走钢丝而没有安全网一样。

3 000多人来到了现场，他们在发布会开始前两小时排队进入交响乐堂。他们没有失望，至少这次展示表演没有令他们失望。乔布斯在台上待了3个小时，他再一次成为《纽约时报》记者安德鲁 · 波拉克口中的"产品发布界的安德鲁 · 劳埃德 · 韦伯（Andrew Lloyd Webber）[①]，舞台风格和特效大师"。《芝加哥论坛报》（*Chicago Tribune*）的韦斯 · 史密斯（Wes Smith）称，NeXT的发布会"之于产品演示，就像梵蒂冈第二届大公会（Vatican II）之于教会聚会一样"。

"很高兴能回来。"乔布斯以他一贯的开场白引发了观众的欢呼。他开始述说个人电脑架构的历史，并向现场观众承诺，他们即将见证一个"10年中才会发生一次或两次的历史性事件——一个新的架构即将推出，并将改变计算机的面貌"。乔布斯说，在经过3年对全国高校的咨询后，公司设计出了NeXT软件和硬件。"我们意识到，高等教育行业的人需要的是个人大型主机。"

同以往一样，他的演讲有些溢美之词。乔布斯说，该产品"令人难以置信"，是"我们所能想象的最好产品"。他甚至称赞机器内部看不到的部件也工艺完美。他用手指托着一个1平方英尺大小的电路板，这个电路板将放在NeXT 1英尺见方的机箱中。他热情地说道："我希望你们一会儿能有机会看看这个东西。这是我一生中见过的最漂亮的印刷电路板。"乔布斯接着展示了这台电脑播放讲话的功能，他播放了马丁 · 路德 · 金的《我有一个梦想》和肯尼迪的《不要问》（*Ask Not*），以及发送加载音频附件的邮件的功能。他俯下身，对着电脑的麦克风，录下了自己的声音。"嗨，我是史蒂夫，在这个极富历史性的一天，我发出了这条消息。"然后，他叫观众给这个消息加上"一片掌声"，观众们照做了。

乔布斯的管理理念之一就是，不时地孤注一掷，"把公司压在"一些新点子或技术上，这样做至关重要。NeXT发布时，他炫耀了一个例子：采用高容量（但速度慢）的读写光盘，而不是用软盘来备份数据。后来，事实证明这是一场不明智的赌博。"两年前，我们作出了一个决定，"乔布斯说道，"我们见识到一些新的技术，并决定赌一赌。"

接着，他开始介绍另一个功能——能更好地证明乔布斯的先见之明。"我们做出了第一批真正的电子书。"他说，并提到电脑里包含了牛津版的莎士比亚和其他大部头，"自古腾堡以来，印刷书本的技术还未出现过进步。"

---

① 安德鲁 · 劳埃德 · 韦伯，世界知名音乐剧作家。

有时，乔布斯会幽默地展示自己的自知之明，他用电子书演示来取笑自己。“有一个词有时会被用来形容我，‘mercurial’。”他说道，然后顿了顿。观众们会意地笑了，尤其是那些坐在前排的人，多是NeXT的雇员和原麦金塔团队的成员。接着，他把这个词输进了电脑的词典，读出了第一条释义。“水星的，与水星有关的或来自水星的。”他边把页面往下拉边说，“我想他们说的应该是第三种意思：‘情绪多变’。”笑声更多了。“如果我们继续往下拉，就能看到它的反义词‘saturnine’。这个词又是什么意思呢？只要双击一下这个词，我们就能马上查到它，来看看：‘情绪冷淡稳定。行动或改变迟缓。阴郁或阴沉的性格。’”在等待观众的笑声平息之时，乔布斯脸上出现了一点儿笑容。“好吧，”他总结道，“这么看来，我觉得‘mercurial’这个词也不是那么糟。”掌声过后，他用《牛津引语词典》展示了更巧妙的一点，关于他的现实扭曲力场观点。他选用的引语来自刘易斯·卡洛尔的《爱丽丝镜中奇遇记》（*Through the Looking Glass*）[①]。当爱丽丝感叹，不管自己多么努力尝试，都无法相信不可能的事情。白皇后反驳道：“为什么，有时我都来得及在早餐前想通六件不可能的事。”又是一阵会意的笑声，尤其是前排的观众。

这些欢呼声都是糖衣炮弹，为了转移观众对于坏消息的注意力。当宣布新机器的价格时，乔布斯采用了自己在产品演示中的常用伎俩：一口气说出产品众多的特点，将它们描述成“价值成千上万美元”的东西，让观众想象这个产品真的该有多贵。这样抬高观众的心理预期后，他就开始宣布定好的价格，让产品的真实价格看起来比较低。“我们打算以每台 6 500 美元的价格卖给高等教育人士。”大厅里响起了稀稀拉拉的掌声，来自忠实的追随者。但是，他的学术顾问小组一直在努力将价格维持在 2 000~3 000 美元；而且他们认为乔布斯也承诺过。他们中有些人震惊了。一旦他们发现可供选购的打印机又得花 2 000 美元，并且，由于光驱速度缓慢，最好再配一个外部硬盘，这又需要 2 500 美元时，大家会更吃惊的。

而NeXT还有一个令人失望之处，最后乔布斯竭力含糊其辞。“明年初，我

① 《爱丽丝梦游仙境》的续作。

们将会推出0.9版，适于软件开发者和勇于尝鲜的终端用户。”乔布斯紧张地笑了笑。他的意思是，机器和软件的真正发布，即1.0版，不是1989年初。事实上，他还没有设定确切日期。乔布斯只是表示，1.0版将会在1989年第二季度推出。1985年底第一次NeXT外出集思会回来时，乔布斯曾拒绝乔安娜·霍夫曼推后发布日期的提议，他承诺要在1987年初完成机器。现在，很明显，这款电脑的发布会要推迟两年多。

某种意义上讲，发布会在一个较为乐观的基调中结束了。乔布斯请来一位旧金山交响乐团的小提琴手，同台上的NeXT一起演奏巴赫的《A小调小提琴协奏曲》。人群爆发出欢快的掌声。狂热中，人们忘记了价格和推迟发布的不愉快。就在此后，一位记者问乔布斯为什么这款电脑会推迟这么久，乔布斯回答说：“并不迟，它领先了时代5年。”

乔布斯和媒体打交道已经有了自己的标准做法，他给自己钦点的媒体提供“独家”采访，但条件是把关于他的报道放在封面。不过，这一次他的“独家”手段太过分了，虽然并没有造成真正的伤害。他在产品发布之前，答应了《商业周刊》的凯蒂·哈夫纳（Katie Hafner）独家专访的请求；他也和《新闻周刊》和《财富》杂志达成了同样的协议。但是，他没想到的是，《财富》杂志的高级编辑苏珊·弗雷克（Susan Fraker）和《新闻周刊》的梅纳德·帕克（Maynard Parker）是夫妻。在《财富》的选题会上，当人们正兴冲冲地谈论乔布斯的独家新闻时，弗雷克不安地开口了，说自己碰巧了解到《新闻周刊》也拿到了乔布斯的独家承诺，而且将会比《财富》杂志的报道提前几天出来。结果，乔布斯只上了两家杂志的封面。《新闻周刊》称他为“芯片先生”，并刊出了一张他俯身靠近美丽的NeXT电脑的图片，并宣称这是“数年内最激动人心的机器”。《商业周刊》放了一张乔布斯身着深色西装的照片，他看上去像个天使，十指相扣如同传教士和教授那样。但是，哈夫纳尖锐地报道了关于乔布斯对独家新闻的操纵。“NeXT谨慎地分配着媒体对员工和供应商的采访，通过审查来控制采访报道的内容，”她写道，“这个策略奏效，但也付出了代价；这种行为显示出史蒂夫·乔布斯自利和无情的一面，也正是这点让他在苹果深受伤害。乔布斯最突出的特征就是需要控制权。”

当宣传炒作平息下来后，市场对NeXT电脑的反应平淡，尤其是它还未上市销售。比尔 · 乔伊（Bill Joy）是竞争对手Sun公司的首席科学家，聪明幽默，他称NeXT为“第一款雅皮士终端”，这应该是有保留的恭维。比尔 · 盖茨一如既往地对NeXT进行公开批驳。“坦白地说，我很失望。”他告诉《华尔街日报》，“1981年，当乔布斯向我们展示麦金塔的时候，我们真的因此而激动，因为当你把它和别的电脑放在一起时，它不同于以往任何机器。”NeXT电脑不是这样。“整体来看，它的大部分功能真的都无足轻重。”他说，微软将继续其计划，不为NeXT编写软件。在NeXT的发布会后，盖茨给自己的员工写了一封诙谐的邮件。“所有现实都被完全搁置。”邮件开头写道。回想起这封邮件，盖茨笑着说，这可能是“我写过的最好的邮件”。

1989年年中，NeXT电脑终于开始销售了，工厂已经准备好每月生产10 000台——结果这款电脑每月的销量只有约400台。漂亮的工厂装配机器人被喷刷得很好，却只能闲着，而NeXT还在继续烧钱。

第十九章

Pixar
Technology meets art

皮克斯
技术与艺术相遇

卢卡斯影业的电脑部门

1985 年夏天，乔布斯在苹果公司正处于失势中。一天，他和艾伦·凯一起散步，凯曾在施乐PARC工作，当时是苹果公司职员。凯知道，乔布斯对创意与技术的交融很感兴趣，于是建议他一同拜访自己的朋友埃德·卡特穆尔（Ed Catmull）。卡特穆尔当时是乔治·卢卡斯（George Lucas）电影制片厂电脑部门的负责人。乔布斯他们租了一辆豪华轿车，驾车前往马林郡，来到卢卡斯天行者牧场（Skywalker Ranch）的边上，卡特穆尔及其电脑部门就在这里。“我感到很震撼，回公司以后就试图说服斯卡利把它收购下来。”乔布斯回忆道，“但是管理苹果公司的那帮家伙对此不感兴趣，而且他们正忙着把我赶出去。”

卢卡斯影业电脑部门有两个主要组成部分：一个团队研发定制电脑，使之能够将实景电影胶片上的图像数字化，并融入炫目的特效；还有一个电脑动画团队制作动画短片，如《安德烈与沃利历险记》（*The Adventures of André and Wally B.*），这部动画片在 1984 年的一次行业大会上展出，令其导演约翰·拉塞特（John Lasseter）声名大噪。卢卡斯当时已经完成了他的《星球大战》（*Star Wars*）三部曲的第一部，正陷入一场争吵不断的离婚案中，他需要卖掉这个电脑部门。卢卡斯叫卡特穆尔尽快找到买家。

1985 年秋，在一些潜在买家都踌躇不决时，卡特穆尔和联合创始人阿尔维·雷·史密斯（Alvy Ray Smith）决定自己买下这个部门并寻找投资者。于是，他们打电话找到乔布斯，又安排了一次会面，两人驱车前往乔布斯位于伍德赛德的家中。乔布斯先是抱怨了一通斯卡利的愚蠢和背信弃义，然后提议自己全资买下卢卡斯影业的电脑部门。卡特穆尔和史密斯拒绝了。他们想要一位主要投资者而不是一个新的所有者。不过很快就有了一个折中办法：乔布斯出资购买多数股权，并担任董事长，但由卡特穆尔和史密斯来运营。

“我之所以想收购这个部门，是因为我真的很喜欢计算机图形。”乔布斯后来回忆道，“看到卢卡斯影业电脑部门这些人的时候，我意识到，在融合艺术与技术的领域，他们走在了其他人前面，而这个领域一直都是我的兴趣所在。”乔布斯知道，在未来数年里，计算机将会比现在强大上百倍，他相信这会给动画和逼真的3D图形带来巨大进步。“卢卡斯团队正在研究的问题需要非常强大的计算处理能力，这使我意识到他们必将引领历史。我喜欢这样的发展方向。”

乔布斯提出的条件是，向卢卡斯支付500万美元，然后自己再投入500万美元，从而将这一部门变成独立的公司。这比卢卡斯一直以来所要求的金额低得多，然而时机对乔布斯来说却刚刚好。于是，双方决定通过谈判达成交易。卢卡斯影业的CFO发现乔布斯傲慢又易怒，在谈判各方即将举行会谈时，这位CFO对卡特穆尔说：“我们必须建立正确的等级次序。”他的计划是，将所有人和乔布斯都聚集在一间会议室里，然后这位CFO晚到几分钟，以表明他才是主持会议的人。“但是有趣的事情发生了，”卡特穆尔回忆说，“史蒂夫在CFO缺席的情况下按时开始了这次会议，而当那位CFO走进来时，史蒂夫已经掌握了会议的控制权。”

乔布斯只见过乔治·卢卡斯一面，卢卡斯警告他说，比起做电脑，这个部门的人更关心制作动画电影。“你知道，这些家伙都是在拼命做动画。”卢卡斯对乔布斯说。卢卡斯后来回忆表示：“我确实警告过他，这个部门基本是按埃德和约翰的计划来开展工作的。我觉得在他看来，买下这家公司是因为它也符合他自己的计划。”

1986年1月，他们达成了最终协议。协议约定，乔布斯投资1 000万美元后，可持有该公司70%的股份，其他股份分配给埃德·卡特穆尔、阿尔维·雷·史密斯及其他38名创始员工，包括前台接待。该部门最重要的硬件是皮克斯图像电脑（Pixar Images Computer），新公司便以此命名。最后的问题就是在哪里签合同，乔布斯想在自己位于NeXT的办公室，而卢卡斯影业的人想在天行者牧场。最后，双方都作出了妥协，在旧金山一家律师事务所会面。

有那么一段时间，乔布斯没有进行过多干预，让卡特穆尔和史密斯自行掌管皮克斯。每隔一个月左右，他们会进行一次董事会会议，通常是在NeXT的总部，乔布斯主要关注财务和战略。然而，由于个性使然以及控制本能的驱使，乔布斯很快就变成了强势的角色，显然比卡特穆尔和史密斯预想的更为强势。针对皮克斯公司硬件和软件的未来，他提出了一堆想法，有的合理，有的古怪。而他虽然只是偶尔前往皮克斯的办公室，但每次出现他都能让人心潮澎湃。“我从小就加入了美南浸信会（Southern Baptist），我们经常同那些生活腐化但却极具蛊惑力的牧师们一起开培灵会。”阿尔维·雷·史密斯说，“史蒂夫显然精于此道，深知口舌的力量和语言的网络能让人陷进去。开董事会会议的时候，大家意识到了这个问题，于是我们发展出一套信号——摸鼻子或拽耳朵，如果有人陷入了史蒂夫的现实扭曲力场，需要被拉回现实，我们就会使用这个信号。”

乔布斯一直都很欣赏硬件和软件的整合，皮克斯的图像电脑和渲染软件就是如此。事实上，皮克斯还拥有另一个要素：它制作出色的内容，如动画电影和图像。这三种要素都得益于乔布斯将艺术创意和技术的结合。“硅谷的人并不尊重好莱坞的创意特质，而好莱坞的人则认为技术人员是那些只需雇用而无需见面的人。”乔布斯后来说道，“皮克斯则同时尊重好莱坞和硅谷的文化。”

最初，皮克斯公司希望硬件能带来收入。皮克斯图像电脑售价12.5万美元，主要购买者是动画师和平面设计师，不过这款电脑也在医疗行业和情报领域找到了特殊市场。（医疗CAT扫描数据能够被转换成三维图形；来自侦察飞机和卫星的信息也能通过该款电脑进行转换。）由于要销售给美国国家安全局，乔布斯必须接受安全调查，对于被指派来调查他的FBI（美国联邦调查局）特工来说一定感觉有趣极了。据一位皮克斯高管讲述，有一次，调查员打来电话询问毒品使用问题，乔布斯如实回答，丝毫不加掩饰。他会说“我上回用这种毒品是在……”，偶尔他也会回答不，他从未用过那种毒品。

乔布斯要求皮克斯开发一款成本更低的图像电脑，售价在3万美元左右。他坚持由哈特穆特·艾斯林格进行设计，尽管卡特穆尔和史密斯对其收费价格表示反对。最后，这款新电脑跟皮克斯图像电脑很相似，是一个立方体，中间有一处圆形凹陷，但带有艾斯林格招牌式的纤细纹路。

乔布斯想要把皮克斯的电脑卖给大众市场，于是他让皮克斯的人员在各大城市开辟销售办事处，办事处的设计由他本人审核通过。他的想法是，有创意的人很快会想到使用这款电脑的各种方法。“我认为，人是创造性动物，面对工具，他们能想出发明者未曾想过的各种聪明的使用方法，”乔布斯后来说道，“我觉得这会同样适用于皮克斯电脑，就像Mac一样。”但是，皮克斯电脑从未完全进入普通消费者市场。它们售价太高，专门为之编写的软件应用程序也不多。

在软件方面，皮克斯有一个渲染程序，名为雷耶斯（Reyes，Renders Everything You Ever Saw），意为渲染你所见的一切，用于制作3D图形和图像。乔布斯担任董事长后，皮克斯开发了一种新语言和界面，名为RenderMan。他们期望这款软件能够成为3D图形渲染领域的标准，就像Adobe公司的PostScript[①]之于激光打印那样。

乔布斯认为，皮克斯的软件也应该像硬件那样，尝试进入大众市场，而不是仅限于专业市场。只针对企业市场或高端专业市场的做法，他从来都没兴趣。“他非常沉迷于大众市场产品，”帕姆·克尔温（Pam Kerwin）说，她是皮克斯的营销总监，“他会构造一些宏大的愿景，想象RenderMan能够怎样为所有人服务。他在会议中不断产生新想法，设想普通用户将如何用它做出惊人的3D图形和逼真的图像。”皮克斯团队试图劝阻他，他们认为RenderMan并不像Excel或Adobe Illustrator那样易于使用。这时，乔布斯就会走到一块白板前，告诉他们如何把它做得更简单，更便于使用。“我们不禁频频点头，兴奋地说：‘是的，是的，这样很棒！’”克尔温回忆说，“等他走了以后，我们又考虑了一会儿，觉得‘他想的都是些什么鬼主意！’他身上的奇特魅力实在是强大，你和他交谈之后就几乎被洗脑了。”后来事实证明，普通消费者对于这种能让他们渲染出逼真图像的昂贵软件并无兴趣。RenderMan没有成功进入大众市场。

---

① PostScript是一种主要用于电子产业和桌面出版领域的页面描述语言和编程语言。

不过，倒是有一家企业渴望将动画师的绘画自动渲染成彩色图像用于电影拍摄。罗伊·迪士尼（Roy Disney）在迪士尼公司发动了一场董事会革命，他是该公司创始人沃尔特·迪士尼的侄子。迪士尼公司的新任CEO迈克尔·艾斯纳（Michael Eisner）问罗伊想要担任什么角色，罗伊表示他想要重振公司历史悠久却日渐衰落的动画部门。他的首轮举措之一就是设法将动画流程计算机化，而皮克斯赢得了迪士尼的这份合同。皮克斯为迪士尼量身定做了一款软硬件套装，名为CAPS，即电脑动画制作系统（Computer Animation Production System）。1988年，这套设备首次投入使用，负责制作动画片《小美人鱼》（*The Little Mermaid*）中的最后一幕——国王特里同挥别爱丽儿。在此之后，CAPS就成了迪士尼极为依赖的设备，迪士尼为此又购买了数十台皮克斯图像电脑。

动画

皮克斯的数字动画业务——制作动画短片的团队——最初只是副业，其主要目的是对外展示自己的硬件和软件。约翰·拉塞特负责这个团队的运作，他有着可爱的脸庞和气质，对于艺术的完美追求与乔布斯不相上下。拉塞特出生在好莱坞，从小就喜欢观看周六早间的卡通节目。九年级时，读完记述迪士尼工作室历史的《动画的艺术》（*The Art of Animation*）后，他写了一份读书报告，那时的他就明白了自己想要怎样度过一生。

高中毕业后，拉塞特进入了由沃尔特·迪士尼创办的加州艺术学院（California Institute of the Arts），学习动画专业。暑假和课余时间，他研究迪士尼的档案文件，还在迪士尼乐园的丛林巡航游乐项目做导游。迪士尼乐园的导游经历让他懂得了把握时间和节奏对于讲故事的重要性，在创作一帧一帧的动画时，掌握这一概念很重要但也绝非易事。拉塞特大学三年级时拍摄的短片《小姐与台灯》（*Lady and the Lamp*）为他赢得了学生奥斯卡奖（Student Academy Award）。这部短片借鉴了《小姐与流浪汉》（*Lady and the Tramp*）等迪士尼电影，也展露出他的惊人天才——赋予无生命的东西以人的个性。毕业后，他得到了一份注定要从事的工作——在迪士尼制片厂（Disney Studio）做动画师。

但是拉塞特在迪士尼的工作并不顺心。“我们一些年轻人想要给动画艺术带来《星球大战》的水准，但却受到了约束。”拉塞特回忆说，“我的幻想破灭了，后来卷入了两个上司之间的斗法，动画部门的头儿解雇了我。”1984年，埃德·卡特穆尔和阿尔维·雷·史密斯聘请了拉塞特，而《星球大战》的水准正是出自卢卡斯影业。当时，乔治·卢卡斯就已经在担忧电脑部门的成本了，他们拿不准卢卡斯是否会同意雇用一位全职动画师，因而拉塞特的职位是“界面设计师”。

乔布斯入主公司后，拉塞特和他开始分享彼此对于图形设计的激情。“我在皮克斯是唯一一个艺术家，因此和史蒂夫在设计感觉上有很大共鸣。”拉塞特说道。他合群，好玩，讨人喜欢，爱穿花哨的夏威夷衫，办公室里堆满古董玩具，喜欢吃芝士汉堡包。乔布斯易怒，是个身形瘦削的素食主义者，喜欢简朴整洁的环境。但他们竟然非常契合。拉塞特是个艺术家，而艺术家在乔布斯眼里不是英雄就是笨蛋，拉塞特在他眼里显然属于英雄那一类。乔布斯对他恭敬有加，真心钦佩他的才华。拉塞特则理智地将乔布斯视做赞助人——能够欣赏艺术工作并且知道如何将其与技术和商业进行融合。

乔布斯和卡特穆尔决定，为了展示皮克斯的硬件和软件，应该让拉塞特再制作一部动画短片，参加1986年的SIGGRAPH（美国计算机协会计算机绘图专业组大会）。这是计算机图形学界的年度会议，两年前，《安德烈与沃利历险记》就在这一会议上引发了轰动。拉塞特的办公桌上放着一盏Luxo台灯，他把这盏台灯用做图形渲染的模型，并决定把Luxo变成一个栩栩如生的动画角色。一位朋友的小孩给了他灵感，拉塞特又在故事中添加了一个小台灯（Luxo Jr.）的角色。拉塞特向另一位动画师展示一些测试帧时，对方力劝他用这两个角色讲一个故事。拉塞特表示，自己只是在做一部短片，但那位动画师提醒他说，即便几秒钟也能讲述一个故事。拉塞特将这个告诫铭记于心。《顽皮跳跳灯》（*Luxo Jr.*）最后的成片只有两分多钟，但是它讲述了一个故事——台灯爸爸和台灯孩子把一个球推来推去，后来球爆了，小台灯很伤心。

乔布斯非常激动，特意从NeXT公司压力重重的工作中抽身，和拉塞特飞赴SIGGRAPH大会。这一年的大会于8月在达拉斯举行。“天气太热太闷，我们一走出去，就觉得热气像网球拍一样迎面挥了过来。”拉塞特回忆说。展会共有一万人参加，一切都让乔布斯很喜欢。艺术创作激励着他，尤其是当它与科技相融合时。

电影放映礼堂门口排了长长的队，乔布斯不是那种会乖乖等着进场的人，他三言两语就说服了负责人让他们先进去。《顽皮跳跳灯》赢得了观众长时间的起立鼓掌，并被评为最佳影片。"哦，哇！"乔布斯在结束时欢呼道。"我真的懂了，我懂了什么是最重要的。"正如他后来解释的，"我们的电影不仅仅拥有好技术，而且是唯一有艺术内涵的。皮克斯是在融合艺术与科技，就像麦金塔曾经所做的那样。"

《顽皮跳跳灯》获得了奥斯卡提名，乔布斯飞去洛杉矶参加颁奖典礼。最终该短片没能获奖，但是乔布斯从此决心每年都制作一部新的动画短片，尽管这个决定并没有太多商业上的理由。随着皮克斯处境艰难，乔布斯坚持残酷地削减预算，毫不手软。而当拉塞特要求将刚刚省下的钱拿来做下一部电影时，乔布斯却同意了。

《锡铁小兵》

乔布斯在皮克斯的人际关系并非都这么好。最严重的一次冲突是同阿尔维・雷・史密斯——卡特穆尔的联合创始人。史密斯来自得克萨斯州北部农村，在浸信会的熏陶下长大，是个拥有自由精神的嬉皮士，担任电脑图像工程师。他身材高大，笑声爽朗，很有个性，有时也很自负。"阿尔维光芒四射，笑容友善，在会议中有一大堆拥护者。"帕姆・克尔温说道，"阿尔维这样的个性可能会触怒史蒂夫。他们都是有远见的人，精力旺盛，非常自负。阿尔维不愿意像埃德一样息事宁人，无视一些不高兴的事。"

史密斯认为，乔布斯的领袖魅力和自负致使他滥用权力。"他就像个电视节目中的布道者，"史密斯说，"他要控制别人，但是我不愿意做他的奴隶，因此我们发生了冲突。而埃德更愿意顺其自然。"开会时，乔布斯有时会说一些离谱或不真实的东西来确立自己的主导地位。史密斯喜欢在这种情况下和乔布斯叫板，他会边笑边说，最后露出得意的笑容。这让乔布斯感到很不爽。

有一次董事会会议上，因为新版皮克斯图像电脑的电路板遭遇延期，乔布斯开始训斥史密斯和皮克斯的其他高管。当时，NeXT电脑的电路板也推迟了很久。史密斯指出了这一点："嘿，你们的NeXT电路板更迟呢，所以别对我们大呼小叫了。"乔布斯顿时大发雷霆，或者用史密斯的话来说"完全不可理喻"。当史密斯觉得被攻击或遭遇对抗时，会不由自主地冒出西南部口音。乔布斯于是挖苦着模仿他。"这简直就是欺负人，我完全爆发了。"史密斯回忆道，"我还没反应过来，我们俩就已经面对面了，相隔只有3英寸，朝着对方大吼。"

乔布斯对于会议中的白板极具控制欲，于是魁梧的史密斯推开他，开始在白板上写写画画。"你不能这样！"乔布斯大喊。

"什么？"史密斯回击道，"我不能在你的白板上写字？放狗屁！"听到这话，乔布斯摔门而出。

史密斯最终辞了职，成立了一家新公司，制作数字绘图和图像编辑软件。乔布斯拒绝史密斯使用他在皮克斯时编写的代码，这又进一步加深了彼此的敌意。"阿尔维最终得到了他需要的东西，"卡特穆尔说，"但是，他这一年的压力都很大，还患上了肺部感染。"最后，结果还算不错，微软收购了史密斯的新公司。自己成立的公司，一家卖给乔布斯，另一家卖给盖茨，这样的人也只有史密斯了吧。

不过，即便在境况最好的时候，乔布斯的脾气也很暴躁。因此，当皮克斯的三项努力——硬件、软件和动画内容——都在赔钱时，乔布斯就越发如此了。"我制订了这些计划，结果却得不停地投钱进去。"他回忆说。他会责骂皮克斯的人，但还是会给他们开支票。已经被苹果驱逐，又被困在NeXT，他不能接受再一次打击了。

为了止损，乔布斯下令进行一轮大规模裁员。他缺乏对待他人的同情心，冷酷地执行了这一决定。正如帕姆·克尔温所形容的："对于要解雇的人，他在感情和财务上都不留余地。"乔布斯坚持裁员立即开始，且不支付遣散费。克尔温拽着乔布斯在停车场周围散步，请求他至少提前两周告知员工们这一消息。"好吧，"乔布斯回答道，"但通知应该倒推回两周生效。"卡特穆尔当时在莫斯科，克尔温疯了似的给他打电话。卡特穆尔回来后研究出一个遣散计划，给予被解雇员工微薄的补偿，稍微平息了事态。

皮克斯动画团队曾一度试图说服英特尔公司，希望承接对方的部分商业广告制作业务。然而，乔布斯没有一点儿耐性。一次会议上，乔布斯正痛斥英特尔的营销总监，说到一半又拿起电话，直接打给英特尔的CEO安迪·格鲁夫。格鲁夫在某种程度上仍然算是乔布斯的老师，他想要给乔布斯上一课，他支持英特尔公司的经理。“我支持自己的员工，”他回忆道，“史蒂夫不喜欢被当做供应商来对待。”

皮克斯为普通消费者市场，或至少是认同乔布斯对于设计的狂热之情的消费者们，创造出了一些强大的软件产品。乔布斯仍然希望，在家中创作非常逼真的3D图像能够成为桌面排版热潮的一部分。例如，皮克斯的Showplace软件，用户能够用它改变3D物体的阴影，这样，在不同的角度下，能以适当的阴影展现出现实物体的模样。乔布斯觉得这个软件很酷，但是大多数消费者觉得这种功能可有可无。乔布斯的激情误导了自己，Showplace就是一个例证：该软件拥有如此多神奇的功能，但却缺少乔布斯一向要求的简单性。皮克斯无法与Adobe公司竞争，后者做的软件并不像Showplace那样高级，但更简单，也更便宜。

即使皮克斯的硬件和软件产品线都失败了，乔布斯也还会保护着动画团队。对他来说，这已经是一个拥有魔力的艺术之岛，能给予他深层次的情感愉悦，他愿意培养它，为它赌上一把。1988年春，资金实在太紧张了，于是他召集了一次痛苦的会议，宣布全面深度削减开支。会议结束后，拉塞特及其动画团队十分害怕，几乎不敢再向乔布斯要更多的钱来拍摄另一部短片。但最后，他们还是提起了这个话题，乔布斯静静地坐着，满脸疑虑。如果同意这个项目，他就得再从自己腰包里掏出近30万美元。过了一会儿，乔布斯问他们是否已有了故事板。卡特穆尔带他来到动画办公室，拉塞特立即开始了自己的表演——展示故事板，自己配音，尽情地展现对自己产品的激情，乔布斯被感染了。故事是关于拉塞特的心爱之物，经典玩具。故事以一个单人乐队玩具小锡兵（Tinny）的视角展开，它遇见了一个让自己又爱又怕的人类小宝宝。逃到沙发下后，小锡兵发现其他玩具也被吓坏了躲进这里。但是，当小宝宝撞到头后，小锡兵又爬出来哄他开心。

乔布斯表示自己会提供资金。“我看好约翰在做的东西，”他后来说道，“那是艺术，是他关心的东西，也是我关心的东西。我总是同意他的计划。”看完拉塞特的单人表演展示后，乔布斯只说了一句话，“我只要求一件事，约翰，把它做好。”

《锡铁小兵》(*Tin Toy*) 赢得了1988年奥斯卡最佳动画短片奖，这是首部获此殊荣的电脑制作动画短片。为了庆祝，乔布斯带着拉塞特和整个制作团队来到绿地餐厅——旧金山一家素食馆。拉塞特抓起放在桌子中央的小金人，举得高高的，向乔布斯敬酒道：“你所有的要求，便是要我们做一部伟大的电影。”

迪士尼的新团队——CEO迈克尔·艾斯纳，电影部门主管杰弗里·卡曾伯格 (Jeffrey Katzenberg)——开始要求拉塞特重回迪士尼。他们喜欢《锡铁小兵》，认为这种动画故事——让玩具拥有生命和人类的感情——还有很大的发挥余地。但是，拉塞特感激乔布斯对自己的信任，认为皮克斯才是自己能够创作电脑动画的唯一地方。他告诉卡特穆尔，“我可以去迪士尼，在那儿做个总监；或者留在这儿，谱写历史。”于是，迪士尼反过来开始接触皮克斯，希望签署制作协议。“无论是从讲故事还是从技术运用的层面上来看，拉塞特的动画短片真的令人叹为观止，”卡曾伯格回忆说，“我非常努力想让他回到迪士尼，但是他忠于史蒂夫和皮克斯。如果你打不过对方，那么就加入他们。我们决定找出能够加入皮克斯的方法，让他们为迪士尼制作关于玩具的电影。”

至此，乔布斯已经在皮克斯投入了近5 000万美元，占其离开苹果时所拿到钱的一半以上，而NeXT公司当时还在亏钱。对此，他非常精明实际。1991年，乔布斯强迫皮克斯所有员工放弃期权，作为交换，他会再投入一笔私人资金。不过，对于艺术和科技融合所能做出的成就，乔布斯却倾注了浪漫之爱。他曾认为，普通消费者会喜欢用皮克斯的软件来制作3D图形，但现实并非如此。不过替代的是他直觉上的先见之明，那就是自1937年迪士尼公司拍出《白雪公主》后，再没有比让艺术和数字技术相融合能给动画电影带来更大变革的了。

乔布斯表示，回首过去，如果自己能知道得更多，就会更早地专注于动画，而不会费心去推动皮克斯的硬件和软件应用。但另一方面，如果乔布斯早就知道硬件和软件都不会赢利，那么他也不会接手皮克斯。“命运似乎诱骗我去做这件事，而这也许是为了把它做得更好。”

第二十章

A Regular Guy

Love is just a four-letter word

凡人

爱就那么回事

Courtesy of Steve Jobs

1991年，与劳伦·鲍威尔

琼·贝兹

1982年乔布斯还在开发麦金塔时，通过一个为监狱募捐电脑的慈善基金负责人米米·法里纳（Mimi Fariña）认识了她姐姐——著名的民谣歌手琼·贝兹。几星期后，他和贝兹在库比蒂诺共进午餐。“我本来并没期望太高，结果她却那么机智风趣。”他回忆道。当时，他和芭芭拉·亚辛斯基的恋情正接近尾声。亚辛斯基是个有着波利尼西亚和波兰血统的美女，曾为里吉斯·麦肯纳工作。他们曾经一起去夏威夷度假，一起在圣克鲁兹山生活，甚至一起去过贝兹的演唱会。当乔布斯与亚辛斯基激情退去，他对贝兹日渐认真起来。他当时27岁而贝兹41岁，但他们的恋情持续了几年时间。“两个人偶然相遇，从朋友发展为情人，认真地谈了一场恋爱。”乔布斯不无伤感地回忆道。

伊丽莎白·霍姆斯是乔布斯在里德学院时的好朋友，她认为乔布斯跟贝兹交往的原因之一——除了她美丽风趣、天生丽质之外——是她曾经是鲍勃·迪伦的情人。“史蒂夫喜欢这种与迪伦的关联。”她后来说。贝兹和迪伦在20世纪60年代初曾经相恋，后来他们作为朋友一起演出，包括1975年的滚雷巡演（Rolling Thunder Revue）。（乔布斯还有这些演唱会上非法录制的唱片。）

结识乔布斯时，贝兹已经有了一个14岁的儿子加布里埃尔，是她与前夫反战活动家戴维·哈里斯（David Harris）所生。午餐中她告诉乔布斯，她正在教加布如何打字。“你是说在打字机上打字？”乔布斯问。她说是，他跟着说：“可是打字机都老掉牙了。”

“打字机老掉牙了，那么我呢？”她问道。一阵尴尬的沉默。贝兹后来告诉我：“当我说出那句话时，就意识到答案是那么显而易见。这个问题就那样悬在空中。我感到恐惧。”

令麦金塔团队大吃一惊的是，有一天乔布斯带着贝兹冲进办公室，向她展示麦金塔的样机。他对保密问题是那么在意，却会把这台计算机曝光给一个局外人，这令他们目瞪口呆，但更令他们意外的是这个人居然是琼·贝兹。他送给加布一台Apple II电脑，后来又送给贝兹一台麦金塔。乔布斯会去贝兹家显摆他喜欢的那些特色功能。“他很和善很耐心，但他的知识太高深了，要教会我不太容易。”她回忆说。

他是突然暴富的千万富翁，她是个世界名人但活得脚踏实地，也没那么有钱。那时她看不懂他，30年之后再谈起他时，她仍然觉得他让人迷惑不解。在他们恋爱初期一次晚餐时，乔布斯谈起拉尔夫·劳伦（Ralph Lauren）和他的马球服装店，她承认她从未去过。“那儿有一件漂亮的红裙子，会非常适合你。”他说，然后开车带她直奔斯坦福购物中心（Stanford Mall）里的专卖店。贝兹回忆：“我对自己说，这简直太棒了，我跟着世界上最有钱的男人，他想让我拥有一条漂亮的裙子。”到了专卖店，乔布斯给自己买了一大堆衬衫，让她看那条红裙子，说她穿上会棒极了。她赞同。“你应该买下它。”他说。她有一点点惊讶，告诉他她买不起。他没说什么，然后他们就离开了。“难道你不觉得，如果一个人像那样说了一整晚，就一定是去给你买的吗？”她问我，看起来对这件事真的很迷惑不解。“红裙子的秘密交给你来解读吧。我是觉得有一点儿奇怪。”他会送给她计算机，却不送裙子；当他送花给她时，一定会说那是办公室里什么活动剩下的。“他既浪漫，又害怕浪漫。”她说。

在NeXT计算机的开发阶段，乔布斯到贝兹在伍德赛德的家，向她展示NeXT强大的音乐功能。“他让它演奏了一曲勃拉姆斯的四重奏，然后告诉我，电脑最终会比人演奏得更好听，甚至连意境和节奏都会更好。”贝兹回忆说，她非常排斥这种想法，“他越说越兴奋，我却越听越愤怒，我在想：你怎么能这么亵渎音乐？”

乔布斯会跟黛比 · 科尔曼和乔安娜 · 霍夫曼吐露他跟贝兹的关系，他对是否可以跟她结婚这个问题有些烦心：她已经有了个十几岁的儿子，可能已经过了想再要更多孩子的阶段。“有时候他会说她只是个事件歌手，而非迪伦那样是真正的‘政治’歌手。”霍夫曼说，“她是个个性很强的女人，而他想表现出是他在控制局面。再加上，他总是说他想生儿育女，他知道跟她是不会有的。”

就这样，过了大约 3 年，他们终止了恋情，慢慢变成了朋友。“我以为我爱她，但其实我只是非常喜欢她，”他后来说，“我们是注定无法在一起的。我想要孩子，她不想再要了。”贝兹在 1989 年的回忆录中，谈到了她跟丈夫的分手，以及为什么她没有再婚：“我属于自己，所以从那时起我就一直一个人，偶尔有些小插曲，也大多像是野餐而已。”在该书结尾的致谢辞中，她写了这样一段温馨的话：“感谢史蒂夫 · 乔布斯，为了迫使我使用文字处理器，硬是在我家厨房里放了一台。”

寻找乔安妮和莫娜

乔布斯的母亲克拉拉是一个吸烟者。他 31 岁时，也就是在他离开苹果公司一年之后，母亲患上了肺癌。在她弥留之际，他陪在她的病床边，用以往少有的方式跟她聊天，问了一些一直压在心底的问题。“跟爸爸结婚的时候，你是处女吗？”他问道。她虽然难以启齿，却还是努力地给了他一个微笑。她这才告诉他，之前她结过婚，她的前夫上了战场就再没回来。她还透露了一些她和保罗·乔布斯如何领养他的细节。

大概就是在那个时候，乔布斯找到了他生母的下落。从20世纪80年代初开始，他就聘用了一个侦探，开始悄悄地寻找他的生母，但什么线索都没有找到。后来乔布斯注意到他出生证上一个旧金山医生的名字。“他的姓名在电话簿上可以查到，所以我给他打了个电话。”乔布斯回忆说。那个医生没帮上忙。他声称他的记录在一场火灾中全部烧毁了。不过那不是真的。事实上，就在接到乔布斯的电话后，这个医生写了一封信，装在信封里封好，上面写着“我死后交给史蒂夫·乔布斯”。不久后他就去世了，他的遗孀把这封信寄给了乔布斯。信中，医生说他的母亲是来自威斯康星州一个未婚的研究生，名字叫乔安妮·席贝尔。

乔布斯聘请了另一位侦探，几个月后找到了她的下落。在把乔布斯送人后，乔安妮还是嫁给了乔布斯的生父“约翰”阿卜杜勒法塔赫·钱德里，他们后来又生了一个孩子，叫莫娜。钱德里5年后抛弃了她们，乔安妮又嫁给了一个滑冰教练乔治·辛普森（George Simpson）。那场婚姻也没能长久，1970年她开始带着莫娜四处流浪（她们俩现在都用的是辛普森的姓），后来到了洛杉矶。

乔布斯一直犹豫要不要让保罗和克拉拉——他心目中“真正的”父母——知道他在寻找自己的生母。他担心他们不高兴，这种敏感对他来说实属少见，从中也可以看出他对养父母的感情之深。所以直到1986年初克拉拉·乔布斯去世，他才与乔安妮·辛普森取得联系。“我绝不希望让他们感觉我不把他们当成父母，因为他们彻头彻尾就是我的父母。”他回忆说，“我是那么爱他们，因此我不想让他们知道我在寻找生母，甚至当有记者发现真相时我也会让那些人守口如瓶。”克拉拉去世后，他决定告诉保罗·乔布斯。他父亲觉得完全可以接受，并说不介意史蒂夫跟他的生母取得联系。

这样，史蒂夫某天给乔安妮·辛普森打了电话，说了自己是谁，并安排去洛杉矶跟她见面。后来他说这主要是出于好奇心：“我相信环境比遗传对你的影响更大，但你还是会对你的血缘有点儿好奇。”他还想安慰乔安妮，她当初把他送给别人领养是没问题的。“我想见我的生母，主要是为了看看她过得好不好，我还要感谢她，因为我很高兴我没有被堕胎。她当时23岁，为了把我生下来她承受了很多。”

当乔布斯来到她在洛杉矶的家时，乔安妮激动不已。她知道他很出名很富有，但她不太清楚是因为什么。她的感情顿时奔涌而出。她说她当时承受了很大压力才在他的领养文件上签字，而且她是在被告知他会在新的父母家非常幸福才签字的。她一直很想念他，并为她所做的事情感到痛苦。她反反复复地道歉，即使乔布斯一直安慰她说他能够理解，而且事情的结果还好。

平静下来后，她告诉乔布斯他有个同父同母的亲妹妹，莫娜·辛普森，现在在曼哈顿，是个雄心勃勃的小说家。以前她从未告诉过莫娜她有个哥哥，就在那天她打电话公布了这个消息——或至少是一部分信息。“你有个哥哥，他很棒，很有名，我要带他来纽约见你。”她说。莫娜当时正在写一部小说的结尾，是关于她母亲以及她们如何从威斯康星州游历到洛杉矶的经历，书名叫《在别处》。读过这本书的人不会惊讶，乔安妮向莫娜说起自己长子的方式有点儿怪异。她不肯说他是谁，只是说他曾经很穷，现在有钱了，很好看也很有名，有长长的深色头发，住在加利福尼亚。莫娜当时在《巴黎评论》（*The Paris Review*）工作，那是乔治·普林顿（George Plimpton）主办的文学期刊，办公室在他位于曼哈顿东河附近别墅的一层。莫娜和同事们开始猜她哥哥是谁。约翰·特拉沃尔塔（John Travolta）？那是大家认为最可能的一个谜底。他们还猜到了其他演员。其间某个人说了句“也许是苹果公司那几个创始人之一呢”，但是没人想得起他们的名字。

他们的会面安排在瑞吉酒店（St. Regis Hotel）的大堂。乔安妮·辛普森把莫娜介绍给乔布斯，结果居然真的是苹果的创始人。“他非常直率可爱，就是个普通的、和善的人。”莫娜回忆道。他们一起坐在大堂聊了一会儿，然后他带着妹妹一起出去散步，就他们两个人。乔布斯兴奋地发现有个跟自己这么像的亲妹妹。他们都对自己的艺术非常执著，对周围环境善于观察，敏感而又倔犟。当他们共进晚餐时，他们会注意到相同的建筑细节或有趣的事物，之后会兴奋地谈论。“我妹妹是个作家！”他喜形于色地告诉苹果的同事们。

1986年底，普林顿为《在别处》举行庆祝会时，乔布斯专程飞到纽约陪同莫娜出席。他们的关系越来越亲密，尽管当中也有磕磕绊绊，这也在所难免——想想他们都那么有个性，又是在这样的情况下才得以团聚。“一开始莫娜对我的出现并不是很兴奋，尤其她妈妈在感情上又对我那么投入，”乔布斯后来说，“但随着我们渐渐相互了解，我们就成了很好的朋友，而且她是我的亲人。我不知道没有她我该怎么办。我难以想象会有比她更好的妹妹。我那个同样是领养的妹妹帕蒂跟我从不亲密。”莫娜同样对他的感情也越来越深，有时还会非常护着他，虽然她后来写了本关于他的小说《凡人》（*A Regular Guy*），其中描述了他的各种怪癖，让人看了很不舒服，但很准确。

会引起他们争论的事情之一，就是她的着装。莫娜穿得像一个生活困顿的小说家，而他会怪她衣着不够迷人。有一次他的评论实在惹恼了她，她给他写信说：“我是个年轻作家，这是我的生活，我没想当模特。”他没有回信。但没过多久，从三宅一生的时装店寄来一箱衣服，这位设计师因其简洁风格和科技元素而成为乔布斯的最爱之一。“他会去为我买衣服，”她后来说，“他能选出非常棒的，正好是我的尺码，颜色也很适合我。”有一套裤装他特别喜欢，包裹里居然有三套完全一样的。“我还记得我寄给莫娜的第一箱衣服，”乔布斯说，“是些淡灰绿色的亚麻裤子和上装，很衬她的红头发。”

失散的父亲

当时，莫娜 · 辛普森一直在努力寻找他们的父亲，他在她五岁的时候就离开了。通过曼哈顿两位知名作家肯 · 奥莱塔和尼克 · 派勒吉（Nick Pileggi），她结识了一位退休后开侦探所的前纽约警察。“我把当时仅有的一点儿钱都给他了。”辛普森回忆说，可是并没有找到她父亲。后来她在加利福尼亚遇到另一位私家侦探，通过机动车管理局搜索到了阿卜杜勒法塔赫 · 钱德里在萨克拉门托的一个地址。辛普森通知了哥哥，然后从纽约飞过去找他，显然，那是她的父亲。

乔布斯对见他丝毫不感兴趣。“他没有善待我，”他后来解释，“我并不是对他有意见——我很高兴我活下来了。最让我不满的是他对莫娜不好。他抛弃了她。”乔布斯自己也抛弃了私生女丽萨，当时还正在试图恢复父女之间的关系，但这并没有减轻他对钱德里的反感。辛普森一个人去了萨克拉门托。

“当时非常紧张。”辛普森回忆道。她发现父亲在一家小餐馆工作。他见到她似乎很高兴，但是对整个局面都表现得很被动。他们聊了几个小时，他讲述了离开威斯康星之后，他如何从教书转到了餐饮生意。他的第二次婚姻很短暂，之后又跟一个有钱的年长些的女人有过一段长一些的婚姻，但再没有过孩子。

乔布斯之前告诉辛普森不要提起他，所以她只字未提。但是她父亲不经意地提到，在她之前，他和她母亲还曾经有过一个男孩。“他怎么样了？”她问。他答道：“我们再也没见过那个孩子。他不在了。”辛普森犹豫了一下，没说什么。

接下来还有更惊人的。钱德里描述他曾经经营过的餐馆，强调说曾经有些很不错，比现在萨克拉门托的这个要漂亮。他有点儿激动地说，真希望她能看到他在圣何塞北部经营的那个地中海餐厅。“那个地方真棒，”他说，“所有科技界的成功人士都会去那儿，甚至包括史蒂夫 · 乔布斯。”辛普森惊呆了。“是真的，他来过，而且他很友善，小费给得很多。”她爸爸接着说。莫娜强忍着没有脱口而出——史蒂夫 · 乔布斯是你儿子！

跟父亲告别后，她偷偷用餐馆的付费电话打给她哥哥，安排在伯克利的罗马咖啡厅（Expresso Roma）见面。像是还嫌这个家庭的故事不够丰富多彩，他居然把丽萨也带来了。丽萨已经上小学了，跟她妈妈克里斯安生活在一起。他们到咖啡厅时，已经快晚上 10 点了，辛普森把故事一股脑儿地讲了出来。当她提到圣何塞附近那家餐厅时，可想而知乔布斯大吃一惊。他还记得去过那儿甚至还见到了他的生父。“这真是神奇，”他后来谈道，“我去过那家餐厅几次，而且我记得见到了老板。他是叙利亚人。我们还握过手。”

尽管如此，乔布斯还是不想见他。“那时我已经很富有了，我不敢肯定他会不会来敲诈我或是去跟媒体说什么，”他回忆道，“我让莫娜别跟他谈起我。”

莫娜 · 辛普森从没提过，但是多年以后钱德里在网上看到有人谈到他和乔布斯的关系。（一个博客注意到，辛普森在一本书里把钱德里列为她父亲，据此猜到他一定也是乔布斯的父亲。）当时钱德里已经第四次结婚，在内华达州雷诺市西部的布姆顿俱乐部酒店（Boomtown Resort and Casino）担任餐饮经理。2006 年，他带着新任太太罗希利去看望辛普森时，提起了这个话题。“史蒂夫 · 乔布斯是怎么回事？”他问道。她证实了这个传闻，但补充说她觉得乔布斯没有兴趣见他。钱德里看似接受了这一切。“我的父亲很能体谅人，他讲起故事来是把好手，但他也是个特别特别被动的人，”辛普森说，“他再也没提起这件事。他也从未联络过史蒂夫。”

辛普森用她寻找钱德里的故事作为第二本小说的蓝本，名为《失散的父亲》（*The Lost Father*），1992年出版。（乔布斯说服NeXT标识的设计师保罗·兰德为这本书设计封面，可是按照辛普森的说法，“简直糟透了，我们根本没用它。”）她还找到了在美国和在叙利亚霍姆斯的多名钱德里家族成员的下落，并于2011年开始写一部关于她叙利亚家族起源的小说。驻华盛顿的叙利亚大使为她举行了一次晚宴，她住在佛罗里达的堂兄夫妇也专程飞来参加。

辛普森以为乔布斯迟早会去见钱德里，但是随着时间的推移，他却越发对此不感兴趣。2010年，乔布斯和儿子里德来辛普森在洛杉矶的家里参加她的生日晚宴，里德还花了些时间看他亲生祖父的照片，但是乔布斯却视而不见。他似乎也不在乎自己的叙利亚血统。每当中东问题在谈话中出现，这个话题好像他既不感兴趣也不会如往常一样提出很鲜明的看法，即使叙利亚在2011年阿拉伯之春运动中受到波及，他的态度也没什么两样。当我问他，奥巴马政府是否应该在埃及、利比亚和叙利亚进行更多干预时，他说，“我觉得没有人真正知道我们到底该在那里做些什么，你干预也是完蛋，不干预也是完蛋。”

另一方面，乔布斯跟他的生母乔安妮·辛普森却保持着友好的关系。多年来，她和莫娜常常飞过来，在乔布斯家过圣诞节。那些时刻很温馨，但也很耗感情。乔安妮常常会流泪，反复诉说她是多么爱他，很抱歉当初放弃他。乔布斯会安慰她说没关系。有一个圣诞节他曾跟她说，“别担心，我的童年很棒。我好好地长大了。”

丽萨

丽萨·布伦南（Lisa Brennan）的童年就没有那么棒了。她小时候，父亲几乎从不来看她。“我不希望做父亲，所以我就不做。”乔布斯后来说，语气中只有一点点自责。然而有时候他也能感觉到这种牵挂。丽萨3岁时的一天，乔布斯开车路过他给她和克里斯安买的房子时，决定停下来看一看。丽萨还不知道他是谁。他坐在门前的台阶上跟克里斯安聊天，没敢进屋去。这样的场景每年会出现一两次。乔布斯会突然跑来，简单讨论一下丽萨要上的学校或其他事情，然后就开着他的奔驰车离开。

但到了丽萨 8 岁的时候，也就是 1986 年，他来得更加频繁。他已经从开发麦金塔的巨大压力和后来跟斯卡利的权力之争中解脱出来。他当时在NeXT，环境更为平静友善，公司总部在帕洛奥图，离克里斯安和丽萨的住处很近。再加上，到了三四年级就可以看出，丽萨是个聪明又有艺术天赋的孩子，她的写作能力已经得到老师的特别关注了。她充满勇气，活力十足，还有一点儿她爸爸的叛逆气质。她看起来也有点儿像他，弯弯的眉毛，略带中东味道的棱角。有一天，出乎同事们的意料，他把她带到了办公室。她在走廊里侧手翻，还尖叫着，"快看我呀！"

阿维 · 泰瓦尼安（Avie Tevanian）是NeXT的一名工程师，瘦高个儿，爱交际，后来成了乔布斯的朋友。他回忆说，时不时地，他们一起出去吃饭时，就会在克里斯安家停一下，接上丽萨。"他对她特别和蔼，"泰瓦尼安回忆说，"他是素食者，克里斯安也是，但丽萨不是。他对此也没意见。他建议她点鸡肉，她就照做。"

吃鸡肉成了丽萨在父母之间穿梭时的一个小小放纵，她的父母都是素食者，而且对自然食品都有精神崇拜。"我们去那些满是酵母味的商店买菜，买菊苣、藜麦、块根芹、外面包裹角豆粉的坚果。那些地方的女人都不染头发的。"她后来写道，"但我们有时候会吃外国大餐。有几次我们去一个美食店买热气腾腾的烤鸡，一卷一卷的鸡肉在烤叉上转着，烤鸡装在衬着锡箔的纸袋里，我们就坐在车里用手拿着吃。"她父亲对饮食习惯有着近乎狂热的执著，对自己吃什么更是吹毛求疵。有天她亲眼目睹了他知道汤里有黄油之后，把一大口汤吐了出来。在苹果的一段时间，他在饮食方面的要求有所放松，后来就又成了一个严格的素食者。还在很小的年纪，丽萨就开始意识到他的饮食癖好反映了一种人生哲学：苦行和极简将会让人更加敏锐。"他相信匮乏即是富足，自律产生喜悦，"她说，"他知道一个大多数人不知道的道理：物极必反。"

同理，父亲的疏离和冷漠也使得他偶尔的慈爱愈发显得可贵。"我不跟他一起生活，但他有时候会来我家，就像神那样在我们中间待上一会儿或几小时。"

她回忆道。丽萨很快就变得很有趣了，他会跟她一起散步。他也会跟她一起在帕洛奥图老城安静的街道上滑轮滑，常常会在乔安娜 · 霍夫曼和安迪 · 赫茨菲尔德家停一下。他第一次带她去见霍夫曼时，就直接敲开门宣布，“这是丽萨。”霍夫曼顿时明白了。“很显然那是他女儿，”她告诉我，“没人会有那样的下巴。那是个标志性的下巴。”霍夫曼小时候因父母离异，直到 10 岁才知道父亲是谁，那是段痛苦的成长经历，因此她鼓励乔布斯努力做一个好父亲。乔布斯听从了她的建议，后来还为此而感激她。

有一次他出差去东京时带上了丽萨，他们住在时尚兼具商务风格的大仓酒店（Okura Hotel）。一楼有间雅致的寿司餐吧，乔布斯要了大盘大盘的鳗鱼寿司，他非常喜欢，甚至破了一下荤戒。寿司上包裹着精盐或薄薄的甜酱，丽萨还记得那种入口即化的感觉。他们父女之间的距离也随之融化了。后来她写道：“那是第一次，我跟他在一起，面对一盘盘的肉食，感觉那么放松和满足；冷沙拉后那种丰盛、纵容和温暖的感受，意味着曾经封闭的空间被打开了。他一个人时没那么严肃了，在那大大的屋顶下坐在小小的椅子上，跟那些肉食，跟我在一起，从神变成了人。”

然而，事情并非总是那么甜蜜轻松。乔布斯对丽萨跟对其他几乎所有人一样善变。拥抱和冷落总是在循环上演。这次他可能玩得很高兴，下次他就可能很冷漠或根本不用心。“她对他们的关系总是不敢肯定，”赫茨菲尔德说，“有一次我去参加她的生日会，史蒂夫该来的，可是他来得特别特别晚。丽萨极度焦虑和失望。但是他最终出现时，她一下子就好起来了。”

反过来，丽萨也学会了耍脾气。这些年来，他们的关系就像是坐过山车，每次的低点都因他们共有的固执而延长。每次闹翻后，他们可以好几个月不讲话。两个人都不擅长主动道歉，或是作出和好的努力——即使是他在反复跟健康问题作斗争的时候也是如此。2010 年秋季的一天，他伤感地跟我一起翻看一箱老照片，看到丽萨小时候他去看她时拍的一张照片。“也许我那时去看她的次数太少了。”他说。这一年他都还没有跟她说过话，我问他是否想给她打个电话或发个邮件。他茫然地盯着我看了一会儿，就低下头继续翻别的老照片去了。

罗曼史

关于女人，乔布斯可以是非常浪漫的。他会戏剧性地坠入爱河，跟朋友们分享恋爱中的每一次起伏，也在分手后公开展现他的失落。1983 年夏天，他跟琼 · 贝兹去硅谷参加一个小型的晚餐聚会，身边坐了一个宾夕法尼亚大学的本科生，名字叫珍妮弗 · 伊根（Jennifer Egan），而那个女孩还不太清楚他是谁。当时乔布斯和贝兹已经意识到他们不会永远在一起永远年轻了，而乔布斯发现自己被伊根迷住了。伊根当时在旧金山一家周刊作暑期实习。他找到她，给她打电话，带她去杰奎琳咖啡厅（Café Jacqueline），那是电报山附近一家以素食舒芙蕾为特色的小餐馆。

他们约会了一年，乔布斯常常飞来东部看她。一次在波士顿的Macworld大会上，他告诉一大群观众自己是如何深陷爱河，必须搭航班赶去费城看望他的女朋友。观众也为之动容。他到纽约时，她也会坐火车赶去纽约，跟他住在卡莱尔酒店或杰伊 · 恰特的上东区公寓，他们会在卢森堡咖啡厅（Café Luxembourg）吃饭，并曾几次去看他在圣雷莫那套打算重新装修的公寓，还会去看电影甚至是歌剧。

很多个夜晚，他和伊根会煲几个小时的电话粥。他们争执不休的话题之一是他源于佛教修行的一个信条：要避免对物质的执著。他告诉伊根，我们的消费欲望是不健康的，要过一种不执著、非物质的生活以达到觉醒。他甚至寄给她一盘他的师父乙川弘文的录像带，是讲由于对物质的执著追求引发的问题。伊根反驳说，他在制造电脑和其他让人们着迷的产品，这难道不是跟他推崇的哲学背道而驰吗？“他为这种矛盾而困扰，我们因此常常激烈地辩论。”伊根回忆说。

最后，乔布斯对自己产品的骄傲战胜了人们不该迷恋这种东西的想法。1984 年 1 月，麦金塔问世时，伊根正住在她母亲在旧金山的公寓过寒假。一夜成名的史蒂夫 · 乔布斯有一天突然出现在门口，震惊了伊根母亲的晚餐客人。他搬了一台尚未拆箱的麦金塔，径直走到伊根的卧室去安装。

如他告诉少数几个朋友的那样，乔布斯也告诉伊根，他预计自己不会很长寿。他说正因如此，他才会那么马不停蹄，那么缺乏耐心。“对他想要做成的事情，他觉得迫切需要尽快去做。”伊根后来说。到 1984 年秋季，他们的关系逐渐转淡，伊根明确表示她现在太年轻了，谈婚论嫁还为时过早。

此后不久，即乔布斯跟斯卡利在苹果的矛盾于 1985 年初开始形成的时候，有一天他赶去开会，顺便去找一个跟苹果基金会合作、帮助非营利组织募捐电脑的人。那人的办公室里坐着一个柔美的金发女子，结合了自然纯净的嬉皮士气质和计算机咨询师的扎实敏锐。她的名字叫蒂娜 · 莱德斯，为人民电脑公司工作。“她是我见过的最美的女人。”乔布斯回忆说。

第二天他给她打电话，约她吃晚饭。她拒绝了，说她在跟男朋友一起生活。几天后，他同她在附近的公园散步，再次约她出去，这次她告诉她男朋友，她想去了。她非常诚实坦率。晚饭后，她哭了起来，因为她知道她的人生就此会被打乱了。事实的确如此。没过几个月，她就搬进了乔布斯在伍德赛德那座没装修的大房子。“她是我真正爱的第一个人，”乔布斯后来说，“我们是那么心意相通。我不知道谁还能比她更理解我。”

莱德斯来自一个问题家庭，乔布斯跟她分享自己被领养的痛苦。“我们都在童年受到伤害，”莱德斯回忆说，“他对我说，我们都生错了地方，正因如此我们才属于对方。”他们充满激情，也喜欢公开表现他们的感情；他们在 NeXT 大堂亲热的场景，很多雇员都记忆犹新。他们吵架也同样公开，在电影院，在伍德赛德的访客面前，都曾发生过。然而他常常称赞她的纯洁和自然。他还赋予她各种各样的精神特质。我们后来讨论乔布斯对超凡脱俗的莱德斯的痴迷时，就像直言不讳的乔安娜 · 霍夫曼所说的那样，“乔布斯会把柔弱和多愁善感当做一种气质。”

当乔布斯 1985 年被排挤出苹果时，莱德斯跟他去欧洲旅行，陪他在那里疗伤。某晚，在塞纳河的一座桥上，他们浪漫多于严肃地争论着一个想法：留在法国，也许永久地定居在那儿。莱德斯很渴望那样，但是乔布斯不想。他很受挫但依然野心勃勃。“我做的正是我想做的。”他告诉她。他们后来分开了，却一直保持着精神交流，25 年之后，她在给他的一封令人心酸的邮件中追忆了在巴黎的那一幕。

> 1985年夏，我们在巴黎的一座桥上。阴天。我们倚在光滑的石栏上，看着绿色的水从桥下流过。你的世界破裂了，停滞了，等着你选择方向再重新安排。我想逃离过去遇到的一切。我试图说服你跟我一起在巴黎开始新的生活，抛下我们过去的自我，体验别样的人生。我希望我们可以穿越你那破碎的世界黑暗的深渊，走出来，隐姓埋名，重新开始，过简单的生活，我为你做晚餐，我们可以每天厮守，就像孩子玩一个美妙的游戏，没有任何目的，只为了游戏本身的快乐。我多希望你能先想一想再大笑着说，"我能干什么呢？我已经把自己搞得没人敢用了。"我多希望在我们被冷酷的未来俘虏之前，在那一刻的犹豫不决中，我们选择了一直过那种简单的生活直到我们平静的晚年，在法国南部的一个农场，儿孙绕膝，尽享天伦，日子像新鲜出炉的面包那么温暖充实，我们小小的世界里弥漫着耐心和熟悉的芳香。

这段恋情起起伏伏持续了5年。莱德斯讨厌住在他简陋的伍德赛德房子里。乔布斯聘请了一对曾在潘尼斯之家餐厅（Chez Panisse）工作的时髦的年轻夫妇担任管家和素食厨师，而他们让她感觉自己像个外人。她有时会搬出来到她自己在帕洛奥图的公寓居住，尤其是在她跟乔布斯的一次大吵之后。她曾在通向他们卧室的走廊墙壁上写道："忽视是一种虐待。"她为他着迷，可是也因为缺少他的关心而困扰。她后来回忆，爱上一个如此以自我为中心的人，那种痛苦令人难以置信。深深地关心一个似乎没有能力关心别人的人，那是某种地狱般的感觉，她不愿任何人去体验。

他们的不同体现在很多方面。"在从残忍到仁慈的坐标轴上，他们分别接近相反的两极。"赫茨菲尔德后来说。莱德斯的仁慈体现在从大到小很多方面：她总是给街上的流浪汉钱，她做义工去帮助那些（像她爸爸一样）患精神疾病的人，她努力让丽萨甚至克里斯安跟她在一起都感觉很舒服。她比其他任何人都更多地说服乔布斯要多陪伴丽萨。但是她没有乔布斯那样的野心或进取心。这种让她在乔布斯眼里与众不同的不食人间烟火的特质，也使他们很难保持在同一频段上。"他们的关系充满了风暴，"赫茨菲尔德说，"由于他们的个性，他们会有很多很多争吵。"

他们还有一个哲学层面的根本分歧，莱德斯认为审美品位是个人的事情，而乔布斯认为有一个理想的统一的美的标准，人们应该被教育。她说他受包豪斯运动的影响太大。“史蒂夫认为我们应该对大家进行美学教育，告诉人们他们应该喜欢什么，”她回忆说，“我不认同这种想法。我认为如果我们认真地倾听，无论对自己还是对其他人，就可以让我们内心深处真实的东西浮现出来。”

如果他们长时间在一起，就相处不好。但当他们分开后，乔布斯又会对她思念不已。最终，1989 年的夏天，他向她求婚。而她无法接受。她告诉朋友，那会让她发疯的。她在一个不和睦的家庭长大，而她与乔布斯的关系却与之表现出太多的相似。他们是异质相吸，她说，但是这种组合太易燃了。“对于史蒂夫 · 乔布斯这样一个标志性人物，我不会是个好妻子，”她后来解释说，“我可能经常会搞砸。在我们相处时，我受不了他的不仁慈。我不想伤害他，但我也不想站在一边看着他伤害别人。那很痛苦，很累。”

他们分手后，莱德斯帮助建立了OpenMind网站，这是加利福尼亚一个精神健康资源网络。她碰巧读到了一本关于“自恋人格障碍”的精神病学手册，发现乔布斯完全符合其中的描述。“简直太符合了，充分解释了我们曾经面临的难题，这让我认识到，期待他更友善或别那么以自我为中心，就像期待一个盲人可以看见世界一样。”她说，“这也解释了当时他对他女儿丽萨的一些做法。我想问题出在怜悯心上——他缺失了怜悯的能力。”

莱德斯后来结婚了，有了两个孩子，然后离婚了。一直以来，乔布斯都会时不时地公开表达对她的思念，即使是在他幸福地结婚之后。当他开始跟癌症斗争之后，她又跟他恢复了联络，给他支持。每当她回忆起他们的相恋，都会很动情。“虽然我们的价值观有冲突，让我们没办法像曾经希望的那样在一起，”她告诉我，“可我几十年前对他的关心和爱却一直持续下来。”同样，一个下午，乔布斯在他的起居室里回忆起她时，突然哭了起来。“她是我见过的最纯洁的人，”他说着，泪水从他的脸颊滚落，“她身上有种灵魂的力量，我们之间精神相通。”他说他一直很遗憾他们没能走下去，他知道她也同样感到遗憾。但这是命中注定的。他们两人对此亦有共识。

劳伦 · 鲍威尔

根据乔布斯的恋爱史，做红娘的应该可以大概勾勒出适合乔布斯的女人了。聪明，而不自负。足够刚强能承受跟他在一起的压力，又足够超脱能免于争端。受过良好教育，独立，又愿意为他和家庭而作出改变。能适应现实，却又带着点儿超凡脱俗。足够世故知道怎么管理他，又有足够的安全感不用总是管着他。当然最好还是个漂亮苗条的金发美女，平易近人，有幽默感，喜欢有机素食。1989年10月，乔布斯跟蒂娜 · 莱德斯分手后，刚好有这样一个女人走进了他的生活。

更准确地说，是刚好有这样一个女人走进了他的课堂。乔布斯同意在斯坦福商学院的"高屋建瓴"系列讲座中讲一场。那是个周四的晚上。劳伦 · 鲍威尔是商学院的新研究生，她班里的一个同学拉她去听这个讲座。他们到晚了，所有的位子都满了，所以他们坐在过道上。后来有人过来说他们不能坐在那儿，鲍威尔就带着她的朋友径直走到第一排，坐在了两个预留座位上。乔布斯到场后，被引导到她旁边的座位。"我向右侧一看，一个美女坐在那儿，在我等着被介绍时我们就聊了起来。"乔布斯回忆道。他们调侃了几句，劳伦开玩笑说她坐在那儿是因为她中了彩票，奖品是他带她去吃晚饭。"他太可爱了。"她后来说。

演讲结束后，乔布斯在讲台边跟学生们聊天。他看到鲍威尔离开，然后又回来了，站在人群外围，后来又走了。他冲出去追她，商学院院长都没能抓住他说几句话。他在停车场追上她说，"不好意思，不是说你赢了彩票，我应该请你吃饭吗？"她大笑。"周六怎么样？"他问。她同意了，给他留了她的联系方式。乔布斯要开车去伍德赛德那边圣克鲁兹山的托马斯 · 福格蒂酒庄，出席NeXT教育销售团队的晚宴。走到一半，他突然转身回来了。"我想，哇，跟教育团队相比，我更愿意跟她一起吃饭，所以我跑回到她的车旁，问她今晚就一起吃饭怎么样。"她说好。那是一个美丽的秋夜，他们走到帕洛奥图的一家时髦的素食餐厅圣迈克尔巷（St. Michael's Alley），结果在那待了四个小时。"从那儿以后我们就一直在一起了。"他说。

阿维 · 泰瓦尼安坐在酒庄的餐厅，与NeXT教育销售团队的其他人一起等着乔布斯。"史蒂夫有时候是不靠谱，但是我跟他通话的时候，就意识到的确有什么特别的事情发生了。”他说。午夜之后，鲍威尔一到家，就给她最好的朋友、当时在伯克利读书的凯瑟琳（凯特）·史密斯[Kathryn（Kat）Smith]打电话，在她的答录机上留言说：“你不会相信我刚才碰上了什么事！你不会相信我遇到谁了！”史密斯第二天早上回电话，了解了事情的经过。“我们之前就知道史蒂夫，他是我们感兴趣的人，因为我们是商科学生。”她回忆说。

安迪·赫茨菲尔德等人后来推测，鲍威尔是有意安排了跟乔布斯的相遇。“劳伦人很好，但是她可能会算计，我想她一开始就锁定了他。”赫茨菲尔德说，“她的大学室友告诉我，劳伦收集有史蒂夫的杂志封面，发誓说她一定会遇到他。如果史蒂夫真的被算计了，可真够讽刺的。”但是劳伦后来坚持说不是那么回事。她去参加那个讲座只是因为她的朋友想去，而且她都有点儿搞不清要见的人长什么样。“我知道演讲人是史蒂夫·乔布斯，但我脑子里想的是比尔·盖茨，”她回忆说，“我把他们搞混了。那是1989年。他在NeXT工作，对我来说他还没什么大不了的。我热情不高，但是我的朋友想去，于是我们就去了。”

“我一生中真正爱过的只有两个女人，蒂娜和劳伦。”乔布斯后来说，“我原来以为我爱琼·贝兹，但我其实只是很喜欢她。我爱的，只有蒂娜和劳伦。”

劳伦·鲍威尔1963年出生在新泽西，很小就学会了自立。她父亲是海军陆战队的飞行员，是在圣安娜一次坠机事件中牺牲的英雄；他当时在引领一架受损的飞机着陆，两机相撞后，他坚持飞行避开居民区，而没有及时跳伞逃生。她母亲再次结婚，结果那个男人是个酒鬼和虐待狂。但她母亲觉得自己不能放弃这段婚姻，因为她没有经济来源养活一大家子人。有10年的时间，劳伦和她的3个兄弟只好忍受着家里的紧张气氛，循规蹈矩，自己解决问题。“我学会了一个很明确的道理：永远要自立。”她说，“我为此而骄傲。我跟金钱的关系是，它是实现自立的一种工具，但是它不是我这个人的一部分。”

从宾夕法尼亚大学毕业后，她在高盛做固定收益交易策略师，接触数目巨大的资金，为公司作自营交易。她的老板乔恩·科尔津（Jon Corzine）想说服她留在高盛，可她最终觉得这份工作没有启发性。“你可以变得真正成功，”她说，“但你只是在为资本的积聚作贡献。”因此3年后，她辞职去了意大利佛罗伦萨，在那里住了 8 个月，然后来到了斯坦福商学院。

他们在周四共进晚餐之后，她邀请乔布斯周六到她在帕洛奥图的公寓来。凯特 · 史密斯开车从伯克利赶来，装作是她的室友，这样就也能见到他了。她回忆说，他们的关系充满激情。“他们又是接吻又是亲热，”史密斯说，“他为她着迷。他会打电话问我，‘你看怎么样，她喜欢我吗？’我处在多么奇特的位置啊，这个偶像级人物居然会这样给我打电话。”

1989 年末的新年前夜，他们 3 个人一起去伯克利，到名厨爱丽丝 · 沃特斯（Alice Waters）开设的餐厅潘尼斯之家就餐。同行的还有乔布斯的女儿丽萨，当时她 11 岁了。晚餐上发生的某件事引起了乔布斯和鲍威尔的争吵。他们各自离去。鲍威尔留在凯特 · 史密斯的公寓过夜。第二天早上 9 点钟，有人敲门，史密斯打开门，乔布斯站在那儿，手中拿着他采的一束野花。“我能进来见见劳伦吗？”他说。她还在睡着，他走进卧室。几个小时过去了，史密斯等在客厅里，没法儿进去拿衣服。最后，她只好在睡衣外面披了件外套，去毕兹咖啡店（Peet's Coffee）买了些吃的。乔布斯直到午后才从卧室出来。“凯特，你能来一下吗？”他问。他们都聚到卧室里。“你知道，劳伦的爸爸已经去世了，劳伦的妈妈也不在这儿，既然你是她最好的朋友，我就来问你吧。”他说，“我想娶劳伦。你会祝福我们吗？”

史密斯趴到床上认真地想了想。“你愿意吗？”她问鲍威尔。她点头同意了。史密斯宣布，“好吧，你得到答案了。”

然而，这并不是一个肯定的回答。乔布斯有个特点，他会在一段时间对某件事特别专注，然后突然之间，又去关注其他事情。在工作上，他会在想做的时候专注于想做的事情，对其他事他就没反应了，全然不管其他人多么努力地想让他参与进来。在他的个人生活中，也是如此。有时他和鲍威尔会在公开场合尽情表现他们之间的感情，让在场的每个人都觉得尴尬，甚至包括凯特 · 史密斯和鲍威尔的妈妈。在伍德赛德那幢几乎没有任何家具的大宅里，清晨，他会放年轻善良的食人族乐队（Fine Young Cannibals）的《她让我疯狂》（*She Drives Me Crazy*）的音乐把鲍威尔叫醒。而其他时候，他又会对她视而不见。“史蒂夫会走两个极端，有时高度专注，好像她是宇宙的中心，而有时又表现出冷漠的距离感，专注在工作上。”史密斯说，“他有能力像激光那么专注，当他的光芒照耀在你身上，你会沐浴着他的关爱。而当他的光芒转移到其他关注点时，你就会感觉非常非常的黑暗。这让劳伦感到非常困惑。”

1990年的第一天，她接受了他的求婚，之后他有几个月都没再提这件事。最后，凯特·史密斯向他发难了。他们坐在帕洛奥图的一处沙箱边上。这到底是怎么回事？乔布斯回答说，他需要确切地感觉到劳伦可以受得了他过的这种生活以及他这种人。9月份，她等够了，搬走了。10月，他送给她一枚钻石订婚戒指，她又搬了回来。

12月，乔布斯带鲍威尔去他最喜欢的度假地，夏威夷的康娜度假村（Kona Village）。他第一次去那里还是9年前，当时他在苹果疲惫不堪，就让助理给他找一个能让他解脱的地方。第一眼看去，他并不喜欢那个地方——夏威夷大岛的海滩上散落着几栋茅草屋顶的小房子。那是个家庭式度假村，所有人集体进餐。但是没过几个小时，他就开始把那儿看成了天堂。那种简单和空灵的美打动了他，以后他总是尽可能地回来。他尤其享受12月跟鲍威尔一起在那儿度过的时光。他们的爱情终于瓜熟蒂落。圣诞节前夜，他再一次、更正式地宣布，他想跟她结婚。很快，另一个因素促成了这个决定。在夏威夷时，鲍威尔怀孕了。“我们确切地知道那是在哪里怀上的。”乔布斯后来大笑着说。

婚礼，1991年3月18日

鲍威尔的怀孕并没有彻底解决这件事。乔布斯又开始为结婚这个念头犹豫不决，虽然他在1990年的年初和年终都那么戏剧性地求婚。鲍威尔愤怒地从他家搬回了自己的公寓。有一段时间，他也感到郁闷，或者干脆置之不理。然后，他又想，也许他还在爱着蒂娜·莱德斯；他给她送玫瑰花，试图说服她回到他身边，也许甚至结婚。他不肯定他想要什么，他让一大群朋友甚至相交不深的人感到惊讶——他问他们，他应该怎么做。他会问，谁更漂亮，蒂娜还是劳伦？他们更喜欢谁？他应该跟谁结婚？在莫娜·辛普森的小说《凡人》里有一章就描写了这一段，书中的乔布斯“问了一百多个人，他们觉得谁更美”。但那是小说；事实上，可能不到一百个。

最终，他作了正确的选择。如莱德斯跟朋友们所说，如果她回到乔布斯身边，她肯定撑不下来，他们的婚姻也一样。虽然他会为他与莱德斯之间的灵魂相通而感到难舍难分，但是他跟鲍威尔的关系更稳固。他喜欢她，爱她，尊重她，而且跟她在一起觉得很舒服。他可能不会觉得她神秘，但她对他的生活来说是最合适的后盾。他曾交往过的很多女人，从克里斯安 · 布伦南开始，都有情感脆弱不稳定的特点，而鲍威尔没有。"他能跟劳伦安顿下来，真是太幸运了。她聪明，可以用智慧吸引他，可以包容他起伏多变的性格。"乔安娜 · 霍夫曼说，"因为她不多愁善感，史蒂夫可能会觉得她没有蒂娜神秘或怎样。但那很愚蠢。"安迪 · 赫茨菲尔德也有同感，"劳伦看起来跟蒂娜有很多相似之处，其实完全不同，因为她更坚韧，就像是披了铠甲。这就是为什么他们的婚姻是成功的。"

乔布斯对此也了然于心。虽然他的情感容易波动，但他们的婚姻长久而忠诚、彼此信任，克服了婚姻中必须经受的所有起起伏伏和情感纠葛。

阿维 · 泰瓦尼安说乔布斯需要一个单身派对。这可没有听上去那么简单。乔布斯不喜欢派对，也没有一群铁哥们儿。他甚至连个伴郎都挑不出来。结果，这个派对最后变成了只有泰瓦尼安和理查德 · 克兰德尔（Richard Crandall）陪同。克兰德尔是里德学院的一个计算机科学教授，他向学校请了假，在NeXT工作。泰瓦尼安租了一辆豪华轿车，他们到乔布斯家时，鲍威尔出来开门，穿着西装还贴了假胡子，说她也想装成男人去参加。她只是开玩笑。很快，三个都不会喝酒的单身汉开车驶向旧金山，看看能不能凑合搞出一个单身派对。

泰瓦尼安之前没在乔布斯喜欢的福德梅森的格林斯素食餐厅订到位子，因此订了一家酒店里的时髦餐厅。面包刚一上桌，乔布斯就宣布："我不想在这儿吃饭。"他逼着他们站起来走出去，泰瓦尼安觉得太恐怖了，他当时还不适应乔布斯在餐厅的举止。他带着他们去北海滩的杰奎琳咖啡厅，就是他喜欢的那家有舒芙蕾的地方，那确实是个更好的选择。饭后，他们坐着豪车穿过金门大桥去索萨利托（Sausalito）一家酒吧，在那里三个人都点了龙舌兰酒，但都浅尝辄止。"作为单身派对那并不成功，但是对于像史蒂夫这样的人来说，那是我们能做的最好的安排了，而且也没有其他人自告奋勇来做。"泰瓦尼安回忆说。乔布斯对此很感激。他想让泰瓦尼安跟他妹妹莫娜 · 辛普森结婚。虽然最后没有结果，但是由此可见乔布斯确实很喜欢他。

鲍威尔对于即将面临怎样的局面应该早有准备。她在策划婚礼时，做请柬设计的人来他们家展示几个备选方案。屋子里没地方坐，她就坐在地上把样品展示出来。乔布斯看了一会儿，起身离开了房间。她们等着，他没回来。过了一会儿，鲍威尔去他的房间找到他。“把她打发走，”他说，“我没法儿看她的东西。狗屎。”

1991 年 3 月 18 日，36 岁的史蒂夫 · 保罗 · 乔布斯和 27 岁的劳伦 · 鲍威尔在优山美地国家公园的阿瓦尼酒店（Ahwahnee Lodge）举行了婚礼。阿瓦尼是由石头、水泥和木头堆砌的建筑，设计风格混合了装饰艺术（Art Deco）、工艺美术运动（Art & Crafts Movement）的影响以及公园管理方对巨大的石头壁炉的热爱。它最大的特点就是风景优美。透过直通天花板的巨大落地窗，可以看到半月石山（Half Dome）和优山美地瀑布（Yosemite Falls）。

大约 50 人参加了婚礼，包括史蒂夫的父亲保罗 · 史蒂夫和妹妹莫娜 · 辛普森。莫娜带来了未婚夫理查德 · 阿佩尔（Richard Appel），他是个律师，后来成为电视喜剧作家（《辛普森一家》的创作者，其中霍莫的妈妈就是用了他妻子的名字）。乔布斯坚持他们都乘统一的包车前来。他想控制这场活动的每个方面。

仪式在阳光厅进行，外面大雪纷飞，冰川观景点（Glacier Point）在远处隐约可见。仪式由乔布斯的禅宗师父乙川弘文主持。乙川挥杖敲锣，燃香诵经，大多数客人都难以理解。“我以为他喝醉了。”泰瓦尼安说。其实他没有。婚礼蛋糕是优山美地山谷尽头那半月石山的形状，但由于它是按严格素食标准制作的——没有蛋、奶或任何精炼的食品——很多客人都觉得难以下咽。之后，他们一起去散步，鲍威尔的三个高大威猛的兄弟开始打雪仗，场面激烈喧闹。“你看，莫娜，”乔布斯跟他妹妹说，“劳伦是乔 · 纳马斯的后人，而我们是约翰 · 缪尔的后人。”①

① 乔 · 纳马斯（Joe Namath），美国著名橄榄球四分卫。约翰 · 缪尔（John Muir），被誉为“美国国家公园之父”，著作影响力深远。此句意为鲍威尔家善武而乔布斯兄妹这边善文。

安家

在天然食品方面，鲍威尔跟她丈夫的兴趣一致。在商学院时，她曾在奥德瓦拉果汁公司做兼职，帮助那家公司做了第一个营销方案。由于鲍威尔从她母亲身上认识到自我独立的重要性，所以跟乔布斯结婚后，她觉得有自己的事业很重要。因此她建立了自己的公司泰拉维拉（Terravera），制作速食有机餐，配送给北加利福尼亚的很多商店。

他们不再住伍德赛德那幢孤零零空荡荡的大房子，而是搬到了帕洛奥图老城一个适合家庭居住的社区，房子迷人又低调。邻居包括眼光独到的风险投资家约翰 · 杜尔（John Doerr）、谷歌创始人拉里 · 佩奇（Larry Page）、Facebook 创始人马克 · 扎克伯格（Mark Zuckerberg），还有安迪 · 赫茨菲尔德和乔安娜 · 霍夫曼，是相当显赫的圈子。但这儿的房子并不引人注目，没有高高的树篱或长长的车道遮挡别人的视线。相反，这些房子一栋挨着一栋地排列在安静的街道两旁，路边有亲切的人行道。“我们想住在一个孩子们可以走着去找朋友玩的社区。”乔布斯后来说。

如果这处房子是乔布斯自己从头设计的，肯定不会设计成这样，这不是他喜欢的那种极简主义和现代主义风格。房子也不大，不显眼，不是那种会让人路过时驻足关注的建筑。它建于 20 世纪 30 年代，是一个当地设计师卡尔 · 琼斯（Carr Jones）的作品，他的专长是精心打造“故事书风格”的英式或法式乡村小屋。

这是座两层的红砖房，木梁露在外面，屋顶铺着小圆石头，拼成曲线的图案，让人想起科茨沃尔德的农舍，或者是一个殷实的霍比特人的家。能看出加利福尼亚风格的一点，是房子的两翼围成一个传教士风格的庭院。两层高的穹顶起居室并非中规中矩，地上铺着瓷砖。一头是一个大大的三角形窗户，直通天花板的顶部；乔布斯买下这幢房子时，窗子是彩绘玻璃的，像教堂一样，后来换成了透明玻璃。他和鲍威尔作的另一个改动，就是扩建了厨房，增加了一个烧木柴的比萨炉，以及一个新房间，可以放下一张长长的木餐桌，成为这个家庭主要的聚集地。翻新工作计划在 4 个月内完成，结果用了 16 个月，因为乔布斯不停地修改设计。他们把后面的小房子也买下来拆掉，做出一个后院。鲍威尔把它变成了一个美丽的植物园，满是各种季节的花卉蔬菜和香草。

乔布斯迷上卡尔·琼斯用旧材料的方式，包括用过的砖头、电线杆的木头，以此来营造一种简单而又结实的结构。厨房的横梁是曾用于金门大桥打水泥地基的模子——建这座房子时，金门大桥正在建设。“他是个自学成才、工艺精细的手艺人。”乔布斯一边说着，一边介绍每一个细节，“他更重视创造而不是赚钱，他也一直没能发财。他从未离开过加利福尼亚。他的灵感都来自于在图书馆阅读书籍和《建筑文摘》（*Architectural Digest*）。”

乔布斯在伍德赛德的房子里只有最基本的必需品：卧室里的一张床垫和一个抽屉柜，餐厅里的一张牌桌和几把折叠椅。他希望身边只出现他欣赏的东西，这就意味着，很难简简单单地出去买很多家具。而现在，他要生活在一栋正常社区的房子里，有妻子，很快还要有个孩子，就必须向生活的基本需求作出让步。但是这很难。他们买了些床、梳妆台、摆在客厅的一套音响系统，但是要买沙发就需要更长时间。“我们纸上谈兵用了8年，”鲍威尔回忆，“我们花了很多时间问自己，沙发的用途是什么？”买电器也是个哲学问题，而不仅仅是冲动的购买行为。多年以后，乔布斯向《连线》杂志描述了选购一台新洗衣机的过程：

> 我们发现，美国人制造洗衣机和干衣机的理念完全是错误的。欧洲人则好得多——但是他们洗衣服要多花一倍的时间！欧洲洗衣机洗衣服只是美国洗衣机用水量的1/4，你衣服上残留的洗涤剂也少得多。最重要的是，它们不会把你的衣服洗坏。他们用少得多的肥皂、少得多的水，但是洗出衣服却干净得多，柔软得多，寿命也长得多。我们在家花了些时间讨论我们该怎样取舍。结果我们讨论了很多设计问题，但也讨论了我们家的价值观。我们是最关心用一个小时而不是一个半小时洗好衣服呢，还是最关心我们的衣服洗后感觉特别柔软也更耐久呢？我们在意用1/4的水吗？我们用了大概两星期时间，每晚在餐桌上讨论这个问题。

最终他们购买了德国生产的米勒牌（Miele）洗衣机和干衣机。“它们带给我的兴奋感超过了多年来我使用的任何高科技产品。”乔布斯说。

乔布斯为带有穹顶的卧室购买的唯一一件艺术品，是安塞尔·亚当斯的一幅摄影壁画，在加利福尼亚隆派恩拍摄的内华达山脉冬季的日出。这张巨幅壁画是亚当斯为他女儿制作的，他女儿后来卖掉了它。有一次被乔布斯的管家用湿布擦了，乔布斯找到了一个曾经跟亚当斯一起工作的人，去掉了一层，修复了这幅壁画。

这栋房子实在太普通了，以至于比尔·盖茨夫妇来做客时有点儿困惑。“你们所有人都住在这儿？”盖茨问，他当时正在西雅图附近建造一处66 000平方英尺的豪宅。尽管乔布斯当时已经再度入主苹果，是一个世界闻名的亿万富翁，他还是没有保镖，也没有住家的佣人，他甚至白天都不锁后门。

他唯一的安全问题来自伯勒尔·史密斯，这让人既惊讶又悲伤，这位头发乱糟糟的、性情天真的麦金塔软件工程师曾经是安迪·赫茨菲尔德的亲密助手。离开苹果后，史密斯逐渐患上了双极躁狂抑郁症和精神分裂症。他跟赫茨菲尔德住在同一条街上，随着病情的恶化，他开始光着身子在街上闲逛，有时候会砸汽车和教堂的玻璃。他接受大量药物治疗，但是效果不明显。有一段时间他又失去控制，开始晚上到乔布斯家扔石头砸玻璃，留下恐吓信，还有一次往房子里扔了个樱桃炸弹烟花。他遭到逮捕，之后继续接受治疗，案子也就撤销了。“伯勒尔那么有趣而且天真，可是4月份的一天他突然就崩溃了。”乔布斯回忆说，“那真是最怪异、最悲哀的事情。”

史密斯最终完全陷入自己的世界中，大量服药，直到2011年还在帕洛奥图的街道上游荡，没法跟任何人交流，甚至是赫茨菲尔德。乔布斯很同情他，经常问赫茨菲尔德自己还能帮上什么忙。有一次史密斯被关进监狱，还拒绝说出自己是谁。三天后赫茨菲尔德发现了，给乔布斯打电话请他帮忙把史密斯放出来。乔布斯帮了这个忙，但是他出人意料地问了赫茨菲尔德一个问题：“如果类似的事情发生在我身上，你会像照顾伯勒尔那样照顾我吗？”

乔布斯的伍德赛德公馆在离帕洛奥图10英里的山里。他想拆掉这座1925年西班牙殖民复兴风格的有着14间卧室的房子，重新建一座面积只有1/3、极其简洁的日本风格的现代主义居所。但是在20多年的时间里，他跟保护主义者进行了长期的法庭斗争，他们希望保存这座建筑的原样。（2011年，他终于得到许可可以拆掉这所房子，但是到这时，他已经不想再建另一个家了。）

有时候，乔布斯会用他半废弃的伍德赛德宅邸——尤其是游泳池——开家庭派对。比尔·克林顿当总统时，他和希拉里·克林顿每次来看在斯坦福上学的女儿，就住在其中建于50年代的度假屋里。由于主体建筑和度假屋都没有家具，克林顿一家来的时候，鲍威尔会找来家具和艺术品供应商进行暂时性的装饰。有一次，就在莫妮卡·莱温斯基事件爆发不久，鲍威尔在对家具作最后检查时，发现一幅画不见了。她担心地问先遣队和特工是怎么回事。一个人把她拉到一边解释说，那幅画上是一个衣架和一条裙子，鉴于莱温斯基事件里那条蓝色裙子，他们决定把那幅画藏起来。

丽萨住了进来

在丽萨八年级上到一半的时候，她的老师给乔布斯打电话。有些问题很严重，校方说，可能的话，她最好从她妈妈家搬出来。乔布斯跟丽萨出去散步，询问了当时的情况，请她搬来跟他住。她已经是个成熟的女孩了，刚满14岁。她考虑了两天，然后说好。她已经知道自己想住哪个房间了——紧挨着她爸爸卧室的那间。有一次她在那儿的时候，没有人在家，她就躺在空荡荡的地板上找了找感觉。

那是一段艰难的时光。克里斯安·布伦南有时会从几个街区外的住处赶过来，站在院子里朝他们嚷嚷。当我问起她当时的行为以及导致丽萨从她家搬走的原因时，她说，她至今还是没想清楚那段时间到底发生了什么事。但是后来，她给我写了一封很长的邮件，说有助于解释当时的情况。邮件中，她说：

> 你知道史蒂夫是如何让伍德赛德市允许他拆掉他的那座房子的吗？鉴于那座房子的历史价值，有一群人想保护它，但是史蒂夫想拆掉它，建一座有果园的家。多年来，史蒂夫对那座房子置之不理，让它年久失修，以至于无法修护。他达到目的的手段，就是一直不参与，也不抵制。由于他对那座房子什么都不做，甚至很多年就让窗户洞开，那房子就破败了。很聪明，不是吗？这样现在他就能轻松地实现他的计划了。丽萨十三四岁的时候，他用了类似的方法破坏我的生活，达到让丽萨搬去他家的目的。他开始时用了一种

策略，然后又换成另一种更容易的却对我更具破坏性、对丽萨更是问题重重的策略。这么做可能不是最正直的，但是他得到了他想要的。

丽萨在帕洛奥图高中的4年时间，都跟乔布斯和鲍威尔住在一起，也开始使用“丽萨·布伦南–乔布斯”这个名字。他试图做个好父亲，但有些时候又表现得冷漠和疏远。当丽萨感觉必须逃开的时候，她会躲到附近一个朋友家去。鲍威尔尽量给予关照，丽萨的大多数学校活动也是她去出席的。

到高年级后，丽萨开始崭露头角。她加入了校刊《钟楼》（*The Campanile*）的编辑部，成为联合编辑。她的同学本·休利特（Ben Hewlett）是她爸爸第一个老板的孙子，他们一起曝光了学校董事会给管理层秘密加薪的事件。到了上大学的时候，她知道自己想去东部。她申请了哈佛，并在申请表上模仿了她爸爸的签字，因为他当时不在家。她被录取，于1996年入学。

在哈佛，丽萨为校报《克里姆森报》（*The Crimson*）工作，后来又为文学刊物《代言人》（*The Advocate*）工作。跟男朋友分手后，她去伦敦的国王学院留学一年。她跟父亲的关系在她的大学时代一直不太平静。她就算回家，两人也会为了些鸡毛蒜皮的小事争吵不休——晚饭吃什么，她对她同父异母的弟妹们是否足够关心，等等。他们会几个星期甚至几个月不跟对方讲话。有时争吵太激烈了，乔布斯会停止她的经济来源，她就跟安迪·赫茨菲尔德或其他人借钱。有一次，丽萨认为她父亲不会给她付学费了，赫茨菲尔德借给她两万美元。“他因此对我大发雷霆，”赫茨菲尔德回忆说，“但第二天一早他就给我打电话，让他的会计把钱汇给了我。”乔布斯没有参加2000年丽萨的哈佛毕业典礼。他说他没有被邀请。

然而，这些年里也有些美好的时光，例如有一年夏天丽萨回家的时候，参加了一场为电子前线基金会（Electronic Frontier Foundation）举办的慈善音乐会的演出，地点在旧金山有名的菲尔莫尔礼堂（Fillmore Auditorium）。这个礼堂因感恩而死乐队、杰弗逊飞船乐队和吉米·亨德里克斯等曾在此演出而闻名。她演唱了特雷西·查普曼的圣歌《说说革命》（*Talkin' Bout a Revolution*）——“穷人会站起来/得到他们应得的……”她父亲当时就站在后排，抱着刚一岁的女儿埃琳。

在丽萨搬到曼哈顿成为自由作家之后，乔布斯跟她的关系继续起伏不定。他们的问题随着乔布斯对克里斯安的不满而愈加恶化。他给她买了一座价值 70 万美元的房子，记在了丽萨名下。但是克里斯安说服丽萨签字转到自己名下，然后把房子卖了，用这钱跟一个精神导师出去旅行，并在巴黎生活了一阵子。钱花完以后，她回到旧金山，成为一个艺术家，创作“光绘”（Light Painting）和佛教曼荼罗。“我是个‘通灵者’，我对进化的人性和升华的地球的未来作出富有远见的贡献，”她在她的网站上说（赫茨菲尔德帮她维护这个网站），“当我创作这些画并和它们共处时，我体验着神圣微振的形状、颜色和音频。”有一次她需要钱治疗严重的鼻窦感染，乔布斯拒绝支付费用，这又导致丽萨好几年没跟他说话。这种情况还会不断重演。

莫娜 · 辛普森把所有这些，加上她的想象，作为了她第三部小说《凡人》的蓝本。该小说于 1996 年出版。这本书的主角是以乔布斯为原型，在一定程度上符合事实：它描写了乔布斯对一位骨病不断恶化的朋友的低调慷慨，如何为对方购买一辆特制的汽车；它准确地描述了他和丽萨之间关系的诸多方面，包括他最初否认他们的血缘关系。但其他部分多为虚构：例如，虽然克里斯安在丽萨很小的时候就教她开车，但是书里的“简”5 岁时开着辆卡车翻山越岭去找她父亲的情节当然是从未发生过。另外，小说里还有些小细节，用新闻学术语来说，是过于精致、无据可考，例如全书第一句就当头一棒地如此描写基于乔布斯的这个角色：“他是个忙得连马桶都不冲的人。”

表面上，这部小说对乔布斯的虚构描述看起来很苛刻。辛普森描述她的主角，“不觉得有任何必要迁就其他人的希望或梦想”。他的卫生习惯也跟乔布斯本人一样不靠谱。“他不信任香体剂，经常说只要饮食习惯正确，用薄荷橄榄油皂，你既不会出汗也不会有体臭。”但是这部小说在很多层面上的描写都是很抒情和微妙的，看到结尾，这个人的形象就更加饱满了。他失去了对他创建的这家伟大公司的控制权，他尝试着欣赏他曾遗弃的私生女。最后一个场景，是他和女儿一起跳舞。

乔布斯后来说，他从未读过这本小说。“我听说是关于我的，”他告诉我，

"如果它是关于我的，我真的会很愤怒，可是我不想对我妹妹发怒，所以我没读。"但是，这本书面世几个月后，他告诉《纽约时报》他读了这本书，并在主角身上看到了自己的影子。"这个角色的25%左右完全是我，直指我那些怪癖，"他对记者史蒂夫·洛尔（Steve Lohr）说，"当然我不会告诉你是哪25%。"他妻子说，实际上乔布斯只瞟了这本书一眼，然后让她替他读，看看他应该如何理解。

这本小说出版前，辛普森把书稿寄给了丽萨，但最初她只读了开头。"在开始的几页里，我看到了我的家庭、我的趣事、我的物品、我的想法，我在叫简的角色中看到了我自己。"她说，"在事实之间夹杂着创作——对我来说那就是谎言，可是那又跟事实那么接近。"丽萨很受伤，她为哈佛的《代言人》杂志写了一篇文章说明原因。她的第一稿语气非常尖刻，后来在发表前她进行了一些修改。她感觉被辛普森的友谊所侵犯。"我不知道，那6年以来，莫娜一直在收集素材，"她写道，"我不知道当我寻求她的安慰、索取她的建议时，她同样也在索取。"最终，丽萨和辛普森达成了和解。她们一起去咖啡厅讨论这本书，丽萨告诉辛普森她没能读完它。辛普森说她会喜欢那个结局。多年来，丽萨跟辛普森的关系时好时坏，但是比跟她父亲的关系更加亲密。

孩子们

1991年，在跟乔布斯的婚礼几个月后，鲍威尔生下了第一个孩子。头两个星期，这个孩子被称为"乔布斯小男孩"，因为事实证明，决定孩子的名字只比选择洗衣机容易一点点。最后，他们给他起名为里德·保罗·乔布斯（Reed Paul Jobs）。"保罗"是乔布斯父亲的名字，而"里德"（乔布斯和鲍威尔都坚持说）是因为好听，而不是因为是乔布斯学校的名字。

里德长大后在很多方面都像他父亲：聪明敏锐，目光锐利，富有魅力。但跟他父亲不同的是，他行为友善，谦虚优雅。他富有创造力，从小就喜欢穿上戏服扮演角色。他也是个出众的学生，对科学很感兴趣。他的眼神像他父亲，但是他显然很有爱心，一点儿都没有他父亲天性里的残酷。

埃琳·锡耶纳·乔布斯（Erin Siena Jobs）生于1995年。她更文静些，有时候得不到父亲足够的关心。她继承了父亲对设计和建筑的热爱，但她也学会了在感情上保持一点儿距离，以免被他的疏远所伤害。

最小的孩子伊芙于 1998 年出生，她是个有主见又有趣的暴脾气，她既不黏人也不胆怯，知道怎么左右她爸爸，跟他讨价还价（有时候会占上风），甚至拿他开玩笑。她父亲开玩笑说，她是那个将来会掌管苹果的人，如果她不当美国总统的话。

乔布斯跟儿子里德关系很亲密，但跟女儿们就疏远些。像他对待别人那样，他有时会关注她们，但当他脑子里想着别的事情时，又会完全忽视她们。“他专注于工作，有时候他没能陪伴女儿们。”鲍威尔说。有一次，乔布斯向妻子赞叹，他们的孩子们都出落得那么好，“尤其是我们没能总是陪在他们身边。”这让鲍威尔哭笑不得，她可是在里德两岁的时候就放弃了自己的事业，并决定要更多的孩子。

1995 年，甲骨文公司的CEO拉里 · 埃利森（Larry Ellison）为乔布斯 40 岁的生日举办了一场派对，科技明星、大亨云集。埃利森跟乔布斯是好朋友，经常带乔布斯一家乘他的豪华游艇出游。里德把埃利森称做“我们的大款朋友”，这个有趣的例子说明了他父亲是多么不愿炫富。乔布斯从他的佛教修行中学得的道理是：物质只把生活填满而不使之充实。“我认识的其他所有CEO都有保镖，”他说，“他们甚至在家里都有保镖。那样的生活太变态了。我们不想那样养大我们的孩子。”

第二十一章

Toy Story

Buzz and Woody to the rescue

玩具总动员

巴斯和胡迪救场

杰弗里 · 卡曾伯格

“挑战不可能完成的任务，其乐无穷。”沃尔特 · 迪士尼曾经这样说。这种处事态度很合乔布斯的口味。他赞赏迪士尼对细节和设计的执著，感觉皮克斯跟迪士尼创建的电影制片厂是天生的一对。

沃尔特 · 迪士尼公司已经获得了皮克斯计算机动画制作系统的使用授权，并由此成为皮克斯公司计算机的最大用户。有一天，迪士尼电影部的负责人杰夫 · 卡曾伯格邀请乔布斯到伯班克的工作室观看制作技术。当迪士尼的一行人陪同参观时，乔布斯突然转身问卡曾伯格，“迪士尼对皮克斯满意吗？”卡曾伯格兴高采烈地说满意。接着乔布斯又问，“那你认为我们皮克斯对迪士尼满意吗？”卡曾伯格说他觉得应该满意吧。“错，我们不满意。”乔布斯说，“我们想跟你们合作一部电影，那样我们才会满意。”

卡曾伯格很愿意。他很欣赏约翰 · 拉塞特制作的动画短片，也曾经想诱惑他回迪士尼，但没有成功。于是，卡曾伯格邀请皮克斯团队来讨论合拍电影。卡特穆尔、乔布斯和拉塞特在会议室一落座，卡曾伯格就看着拉塞特，开门见山地说：“约翰，既然你不愿意来为我工作，我们就用这样的方式来合作吧。”

不仅迪士尼公司跟皮克斯彼此之间有一些共同点，卡曾伯格跟乔布斯也是如此。两人都善于施展魅力，当兴之所至或情绪高涨时也都富有攻击性（甚至更糟）。即将离开皮克斯的阿尔维 · 雷 · 史密斯当时也参加了这次会议。“卡曾伯格跟乔布斯的相像给我留下了深刻印象，”他回忆说，“都是具有惊人口才的暴君。”卡曾伯格对此自鸣得意。“所有人都认为我是个暴君，”他告诉皮克斯团队，“我也确实是个暴君。但我通常是正确的。”可以想象，乔布斯也会这么说。

同样富有激情的卡曾伯格和乔布斯，两人之间光是谈判就用了好几个月。卡曾伯格坚持要皮克斯授权迪士尼使用其专利技术制作3D动画。乔布斯说不行，最终他胜利了。乔布斯也有他自己的要求：皮克斯要对制作的电影及其角色拥有部分所有权，并共同控制影片版权和续集。“如果那是你想要的，”卡曾伯格说，“我们就不用谈了，你现在就可以走。”乔布斯没走，在这个问题上作出了让步。

两位同样瘦削的公司首脑剑拔弩张、针锋相对，这给拉塞特留下了极为深刻的印象。“单单看着史蒂夫和杰弗里那个架势，我就佩服得五体投地，”他回忆说，“那就像一场击剑比赛，他们都是高手。”但在当时，卡曾伯格拿的是重剑，而乔布斯拿的只是把花剑。当时皮克斯濒临破产，远远比迪士尼更需要这次合作。另外，迪士尼资金雄厚，可以负担整个项目，而皮克斯不能。1991年5月达成的协议是，迪士尼将完全拥有影片及其角色的版权，给皮克斯大约12.5%的票房分成，迪士尼控制创作权，可以在任何时候以很少的违约金为代价停掉这部影片，有权利（而无义务）制作皮克斯接下来的两部电影，也有权（不一定跟皮克斯一起）用该影片的角色制作续集。

约翰 · 拉塞特的创意称为“玩具总动员”（Toy Story），灵感来自他和乔布斯共有的一个信念：产品是有灵魂的，是为了一个使命才被生产出来的。如果一个物体是有情感的，它的情感应该是基于它想实现自己价值的渴望。例如，杯子的使命是盛水；如果它有情感，它会在满的时候高兴，空的时候悲哀。计算机屏幕的使命是跟人互动。独轮车的使命是在马戏团被人骑行。而玩具，它们的使命就是供孩子们玩耍，因此它们的恐惧就是被抛弃或被新的玩具取代。所以，一个最受喜爱的旧玩具和一个闪闪发亮的新玩具搭档出演的兄弟电影，是极富戏剧效果的，尤其是所有活动都围绕着一些跟主人分开的玩具所展开。如原脚本开篇时所说：“每个人都有在童年时失去玩具的痛苦经历。我们的故事从玩具的视角展开，他一度失去并努力重新得到对他来说最重要的事情：跟孩子们玩。这是所有玩具存在的原因。这是他们存在的情感基础。”

经过反复讨论，两个主角的名字最终定为“巴斯光年”（Buzz Lightyear）和“胡迪”（Woody）。每隔两周，拉塞特和他的团队就会把最新的脚本或片段给迪士尼的合作伙伴看。在早期试镜时，皮克斯制作的动画显示了惊人的技术水平，例如有一幕，胡迪在一个梳妆台上，光透过百叶窗洒进来，影子投在他的格子衬衫上——这个效果几乎是不可能通过手工渲染来实现的。

但是，要让迪士尼对情节方面满意，就难上加难了。每次皮克斯作演示，卡曾伯格都会推翻大部分情节，大声道出他的具体评论和意见。旁边总有一群手捧记事本的随从，确保卡曾伯格说的每个建议和奇思怪想都能得到后续落实。

卡曾伯格着力推动的一点，是要让两个主角的个性更尖锐。他说，虽然这是部叫“玩具总动员”的动画电影，但是它不应该只以儿童为目标观众。“一开始它没有情节，没有真正的故事，没有矛盾冲突，”卡曾伯格回忆说，“故事没有真正的驱动力。”他建议拉塞特看一些经典的兄弟电影，例如《逃狱惊魂》（*The Defiant Ones*）或《48小时》（*48 Hours*），其中都有两个迥然不同的角色不得不同舟共济的故事。另外，他一直强调他所说的“尖锐”，这意味着胡迪这个角色要更有嫉妒心、更尖刻，挑衅巴斯这个游戏箱里新来的入侵者。“这是个玩具吃玩具的世界。”一处情节中，胡迪把巴斯推出窗外后说。

经过卡曾伯格和其他迪士尼负责人的多轮修改，胡迪几乎被去掉了所有的魅力。有一幕，他把其他玩具扔下床，还命令弹簧狗（Slinky）来帮忙。正当弹簧狗犹豫不决的时候，胡迪吼道：“谁说你的工作是思考了，弹簧香肠？”然后弹簧狗问了一个不久以后皮克斯团队总会自问的问题：“这牛仔为什么这么可怕！”正如给胡迪配音的汤姆·汉克斯有一次感叹的，“这家伙实在太讨厌了！”

停！

1993年11月，拉塞特和他的皮克斯团队做好了电影的前半部分，到伯班克给卡曾伯格和其他迪士尼管理层看。动画长片部门的总监彼得·施奈德（Peter Schneider）从未喜欢过卡曾伯格让外人为迪士尼做动画的想法，他当场宣布这个电影简直一团糟，命令停止制作。卡曾伯格也同意了。“为什么会这么糟糕呢？”

他问同事汤姆·舒马赫（Tom Schumacher）。“因为这已经不再是他们的电影了。”舒马赫直言不讳地说。他后来解释说，“他们遵从了杰弗里·卡曾伯格的所有修改意见，这个项目也被完全带走样了。”

拉塞特意识到舒马赫说得没错。“我坐在那儿，屏幕上放映的东西令我感觉很尴尬，”他回忆说，“那个故事里充斥着一群我见过的最不开心、最尖刻的角色。”他请迪士尼给他一次机会，回皮克斯去返工。

乔布斯跟埃德·卡特穆尔承担了该片联合执行制片人的角色，但他自己没有过多参与创作过程。考虑到他那么有控制欲，尤其是在审美和设计方面，在这件事上他的自我克制显示了他对拉塞特和皮克斯其他艺术家的尊重——也显示了拉塞特和卡特穆尔让乔布斯保持距离的能力。但是乔布斯还是帮忙协调跟迪士尼的关系，皮克斯团队也对此很感激。当卡曾伯格和施奈德叫停《玩具总动员》的制作后，乔布斯用个人资金支持工作继续进行。他也站在拉塞特他们一边反对卡曾伯格。“他把《玩具总动员》都搞乱了，”乔布斯后来说，“他想把胡迪写成一个坏人，当他叫停这个项目时，我们就把他踢了出去，我们说，‘这不是我们想要的’，然后按照我们一直希望的去做。”

3 个月之后，皮克斯团队拿出了一个新版本。胡迪的形象从统领安迪其他玩具的暴君式老板，转变成了他们的英明领导者。他在巴斯光年到来后表现出的嫉妒被描绘得更值得同情，配乐用了兰迪·纽曼（Randy Newman）的歌《奇怪的事》（*Strange Things*）。胡迪把巴斯推出窗外的那一幕，被改写成是胡迪发起的一个小把戏引起的一场意外，其中还出现了顽皮跳跳灯（向拉塞特的第一部获奖动画短片致敬）。卡曾伯格和迪士尼公司通过了这个新版本，1994 年 2 月，电影恢复制作。

卡曾伯格对乔布斯的成本控制意识印象深刻。“即使是在早期的预算过程中，史蒂夫对成本都非常关注，希望尽量可以低成本高效率。”他说。但是迪士尼批准的 1 700 万美元的预算后来不够用了，尤其是在卡曾伯格迫使他们把胡迪的个性尖锐化以后，必须要作很多重大改动。所以乔布斯申请更多经费来完成这部电影。“听着，我们是说好了的。”卡曾伯格对他说，“我们把运营控制权给了你，你也同意了我们提出的资金规模。”乔布斯大发雷霆。他给卡曾伯格打电话或干脆飞去找他，用卡曾伯格的话说，“只有乔布斯能那么疯狂地没完没了。”乔布斯坚持说，迪士尼应该对成本超出预算负责，是卡曾伯格把最初的构思搅得一团糟，因此才需要做额外的返工。“等一等！”卡曾伯格反击道，“我们是在帮你。你得益于我们那么富有创造性的帮助，而你现在却要让我们因此付钱给你。”两个控制狂互不相让，争论到底谁帮了谁的忙。

埃德·卡特穆尔比乔布斯要圆滑得多，他能够解决问题。“我对杰弗里的看法比其他一些做这部电影的同事要正面得多。”他说。但是这件事确实促使乔布斯开始策划如何在未来对迪士尼有更大的影响力。他不想仅仅做个承包商。他喜欢控制局面。这意味着皮克斯未来必须把自己的资金带进项目，并且跟迪士尼重新谈判。

随着电影制作的进展，乔布斯越来越为之兴奋。他跟很多公司谈过出售皮克斯——从贺曼贺卡（Hallmark Cards）到微软——但是看到胡迪和巴斯的诞生，他意识到他可能即将改变电影业。当电影一幕幕完成后，他会反复观看，并邀请朋友到他家分享他的新爱好。“我都没法儿跟你说我在《玩具总动员》出品前总共看了多少个版本，”拉里·埃利森说，“到最后，这就变成了一种折磨。我要去他家看最新的那10%改进的内容。史蒂夫执迷于把一切都做好——无论是情节还是技术，任何不完美的东西他都不会满意。”

1995年1月，迪士尼在曼哈顿中央公园一处帐篷里举行了电影《风中奇缘》（*Pocahontas*）的新闻发布会，乔布斯受邀参加。这次活动进一步加强了他认为对皮克斯的投资会有所回报的想法。在现场，迪士尼CEO迈克尔·艾斯纳（Michael Eisner）宣布，《风中奇缘》的首映式将在中央公园的大草坪举行，将采用80英尺高的巨幅屏幕，观众将达10万人。乔布斯本身就是表演大师，知道如何举办一场成功的首映式，但即使是他都被这个计划震惊了。巴斯光年的那句口号——“飞向太空，宇宙无限！”（to infinity and beyond）——突然看似值得留意了。

乔布斯决定，那年11月发布《玩具总动员》的时候，就是皮克斯上市的最佳时机。然而，即使那些一贯非常积极的投资银行家也都觉得不靠谱，认为那根本不可能。皮克斯烧钱已经烧了5年。但是乔布斯决心已定。“我有些紧张，我认为我们应该等到第二部电影推出之后，”拉塞特回忆说，“史蒂夫否定了我的建议。他说我们需要钱，我们可以用一半资金做电影，然后跟迪士尼重新谈合同。”

飞向太空！

1995 年 11 月，《玩具总动员》共举行了两场首映式。迪士尼在洛杉矶的埃尔卡皮坦大剧院（El Capitan）举办了一场，还在隔壁建了一个游乐屋，展示所有的电影角色。皮克斯也有一些入场券，但是当晚的活动和邀请嘉宾的名单基本都是迪士尼决定的；乔布斯甚至都没去参加。第二天晚上，乔布斯在旧金山租用了与前者不相上下的雷根西剧院（Regency），举办了他自己的首映式。到场嘉宾不再是汤姆·汉克斯和史蒂夫·马丁这些影星，而是硅谷的那些大腕：拉里·埃利森、安迪·格鲁夫、斯科特·麦克尼利，当然还有史蒂夫·乔布斯。很显然这是一场史蒂夫的演出，他，而不是拉塞特占据了舞台，向观众介绍影片。

这种双首映式的安排凸显出一个日益严重的问题。《玩具总动员》到底是一部迪士尼电影还是一部皮克斯电影？皮克斯只是帮助迪士尼制作电影的动画承包商吗？抑或是，迪士尼只是帮助皮克斯出品电影的发行商和营销商？正确的答案在某个折中位置。问题是其中牵涉到的大腕们，主要是迈克尔·艾斯纳和史蒂夫·乔布斯，能否达成这样的合作关系。

当《玩具总动员》获得巨大的商业成功和业界认可后，抉择变得更为艰难。影片第一周上映就收回了成本，美国国内公映的票房达到 3 000 万美元。接下来，该影片打败了《永远的蝙蝠侠》（*Batman Forever*）和《阿波罗 13 号》（*Apollo 13*），成为当年的票房冠军——美国国内收入 1.92 亿美元，全球总收入 3.62 亿美元。根据著名影评网站“烂番茄”（Rotten Tomatoes）的统计，接受调查的全部 73 个影评家 100% 都给出了好评。《时代》杂志的理查德·科利斯（Richard Corliss）称其为“本年度最具想象力的喜剧”；《新闻周刊》的戴维·安森（David Ansen）赞叹“不可思议”；《纽约时报》的珍妮特·马斯林（Janet Maslin）认为该影片孩子和成人都要看，是“一部难以置信的智慧之作，体现了迪士尼最好的双层次作品的传统”。

对乔布斯来说，唯一的问题就是，像马斯林这样的评论家在谈论“迪士尼传统”，而不是皮克斯的出现。事实上，她的影评里根本没提皮克斯。乔布斯很清楚，这是必须要加以改变的一个观念。当他和约翰·拉塞特参加《查理·罗斯秀》（*Charlie Rose Show*）时，乔布斯强调《玩具总动员》是一部皮克斯电影，他甚至想说明这个新制片厂的诞生是具有历史意义的。“自从《白雪公主》出品以来，每一家主要的电影制片厂都在试图打入动画产业，而到目前为止，迪士尼是唯一一家做出动画长片而且大获成功的。”他对罗斯说，“皮克斯现在成了第二家。”

乔布斯立场鲜明地把迪士尼说成是皮克斯电影的发行商。“他一直说，‘我们皮克斯的人是干实事的，你们迪士尼的人都是笨蛋。’”迈克尔·艾斯纳回忆说，“但正是我们让《玩具总动员》成功的。我们帮着塑造了这部电影，我们集各部门之力，从市场部到迪士尼频道，才让这部电影一炮而红。”乔布斯得出结论：“这是谁的电影”这个根本问题，必须通过合同解决，打口水仗没有意义。“《玩具总动员》大获成功后，”他说，“我意识到，我们必须跟迪士尼重新签合同，这样我们才能建一个电影公司而不是只当个供应商。”但是为了能和迪士尼平等地坐下来谈判，皮克斯必须有资金。这就需要一次成功的IPO。

股票公开发行在《玩具总动员》上映整一周后进行。之前乔布斯赌电影会成功，这个冒险的赌局有了巨大回报。和之前苹果公司的IPO一样，早上7点，主承销商在旧金山办公室开庆祝会，届时股票发售开始。原计划股票发行价格是14美元，以确保可以卖掉。乔布斯坚持定价22美元，这样一来如果发行成功，公司可以获得更多资金。然而事实证明，发行之成功甚至超出了他最大胆的想象，一举超过网景成为当年最大的IPO。开盘半小时，股票价格就飙升至45美元，因为买盘太多交易不得不延迟进行。接下来，价格继续上升至49美元，并在当天以39美元收盘。

那年早些时候，乔布斯还曾经希望把皮克斯卖掉，收回他投资的5 000万美元。而股票公开发行第一天结束时，他持有的公司80%的股票价值就已经涨到原来的20多倍，达到惊人的12亿美元。那相当于1980年苹果上市时他获得收益的5倍。但是乔布斯告诉《纽约时报》的约翰·马尔科夫（John Markoff），钱对他来说意义不大。“我的未来不需要游艇，”他说，“我做这个从来都不是为了钱。”

IPO的成功意味着皮克斯不再需要依靠迪士尼的资助才能完成电影。这正是乔布斯想要的砝码。“因为我们现在可以承担电影一半的成本了，我就可以要求一半的利润，”他回忆说，“但更重要的是，我想要品牌联合。这些电影将既是皮克斯的，也是迪士尼的。”

乔布斯飞去跟艾斯纳共进午餐，艾斯纳被他的大胆惊呆了。他们之前签的是三部电影的合同，皮克斯刚刚制作了一部。双方都有自己的撒手锏。当时，卡曾伯格在跟艾斯纳决裂后已经离开了迪士尼，与史蒂文·斯皮尔伯格（Steven Spielberg）和大卫·格芬（David Geffen）一起创立了梦工厂（Dream Works SKG）。乔布斯说，如果艾斯纳不同意跟皮克斯重签合同，一旦原定的三部影片完成，皮克斯就会去跟另一家电影公司合作，比如卡曾伯格的新公司。而艾斯纳手里的砝码则是，一旦那样，迪士尼就会自己制作《玩具总动员》的续集，使用胡迪、巴斯以及所有拉塞特创造的角色。“那就像是要猥亵我们的孩子，”乔布斯后来回忆说，“约翰一想到那种可能性就哭了。”

最终双方达成了和解方案。艾斯纳同意皮克斯为将来制作的电影注入一半资金并享有一半利润。“他不认为我们会制作出很多大片，所以他认为他给自己省了些钱。”乔布斯说，“这个安排最终对我们非常好，因为皮克斯接下来会连续制作出十部大片。”他们也就品牌联合达成协议，虽然经历了很多次讨价还价。“我最初的立场是，这是迪士尼的电影，由迪士尼出品，但是后来我让步了。”艾斯纳回忆道，“我们开始谈判迪士尼的字号多大，皮克斯的字号多大，就像4岁小孩一样。”到1997年初，他们签订了合同——未来10年制作5部影片——甚至还成了朋友，至少在当时是这样。“那时候艾斯纳还是很讲道理的，对我也还公平，”乔布斯后来说，“但是经过10年的时间，我得出的结论是，他是个阴暗的人。”

在给皮克斯股东的一封信里，乔布斯说明，赢得所有电影跟迪士尼平等共享品牌的权利——包括广告和玩具——是这项合作里最重要的方面。“我们希望皮克斯成长为一个跟迪士尼享有同等信誉的品牌，”他写道，“但为了让皮克斯赢得这种信誉，消费者必须要知道是皮克斯在创作这些电影。”在职业生涯中，乔布斯因创造伟大的产品而闻名于世。然而，他创造伟大的公司和品牌价值的能力同样不凡。他创造了他的时代中最好的两个品牌——苹果和皮克斯。

第二十二章

The Second Coming

What rough beast, its hour come round at last...

再度降临[①]

何等野兽，终于等到它的时辰

Courtesy of Steve Jobs

1996 年的乔布斯

万物解体

乔布斯 1988 年首度推出NeXT计算机时，引起了热烈反响。可是到第二年计算机最终上市时，市场热情却退去了。乔布斯那种让媒体眼花缭乱、心生敬畏、趋之若鹜的才华开始失效，负面新闻也层出不穷。“NeXT跟其他计算机不兼容，而当时，这个行业正向操作系统可更换的方向发展。”美联社记者巴特 · 齐格勒(Bart Ziegler) 报道说，“因为相对来说，可以在NeXT上使用的现有软件很少，

① 《再度降临》(*The Second Coming*) 是爱尔兰著名诗人叶芝的一首诗作，“何等野兽，终于等到它的时辰”是其中一行诗句。

所以它很难吸引消费者。”

NeXT试图将自己重新定位为一个新产品类型——个人工作站的领跑者，目标用户是那些希望兼顾工作站的强大功能与个人计算机的易用性的人。但是这群消费者当时已经从快速发展的Sun公司买到了这样的产品。NeXT在1990年的收入是2 800万美元，而同年Sun公司的收入是25亿美元。IBM放弃了向NeXT授权软件的协议，所以乔布斯被迫做了一件违背他本性的事情：虽然他根深蒂固地认为硬件和软件应该是一个不可分割的整体，但是在1992年1月，他同意授权NeXTSTEP操作系统在其他品牌的计算机上运行。

乔布斯当时一个出乎意料的维护者竟是让-路易·加西，他曾经跟乔布斯在苹果发生摩擦，后来被逐出苹果。他写了一篇文章称赞NeXT产品是多么具有创造性。“NeXT也许不是苹果，”加西说，“但史蒂夫还是史蒂夫。”几天之后，加西家来了一位访客，加西的妻子跑上楼去告诉他，史蒂夫在楼下。乔布斯感谢加西写了那篇文章，并邀请他参加一个活动，届时英特尔的安迪·格鲁夫将和乔布斯一同宣布，NeXTSTEP将被移植到IBM/英特尔平台上。“我当时坐在史蒂夫的父亲保罗·乔布斯旁边，他备受尊重。”加西回忆说，“他带大儿子很不容易。看到史蒂夫跟安迪·格鲁夫站在台上，他是那么自豪和高兴。”

一年以后，乔布斯不可避免地改变了策略：彻底放弃硬件的制造。这是一个痛苦的决定，一如他当年在皮克斯放弃硬件制造那样。他关注产品的方方面面，但硬件才是他的热情所在。他为出色的设计心潮澎湃，痴迷于生产细节，会花上好几个小时注视着他的机器人为他制造完美的产品。但现在，他不得不解雇一半以上的人力，把他钟爱的工厂卖给佳能（佳能拍卖掉了那些时尚的家具），留得一家聊以慰藉的公司，把操作系统授权给那些生产死板机器的制造商。

到20世纪90年代中期，乔布斯在新的家庭生活和电影产业的惊人成功中找到了一些快乐，但是却对个人计算机产业备感失望。“创新实际上已经停止。”1995年底他对《连线》杂志的加里·沃尔夫（Gary Wolf）这样说，“微软占据了市场，但几乎没有创新。苹果输了。台式电脑市场进入了黑暗时代。”

同一时期，他在接受安东尼·帕金斯（Anthony Perkins）和《红鲱鱼》杂志

（*Red Herring*）几位编辑采访时，也表现得阴郁沮丧。一上来，他就展示出人格中“坏脾气史蒂夫”的那一面。帕金斯和他的同事们刚到达不久，乔布斯就从后门溜出去“散步”，45分钟都没有回来。杂志的摄影师开始拍照时，他又嚷嚷着讽刺挖苦，迫使她停下来。帕金斯后来写道：“操纵欲、自私、毫不掩饰的粗鲁，我们搞不明白他这些疯狂举动背后的动机是什么。”等他终于坐下来接受采访时，他说，即使是网络的发展也难以阻挡微软的主导地位。“Windows赢了。”他说，“很不幸，它打败了Mac，打败了Unix，打败了OS/2。一个低劣产品胜出了。”

NeXT在销售软硬件一体化产品方面的失败，带来了对乔布斯整个理念的质疑。“我们犯了一个错误，即试图复制苹果的模式，制造整个设备。”他在1995年说，“我想我们应该意识到世界正在改变，应该马上转型为一家软件公司。”虽然他努力尝试，但他总是无法为此而兴奋。他本来想制造出色的端到端一体化的产品让消费者喜爱，可是现在却陷入了这样一个企业软件销售业务里，目标客户是那些会把NeXT软件安装到各种不同硬件平台上的公司。“我的心不在这儿。”他后来悲哀地说，“不能直接向个人销售产品让我很沮丧。我来到这个世界上，不是为了卖企业产品，不是为了把软件授权给别人装在那些蹩脚的硬件里。我从来都不喜欢这样。”

苹果坠落

在乔布斯出局后的几年，苹果公司由于暂时统领桌面排版系统，还可以舒服地享受很高的利润率。当时自我感觉有如天才的约翰·斯卡利，于1987年发表了一系列今天看起来颇为尴尬的宣言。乔布斯希望苹果“成为一家出色的消费品公司”，斯卡利写道，“这是个愚蠢的计划……苹果永远不会是一家消费品公司……我们不能因为我们改变世界的梦想就扭曲现实……高科技不能作为消费品去设计和销售。”

乔布斯对此惊愕不已。20世纪90年代初，苹果在斯卡利的领导下市场份额和收入持续下降，他对斯卡利的愤怒和蔑视也与日俱增。“斯卡利引进下三滥的人和下三滥的价值观，把苹果给毁了。”乔布斯后来悲叹，“他们只在乎如何赚钱——主要为他们自己，同时也为苹果——而不在乎如何制造出色的产品。”乔布斯感觉斯卡利对利润的追逐是以牺牲市场份额为代价的。“麦金塔之所以输给微软，是因为斯卡利坚持榨取每一分利润，而不是努力改进产品和降低价格。”

微软用了几年时间模仿麦金塔的图形用户界面，到1990年就已经推出了Windows 3.0系统，从此走上了统领台式电脑市场的征途。1995年8月发布的Windows 95成为有史以来最成功的操作系统，而麦金塔的销售量开始暴跌。“微软只是剽窃他人的成果，然后坚持下去，利用它对IBM兼容机的控制。”乔布斯后来说，“苹果也是活该。我离开后，它没有发明任何新东西。Mac几乎没有改进。面对微软，它只能坐以待毙。”

乔布斯对苹果的沮丧是显而易见的。有一次，他在一个学生家里给斯坦福商学院俱乐部成员演讲，那个学生请他在一个麦金塔键盘上签名。乔布斯说，如果能把他离开苹果后加到Mac上的键都拿掉，就可以签名。他拿出汽车钥匙，抠掉了他曾经禁止使用的四个箭头光标按键，还有最上面一行的“F1、F2、F3……”等功能键。“我在一个一个键盘地改变世界。”他面无表情地说。然后他在残缺不全的键盘上签了名。

1995年圣诞节，在夏威夷的康娜度假村休假时，乔布斯跟他的朋友，甲骨文强势的董事长拉里·埃利森在海滩散步。他们讨论收购苹果，然后让乔布斯回去重掌大局。埃利森说他可以安排30亿美元的融资。“我会买下苹果，你作为CEO会立即获得25%的股份，我们可以重现它过去的辉煌。”但是乔布斯却表示反对。“我认定我不是那种能做恶意收购的人，”他解释说，“如果他们请我回去，那就不一样了。”

到1996年，苹果的市场份额已经从80年代末16%的最高点下降到4%。1993年取代斯卡利担任苹果CEO的迈克尔·斯平德勒（Michael Spindler），试图把公司卖给Sun、IBM和惠普。失败后，斯平德勒在1996年2月被吉尔·阿梅里奥（Gil Amelio）取代。阿梅里奥是一位研发工程师，曾任国家半导体公司CEO。在他任期第一年，苹果公司亏损了10亿美元，股票价格从1991年时的70美元暴跌到14美元，而当时，高科技泡沫正把其他股票的价格推向史无前例的高点。

阿梅里奥没那么喜欢乔布斯。他们第一次见面是在1994年，当时阿梅里奥刚刚被选入苹果的董事会。乔布斯给他打电话说，“我想过去见你。”阿梅里奥于是邀请他到国家半导体公司的办公室。后来阿梅里奥回忆了当时透过办公室的玻璃墙看着乔布斯到来的情景——他看起来“像个拳击手，富有攻击性又带着难以捉摸的优雅，或者说像一只高贵的丛林猫，时刻准备扑向猎物”。阿梅里奥后来记述道。他们寒暄了几分钟——这已经远远超过了乔布斯习惯的长度，然后乔布斯突然宣布了他的来意。他想让阿梅里奥帮助他回到苹果担任CEO。“只有一个人可以重整苹果大军，”乔布斯说，“只有一个人可以带领公司走出困境。”乔布斯认为麦金塔的时代已经过去，是时候创造一些新的并具有创新性的东西了。

“如果Mac已死，什么会代替它？”阿梅里奥问。乔布斯的回答没能打动他。“史蒂夫似乎没有一个清晰的答案，”阿梅里奥后来说，“他好像只是有一些零散的想法。”阿梅里奥认为他正在目睹乔布斯的现实扭曲力场，并且很自豪没有受其影响。他不客气地把乔布斯请出了办公室。

到1996年夏天，阿梅里奥认识到他面临着一个严重的问题。苹果公司把希望寄托在创造一个叫Copland的新操作系统上，但是阿梅里奥成为CEO后不久就发现，这个系统只是一纸空谈，既不能实现苹果所需要的更好的网络连接和内存保护功能，也无法如期在1997年交货。阿梅里奥公开承诺，他将很快找到一个替代品。但问题是，他没有替代品。

所以苹果需要一个合作伙伴提供稳定的操作系统，最好还是像Unix那样的操作系统，以及具备面向对象的应用程序层。当时，有一家公司显然可以提供这样的软件——NeXT——但是还要过一段时间苹果才会关注到这一点。

苹果先是锁定了一家由让-路易·加西创建的公司Be。加西开始商谈把Be卖给苹果，但是1996年8月在夏威夷跟阿梅里奥开会时，他过于自以为是了。他说他想带50人的团队加入苹果，要公司15%的股权，价值大约5亿美元。阿梅里奥听罢目瞪口呆。苹果当时对Be的估值只有5 000万美元。经过几番讨价还价，加西无法接受低于2.75亿美元的报价。他以为苹果没有其他选择了。加西对别人说，“我拿住了他们的要害，我要一直捏到他们疼为止。”这话传到阿梅里奥耳朵里，那感觉可不太好。

苹果的首席技术官埃伦·汉考克（Ellen Hancock）赞成采用Sun公司基于

Unix的Solaris操作系统，尽管它还没有一个友好的用户界面。而阿梅里奥居然开始倾向于使用微软的Windows NT操作系统，他认为可以做一些外观上的改动，使之看起来感觉就像个Mac，又能跟Windows用户可以使用的大量软件相兼容。比尔·盖茨非常渴望达成这项合作，开始亲自给阿梅里奥打电话。

当然，还有另外一个选择。两年前，《Macworld》杂志的专栏作家（前苹果软件布道者）盖伊·川崎（Guy Kawasaki）曾经发表了一篇模拟新闻通稿，开玩笑说苹果即将收购NeXT然后让乔布斯担任CEO。文中模仿迈克·马库拉问乔布斯："你想把下半辈子用来卖裹着层糖衣的Unix，还是用来改变世界？"乔布斯同意这项收购并表示："我现在是个父亲了，我需要一个稳定的收入来源。"文章评论说"由于他在NeXT的经历，人们期待他会把一种从未有过的谦卑感带回苹果"。文章还拟引了比尔·盖茨的话说，现在会有更多乔布斯的创新可以供微软抄袭了。当然，这篇新闻稿里所有的话都是玩笑。但是现实总有一个奇怪的习惯，要追上嘲讽的步伐。

向库比蒂诺蹒跚前进

"谁跟史蒂夫的关系够好，能给他打个电话？"阿梅里奥问他的员工们。由于跟乔布斯两年前的会面不欢而散，阿梅里奥不想亲自打这个电话。但是结果表明，他的确不必。NeXT已经开始向苹果伸出了橄榄枝。NeXT公司的一位中级产品推销员加勒特·赖斯（Garrett Rice），没有请示乔布斯，就直接拿起电话打给了埃伦·汉考克，问她是否有兴趣看一下NeXT的软件。汉考克派人去跟他见面。

到1996年感恩节，两家公司已经开始了中层级别的磋商，乔布斯直接给阿梅里奥打了个电话。"我要去日本，但是我一周内就回来，我一回来就见你。"乔布斯说，"我们见面前你不要作任何决定。"虽然与乔布斯有段不愉快的过去，但阿梅里奥接到这个电话还是很振奋，为跟他合作的可能性感到惊喜。"对我来说，接到史蒂夫的电话，那感觉就像是在闻一瓶极品葡萄酒的醇香。"他回忆说。他答应在他们俩见面之前，他不会跟Be或任何人敲定交易。

对于乔布斯来说，跟Be的竞争亦公亦私。NeXT已在走下坡路，被苹果收购是一根救命稻草。另外，乔布斯是很记仇的，加西在他的仇人名单中位列前茅，排名甚至可能比斯卡利还高。“加西真是个邪恶的家伙，”乔布斯后来说，“他是我这辈子认为真正邪恶的少数几个人之一。1985 年他在背后捅了我一刀。”而斯卡利至少还是个绅士，是从前面捅他刀子的。

1996 年 12 月 2 日，史蒂夫·乔布斯在时隔 11 年后，再次踏上了苹果位于库比蒂诺的土地。在高管会议室，他向阿梅里奥和汉考克展示了NeXT。又一次，他在那块白板上狂写乱画，这次他是在讲计算机系统的 4 次浪潮，以及NeXT的发布如何将此次浪潮推至顶点。他认为Be OS系统并不完整，也没有NeXT那么精密高级。他尽其所能吸引着听众，尽管事实上他面对的是他并不尊重的两个人。他尤其擅长伪装谦逊。“可能这是个完全疯狂的想法。”他说，但是如果他们感兴趣，“我愿意采用任何一种你们想要的合作方式——授权软件，把公司卖给你们，或者别的方式都行。”事实上，他是渴望把公司全部卖掉，因此他着力推荐这个方式。“如果你们了解得更多，你们会决定想要的不仅仅是我的软件，”他对他们说，“你们会想收购整个公司并收编所有员工。”

“你看，拉里，我想我找到了一种方式重回苹果并获得控制权，而且你也不用去收购它。”在夏威夷的康娜度假村散步时，乔布斯这样对埃利森说。那年他们一起去那儿过圣诞节。埃利森回忆说：“他解释了他的策略，即促成苹果收购NeXT，然后他就可以进入董事会，离CEO的位子仅一步之遥。”埃利森认为乔布斯忽视了一个关键问题。“但是史蒂夫，有件事我不明白，”他说，“如果我们不收购公司股权，我们怎么赚钱呢？”这再次显示了他们的欲求是多么不同。乔布斯把手搭在埃利森的左肩上，把他拉到自己跟前，他们的鼻尖几乎要碰上了，他说：“拉里，这就是为什么有我做你的朋友非常重要。你已经不缺钱了。”

埃利森还记得自己当时嘀咕着回答，“我可能是不需要这些钱了，但为什么要让富达（Fidelity）的那些基金经理赚到这些钱呢？为什么要让别人赚？为什么不应该是我们？”

“我想如果我回到苹果，而我不持有苹果的股份，你也不持有苹果的股份，我就会占据道德高地。”乔布斯回答说。

“史蒂夫，这块道德高地可真是块昂贵的地产。”埃利森说，“你瞧，史蒂夫，你是我最好的朋友，而苹果是你的公司。我会听你的。”虽然乔布斯接下来说他不打算靠恶意收购来夺回苹果，但是埃利森觉得那是不可避免的。“任何人只要跟阿梅里奥聊上半个小时就会认识到，他除了自我毁灭干不了别的。”他后来说。

NeXT和Be的终极对决于12月10日在帕洛奥图的花园庭院酒店（Garden Court Hotel）举行，评委包括阿梅里奥、汉考克和另外6位苹果高管。NeXT先上，由阿维·泰瓦尼安展示软件，而乔布斯尽情发挥他那催眠术般的销售技巧。他们展示了这套软件如何在屏幕上同时播放4段录像，如何制作多媒体文件，如何连接互联网。“史蒂夫推销起NeXT操作系统来让人眼花缭乱，”阿梅里奥说，“他赞美着那些优点和长处，就好像他在描述奥利弗·斯通饰演麦克白是如何出色。”

之后加西上场，他的表现就像是胜券在握一样。他没有作新的演示，只是说苹果团队知道Be OS的性能，问是不是还有其他问题。整个过程很短。在加西作推介时，乔布斯和泰瓦尼安在帕洛奥图的街上散步。过了一会儿，他们碰上了之前在评选现场的一位苹果高管。“你们会赢的。”他告诉他们。

泰瓦尼安后来说，那并不出乎意料。“我们有更好的技术，我们有完整的解决方案，而且我们有史蒂夫。”阿梅里奥知道，让乔布斯重回苹果是把双刃剑，但是让加西回来也面临同样的问题。一位早年间麦金塔团队的老员工拉里·特斯勒向阿梅里奥建议选择NeXT，但是他加了一句：“无论你选择哪家公司，你都会面临着自己的地位被人取代——史蒂夫或让-路易。”

阿梅里奥选择了乔布斯。他给他打电话说，自己计划向苹果董事会提请授权他谈判NeXT的收购事宜。他问乔布斯是否愿意参加会议，乔布斯说愿意。当乔布斯走进会议室，看到迈克·马库拉那一刻，场面很是动情。马库拉曾经是他的导师，就像他的父亲一样，但自从他1985年站在斯卡利一边之后，他们就再也没讲过话。乔布斯走过去跟他握手。然后，乔布斯在没有泰瓦尼安和其他任何后援的情况下，自己作了NeXT演示。最终，整个董事会被完全征服了。

乔布斯邀请阿梅里奥去他在帕洛奥图的家里谈判，这样可以有个友好的环境。阿梅里奥开着经典的1973年款奔驰车出现，乔布斯对此印象深刻。他喜欢这部车。在刚刚装修一新的厨房里，乔布斯烧水泡茶，然后他们在比萨炉前的木头餐桌边落座。财务部分的谈判进行得很顺利，乔布斯想避免加西所犯的狮子大开口的错误。他建议苹果以每股12美元的价格收购NeXT，总价值将达5亿美元。阿梅里奥说价格太高了。他还价到每股10美元，总价4亿美元。跟Be不同的是，NeXT有实际的产品、确实的收入，以及出色的团队，但尽管如此，乔布斯还是对这个报价感到惊喜。他立即接受了。

谈判的一个胶着点，是乔布斯希望苹果付给他现金。阿梅里奥坚持说他应该与公司共存亡，只能付给他股票，而且他要同意持股至少一年。乔布斯不愿意。最后，双方都作出了让步。乔布斯将拿到1.2亿美元的现金和价值3 700万美元的股票，并承诺持有这些股票最少6个月。

一如既往地，乔布斯喜欢在散步时进行一些谈话。当他们在帕洛奥图闲逛时，他提出希望被纳入苹果的董事会。阿梅里奥试图劝阻他，说有太多历史问题，这样做为时尚早。“吉尔，这太伤人了，”乔布斯说，“这曾是我的公司。而自从跟斯卡利交恶，我就被驱逐至今。”阿梅里奥说他能理解，但是他不敢肯定董事会是什么态度。在跟乔布斯谈判之前，阿梅里奥已经暗下决心，“我要按照自己的逻辑往前推进”并且“要回避他的人格魅力”。但是在散步过程中，跟其他很多人一样，他完全陷入了乔布斯的力场。“我被史蒂夫的旺盛精力和热情吸引住了。”他回忆说。

在街区里转了几圈之后，他们回到乔布斯家，正赶上劳伦和孩子们回来。他们一起庆祝谈判顺利，然后阿梅里奥开着奔驰离开了。“他让我觉得就像是个交了一辈子的朋友。”阿梅里奥回忆说。乔布斯的确很擅长这一手。后来，当乔布斯把他赶出苹果后，阿梅里奥回忆起那天乔布斯的友善，伤感地说，“我痛苦地发现，那只是一个极端复杂人格的一个侧面。”

在通知加西苹果要收购NeXT之后，阿梅里奥还有一个更难完成的任务：通知比尔 · 盖茨。结果证明的确如此。“他勃然大怒。”阿梅里奥回忆说。乔布斯把这单生意做得这么漂亮，盖茨觉得很不可思议，但是可能并不惊讶。“你真的认为史蒂夫 · 乔布斯有什么真家伙吗？”盖茨问阿梅里奥，“我了解他的技术，只不过是炒Unix的冷饭，根本不可能运行在你们的机器上。”盖茨跟乔布斯一样会越说情绪越激动，阿梅里奥回忆说，盖茨这样咆哮了两三分钟。“难道你不明白乔布斯根本不懂技术吗？他只是一个超级销售员。我真无法相信你会作出这么愚蠢的决定……他根本不懂工程，他说的想的里面99%都是错误的。你们买下那堆垃圾到底是为了什么？”

多年以后，当我向盖茨问起这件事，他已经不记得自己有那么沮丧了。他认为收购NeXT没有真正给苹果带来一个新的操作系统。“阿梅里奥为NeXT支付了一大笔钱，咱们坦率说，NeXT OS系统从来就没有真正运行过。”不过，这次收购倒是让阿维·泰瓦尼安加盟进来，他帮助改进现有的苹果操作系统，并最终融入了NeXT的核心技术。盖茨知道这次交易注定会使乔布斯重掌大权。“但这就是命运无常，”他说，“他们最后买来的是一个大多数人认为做不好CEO的人，因为他对此没什么经验，但他是个才华横溢的家伙，有出色的设计品位和技术品位。他适当地掩饰了疯狂，就被任命为临时CEO了。”

虽然埃利森和盖茨都认为乔布斯是要夺回苹果，但是乔布斯自己却感觉很矛盾，他犹豫当阿梅里奥还在的时候到底要不要回苹果，担任一个重要角色。在宣布收购NeXT几天前，阿梅里奥邀请乔布斯全职加入苹果，负责操作系统的开发。然而，乔布斯一直不让阿梅里奥作出任何任命。

最后，在要作出这个重大宣布的当天，阿梅里奥把乔布斯请到了办公室。他需要一个答复。“史蒂夫，你是想拿了钱就走人吗？”阿梅里奥问，“如果那是你想要的，也没问题。”乔布斯没有回答，他只是看着阿梅里奥。“你想成为正式员工吗？还是做一个顾问？”乔布斯还是一言不发。阿梅里奥出去找到乔布斯的律师拉里·松西尼（Larry Sonsini），问他乔布斯到底想要什么。“我也不知道。”松西尼说。阿梅里奥回到办公室，关上门，又试了一次：“史蒂夫，你在想什么？你有什么感觉？拜托，我现在需要一个决定。”

“我昨晚一夜没睡。”乔布斯回答。

“为什么？出了什么事？”

“我在思考所有要做的事情，还有我们这个交易，都压在了一起。我现在真的很累，想不清楚。不要再问我任何问题了。”

阿梅里奥说那不可能。他总得说点儿什么。

最后，乔布斯回答说，“好吧，如果你必须要对外说点儿什么，就说是董事长顾问吧。”阿梅里奥照做了。

当晚——1996 年 12 月 20 日——在苹果总部 250 名欢呼雀跃的员工面前，阿梅里奥宣布了这个消息。阿梅里奥按乔布斯的要求，把他的新角色描述为仅仅是兼职顾问。乔布斯没有从侧面上台，而是从礼堂后面走进来，穿过走道登上舞台。阿梅里奥之前告诉大家乔布斯可能太累了不会讲话，但是到那时乔布斯已经被掌声振奋了。“我非常激动，”他说，“我期待着重新认识一些老同事。”《金融时报》的路易丝 · 基欧（Louise Kehoe）之后上台向乔布斯提问，听起来几乎是指责一般，问他是否最终会接管苹果。“噢，不会的，路易丝，”他说，“现在我的生活中有很多事情。我有家庭。我要参与皮克斯的业务。我的时间是有限的，但是我希望可以贡献一些想法。”

第二天，乔布斯开车去皮克斯。他越来越喜欢这个地方，他想让员工们知道他会继续担任总裁，并深度参与工作。但是皮克斯的员工很高兴看到他要回苹果做兼职工作；乔布斯的关注少一些可能反而会是件好事。当有重要谈判时他作用巨大，但是如果他有太多空闲时间就可能是危险的。那天到了皮克斯以后，他去拉塞特的办公室，解释说即使仅仅作为苹果的顾问，也会占用他很多时间。他说他想得到拉塞特的祝福。“我一直在想，这将导致我有很多时间不能陪伴家人，也有很多时间不能陪在另一个家——皮克斯。”乔布斯说，“但我想做这件事的唯一原因是，这个世界如果有苹果就会变得更好。”

拉塞特温和地微笑着。“我祝福你。”他说。

第二十三章

The Restoration

For the loser now will be later to win

复出

此刻的失败者终将胜利①

1997 年，阿梅里奥请沃兹尼亚克上台，而乔布斯慢慢地溜下了台

在幕后彷徨

“你很少能见到一个艺术家在三四十岁时还能有令人惊叹的作品。”乔布斯即将 30 岁的时候这样说。

① 鲍勃 · 迪伦的歌《时代在变》中的一句歌词。

乔布斯30多岁的时候，自他1985年离开苹果后的10年间，确实少有建树。但是当他1995年步入40岁以后，却成就卓著。那一年《玩具总动员》发行上映，第二年苹果收购NeXT，使他一举重返他当年创建的公司。回到苹果，乔布斯将证明，即使超过40岁的人也可以是最好的创新者。二十几岁，他就改变了个人电脑，现在，他将同样改变音乐播放器、唱片产业的商业模式、移动电话、应用软件、平板电脑、书籍以及新闻业。

他之前告诉拉里·埃利森，他的回归策略是把NeXT卖给苹果，借此进入董事会，然后在那儿等着阿梅里奥出错。当乔布斯坚持说他的动机不是钱时，埃利森可能感到迷惑不解。但那的确部分属实。他既没有埃利森那种惹人注目的消费需求，也没有比尔·盖茨那种投身慈善事业的内在冲动，亦没有那种想看看自己在《福布斯》排行榜上能爬多高的竞争意识。在他那自负和个人动力的驱使下，他要通过创造足以令世人敬畏的传奇来获得满足。这实际上包括两个方面：制造不断革新不断变化的伟大产品，以及建立一家有持久生命力的公司。他希望跟埃德温·兰德、比尔·休利特和戴维·帕卡德这些人一起在万神殿占据一席之地，甚至比他们还要高一级。要实现这些，最好的方式就是回到苹果，夺回他的王朝。

然而……当回归的时机真的到来时，他却有一种奇怪的游移不定的感觉。削弱吉尔·阿梅里奥的力量，他倒不会觉得不好意思。那是他的本性，而且一旦他认定阿梅里奥不知道自己在做什么，他就别无选择。但是当权力之杯到了嘴边，他会奇怪地开始迟疑，甚至不愿接受，也许是故作姿态。

1997年1月，他作为一位非正式的兼职顾问入职苹果，如他之前告诉阿梅里奥的那样。他开始介入一些人事问题，尤其是会保护他从NeXT带过来的员工。但是在其他大多数方面，他都异乎寻常的被动。他对不让他加入董事会的决定感觉不快，而让他管理公司的操作系统部门的建议也让他觉得是贬低了他的价值。阿梅里奥得以创造了这样一种局面：乔布斯既是局内人又是局外人，这可不是和睦之道。乔布斯后来回忆：

> 吉尔不希望我在。而我认为他是个笨蛋，我在把公司卖给他之前就知道。我想，我现在就是做做形象大使，在类似Macworld这样的活动上出席

> 一下，主要为了作秀。这没问题，因为我还在皮克斯工作。我在帕洛奥图市中心租了一间办公室，可以每周在那儿工作几天，再开车去皮克斯待个一两天。这日子不错。我可以慢下脚步，多陪陪家人。

事实上，在1月初的Macworld活动上，乔布斯就做起了形象大使，而这次的经历让他更坚定地认为，阿梅里奥就是个笨蛋。将近4 000位忠实苹果迷争先恐后地汇集到旧金山万豪酒店的大宴会厅，聆听阿梅里奥的主题演讲。介绍他上台的是演员杰夫·高布伦（Jeff Goldblum），就是在《独立日》里扮演用苹果电脑PowerBook拯救了世界的人。“在《侏罗纪公园2：失落的世界》里，我饰演了一位混沌理论专家。”他说，“我想，这使我有资格在苹果的活动上讲话。”然后他把舞台交给了阿梅里奥。阿梅里奥走上台来，穿着件俗丽的西装，里面是件立领衬衫，领子紧紧地贴着脖子——“看起来像拉斯维加斯的滑稽演员。”《华尔街日报》的记者吉姆·卡尔顿（Jim Carlton）后来写道。或用另一位科技作家迈克尔·马隆的话说，“看着就像是你刚离婚的舅舅第一次出来约会”。

更大的问题是，阿梅里奥之前去度假了，又跟他的演讲稿作者大吵一架，而且拒绝彩排。当乔布斯到达后台时，对现场的混乱局面备感沮丧。看着阿梅里奥站在讲台那儿笨拙地做着前后脱节没完没了的演讲，乔布斯气愤不已。阿梅里奥对讲词提示器上蹦出来的那些讲点并不熟悉，很快就开始忘词。他思路断断续续。就这样过了一个多小时，观众们面面相觑。中间倒是有几次让大家松口气的间歇，诸如他把歌手彼得·加布里埃尔（Peter Gabriel）请上台演示一个新的音乐软件的时候。他还指出了坐在第一排的穆罕默德·阿里。这位拳王按计划是要上台推介一个关于帕金森综合征的网站，可是阿梅里奥一直没请他上台，也没解释他为什么在场。

阿梅里奥啰唆了两个多小时，最后终于把所有人都等着为之欢呼的人请上了台。“乔布斯大步跨上舞台，自信而有型，魅力四射，跟阿梅里奥的笨手笨脚形成了鲜明对照。”卡尔顿写道，“即使是猫王归来也不会引起比这更大的轰动。”观众纷纷起立，震耳欲聋的掌声持续了超过一分钟。杂乱无章的十年就此终结。最后，他挥手请大家安静，直入主题。“我们要再创辉煌。”他说，“Mac十年来没有什么进步，所以Windows赶上来了。我们必须拿出一个更好的操作系统。”

乔布斯鼓舞人心的演讲本可以作为结束语，弥补阿梅里奥的可怕表现。不幸的是，阿梅里奥又回到舞台上，继续嘟嘟囔囔了一个小时。最后，活动开始后过了三个多小时，阿梅里奥终于准备结尾，再次请乔布斯上台，然后出乎意料地把史蒂夫·沃兹尼亚克也请了上来。现场又是一阵骚动。但是乔布斯显然反感这样的安排。他不想参与这样三个人举起手臂庆祝胜利的一幕。于是，他慢慢地溜下了台。“他无情地破坏了我策划的落幕式，”阿梅里奥后来抱怨，“他个人的感觉比苹果的媒体形象更重要。”这刚刚是苹果进入新纪元的第七天，一切就已经很显然，权力的中心再也难以保持不变了。

乔布斯立即开始把他信任的人安排到苹果的高层位置。“我想确保来自NeXT的真正优秀的人，不会被当时在苹果担任高级职位的没那么优秀的人从背后捅刀子。”他回忆说。曾经赞同苹果选择Sun公司Solaris系统而不是NeXT的埃伦·汉考克，在乔布斯的“笨蛋名单”上位列前茅，尤其是她仍然想在苹果的新操作系统中采用Solaris的核心技术。当一个记者问她在这一抉择中乔布斯将扮演什么角色时，她草率地回答，“没有角色。”她错了。乔布斯的第一步动作，就是确保用他从NeXT带来的两个朋友接替了她的职责。

他指定他的好朋友阿维·泰瓦尼安负责软件工程。硬件方面，他找来了乔恩·鲁宾斯坦，当年NeXT还有硬件部门时，鲁宾斯坦担任同样的职务。当乔布斯直接给他打电话时，他正在英国的斯凯岛度假。“苹果需要帮助。”乔布斯说，“你想加入吗？”鲁宾斯坦的确很想。他及时赶回来参加Macworld大会，也看到了阿梅里奥在台上出丑。形势比他预想的还糟。他和泰瓦尼安常常在会议中交换眼神，感觉仿佛是误入了精神病院，大家都在说着疯话，而阿梅里奥坐在桌子的尽头，一副神志不清的样子。

乔布斯不经常来办公室，但是他经常给阿梅里奥打电话。一旦他成功地把泰瓦尼安、鲁宾斯坦等他信任的人安插在高管位置上后，他就把注意力转向了杂七杂八的产品线。他的眼中钉之一就是牛顿（Newton），这是一款手持个人电子设备，宣称有很好的手写识别率。其实它也并非如大家玩笑中的以及《杜斯别里家族》(*Doonesbury*)连环画里说得那么糟糕，但是乔布斯讨厌它。他很鄙视用手写笔在屏幕上写字的想法。“上帝给了我们十支手写笔，”他会挥舞着他的手指说，“我们不要再多发明一个了。”再加上，乔布斯把牛顿看做是约翰·斯卡利的主要发明，是斯卡利最喜爱的项目。仅这一点，就足以让它在乔布斯的眼里永无出头之日。

“你应该把牛顿砍掉。”一天他打电话给阿梅里奥说。

这是个毫无来由的建议，阿梅里奥难以接受。“什么意思，砍掉？”他说，“史蒂夫，你有没有概念，那得要花多少钱？”

“停产，核销，处理掉。”乔布斯说。“花多少钱不重要，如果你把它处理掉，人们会为你喝彩。”

“我仔细研究了牛顿，它是能赚钱的。”阿梅里奥说，“我不支持把它处理掉。”然而，到5月份，他宣布了分拆牛顿部门的计划。之后经过长达一年磕磕绊绊的跋涉，它的生命走向终结。

泰瓦尼安和鲁宾斯坦会到乔布斯家里向他汇报公司的情况，很快，硅谷的大部分人都知道了乔布斯在暗中削弱阿梅里奥的权力。这倒并不是场处心积虑的权谋之战，只是乔布斯的自然之举。控制欲是他骨子里的本性。路易丝·基欧，就是阿梅里奥在12月宣布乔布斯回归时便有此预见、向乔布斯提问的那位《金融时报》记者，率先就此做了文章。“乔布斯先生已经开始垂帘听政。”她在2月底如是报道，“据说他正在指导苹果决定哪些业务应该砍掉。他们说，乔布斯先生已经催促一些前苹果员工回到公司，并强烈暗示说他计划掌管大局。根据乔布斯先生的一位关系密切人士所说，他已经认定阿梅里奥先生和他任命的人无法让苹果重现辉煌。他打算把他们替换掉，以确保‘他的公司’得以生存。”

当月，阿梅里奥必须面对一年一度的股东大会，并解释为什么1996财年最后一个季度的销售量比上年同期暴跌了30%。股东们在麦克风前排着队发泄他们的愤怒。阿梅里奥完全不知道自己把会议开得多么糟糕。“这是我做过的最好的一次演讲。”他后来得意扬扬地说。然而苹果董事长、杜邦公司（DuPont）前CEO埃德·伍拉德（Ed Woolard，马库拉当时已降职为副董事长）却听得大惊失色。“这真是场灾难。”他妻子听到一半时在他耳边说。伍拉德也这么认为。“吉尔穿得很酷，可他无论看起来还是听起来都很愚蠢。”他回忆说，“他答不上问题，不知道自己在说什么，也没有鼓舞起大家的信心。”

伍拉德拿起电话打给乔布斯，他们还从未见过面。他借口说想邀请他去特拉华州给杜邦公司的高管演讲。乔布斯婉拒了，但是伍拉德回忆，“那次邀请是个小伎俩，是为了能跟他讨论吉尔的问题。”他把谈话引向那个方向，然后直截了当地问乔布斯对阿梅里奥是什么印象。伍拉德记得乔布斯当时比较谨慎，只是说阿梅里奥不适合现在的工作。而据乔布斯自己回忆，他当时更是直言不讳：

> 我对自己说，我要不就告诉他实话，吉尔是个笨蛋，要不就避而不谈。他是董事会成员，我有义务告诉他我的看法；另一方面，如果我告诉他，他会告诉吉尔，那样吉尔就再也不会听我的了，而且还会把我带进苹果的那些人都灭掉。所有这些想法在30秒钟之内在我脑子里闪过。我最后觉得我应该告诉他真相。我非常在乎苹果，所以我就给他真相。于是我说，这个家伙是我见过的最差劲的CEO，我想，假如做CEO也需要拿执照的话，他根本拿不到。等我挂上电话，我想，我可能刚刚做了件非常愚蠢的事。

那年春天，甲骨文的拉里·埃利森在一次聚会上见到阿梅里奥，把他介绍给了科技记者吉娜·史密斯（Gina Smith）。她问苹果情况如何。“你知道，吉娜，苹果就像一条船，”阿梅里奥回答，“船上满载着宝藏，但是船身有个洞。我的工作就是让所有人都朝同一个方向划船。”史密斯看起来很迷惑地问，“是的，但是，那个洞怎么办？”从那时起，埃利森和乔布斯就一直拿这个关于船的比喻开玩笑。“拉里给我讲这个故事的时候，我们正在吃寿司，我真是笑得都直不起腰来了。”乔布斯回忆说，“他就是那样一个小丑，还特别把自己当回事儿。他坚持让所有人称呼他为阿梅里奥博士，以此提醒别人尊重他。”

《财富》杂志消息灵通的科技记者布伦特·施伦德（Brent Schlender）认识乔布斯并且熟悉他的想法。3月，他写了一篇文章，详细描述了苹果的混乱局面。“苹果计算机公司正步入危机，面对销售剧减、科技战略错乱、品牌价值流失等一系列问题，行动迟缓、手足无措，它已成为硅谷管理失控、说着科技呓语的典型代表。”他写道，“从权谋家的角度看，似乎乔布斯可能会策划接管苹果，尽管有好莱坞的诱惑——最近他在管理皮克斯，制作《玩具总动员》和其他电脑动画影片。”

又一次，埃利森公开表示想要对苹果进行恶意收购，然后让他“最好的朋友”乔布斯做CEO。“乔布斯是唯一可以拯救苹果的人。”他告诉记者们，“只要他开口，我随时准备助他一臂之力。”跟狼来了的故事一样，埃利森又一次发表的收购之语没有得到多少人关注，所以当月晚些时候，他告诉《圣何塞水星报》的丹·吉尔摩（Dan Gillmore），他正在组建一个投资团，将融资10亿美元，收购苹果的多数股权。（苹果公司当时的市值约为23亿美元。）这条消息公布当天，苹果的股票价格就飙升了11%，交易量巨大。更搞笑的是，埃利森还设立了一个电子邮箱savapple@us.oracle.com，请公众投票他是否应该将此举进行下去。（埃利森最开始拟定的邮箱地址是“saveapple”（拯救苹果），但是之后发现，他们公司的邮件系统要求名称不能超过8个字母。）

乔布斯被埃利森给自己揽的活儿逗乐了，由于他还没想好如何回应这种做法，便对此避而不谈。“拉里时不时会提起这个想法，”他告诉一位记者，“我试图解释过，我在苹果的角色是个顾问。”而另一方面，阿梅里奥却勃然大怒。他给埃利森打电话，想斥责他，可是埃利森不接电话。所以阿梅里奥就给乔布斯打电话，乔布斯给他的答复模棱两可但也半真半假。“我确实不知道这是怎么回事。”他告诉阿梅里奥，“我认为这一切都疯了。”然后他又说了句连半真都算不上的安慰话。“你跟我交情很好。”他说。乔布斯本可以发表一个声明，拒绝埃利森的想法，就能停止外界的猜测。但是让阿梅里奥非常烦恼的是，乔布斯没有这样做。他一直冷眼旁观，那既符合他的利益也符合他的本性。

阿梅里奥更大的麻烦在于，他失去了董事长埃德·伍拉德的支持。伍拉德是一位直率而明智的工程师，他懂得如何聆听。乔布斯不是唯一一个跟他谈到阿梅里奥缺点的人。苹果首席财务官弗雷德·安德森警告伍拉德，公司马上会违反与银行签订的保证条款，他还谈到了士气低落的问题。在3月的董事会上，其他董事变得焦躁不安，否决了阿梅里奥提出的广告预算。

另外，媒体也不再支持阿梅里奥。《商业周刊》的封面标题以问句开场：“苹果一盘散沙？”《红鲱鱼》杂志刊登了一篇编者按，大标题是“吉尔·阿梅里奥，请辞职”。而《连线》杂志的封面上，苹果的标识变成了一颗恐惧之心，戴着荆冠，被钉在十字架上，标题是“祈祷”。《波士顿环球报》（*Boston Globe*）的迈克·巴尼克尔（Mike Barnicle）抱怨苹果多年来经营不善，写道：“那些笨蛋怎么还在拿工资？他们手里有着举世无双的让人亲近的电脑，却把它变成了1997年波士顿红袜队替补队员的技术水准。”5月底，阿梅里奥接受《华尔街日报》记者吉米·卡尔顿的采访，对方问他能否扭转外界认为苹果已陷入“死亡螺旋”的看法。阿梅里奥直视着卡尔顿的眼睛说，“我不知道如何回答这个问题。”

乔布斯和阿梅里奥在2月份签订最终协议后，兴高采烈蹦蹦跳跳地宣布，“你跟我要出去喝瓶好酒庆祝一下！”阿梅里奥提议从他的酒窖拿酒，带上夫人们一起庆祝。直到6月份他们才敲定这个时间，尽管气氛日益紧张，他们还是过得很愉快。食物和酒恰如共进晚餐的人一样不搭调：阿梅里奥带了一瓶1964年的白马庄（Cheval Blanc）和一瓶蒙哈榭（Montrachet），每瓶价值均在300美元左右，而乔布斯选择了雷德伍德的一家素食餐厅，餐费总共72美元。阿梅里奥的妻子后来评价说，“他真是有魅力，他夫人也是。”

乔布斯可以随心所欲地引诱和迷惑别人，而且他喜欢这样做。像阿梅里奥和斯卡利这样的人都愿意相信，既然乔布斯在向他们施展魅力，就意味着他喜欢和尊重他们。这会给人一种印象：有时对那些渴望奉承的人，他会给予不真诚的奉承。乔布斯可以轻易吸引他讨厌的人，而他伤害起他喜欢的人也同样驾轻就熟。阿梅里奥没有看到这一点，因为他和斯卡利一样渴望得到乔布斯的认可。的确，他连描述自己如何渴望与乔布斯搞好关系的用词都几乎跟斯卡利一样。“当我为一个问题困扰时，我会跟他一起讨论，”阿梅里奥回忆说，“十次中有九次我们是能够达成一致意见的。”他情愿相信乔布斯真的尊重他。“我敬佩乔布斯解决问题的方式，而且感觉到我们正在建立一种相互信任的关系。”

就在他们共进晚餐后不久，阿梅里奥的梦想破灭了。他们谈判期间，阿梅里奥曾坚持乔布斯要持有他得到的苹果股票至少6个月，越长越好。这6个月的时限在6月份到期。当一笔150万股的大宗交易发生时，阿梅里奥给乔布斯打了电话。“我要告诉人们那些出手的股票不是你的。”他说，“记住，你我之间有个共识，你要出手之前会先通知我们。”

"没错。"乔布斯回答。阿梅里奥把这个答复理解为乔布斯没有卖出他的股票，于是发表了一个声明予以否认。可是直到证券交易委员会公布申报文件时，才发现乔布斯确实卖掉了他的股票。"该死，史蒂夫，我直接问过你，你说不是你。"乔布斯告诉阿梅里奥说，他卖股票是因为"一时对苹果该往何处去感到沮丧"，而他不想承认是因为他"有点儿尴尬"。多年以后当我问起他时，他只是说，"我不觉得我需要通知吉尔。"

为什么乔布斯要在他是否卖了股票的问题上误导阿梅里奥呢？一个原因很简单：乔布斯有时候会回避事实。哈特穆特·索南费尔德（Helmut Sonnenfeld）曾经这样描述亨利·基辛格："他撒谎不是因为那符合他的利益，他撒谎是因为那是他的天性。"乔布斯生性就喜欢误导人，或者有时候故作神秘，只要他觉得有理由。而另一方面，他有时也会诚实得近乎残忍，讲出那些我们大多会粉饰或隐瞒的事实。撒谎和实话实说都只是他那尼采式的人生态度的两个侧面。一般规律对他不适用。

阿梅里奥出局

乔布斯拒绝澄清拉里·埃利森的收购说法，又秘密地卖掉了他的股票而且还不认账。阿梅里奥终于开始相信乔布斯是冲着他来的了。"我最终接受了这个事实，我太愿意太渴望相信他是跟我站在一起的，"阿梅里奥后来回忆说，"史蒂夫操纵我出局的计划在一步步向前推进。"

乔布斯确实是一有机会就说阿梅里奥的坏话。他无法控制自己，而且他的批评还是实话。但是还有一个更重要的原因让整个董事会开始反对阿梅里奥。首席财务官弗雷德·安德森认为自己有责任将苹果岌岌可危的状况告知埃德·伍拉德和董事会。"是弗雷德告诉我现金短缺，员工在流失，还有更多的重要员工在考虑离开。"伍拉德说，"他讲得很清楚，这艘船很快就要搁浅，甚至他自己都在考虑离开。"伍拉德看到阿梅里奥在股东大会上的拙劣表现后，本来就已经在担心，听了弗雷德的话之后就更加忧心忡忡。

伍拉德请高盛研究出售苹果公司的可能性，但是这家投资银行说不太可能找到一家合适的战略投资者，因为苹果的市场份额已经降得太低了。在6月的一次董事会上，阿梅里奥不在场时，伍拉德对当时的董事讲述了他对形势的判断。“如果我们继续让吉尔担任CEO，我想只有10%的机会可以避免破产，”他说，“如果我们解雇他并说服史蒂夫接任，我们有60%的机会生存下去。如果我们解雇吉尔，史蒂夫不来，必须找一个新的CEO，那我们有40%的机会幸存。”董事会授权他去问乔布斯是否愿意回来，无论结果如何，要在7月4日国庆假期召开董事会紧急电话会议。

伍拉德和妻子飞去伦敦，计划在那儿观看温布尔登网球公开赛。白天他看看网球，晚上就在公园酒店（Inn on the Park）他的套房里给美国的相关人士打电话，因为美国是白天。到他离开时，电话费账单高达2 000美元。

他首先给乔布斯打了电话，告诉他董事会将解雇阿梅里奥，并希望乔布斯回来担任CEO。乔布斯虽然一直百般嘲弄阿梅里奥，并在苹果的发展方向这个问题上努力推行自己的想法，但是当这个职位摆在眼前时，他突然吞吞吐吐起来。“我会帮忙的。”他回答说。

“作为CEO？”伍拉德问。

乔布斯说不是。伍拉德力劝他至少担任执行CEO。乔布斯又拒绝了。“我会当顾问。”他说，“不拿工资。”他还同意成为董事会成员——这是他曾经渴望的——但是婉拒了做董事长的要求。“现在我只能付出这么多。”他说。他给皮克斯员工通过邮件发了一份备忘录，安慰他们说他没有抛弃他们。“3周前我接到苹果董事会的电话，让我回苹果去做CEO。”他写道，“我拒绝了。然后他们又让我做董事长，我也拒绝了。所以别担心——那些疯狂的谣言只是谣言。我没有离开皮克斯的计划。你们甩不掉我。”

为什么乔布斯不抓住这个机会？为什么他会不想接受这个他似乎已渴望了20年的工作？当我问他这些问题时，他说：

> 我们刚刚把皮克斯做上市，我很高兴在那儿做CEO。我从未听说过有人同时做两家上市公司的CEO，即使是临时的，我甚至不确定那是否合法。我不知道我该怎么做，或我想怎么做。我很喜欢有更多时间跟家人在一起。我左右为难。我知道苹果的情况一团糟，所以我想：我愿意放弃现在这么好的

生活方式吗？皮克斯的股东们会怎么想？我跟一些我尊重的人进行讨论，最后在一个周六的早晨给安迪·格鲁夫打电话——实在太早了。我给他列举好处和坏处，说到一半他打断我说："史蒂夫，我才不在乎苹果会怎么样。"我愣住了。就是在那个时刻，我认识到我是在乎苹果的——我创建了它，它的存在对世界是件好事。就是在那个时候，我决定暂时回去帮他们招聘CEO。

实际上，皮克斯的员工们很高兴乔布斯可以少一点儿时间在公司。他们私下（有时甚至公开）表示，他们很兴奋现在苹果要占用乔布斯的时间了。埃德·卡特穆尔曾是个不错的CEO，他很容易就可以重操旧业，正式或非正式地接管公司。至于享受跟家人在一起的时光，乔布斯是注定永远不可能获得"年度最佳父亲"奖的，哪怕在他有大把空闲时间的时候。他在给予孩子关注方面有所进步，尤其是对里德，但是他主要的关注点还是他的工作。他对两个小女儿经常表现冷淡，跟丽萨又再度疏远，作为一个丈夫也常常是脾气暴躁。

那么，他在接管苹果这件事情上犹豫不决的真正原因是什么？尽管他非常固执并且永远有强烈的控制欲，但是当他对某件事感觉不确定时，他也会迟疑并有所保留。他苛求完美，并不太善于退而求其次或适应可行的方案。他不喜欢复杂的东西，无论是产品、设计还是房子装修，都是如此。在涉及个人承诺时也是这样。如果他明确知道一个行动是正确的，没人能阻止他。但如果他有怀疑，他有时就会退缩，倾向于不去想那些并非完全适合他的事情。就像当初阿梅里奥问他想担任什么角色时那样，乔布斯会一言不发，对那些让他不舒服的状况视而不见。

这种处事态度的部分源起，是他倾向于认为所有事都是非黑即白的。一个人不是英雄就是蠢材，一个产品不是奇迹就是垃圾。但是他可能会对更加复杂、不清晰或差别不明显的事情表现出困惑：结婚、买沙发，抑或是承诺经营一家公司。另外，他也不想做注定失败的事情。"我想史蒂夫是想评估一下苹果是否可以被挽救。"弗雷德·安德森说。

伍拉德和董事会决定继续向前推进，解雇阿梅里奥，即使乔布斯还不确定作为"顾问"他将承担多少职责。当伍拉德从伦敦打来电话时，阿梅里奥正要跟妻儿以及孙子孙女们一起去野餐。"我们需要你退位。"伍拉德简单地说。阿梅里奥回答说现在不是讨论这个的合适时间，但是伍拉德决定他必须要坚持。“我们将会宣布要把你换掉。”

阿梅里奥还想反抗。“记得吗，埃德，我当初告诉董事会需要三年时间让这家公司重新站起来。”他说，“现在我连一半还没走到。”

“董事会认为我们不想再继续讨论了。”伍拉德答道。阿梅里奥问都有谁知道这个决定，伍拉德实话实说：董事会其他成员加上乔布斯。“史蒂夫是我们讨论这件事的人之一。”伍拉德说，“他的观点是你是个好人，但是你对计算机行业了解得不多。”

“你们怎么会在作这样的决定时把史蒂夫扯进来？”阿梅里奥生气地说，“史蒂夫连董事会成员都不是，他到底为什么会参与这样的讨论？”但是伍拉德没有让步。阿梅里奥挂上电话，继续跟家人去野餐，之后才告诉他妻子。

乔布斯时常会有一种奇怪的表现，一会儿浑身是刺，一会儿又渴望交流。对此，他常常完全不在乎别人会怎么想。他可以跟人绝交，再也不想跟他们讲话，但是有时他也会有自我辩白的冲动。所以那天晚上，阿梅里奥接到乔布斯的电话很惊讶。“吉尔，我只是想让你知道，我今天跟埃德谈了这件事，我真的感觉很糟糕，”他说，“我想让你知道我跟局势的这些变化完全没有关系，那是董事会作出的决定，但是他们问了我的意见。”他告诉阿梅里奥他尊重他是“我所见过的最正直的人”，然后又主动给出了一些建议。“休6个月的假。”乔布斯告诉他，“当年我被踢出苹果时，立即开始了新的工作，后来很后悔。我真应该好好享受那段时间。”他说任何时候阿梅里奥如果需要建议，都可以来找他。

阿梅里奥非常惊讶，稀里糊涂地表达了感谢，挂掉了电话。阿梅里奥跟妻子转述了乔布斯的话。“很大程度上，我还是喜欢这个人，但是我不信任他。”他告诉她。

“我以前完全被史蒂夫给骗了。”她说，“我真觉得自己像个傻瓜。”

“不光你一个人这么想。”他说。

史蒂夫・沃兹尼亚克当时是公司的非正式顾问，知道乔布斯要回来他很兴奋。“这正是我们所需要的。”他说，“因为不管你对史蒂夫怎么看，他就是知道如何重现魔力。”他对乔布斯战胜阿梅里奥丝毫不觉得奇怪。正如不久以后他对《连线》杂志所说："吉尔 · 阿梅里奥遇到史蒂夫 · 乔布斯，比赛就胜负已定了。"

周一，苹果的高级雇员被召集到礼堂。阿梅里奥看起来很平静，甚至很放松。"很遗憾地通知大家，我离开的时间到了。"他说。接下来，轮到接受了临时CEO职务的弗雷德 · 安德森讲话，他明确表示他会在乔布斯的指导下工作。这样，自从整整12年前7月4日那个周末丧失大权后，乔布斯重新登上了苹果的舞台。

事实很明显，无论是否愿意公开承认（或甚至向他自己承认），他都即将控制大局，而不仅仅是当一个"顾问"。那天他一登上舞台——穿着短裤、运动鞋和他标志性的黑色高领衫——就开始努力让他热爱的这家公司重焕活力。"好了，告诉我这个地方出了什么问题。"他说。下面有人窃窃私语，乔布斯打断了他们。"是产品出了问题！"他回答，"那么产品出了什么问题？"下面又有些人尝试回答，乔布斯给出了正确答案。"产品糟透了！"他嚷道，"它们不再性感了！"

伍拉德成功地说服乔布斯同意，他担任的这个"顾问"将是个很活跃的角色。乔布斯批准了一个声明，说他已经"同意在苹果深入工作90天，帮助他们，直到他们找到新的CEO"。而伍拉德在这个声明里用了个巧妙的说法，乔布斯回来"做一个统领团队的顾问"。

乔布斯用了行政楼层董事会会议室旁边的一间小办公室，明显地避开阿梅里奥在角落里的大办公室。他参与到公司业务的所有方面：产品设计、业务整合、供应商谈判，以及广告代理商评估。他还认为必须止住苹果高层员工的流失，所以他决定，要给他们的股票期权重新定价。苹果股票已经跌了太多，期权已经变得毫无意义。乔布斯想降低行权价格，这样期权就又有价值了。当时这在法律上行得通，但是不被认为是良好的公司行为。在回到苹果的第一个周四，乔布斯召集了董事会电话会议，提出了这个问题。董事们犹豫不决。他们让他作一下法律和财务研究，看看这个变化意味着什么。"这事必须要尽快做。"乔布斯告诉他们，"我们正在流失人才。"

即使是他的支持者，时任薪酬委员会主席的埃德 · 伍拉德也表示反对。"在杜邦公司我们从来没做过这样的事。"他说。

“你们是让我来解决问题的，而人才是问题的关键。”乔布斯争论道。当董事会建议进行一项可能会耗时两个月的调研时，乔布斯爆发了。“你们疯了吗?! ”他问。他默默地停顿了很久，然后继续说，“诸位，如果你们不愿这样做，我下周一就不回来上班了。因为我将面临成千上万个比这困难得多的决定要做，如果你们在这样的决定上都不支持我，我注定会失败。所以如果你们不批准，我就辞职，你们可以怪到我头上，你们可以说，‘史蒂夫没准备好做这个工作。’”

第二天，经过与董事会磋商，伍拉德给乔布斯打电话。“我们准备批准这项计划，”他说，“但是一些董事会成员并不喜欢它。我们感觉好像你在拿枪顶着我们的脑袋。”最高层员工的期权被重新定价为 13.25 美元（乔布斯一份期权也没有），这是阿梅里奥被解雇当天的股票价格。

本应宣告胜利并感谢董事会，乔布斯却继续不满于必须向一个自己并不敬佩的董事会汇报。“停车吧，这样下去不行。”他告诉伍拉德，“这家公司岌岌可危，我没时间哄董事会开心，所以我需要你们全都辞职。要不然我就辞职，下周一不回来上班了。”只有一个人可以留下，他说，就是伍拉德。

董事会大部分成员都大吃一惊。乔布斯还没承诺回来全职工作或是承担比“顾问”更多的角色，居然就觉得自己有权逼迫他们离开。然而，残酷的现实是，他的确有这个权力。他们无法忍受乔布斯愤然离开，况且，继续做苹果董事会成员的前景当时对他们来说也不是那么诱人了。“在他们经历了那一切后，大多数人都很高兴解脱出来。”伍拉德回忆说。

董事会又一次默许了。他们只提了一个要求：可否除了伍拉德之外再多留一位董事？那样看起来好一些。乔布斯同意了。“那是个糟糕的董事会，是个可怕的董事会。”他后来说，“我同意留下埃德 · 伍拉德和一个叫张镇中（Gareth Chang）的家伙，那家伙不算太差，但是伍拉德是我见过的最棒的董事会成员。他是个杰出的人，是我遇到过的最可信赖的最明智的人之一。”

在被要求辞职的人中，还有迈克 · 马库拉。1976 年，作为一个年轻的风险投资家，他造访了乔布斯的车库，爱上了工作台上那台新生的计算机，提供了 25 万美元的贷款，成为第三个合伙人以及新公司 1/3 股权的所有者。在之后的 20 年间，他一直是董事会成员，迎来送走了很多CEO。他曾经是乔布斯的支持者，但是也跟他暴发过冲突，最显著的一次就是 1985 年的紧要关头，他站在了斯卡利那边。现在乔布斯回归，他知道，离开的时间到了。

乔布斯可以很尖刻冷漠，尤其是对惹怒他的人，但他对那些早年跟他并肩作战的人也会很有感情。沃兹尼亚克当然就属于这一类，虽然他们后来各奔东西；还有安迪 · 赫茨菲尔德和麦金塔团队的其他一些人。最终，迈克 · 马库拉也被归到了这一类。“我曾深感遭到背叛，但是他就像我的父亲，我一直都很在乎他。”乔布斯后来回忆说。因此，当要请马库拉从苹果董事会辞职时，乔布斯一个人开车去他在伍德赛德山间城堡一样的豪宅，亲自向他说明。如往常一样，他建议出去散步。他们带着野餐桌踱步到一片红杉林。“他告诉我他想要一个新的董事会，因为他想重新开始。”马库拉说，“他担心我会难以接受，我没有，他才松了口气。”

接下来的时间他们探讨了苹果未来的发展重点。乔布斯雄心勃勃地想建立一家可以长盛不衰的公司，他问马库拉如何实现。马库拉回答说，长盛不衰的公司都知道如何重塑自我。惠普就是如此：它以生产小仪器起家，后来成为生产计算器的公司，再后来成为生产计算机的公司。“苹果在个人电脑领域被微软挤出了局。”马库拉说，“你必须重塑公司，做点儿其他东西，比如其他消费品或电子设备。你必须化蛹成蝶，完成彻底的蜕变。”乔布斯没多说什么，但是他同意这个观点。

原董事会在 7 月底开会，批准换届。绅士风范的伍拉德看到乔布斯穿着牛仔裤运动鞋来参加会议，不禁略为吃惊，而且他担心乔布斯会责怪原董事会成员把事情搞砸了。但是乔布斯只愉快地说了声“嗨，大家好”。他们就开始投票接受辞职，把乔布斯选入董事会，还授权伍拉德和乔布斯寻找新的董事会成员。

不出所料，乔布斯的第一个人选是拉里 · 埃利森。埃利森说他愿意加入，但他讨厌参加会议。乔布斯说他只要来参加一半的会议就行。（过了一阵子，埃利森就只参加 1/3 的会议了。乔布斯找来一张埃利森被《商业周刊》登在封面的照片，放大到真人大小，贴在一块硬纸板上，放在他的椅子上。）

乔布斯还找来了比尔 · 坎贝尔。他曾经在 20 世纪 80 年代初负责苹果的市场部，然后卷入了斯卡利和乔布斯的斗争，最后站在了斯卡利一边，但是后来他变得特别讨厌斯卡利，因而乔布斯原谅了他。现在他是Intuit公司的CEO，也是经常跟乔布斯一起散步的朋友。“我们坐在他家后院，”坎贝尔回忆说，他就住在离乔布斯在帕洛奥图的家5个街区远的地方，“他说他要回苹果了，希望我加入董事会。我说，‘天啊，我当然愿意。’”坎贝尔曾在哥伦比亚做过橄榄球教练，据乔布斯说，他的伟大天才就是“可以让二流球员发挥出一流水平”。乔布斯告诉他，在苹果，他可以跟一流球员一起工作。

伍拉德帮忙请来了杰里·约克（Jerry York），约克曾经先后在克莱斯勒公司和IBM担任首席财务官。其他人选乔布斯考虑后都否决掉了，其中包括梅格·惠特曼（Meg Whitman），当时是孩之宝公司（Hasbro）的儿乐宝（Playskool）事业部总经理，还曾经担任迪士尼的战略规划师（1998年，她成为eBay的CEO，后来竞选加州州长）。他们出去共进午餐，乔布斯又施展了他惯用的阅人即时二分法——不是天才就是笨蛋；惠特曼最后没有被他归到天才那一类。“我觉得她就像根电线杆子一样木。”他后来说，当然这并不准确。

这些年来，乔布斯请到很多优秀的领导者加入苹果董事会，包括美国前副总统阿尔·戈尔（Al Gore）、谷歌的埃里克·施密特（Eric Schmidt）、基因泰克（Genentech）的亚瑟·莱文森（Art Levinson）、GAP和J. Crew公司的米奇·德雷克斯勒，以及雅芳（Avon）的钟彬娴。他一直确保他们是忠诚的，即使是对错误的忠诚。虽然他们都身居要职，但是有时他们似乎对乔布斯满心敬畏，而且很渴望取悦他。后来，在他回到苹果几年以后，他邀请前美国证券交易委员会主席亚瑟·莱维特（Arthur Levitt）加入苹果董事会。莱维特很激动，他在1984年就买了他的第一台麦金塔电脑，沉迷于苹果电脑并以此为荣。他兴奋地造访库比蒂诺，跟乔布斯讨论他的角色。可是之后乔布斯看到了一篇莱维特关于公司治理的演讲，其中的观点是董事会应该承担强势而独立的角色，乔布斯因此给他打电话收回了邀请。“亚瑟，我想你在我们董事会里不会快乐，我想我们最好不要邀请你了。”莱维特说乔布斯当时这样告诉他，“坦率地讲，我认为你提出的那些观点，虽然对有些公司合适，但确实不适合苹果的文化。”莱维特后来写道：“我很受打击……很显然苹果的董事会不是为了独立于CEO行事而设计的。”

波士顿Macworld大会，1997 年 8 月

员工收到了宣布苹果股票期权重新定价的备忘录，上面是这样签署的——“史蒂夫和管理层”。很快，众人皆知他在主持公司所有的产品评估会议。再加上其他一些乔布斯在深度参与苹果业务的迹象，7 月份苹果的股票价格就被从 13 美元推升到 20 美元。1997 年 8 月，苹果的忠实拥护者聚集在波士顿的Macworld大会，场面极其火暴。超过 5 000 人早来了好几个小时，涌进公园广场酒店（Park Plaza Hotel）的城堡会议厅，等待乔布斯的主题演讲。他们要亲眼见证他们的英雄归来——也要看看他是否真的准备好再次成为他们的引路人。

当乔布斯 1984 年的照片出现在头顶的大屏幕上时，观众爆发出热烈的欢呼。“史蒂夫！史蒂夫！史蒂夫！”甚至主持人还在介绍他的时候，人们就开始呼唤。当他最终跨上舞台——穿着黑色背心，无领白衬衫，牛仔裤，带着顽皮的微笑——现场的尖叫声和闪光灯堪比任何摇滚明星的出场。他首先提醒了观众他的正式职务。“我是史蒂夫 · 乔布斯，皮克斯的主席和CEO。”他这样自我介绍，大屏幕上还播放了一页幻灯片予以展示说明。现场稍微安静了下来。然后他解释了自己在苹果的角色。“我和其他很多人一样，在一起努力帮助苹果健康起来。”

但当乔布斯在舞台上走来走去，用手中的遥控器播放着头顶屏幕上的幻灯片，显而易见他现在掌管着苹果大权——而且很可能会一直如此。他的演讲细致入微，不用讲稿，解释了为什么苹果的销售额在两年间下滑了 30%。“苹果有很多出色的人才，但是他们在做错误的事情，因为计划本身就错了。”他说，“我发现很多人迫不及待地想去支持一个好的发展战略，但这样的战略没有出现。”观众又爆发出尖叫、口哨和欢呼声。

在他演讲的过程中，他的热情越来越强烈地奔涌而出，当说到苹果应该怎么做时，他开始说“我们”和“我”——而不是“他们”。“我认为你们要买苹果电脑时要用不同的思维方式。”他说，“买苹果电脑的人就是有不同的思维方式。他们代表了这个世界的创新精神，他们要去改变世界。我们为这种人制造工具。”当他强调那个句子中的“我们”时，双手环成杯形，手指点着自己的胸脯。然后，在结束语中，他谈到苹果的未来时一直在强调“我们”这个词。“我们也要

用不同的思维方式，为那些从开始就购买我们产品的人服务。因为很多人认为他们是疯子，但是在那种疯狂中我们看到了天才。”全场掌声雷动，人们都站起来，满怀敬畏地互相看着，有人还在擦拭脸上的泪水。乔布斯清楚地表明，他和苹果的“我们”是一体的。

微软和约

1997年8月乔布斯在Macworld大会上演讲的高潮部分，是一个出人意料的公告，并同时登上了《时代》和《新闻周刊》的封面。在演讲即将结束时，他停顿了一下，喝了口水，用平缓些的语气说：“苹果生存在一个生态系统里。它需要其他伙伴的帮助。在这个行业里，破坏性的关系对谁都没有好处。”为了渲染效果，他又停顿了一下，然后解释道：“我要宣布我们今天新的合作伙伴之一，是一个意义重大的合作伙伴，它就是微软。”微软和苹果的标识同时出现在屏幕上，观众惊呆了。

苹果和微软已经在各种版权和专利问题上争斗了10年，最令人瞩目的就是微软是否剽窃了苹果图形用户界面的外观和感觉。1985年乔布斯刚被苹果解职，约翰·斯卡利就签订了一个投降条约：微软可以在Windows 1.0上使用苹果的图形用户界面，作为回报，微软保证两年内Excel只用于Mac。1988年，微软推出Windows 2.0之后，苹果提起诉讼。斯卡利主张1985年的合约不适用于Windows 2.0，而且后来微软对Windows所作的改进（例如抄袭比尔·阿特金森发明的窗口“截取”算法）更是赤裸裸的侵权。到1997年，苹果已经输掉了那场官司及若干上诉，但是旧诉讼的余波和新诉讼的威胁一直存在。另外，克林顿总统的司法部也正准备对微软发起大规模的反垄断诉讼。乔布斯把首席检察官乔尔·克莱因（Joel Klein）请到帕洛奥图。喝咖啡的时候，乔布斯告诉他，不要急着从微软收取巨额罚款，只要让他们陷在官司里就行。那样就会给苹果一个机会绕过微软“迂回进攻”，开始提供有竞争力的产品，乔布斯解释说。

在阿梅里奥时期，微软跟苹果已经全面摊牌。微软拒绝给未来的麦金塔操作系统开发Word和Excel，这可能会毁了苹果。替比尔·盖茨说句话，他并不只是简单的小心眼儿。可以理解，他会犹豫要不要投入地为未来的麦金塔操作系统作开发，因为似乎没有人（包括处于变化中的苹果领导层在内）知道那个新的操作系统会是什么样子。就在苹果收购NeXT以后，阿梅里奥和乔布斯一起飞去拜访微软，但是盖茨当时难以判断他们两个谁做主。几天以后他私下给乔布斯打电话。“嗨，这他妈是怎么回事，我是要把我的应用软件放在NeXT操作系统上吗？”盖茨回忆当时自己这样问道。乔布斯说了些“对吉尔的恭维话”，盖茨回忆道，然后乔布斯暗示说局面很快就会清晰起来。

当阿梅里奥的驱逐者部分地解决了领导权的问题后，乔布斯首先打电话的对象之一就是盖茨。乔布斯回忆说：

> 我给比尔打电话说，我会扭转这个局面。比尔一直都对苹果狠不起来。是我们让他进入了应用软件领域。微软的第一批应用软件就是为Mac开发的Excel和Word。所以我给他打电话说，“帮个忙。”微软当时在侵犯苹果的专利。我说，如果我们继续打官司，几年以后我们可以赢得10亿美元的专利罚金。这一点你知我知。但是如果那样的话，苹果反而撑不到那个时候。所以让我们想想如何立即解决这个争端。我所需要的就是微软承诺继续为Mac开发软件，并且微软要向苹果投资，这样微软也能从苹果的成功中获益。

当我向盖茨复述乔布斯的话时，他确认内容非常准确。“我们有一群人愿意做Mac的东西，而且我们喜欢Mac。”盖茨回忆说。他已经跟阿梅里奥谈判了6个月，而提案越来越长、越来越复杂。“这时史蒂夫进来说，嗨，那个交易太复杂了。我想要一个简单的。我想要个承诺，我想要笔投资。于是我们4个星期就搞定了。”

盖茨和他的首席财务官格雷格·马菲（Greg Maffei）一起到帕洛奥图去设计合作框架，之后的下一个周日马菲自己来处理细节。当他来到乔布斯家时，乔布斯从冰箱里拿了两瓶水，然后带马菲出去在帕洛奥图周围散步。他们都穿着短裤，乔布斯还光着脚。当他们在一座浸礼会教堂前坐下时，乔布斯直入主题。“我们只关心两件事。”他说，“一个为Mac开发软件的承诺和一笔投资。”

虽然谈判进展很快，但是直到乔布斯在波士顿的Macworld大会作演讲前几个小时，合同的最终细节才确定。他在公园广场酒店城堡会议厅彩排时，手机响了。“嗨，比尔。”他说，他的声音在古老的礼堂回响。然后他走到一个角落里，小声说话以防别人听见。这通电话打了一个小时。最后，剩下的几个问题都解决了。“比尔，感谢你对这家公司的支持。”穿着短裤的乔布斯蹲在那儿说，“我想世界因为有它会变得更好。”

在Macworld大会的主题演讲中，乔布斯介绍了跟微软合作的细节。一开始，那些忠实的苹果拥护者还发出叹息和嘘声。尤其让他们伤心的是乔布斯宣布，作为和平条约的一部分，“苹果决定把IE作为麦金塔的默认浏览器。”全场嘘声一片。乔布斯迅速补充道：“由于我们提倡选择自由，我们也会提供其他浏览器，用户当然可以随心所欲地更改默认设置。”台下爆发出一些笑声和零星的掌声。观众的反应开始转变，特别是当他宣布微软将向苹果投资1.5亿美元，换取无投票权的股份。

然而现场舒畅的气氛一下子被打乱了，因为乔布斯犯了一个错误，一个在他的舞台生涯中很少出现的视觉效果和公共关系方面的失误。“今天我恰巧有位卫星连线的特殊客人——”他说，然后突然间，比尔·盖茨的脸出现在巨幅屏幕上，可怕地俯视着乔布斯和整个礼堂。盖茨的脸上露出淡淡的微笑，抑或是傻笑。观众全都惊得目瞪口呆，紧接着嘘声和倒彩声响成一片。那个场景真是“1984老大哥”广告的残酷再现，你甚至会预计（或希望）一个女运动员会突然从过道跑出来，扔出锤子正中目标，让那画面消失掉。

但那的确不是广告，对现场的嘲讽毫不知情的盖茨在位于西雅图的微软总部开始连线讲话。“在我的职业生涯中做过的最令人兴奋的一些工作，就是跟史蒂夫在麦金塔上的合作。”他那尖细而单调的声音吟诵着。当他接下去开始兜售为麦金塔开发的新版微软Office软件时，观众安静下来，之后似乎开始慢慢地接受了这个新的世界秩序。当盖茨说到新的Mac版Word和Excel“在很多方面会比我们给Windows平台开发的版本更先进”时，甚至还得到了一些掌声。

乔布斯意识到盖茨的脸笼罩在他和观众们的头顶是个错误。“我本想让他来波士顿。”乔布斯后来说，“那是我有史以来最糟糕最愚蠢的舞台设计。说它糟糕是因为那让我看起来渺小，让苹果看起来渺小，而似乎一切都掌握在比尔的手中。”当盖茨看到此次活动的录像时，同样也觉得很尴尬。“我并不知道我的脸在屏幕上会那么夸张。”他说。

乔布斯试图用一段即兴演讲来安抚观众。“如果我们想进步并看到苹果好起来，我们必须放弃一些东西，”他对观众说，“我们必须放弃这种如果微软赢苹果就必须输的观念……我想，如果我们想在Mac上使用微软Office，我们最好还是对开发它的公司表达一点儿谢意。”

微软的公告加上乔布斯的激情回归，给苹果打了一针强心剂。当天的交易日结束时，苹果股价飙升6.56美元——涨幅33%——收盘于26.31美元，是阿梅里奥辞职当天股价的两倍。这一天的暴涨给苹果的市值增加了8.3亿美元。公司从死亡边缘走了出来。

第二十四章

Think Different
Jobs as iCEO

非同凡想
iCEO乔布斯

致疯狂的人

李·克劳是Chiat/Day广告公司的创意总监，正是他为麦金塔电脑上市打造了震撼的广告片——“1984”。1997年7月初的一天，他正驾车行驶于洛杉矶，这时车载电话响了，是乔布斯打来的。“嗨，李，我是史蒂夫，”乔布斯说，“你猜怎么着？阿梅里奥刚刚辞职了。你能过来一趟吗？”

苹果当时正在挑选新的广告代理商，而乔布斯还没有看到满意的。所以他希望克劳和他的公司（当时已经更名为TBWA\Chiat\Day）来参与竞争。“我们必须证明苹果仍然生机勃勃，”乔布斯说，“而且它仍然代表着与众不同。”

克劳说他不参与广告比稿。“你知道我们的水平，”他说。然而乔布斯开始恳求，他说很难拒绝其他参与比稿的广告代理——包括BBDO和阿诺国际传播(Arnold Worldwide)——而直接起用“老关系”。克劳于是同意带一些创意脚本飞到库比蒂诺。回忆当年的那一幕，乔布斯潸然泪下：

> 想到这件事就会让我哽咽，真的让我哽咽。显然，李还是那么爱苹果。他不愧是最棒的广告人。当时他已经10年没有比过稿了。可他来了，他把他的心都掏出来了，因为他和我们一样爱苹果。是他和他的团队带来了这个无与伦比的创意——“非同凡想”，比其他人的要好上10倍。我激动得说不

出话来，现在一想到这个我还是忍不住流泪：李那么在乎苹果，还有他那个棒极了的“非同凡想”。每当我发现自己身处一种纯粹——一种精神与爱的纯粹之中，我就会忍不住掉眼泪。这感觉就这么撞进了我的心，一下子抓住了我。当时就是这样。那种纯粹我永远都不会忘记。他坐在我的办公室里给我看那些创意，我就忍不住哭了。每次一想到这个我还是忍不住要哭。

乔布斯和克劳一致认为苹果是世界上最伟大的品牌之一——如果加上感情因素可能排进前五名——但是需要让大家意识到它的与众不同之处。所以他们想要一个品牌形象宣传，而不是一系列突出产品的广告。其创意目的并不是赞美计算机可以做什么，而是赞美富有创造力的人们在计算机的辅助下可以做什么。“这不是在说处理器速度或者内存，”乔布斯回忆说，“而是在说创造力。”它的目标受众不仅仅是潜在的顾客，还包括苹果自己的员工。“我们苹果的员工已经忘记了自己是谁。要回想起你是谁的方法之一，就是要想起你的偶像是谁。这就是那次宣传活动的缘起。”

克劳和他的团队尝试了很多种方式去赞美那些“非同凡想”的“狂人”。他们用席尔（Seal）的歌曲《疯狂》（“若不疯狂，便会灭亡……”）做了一段视频，但是没能拿到这首歌的版权。之后他们又尝试了各种版本，用过美国诗人罗伯特·弗罗斯特（Robert Frost）朗诵《未选之路》（*The Road Not Taken*）的录音，也用过罗宾·威廉姆斯（Robin Williams）在《死亡诗社》（*Dead Poet's Society*）中的演讲录音。最终他们决定，需要撰写原创的广告词，于是他们开始写初稿，开头就是：“致疯狂的人……”

乔布斯一如既往地要求严格。当克劳的团队飞过去给他看一个版本的广告词时，乔布斯冲着年轻的广告撰稿人爆发了。“这是狗屎！”他咆哮着，“这是广告公司制造出来的垃圾，我恨它！”这是那位年轻的撰稿人第一次见乔布斯，他站在那儿哑口无言。后来他再也没有回去。但是那些能勇敢面对乔布斯的人——包括克劳和他的同事肯·西格尔（Ken Segall）以及克雷格·谷本（Craig Tanimoto）——成功地跟他一起创作了一段朗朗上口的广告词。在最初的 60 秒版本中，读起来是这样的：

致疯狂的人。他们特立独行。他们桀骜不驯。他们惹是生非。他们格格不入。他们用与众不同的眼光看待事物。他们不喜欢墨守成规。他们也不愿安于现状。你可以认同他们，反对他们，颂扬或是诋毁他们。但唯独不能漠视他们。因为他们改变了寻常事物。他们推动人类向前迈进。或许他们是别人眼里的疯子，但他们却是我们眼中的天才。因为只有那些疯狂到以为自己能够改变世界的人……才能真正改变世界。

其中几句是乔布斯亲自撰写的，包括“他们推动人类向前迈进”那一句。到8月初Macworld大会在波士顿召开时，他们已经有了一个初步的版本，他向自己的团队进行了展示。他们都认为它还不够完善，但乔布斯在他的主题演讲中用上了这些概念以及“非同凡想”这个短语。“一个绝妙的理念正在萌芽，”他说，“苹果品牌代表的，是那些跳出固有模式进行思考的人，那些想用计算机帮助自己改变世界的人。”

他们争论了语法问题：如果“非同”（different）是修饰动词“想”（think），那应该以副词的形式出现，即“想得不同”（think differently）。但是乔布斯坚持说他想要把“非同”当成名词来用，就像“think victory”（思考胜利）或“think beauty”（思考美丽）里的用法一样。同时，这也体现了一种口语用法，诸如“think big”（野心勃勃）这类短语。乔布斯后来解释说：“我们在推出它之前讨论了它的正确性。如果你想想我们要表达的意思，就知道它是合乎语法的。不是想‘同样的事’，而是想‘不同的事’。想一点不同的事，想很多不同的事，非同凡想。而‘想得不同’就表达不出我想要的意思。”

为了让人们联想到《死亡诗社》的精神，克劳和乔布斯想让罗宾·威廉姆斯朗读这段旁白。威廉姆斯的经纪人说他不做广告，于是乔布斯尝试直接给他打电话。他联系上了威廉姆斯的妻子，但她不让他直接和威廉姆斯通话，因为她知道乔布斯多么擅长说服别人。他们还考虑了玛雅·安吉洛（Maya Angelou）和汤姆·汉克斯。那年秋天，在一场比尔·克林顿出席的筹款晚宴上，乔布斯把总统拉到一边，请求他打电话给汉克斯，说服汉克斯来做这件事，但是总统“搁置否决”了这个请求。最终他们选定了理查德·德莱福斯（Richard Dreyfuss），他是位忠实的苹果迷。

除了电视广告，他们还创造了历史上最令人难忘的一系列平面广告。每则广告都有一个标志性历史人物的黑白肖像，除此之外只有角落里的苹果标识和广告语“非同凡想”。更酷的是，这些肖像都没有说明文字。其中有些人——爱因斯坦、甘地、列侬、迪伦、毕加索、爱迪生、卓别林、马丁·路德·金——很容易辨认。但是另一些就不那么容易叫出名字，需要加以猜测或询问别人那是谁：玛莎·葛莱姆（Martha Graham）、安塞尔·亚当斯、理查德·费曼（Richard Feynman）、玛利亚·卡拉斯（Maria Callas）、弗兰克·劳埃德·赖特、詹姆斯·沃森（James Watson）、阿梅莉亚·埃尔哈特（Amelia Earhart）。

这些人大多是乔布斯心目中的偶像。他们都富有创造性，敢于冒险，不惧失败，赌上自己的职业生涯去做与众不同的事情。作为一个摄影迷，乔布斯亲自参与照片选择，确保为偶像们选到完美的肖像。“这张甘地的照片不对劲儿。”有一次他对克劳发火。克劳解释说，那张由摄影师玛格丽特·伯克-怀特（Margaret Bourke-White）拍摄的甘地在纺车边的著名照片，肖像版权由时代与生活图片社所有，不能被用于商业用途。于是，乔布斯给时代公司的主编诺曼·珀尔斯坦（Norman Pearlstine）打电话，软磨硬泡地让他破了一次例。他打电话给尤妮斯·施赖弗（Eunice Shriver），确认她的家族同意公开一张她哥哥鲍比·肯尼迪（Bobby Kennedy）在阿巴拉契亚山间旅行的照片，他很喜欢那一张；他还亲自跟吉姆·汉森（Jim Henson）的孩子们沟通，拿到了这位已故提线木偶剧演员的最合适的照片。

他同样给小野洋子打电话要一张她已故丈夫约翰·列侬的照片。她给他寄了一张，但那不是乔布斯最喜欢的。“在广告投放之前，我在纽约，去了一家我喜欢的日本小餐馆，并告诉她我会在那里。”他回忆说。当他到达时，小野洋子来到他面前。“这张好一些，”她说着，递给他一个信封。“我想我会见到你，所以我就随身带着这个。”这就是那张她和约翰拿着花一起坐在床上的经典照片。苹果最终使用了这张照片。“我能看出来约翰为什么会爱上她。”乔布斯回忆说。

理查德·德莱福斯朗读旁白的效果很好。但是李·克劳有了另一个想法。如果乔布斯自己读这段画外音会怎么样？“你得明白，”克劳对他说，“你应该这样做。"于是，乔布斯坐进录音室，试录了几次，很快就完成了一条录音，大家都很喜欢。当时的想法是，如果用它，他们不会告诉大家是谁在说这些话，就像他们不给偶像们的肖像配说明文字一样。最终人们会猜出那是乔布斯。"使用你的声音，效果会非常强烈，"克劳说，"这是一种表明你再次拥有这个品牌的方式。"

乔布斯无法决定用自己的声音还是仍然用德莱福斯的版本。最后，到了广告必须提交给电视台的那晚，它将在《玩具总动员》的电视首映式上播出，这是个合适的时机。一如既往，乔布斯不喜欢被强迫作出决定。最后，他告诉克劳两个版本都发出去，这样他就可以思考到早上再决定。到了早上，乔布斯打电话告诉他们用德莱福斯的版本。"如果用我的声音，人们发现后会觉得那是关于我的广告。"他告诉克劳，"可那不是。那是关于苹果的。"

自从参加了苹果农场之后，乔布斯就把自己定义为一个反主流文化的孩子，这个定义也延伸到了苹果公司。在"非同凡想"和"1984"等广告中，他利用对苹果品牌的定位重申了自己的叛逆性格，尽管当时他已经是一个亿万富翁了，这也让"婴儿潮"一代的其他人和他们的孩子纷纷效仿。"从他年轻时我第一次见到他，他就有无比强烈的直觉，知道他想让他的品牌对人们产生什么样的影响。"克劳说。

极少有其他公司或领导者——可能根本没有——敢于把他们的品牌跟甘地、爱因斯坦、马丁·路德·金、毕加索联系在一起，而且大获成功。乔布斯能够鼓励人们定义自己——作为反企业的、富有创造性的、敢于创新的叛逆者——而且只通过使用什么电脑就实现了这种定义。"史蒂夫创造了科技行业唯一一个时尚品牌，"拉里·埃利森说，"人们会因为拥有某些品牌的汽车而骄傲——保时捷、法拉利、普锐斯——因为我开什么车能一定程度上说明我是什么样的人。人们对苹果的产品有同样的感受。"

从"非同凡想"宣传活动开始，乔布斯会在每周三下午跟他的主要代理商、营销部门和公关部门开三个小时的自由讨论会，探讨广告战略，这个惯例在乔布斯在苹果公司的岁月里一直延续了下去。"地球上再没有哪个CEO像史蒂夫一样对待市场营销，"克劳说，"每周三他都在审定新的电视广告、平面广告和广告牌。"会议结束后，乔布斯常常带克劳和克劳的两个同事——邓肯·米尔纳

（Duncan Milner）和詹姆斯·文森特（James Vincent）——一起去苹果戒备森严的设计工作室看开发中的产品。"当他向我们展示正在开发的东西时，会变得激情澎湃。"文森特说。乔布斯在产品创造过程中就和营销专家们分享他的激情，可以确保他们制作的每一个广告中都灌输了他的情感。

iCEO

当"非同凡想"广告的制作接近尾声时，乔布斯有了些新想法。他决定正式接手公司经营，至少是暂时性的。自从10周前阿梅里奥离职之后，他一直都是头顶"顾问"名号的实际领导者，弗雷德·安德森只是名义上的临时CEO（interim CEO）。1997年9月16日，乔布斯宣布他将接手这个职务，临时CEO这一名称也被缩写成了iCEO。他的承诺显得没什么把握：不领薪水，也不签合同。但是他的行动却没有丝毫踌躇。他掌管一切，唯我独尊。

那个星期，他把高层管理人员和员工召集到苹果的礼堂开会，会后给他们提供啤酒和素食野餐，庆祝他的新角色和公司的新广告。他穿着短裤，光着脚在园区走来走去，满脸胡茬儿。"我回来差不多10个星期了，工作非常辛苦。"他说，看起来疲惫但很坚定，"我们做的不是什么值得骄傲的事情。我们是在努力回到好产品、好营销和好分销这些最基本的东西上来。苹果已经忘了怎么把最基本的东西真正做好。"

接下来几个星期，乔布斯和董事会一直在寻找一位正式的CEO。有很多人选浮出水面——柯达的乔治·M·C·费希尔（George M. C. Fisher）、IBM的萨姆·帕尔米萨诺（Sam Palmisano）、Sun公司的埃德·赞德（Ed Zander），但是可以理解，如果乔布斯一直是个活跃的董事会成员，大多数人选都会对这份差事犹豫不决。据《旧金山纪事报》（*San Francisco Chronicle*）报道，赞德拒绝做候选人，因为他"不想让史蒂夫总是窥探他、质疑他的每一个决定"。有一次，乔布斯和埃利森捉弄了一个应聘该职位的愚蠢的计算机顾问；他们给他发了一封邮件说他被选中了，后来这事登在报纸上，而他们只是在戏弄他，搞得既好笑又尴尬。

到12月，很明显乔布斯的iCEO地位已经从过渡性的（interim）转变为无限期的（indefinite）。随着乔布斯继续管理公司，董事会悄悄搁置了CEO的遴选。“我回到苹果，在招聘机构的帮助下，花了将近4个月的时间，想要聘请一位CEO。”他回忆说，“但是他们没找到合适的人。所以我最终留了下来。苹果当时的糟糕状况无法吸引任何人才加盟。”

乔布斯面临的问题是，同时管理两家公司是极其艰难的。回想起来，他觉得自己的健康问题就是从那时候开始的：

> 很艰苦，非常艰苦，那是我一生中最糟糕的一段时间。我的家庭生活刚刚开始。我还有皮克斯公司。我早上7点上班，晚上9点回家，孩子们都已经睡了。我不能说话，是真的不能，我精疲力竭。我无法跟劳伦说话。我能做的事情只有看半个小时电视，然后就百无聊赖地待着。那差点儿要了我的命。我开着辆黑色的保时捷敞篷车往返于皮克斯和苹果之间。我开始有肾结石。我会匆匆忙忙地赶去医院，医生给我屁股上打一针杜冷丁，我才能熬过去。

尽管这样的日程安排让乔布斯饱受折磨，但是他在苹果工作得越深入，就越发意识到自己无法离开。在1997年10月的一次计算机展销会上，迈克尔·戴尔（Michael Dell）被问到如果他是史蒂夫·乔布斯并接管了苹果，会怎么做，戴尔回答说：“我会关闭公司，把钱还给股东。”乔布斯怒气冲冲地给戴尔发了封邮件。“CEO应该是有些档次的，”邮件中写道，“我能看得出，你不那么想。”乔布斯喜欢通过树敌来鼓舞他的团队——他对IBM和微软都这样做过——对戴尔也是如此。他召集管理层启动一个为制造和销售设计的按订单生产系统时，把迈克尔·戴尔的照片放大放在屏幕上，还在他脸上画了个靶子。“我们来找你麻烦了，老兄。”他说道，他的队伍一阵欢呼。

他的动力源泉之一，就是要打造一家基业长青的公司。12岁那年，他在惠普公司做暑期兼职时就学习到，一家妥善经营的公司能够大量催生创新，远胜于任何一个有创造性的个人。“我发现有时最好的创新就是公司，你组织一家公司的方式，”他回忆说，“如何建设一家公司，这整个概念都让人着迷。当我有机会回到苹果时我意识到，如果没有这家公司我就毫无价值，因此我决定留下来重新建设它。”

消灭兼容机

关于苹果的激烈争论之一，就是它是否应该更积极地把操作系统授权给其他电脑厂商，就像微软授权Windows那样。沃兹尼亚克从一开始就赞成这种做法。“我们有最漂亮的操作系统，”他说，“但是要想拥有这个系统你必须花双倍的钱购买我们的硬件。那是个错误。我们本应做的，是计算一个合适的价格来授权这个操作系统。”艾伦·凯是施乐PARC中心的明星，他1984年加入苹果，也致力于实现Mac操作系统软件的开放授权。“软件人员总是要在多平台上工作的，因为你想让软件在各种机器上运行。”他回忆说，“同时，那也是一场重大的战役，很可能也是我在苹果输掉的最大一场战役。”

比尔·盖茨通过授权微软的操作系统正在建立起巨大的财富。1985年，就在乔布斯被排挤出局的时候，盖茨敦促苹果也实现操作系统的对外授权。盖茨相信，即使苹果抢走一些微软操作系统用户，微软还是可以通过为麦金塔及其兼容机的用户制作不同版本的应用软件来赚钱，例如Word和Excel。“我绞尽脑汁让他们更积极地授权。”他回忆说。于是他给斯卡利发了一份正式的备忘录提出自己的理由。“这个产业发展到目前的阶段，如果没有其他个人电脑制造商的支持和信任，苹果已经不可能靠自己的创新技术去创造一个标准。”他在备忘录中提出，“苹果应该把麦金塔技术授权给3~5家主要的制造商，以推动‘Mac兼容机’的发展。”盖茨没有得到回复，因此他又写了第二份备忘录，推荐了一些适合制造Mac兼容机的公司，还加了一句：“我将尽我所能帮助推进授权工作。请给我打电话。”

苹果一直拒绝把麦金塔的操作系统授权出去，直到1994年，CEO迈克尔·斯平德勒允许了两家小公司——Power Computing和Radius——生产麦金塔兼容机。1996年吉尔·阿梅里奥接管公司后，又增加了摩托罗拉。结果表明这是一个值得怀疑的商业战略：每卖出一台兼容机，苹果收取80美元的授权费，但是这些兼容机并没有让苹果扩大市场，反而挤压了苹果自己的高端计算机销售，而卖出一台苹果电脑的利润能达到500美元。

然而乔布斯反对兼容机项目还不仅仅是出于经济上的考虑。他打心眼儿里反感这种做法。他的核心原则之一就是硬件和软件应该紧密结合。他喜欢控制产品的所有方面，而唯一的方式就是制造全套设备，全方面负责用户体验。

因此一回到苹果，他就把消灭兼容机作为首要任务之一。1997 年 7 月，就在他协助解聘阿梅里奥几个星期后，新版的Mac操作系统发布，乔布斯不允许兼容机制造商升级到新系统。8 月，当乔布斯出现在波士顿Macworld大会现场时，Power Computing公司总裁“国王”斯蒂芬 · 卡恩（Stephen “King” Kahng）组织了支持兼容机的抗议活动，并公开警告说，如果乔布斯不继续授权，麦金塔操作系统只有死路一条。“如果平台关闭，这个系统就完了，”卡恩说，“彻底毁灭。这是死亡之吻。”

乔布斯不这么认为。他给伍拉德打电话，说他要把苹果从授权业务中解脱出来。董事会默许了这个决议，9 月他就跟Power Computing公司达成协议，付给对方1 亿美元收回授权，而苹果可以使用对方的用户数据库。很快他也终止了对其他兼容机制造商的授权。“让其他公司在垃圾一样的硬件上使用我们的操作系统、蚕食我们的销售额，这简直是世界上最愚蠢的事情。”他后来说。

产品线评估

乔布斯的一个过人之处是知道如何做到专注。“决定不做什么跟决定做什么同样重要，”他说，“对公司来说是这样，对产品来说也是这样。”

一回到苹果，乔布斯就开始在工作中应用他的专注原则。有一天他在走廊里遇到一个年轻的沃顿商学院毕业生，曾是阿梅里奥的助手，以前的工作正在收尾。“嗯，很好，因为我正需要人干点儿烦琐的工作。”乔布斯对他说。这个人的新任务是在乔布斯跟苹果的几十个产品团队开会时作记录，让各个团队介绍正在进行的工作，促使他们证明产品或项目有理由继续进行下去。

他还征用了一个朋友，菲尔 · 席勒（Phil Schiller）。席勒曾在苹果工作，但当时是在图形软件公司Macromedia。“史蒂夫会把团队叫到只有 20 个座位的会议室，但他们会来 30 个人，想要用PowerPoint展示一些史蒂夫根本不想看的东西。”席勒回忆说。因此乔布斯在产品评估过程中做的第一件事就是禁止使用PowerPoint。“我讨厌人们用幻灯片而不用脑子，”乔布斯后来回忆说，“每次遇到一个问题，他们就做幻灯片。我想让他们投入进去，当场拿出方案，而不是放一堆幻灯片。知道自己在说什么的人不需要PowerPoint。”

产品评估显示出苹果的产品线十分不集中。这个公司在官僚作风的驱动下对每个产品炮制出若干版本，去满足零售商的奇思怪想。“真是荒谬，”席勒回忆说，“无数的产品，大部分都是垃圾，由迷茫的开发团队制造。”光是麦金塔就有很多个版本，每个版本都有不同的、让人困惑的编号，从1400到9600。“我让他们给我解释了三个星期，”乔布斯说，“我还是搞不明白。”最后他干脆开始问一些简单的问题，比如：“我应该让我的朋友们买哪些？”

当无法得到简单的回答时，他就开始大刀阔斧地砍掉不同的型号和产品。很快他就砍掉了70%。“你们是聪明人，”他对一个小组说，“不应该把时间浪费在这样的垃圾产品上。”很多工程师被他这种粗暴、严苛的手段激怒了，因为这样会导致大规模的裁员。但是乔布斯后来宣称，优秀的员工，包括有些项目被毙掉的员工，都赞成这种做法。“工程团队无比兴奋，”他在1997年9月的一次员工会议上说，“开完会，有一些产品刚被砍掉的人激动得一跳三尺高，因为他们终于明白了我们在朝哪个方向前进。”

几个星期过去了，乔布斯终于受够了。“停！”他在一次大型产品战略会议上喊道，“这真是疯了。”他抓起记号笔，走向白板，在上面画了一根横线一根竖线，做成一个方形四格表。“这是我们需要的，”他继续说。在两列的顶端，他写上“消费级”和“专业级”。在两行的标题处，他写上“台式”和“便携”。他说，他们的工作就是做四个伟大的产品，每格一个。“会议室里鸦雀无声。”席勒回忆说。

在9月的董事会上，乔布斯介绍这个计划时，现场同样鸦雀无声。“吉尔曾在每次会议上追着我们批准越来越多的产品，”伍拉德回忆说，“他一直在说我们需要更多产品。史蒂夫来了以后说我们需要更少的产品。他给我们画了个四格矩阵，说这就是我们应该专注做的。”一开始董事会并不接受。他们告诉乔布斯这是在冒险。“我能成功。”他回答。董事会从来都没有投票赞成过这个新战略。但乔布斯说了算，他就往前冲了。

结果，苹果的工程师和管理人员突然高度集中在四个领域。专业级台式电脑，他们开发出了Power Macintosh G3；专业级便携电脑，开发出了PowerBook

G3；消费级台式电脑，后来发展成了iMac；消费级便携电脑，就是后来的iBook。

这意味着公司要退出其他业务领域，例如打印机和服务器。1997年，苹果在销售StyleWriter彩色打印机，基本上就是惠普DeskJet的另一个版本。惠普通过卖墨盒赚走了大部分钱。"我不明白，"乔布斯在这个产品的评估会上说，"你们准备卖100万台却赚不到钱吗？真是疯了！"他站起来，离开会议室，给惠普的总裁打电话。咱们解除合约吧，乔布斯建议，我们会退出打印机业务，让你们自己做。然后他回到会议室宣布他们退出打印机业务。"史蒂夫审视一番情况后，会立即知道我们需要从中脱身。"席勒回忆说。

乔布斯作的最高调的决定，就是彻底扼杀牛顿项目，就是那个带有不错的手写识别系统的个人数字助理。乔布斯讨厌它，因为它是斯卡利最喜欢的项目，因为它不完美，也因为他讨厌手写设备。早在1997年初他就试图让阿梅里奥砍掉它，但只成功地说服他解散了这个部门。到1997年末，乔布斯作产品评估时，发现它还在。他后来这样描述这个决定：

> 如果苹果当时的处境没有那么危险，我可能会钻进去研究怎么改进它。我不信任这个项目的负责人。我强烈地感觉到它有真正优秀的技术，但是因为管理不善搞砸了。停掉它，我就解放了一些优秀的工程师，他们可以去开发新的移动设备。最终我们走对了路，做出了iPhone和iPad。

这种专注能力拯救了苹果。在他回归的第一年，乔布斯裁掉了3 000多人，扭转了公司的财务状况。到1997年9月乔布斯成为临时CEO时，之前的一个财政年度苹果已经亏损了10.4亿美元。"我们离破产不到90天。"他回忆说。到1998年1月旧金山的Macworld大会上，乔布斯登上了一年前被阿梅里奥毁掉的舞台。他留着络腮胡子，穿着皮夹克，讲述着新的产品战略。在结束演讲时，他第一次使用了后来变成他标志性结束语的那句话："噢，还有一件事……"这一次，"还有一件事"就是"考虑利润"（Think Profit）。当他说出这句话时，观众席爆发出了热烈的掌声。在经历了两年的巨额亏损后，苹果终于在该季度赢利，获得了4 500万美元利润。1998年整个财年，苹果实现了3.09亿美元的赢利。乔布斯归来，苹果归来。

第二十五章

Design Principles

The studio of Jobs and Ive

设计原则

乔布斯和艾弗的工作室

2002 年，与乔尼 · 艾弗

乔尼 · 艾弗

1997 年 9 月，乔布斯重返苹果公司出任iCEO，他将高管层召集在一起进行动员讲话。在听众席上有一位细腻又充满热情的英国人——乔纳森 · 艾弗（Jonathan Ive），30 岁，是苹果公司设计团队的主管。大家都叫他乔尼。他当时正打算辞职。他受够了公司一心想要把利润最大化而疏于产品设计的做法，而乔布斯的讲话动摇了他辞职的念头。“我记得非常清楚，史蒂夫宣布我们的目标不仅仅是赚钱，而是制造出伟大的产品，”艾弗回忆道，“基于这一理念所作出的决策会与从前有本质的不同。”艾弗和乔布斯很快就一拍即合，成为了他们那个时代最伟大的工业设计搭档。

艾弗在伦敦东北部的清福德镇长大。父亲是一名银匠，在当地的大学教授传统技艺。“他是一名极其出色的工匠，”艾弗回忆道，“他给我的圣诞礼物，就是带我到学校工作坊里度过一天。圣诞节假期时学校里没有人，他会帮我做我想要的东西。”但前提是，乔尼必须把想要做的东西亲手画出来。“我一直都很欣赏手工制品的美。我开始意识到对产品付出的心血至关重要。我最无法忍受的就是从产品中感觉出草率的态度。”

艾弗进入了纽卡斯尔理工学院（Newcastle Polytechnic）学习，并利用业余时间和暑假在一家设计顾问公司工作。他曾经设计了一支钢笔，笔帽上有一个可以拨弄的小球，让使用者和钢笔建立有趣的“情感互动”。他的毕业设计是一套麦克风和听筒，由单一的白色塑料制成，用于和有听力缺陷的儿童交流。艾弗的公寓里摆满了发泡材料模型，这些模型帮助他获得了更完美的设计。此外，他还设计过一台自动取款机和一款流线型电话机，这两个作品都曾获得英国皇家艺术学院奖。和其他设计师不同，他不仅能勾画出精美的草图，还关注工程学以及内部元件的工作原理。大学时期，乔尼在使用麦金塔做设计时突然开窍了：“我开始了解Mac，并且觉得我和制造这个产品的那群人在冥冥之中有种联系，”他回忆道，“我突然理解了公司是什么，或者说，‘应该是什么’。”

毕业之后，艾弗和人合伙在伦敦成立了一家名为蜜橘（Tangerine）的设计公司，并和苹果公司签订了咨询合同。1992年，乔尼移居到加州的库比蒂诺，开始在苹果公司的设计部门工作。1996年，这一年恰好是乔布斯回归前夕，乔尼成为设计部门的主管，却很不开心。阿梅里奥并不看重设计。“没有那种为产品付出心血的感觉，因为我们都在努力扩大利润，”艾弗说，“这些高管只要求我们这些设计师设计产品的外观，然后工程师再把成本压到最低。我准备辞职了。”

直到乔布斯重新接管苹果之后讲了那一番话，艾弗才决定留下来。起初，乔布斯打算从外面招聘一个世界级的设计师。他找过IBM ThinkPad笔记本的设计师理查德·萨珀，还有曾设计过法拉利250和玛莎拉蒂Ghibli一代跑车的乔吉·乔治亚罗（Giorgetto Giugiaro）。后来他去苹果的设计工作室走了一圈，决定跟和蔼热情、为人诚实的艾弗成为搭档。“我们讨论了产品在形式和材料方面的种种可能，”艾弗回忆道，“我们的看法一致。我突然明白了自己为什么会爱上这家公司。”

最初，艾弗是向乔恩·鲁宾斯坦汇报的，鲁宾斯坦是乔布斯指派的硬件部门主管，但是艾弗后来和乔布斯发展成了一种直接的、异常牢固的伙伴关系。他们开始定期一起吃午餐，而乔布斯每天下班之前都要去艾弗的设计工作室聊一聊。“乔尼的身份很特殊，”乔布斯的妻子鲍威尔说，“他常来我们家玩，两家人之间的关系也变得更亲密。史蒂夫从来不会故意伤害他。在史蒂夫的生活中，大多数人都是能够被替代的，唯独乔尼不是。”

乔布斯随后向我表达了他对乔尼的尊敬：

> 乔尼给苹果公司乃至全世界带来的改变是巨大的。在各方面他都是一个极聪明的人。他懂得商业概念和营销概念，接受新事物的速度很快。他比其他任何人都更为理解苹果公司的核心理念。乔尼是我在公司里的“精神伴侣”。大多数产品都是我们一起构想出来的，然后我们会再把其他人拉进来，问他们“嘿，你们觉得怎么样？”对每一个产品，他既有宏观见解，又能考虑到细枝末节。他明白，苹果是一家注重产品的公司。他不仅仅是一个设计师。这也就是为什么他向我直接汇报工作。他是整个公司里除我之外最有运营权力的人。任何人都无权干涉他做什么或不做什么。这也是我的意图。

和大多数设计师一样，艾弗喜欢分析某个特定设计背后的理念以及如何一步步地构思出这个设计。对于乔布斯来说，他的判断更注重直觉。他会明确指出自己喜欢的模型和草图，放弃那些不喜欢的。而艾弗接下来会按照乔布斯的思路和喜好，进一步完善设计理念。

艾弗的偶像是为博朗电器公司工作的德国工业设计大师迪特尔·拉姆斯。拉姆斯崇尚的设计理念是“少而优”（Weniger aber besser）。同样，乔布斯和艾弗也在为如何能让每一个新设计变得简洁而绞尽脑汁。自从在第一本苹果手册里宣称"至繁归于至简"以来，乔布斯就以追求简洁为目标。追求简洁不是要忽视复杂性，而是要化繁为简。"要把一件东西变得简单，还要真正地认识到潜在的挑战，并找出漂亮的解决方案。"他说，"这需要付出很多努力。"

在艾弗这里，乔布斯终于找到了"灵魂伴侣"。他要的是真正意义上的简洁，而不是表面功夫。有一次，艾弗坐在他的设计工作室里，表达了他对简洁的看法：

> 为什么我们认为简单就是好？因为对于一个有形的产品来说，我们喜欢那种控制它们的感觉。如果在复杂中有规律可循，你也可以让产品听从于你。简洁并不仅仅是视觉上的，也不仅仅是把杂乱无章的东西变少或抹掉，而是要挖掘复杂性的深度。要想获得简洁，你就必须要挖得足够深。打个比方，如果你是为了在产品上不装螺丝钉，那你最后可能会造出一个极其烦琐复杂的东西。更好的方式，是更深刻地理解"简洁"一词，理解它的每一个部分，以及它是如何制造的。你必须深刻地把握产品的精髓，从而判断出哪些不重要的部件是可以拿掉的。

这就是乔布斯和艾弗所一致认同的基本原则。设计不仅是关于产品的外观，而且必须要反映出产品的精髓。"在大多数人看来，设计就和镶嵌工艺差不多，"乔布斯在重新接管苹果后对《财富》杂志说，"但是对于我而言，'设计'一词绝无任何引申含义。设计是一个人工作品的核心灵魂，并最终由外壳表达出来。"

这样一来，苹果公司的产品设计过程就和工程及制造结合到了一起。艾弗这样描述苹果Power Mac系列："只要不是绝对必需的部件，我们都会想办法去掉，"他说，"为达成这一目标，就需要设计师、产品开发人员、工程师以及制作团队的通力合作。我们一次次地返回到最初，不断问自己：'我们需要那个部分吗？我们能用它实现其他四部分的功能吗？'"

乔布斯和艾弗在法国的一家厨具店闲逛时，悟出了产品设计、产品本质和产品制造这三者之间的联系。艾弗看中了一把刀，把它拿起来，但很快就失望地放下了。乔布斯也是同样。"我们都发现了刀把和刀片之间有一丝胶粘的痕迹。"艾弗回忆道。他们后来讨论了好的设计是怎么被制造给毁了的。"我们都不愿去想，自家的刀是被粘接起来的，”艾弗说，“史蒂夫和我都很看重这种问题，这种设计会破坏作为一件厨具应有的纯粹和本质，我们的想法很一致，就是如何让我们的产品看起来纯粹且浑然天成。”

对于大多数公司来说，设计是被工程技术引领的。工程师们制定产品的规格和要求，然后设计师们再据此设计模型和外壳。但对于乔布斯来说，这个过程截然不同。在苹果公司创立之初，乔布斯首先确定了Mac电脑的外壳之后，工程师们才依此制造合适的主板和元件。

在乔布斯被迫退出之后，这一过程又变成了以工程师为主导。“在史蒂夫回来之前，工程师会指着处理器硬盘说‘这些是内部元件’，然后设计师们会想办法把这些部件装进外壳，”苹果公司的营销副总裁菲尔·席勒说，“按这种方式来做，你只会得到糟糕的产品。”但是当乔布斯回来与艾弗成为搭档之后，天平又向设计师这一端倾斜了。“史蒂夫一直在影响着我们，设计是我们的成功之道，”席勒说，“设计师再次主导工程师了，而不是‘反之’。”

双方偶尔也会出现争执。比如，乔布斯和艾弗坚持在iPhone 4的边缘使用拉丝铝材料，而工程师担心这会造成天线信号不佳（详见第三十八章）。但在通常情况下，苹果产品——包括iMac、iPod、iPhone和iPad——的独特设计让苹果与众不同，并在乔布斯回归后的几年里走上了巅峰。

工作室探奇

乔尼·艾弗所在的设计工作室位于苹果公司园区无限循环路2号楼的一层，隐在染色玻璃窗和厚重的钢制大门之后。走进去，会看到一张玻璃接待台和两名接待员。甚至公司的大多数员工都不被允许入内。我为完成本书与乔尼所作的大部分采访都是在别处进行的，不过在2010年的一个下午，他邀请我去他的工作室参观，并谈到了他和乔布斯是如何在这里合作的。

大门入口的左边是一组年轻设计师的工位；右边是一个类似洞穴的大房间，里面有6张长条钢桌，用来展示和试验设计中的产品。大房间的旁边是一间计算机辅助设计工作室，里面全都是工作站。再往里走的一个房间有几台铸型机，可以把电脑屏幕上的设计制成发泡材料模型，另外还有一台机器人控制的喷漆机器，可以让模型看起来更逼真。银色的金属装潢让整个房间看上去空旷又富有工业气息。外面的树叶透过染色玻璃窗投下移动的光影，电子乐和爵士乐回荡在空气中。

当乔布斯身体状况尚佳而且不外出时，几乎每天，他都会和艾弗一起吃午餐，然后去工作室看一看。他一进门，就会查看几张桌子上那些正在设计的产品，看看它们是否符合苹果公司的发展战略，并亲手检查每一个产品的演进设计。通常都是他们两人单独相处，其他设计师见到了也会礼貌地和他们保持距离。如果乔布斯要处理具体的事情，他就会把负责机械设计的主管或者艾弗的助手叫过来。如果某些想法让他感到兴奋，擦出了有关企业战略的思想火花，他就会让首席运营官蒂姆·库克或者营销副总裁菲尔·席勒加入他们的讨论。按照艾弗的描述，这就是他们的工作常态：

在这间伟大的屋子里，你可以看到所有我们正在研发的产品。史蒂夫一进来，就会坐在其中一张桌子前。举例来说，假如我们正在设计一款新的iPhone，他就会搬个凳子坐在那儿，把玩桌上不同的模型，用手去感受它们，评价哪一个才是他最喜欢的。然后，我们再一起去看其他桌子上的产品，看看那些产品设计的情况。他能够把握公司的全局，包括iPhone、iPad、iMac和笔记本电脑，以及其他我们正在考虑的产品。这可以令他看清公司的主要任务是什么，以及各种事物之间的联系。他会问："有意义吗？它是否会让我们快速成长？"或者类似的问题。他能够看出事物之间的联系，这对于一个大公司的管理者来说绝非易事。单凭桌上的模型，他就能看出公司在未来3年的发展。

在我们的设计过程中，对话占据了很大一部分。当我们在桌旁把玩模型的时候，有些对话是反复进行的。他不喜欢看复杂的图纸。他需要亲眼见到并感受这些模型。他是对的。当我发现我们做出的模型只是一堆垃圾时，我惊讶极了，虽然它们从计算机辅助设计的角度来讲是没有问题的。

他喜欢来这里，因为这里安静而温馨。如果你是一个注重视觉感受的人，你一定会觉得这里是天堂。这里没有死板的设计评价，所以也没有气氛严肃的表决。我们会顺利地作出决定。正因为我们每天都保持沟通，而且从来也没有死气沉沉的汇报，所以我们也没有大的分歧。

我前去拜访的那天，艾弗正在监督两款模型的制作，其中一个是为欧洲市场设计的新插头，另一个是为Mac电脑设计的连接线。几十个彼此之间只有细微差异的泡沫模型在喷漆之后被展示出来，等待检查。有些人会觉得奇怪，设计主管竟然会为这种工作操心烦恼，而乔布斯竟然也会如此。自从有了为Apple II特制的电源，乔布斯就不仅仅关注工程部分，还关注此类部件的设计。他被列为MacBook配套的白色变压器及磁性连接器的专利人。事实上，截至2011年初，乔布斯已成为美国212项专利的发明人之一。

艾弗和乔布斯对苹果产品的包装也相当痴迷，并申请了多项专利。比如，2008年1月1日，美国将D558572号专利授予了iPod nano包装盒。一打开盒子，就会看到4张图片说明iPod是如何被放置进像摇篮一样的盒子里的。2009年7月21日，D596485号专利授予了iPhone的包装盒——配有坚硬的上盖以及内部光滑的塑料小托盘。

早些时候，迈克·马克库拉就教过乔布斯“灌输”这一招。要知道，人们会根据封面来评判一本书的好坏——同理，苹果产品漂亮的外部装饰和包装也能说明里面是个好产品。无论是iPod Mini还是MacBook Pro，苹果用户都很享受这种感觉：打开精致的盒子，产品总是以迷人的方式躺在里面。“史蒂夫和我在包装上花了很多时间，”艾弗说，“我很享受打开包装的过程。一旦拆包被设计成一种仪式般的程序，产品也就变得特殊起来。包装就像一座剧场，它能够制造故事。”

艾弗也有着艺术家的敏感，有时也会因为乔布斯抢了他太多风头而懊恼。多年来，乔布斯的这个习惯也让其他同事感到很不舒服。艾弗对乔布斯的个人情感有时过于强烈，所以很容易受伤。“他在得知我的一些想法之后说，‘不好，这个想法不怎么好，我更喜欢另一个。’”艾弗说，“然后我坐在听众席上听他阐述刚才的想法，说得就像他自己想出来的一样。我格外注重一个点子的出处，甚至会用笔记本记下它们。所以，当他把设计的功劳归于自己的时候，我觉得很受伤害。”当外面的人把乔布斯奉为苹果公司的创意之源时，艾弗也会很生气。“这让公司显得很脆弱。”艾弗诚恳地说，不过语气变得缓和多了。随后，他话锋一转，肯定了乔布斯在公司里的真正角色。“在其他很多公司里，创意和杰出的设计常常会淹没在流程中，”他说，“如果不是史蒂夫在这里催促着我们，和我们一起工作，并且排除万难把我们的想法变成产品，我和我的团队想出来的点子肯定早就灰飞烟灭了。”

第二十六章

The iMac

Hello (again)

iMac

"你好（又见面了）"

© Mark Richards

iMac

回到未来

乔布斯和艾弗搭档之后的第一个成功之作就是iMac——面向家用电子市场的台式计算机，于1998年5月问世。此前，乔布斯对这个产品有明确的说明：它应该是一个一体化的产品，键盘、显示器和主机被组合到一个简单的装置中，从箱子里面拿出来就能用；而且设计要独特，要能体现品牌文化；价格定在1 200美元左右（当时苹果公司没有标价在2 000美元以下的计算机）。"他告诉我们，要回到1984年第一台Mac电脑那个设计理念，设计成一体式的消费电子产品。"席勒回忆道，"这就意味着设计部门和工程部门必须要通力合作。"

最初的计划是开发一款“网络计算机”(network computer)，这一概念得到了甲骨文公司的拉里 · 埃利森的支持，它特指一种廉价的、没有硬盘驱动器的终端，主要用来连接互联网和其他网络。但是苹果公司的首席财务官弗雷德 · 安德森认为，为了使产品更加动力强劲，还是要增设一个磁盘驱动器，这样它就可以成为一台正式的家用台式计算机。乔布斯最终采纳了他的建议。

负责硬件的部门主管乔恩 · 鲁宾斯坦，决定给计划中的新机器采用苹果高端专业版电脑Power Mac G3 的微处理器和内核，并安装了一个硬盘驱动器和一个光盘托盘。但是乔布斯和鲁宾斯坦作了一个大胆的决定——新机器不再配备普遍使用的软盘驱动器。乔布斯引用了冰球明星韦恩 · 格雷茨基（Wayne Gretzky）的名言：“要向着冰球运动的方向滑，而不是它现在的位置。”在当时他这个做法非常前卫，但是最终大多数计算机都取消了软盘驱动器。

艾弗和他的第一助理丹尼 · 柯斯特（Danny Coster）开始计划这种未来主义的设计。乔布斯不客气地否决了他们最初设计的几十个模型，然而艾弗知道怎么去温和地引导他。艾弗认同所有的模型都不完美，但是他指出了其中一个有希望的——曲线形的有趣外观，看上去也不像是一块钉在桌子上挪不走的板子。“它带着一种刚刚来到你桌上，又随时可能会飞到其他地方的感觉。”他这样告诉乔布斯。

在下一次展示之前，艾弗又完善了这个模型。这一次，乔布斯带着他那“不是杰作就是狗屎”的评判标准喊着说他喜欢。他带着泡沫模型在总部到处走，充满信心地向他信赖的中层和董事会成员们展示。苹果公司一直在广告中宣传自身所做的一切都“非同凡想”。然而直到那时，也没有人提出过什么东西让苹果计算机区别于市面上的其他计算机。这一次，乔布斯终于有了新玩意儿。

艾弗和柯斯特提出要把机箱塑料外壳设计成海蓝色——之后这种颜色被命名为“邦迪蓝”，灵感来自澳大利亚的邦迪海滩。而且外壳是半透明的，你可以看到机器内部。“我们想要传递一种感觉，就是计算机能够根据我们的需求而改变，就像变色龙那样。”艾弗说，“这就是我们喜欢半透明的原因。虽然有固定的颜色，却又不呆板，可以一眼看到里面，有种调皮的感觉。”

无论是比喻还是现实，这种半透明都把内部的工程学构造和外壳设计联系在了一起。乔布斯一直坚持要让芯片整齐地排列在电路板上，即使它们不会被人们看到也要这么做。但现在，它们能被人看见了。通过这个半透明外壳，人们将能够看到乔布斯对产品的用心，而这种用心贯穿于所有元件的制造以及组装过程中。这种有趣的设计将传达简约的理念，同时也体现出真正达到简约所需要的深度。

在这如此简约的塑料外壳中也蕴涵着十足的复杂性。艾弗和他的团队与苹果公司在韩国的制造商合作，力求制作出完美的产品，他们甚至去了一家生产糖豆的工厂，学习如何把半透明色彩做得更富活力。每只外壳的成本超过 60 美元，是普通计算机外壳成本的 3 倍。换做其他公司，可能会就此进行专门论证，讨论半透明外壳是否能帮助提升销量，并证明额外的成本是值得的。但乔布斯对这种论证不予考虑。

他们还在 iMac 外壳的顶部设计了一个内嵌的提手。它的趣味性和象征意义要大于其功能性。这是一台台式计算机，不会有什么人提着它到处走。但艾弗是这样想的：

> 当时，人们对科技并不“感冒”。当你畏惧一样东西的时候，你不会去触碰它。我就看到我妈妈不敢碰计算机。所以我想，如果它上面有个提手，就能使一种关系变为可能。它是易于接近的，是与生俱来的，它允许你去触摸它。它使你觉得它与众不同。糟糕的是，要制造一个凹陷的提手需要大量投入。这要是在以前的苹果公司，我的想法肯定会被否决。让人惊喜的是，乔布斯第一眼看到它的时候就说了一句，“这太酷了！”我从没向他解释过为何要这样做，但他就是自然而然地领会了。他认为，这就是 iMac 友好及有趣的方面之一。

乔布斯还要面对制造工程部门的反对，这些反对者得到了鲁宾斯坦的支持。面对艾弗对美学的需求和“异想天开”，鲁宾斯坦提出了现实的关于成本的考虑。“当我们把做提手的建议提交给工程部门时，”乔布斯说，“他们提出了 38 种不能这么做的理由。然后我就说，‘不，不，我就是要这么做。’然后他们问，‘那么，为什么？’我回答道，‘就是因为我是 CEO，我认为这么做没问题。’结果他们就这么不情愿地照做了。"

乔布斯还邀请TBWA\Chiat\Day广告公司的李·克劳和肯·西格尔一行人来到苹果，看看这里正在做的事情。他把他们带进戒备森严的设计工作室，并戏剧性地展示了艾弗设计的半透明的泪滴形外壳，看起来很像20世纪80年代一部电视动画片《杰森一家》（*The Jetsons*）里关于未来的场景。在那一瞬间，他们就像回到了从前。"我们非常震惊，但没人敢说出来。"西格尔回忆道，"我们的真实想法是，'天哪，他们知道自己在做什么吗？'这简直太出格了。"乔布斯请他们给这台计算机起个名字。西格尔给出了五个，其中一个就是"iMac"。起初，乔布斯哪个都不喜欢，所以西格尔在一周后又拿出了一张列表，但是他说他的公司还是更倾向于"iMac"。乔布斯回答说，"现在我倒觉得这个名字不那么讨厌了，不过也算不上喜欢。"随后他试着把这个名字印在一些模型上，然后接受了它。iMac的名称由此诞生。

离iMac完工的日子越来越近了，乔布斯那传说中的坏脾气又冒了出来，尤其是遇到生产方面的问题时。在一次产品测评会上，他发现制造的进度变慢了。"他表现出令人恐惧的愤怒，而且是绝对纯粹的愤怒。"艾弗回忆道。乔布斯围着桌子走了一圈，从鲁宾斯坦开始，把在座的人都挨个儿骂了一顿。"知道吗，我们是在努力拯救公司，"他大喊，"而你们却要把它毁了！"

和当年的Mac团队一样，iMac团队也是跌跌撞撞地赶在发布会的前一刻完工了，但还是没能逃过"最后一劫"。在一次发布会预演中，鲁宾斯坦拿来两台赶制出的样机。在此之前，包括乔布斯在内，所有人都没有见过最后的成品。乔布斯在台上看到，在机器的前方、显示屏的下方有一个按钮。他按了一下按钮，CD托盘弹了出来。"这他妈是什么鬼东西?!"他一点儿也不客气。"我们谁都没有说话，"席勒回忆说，"因为他当然知道那是CD托盘。"乔布斯继续责骂。他坚持说，这原本应该是一个干净利落的CD插槽，就像高档汽车里用的那种优雅的吸入式光驱。盛怒之下，他把席勒赶出了演讲厅。席勒于是向鲁宾斯坦求救。"史蒂夫，这就是当时我们讨论组件时我向你展示的光驱。"鲁宾斯坦解释道。"不，从来就没有托盘，只有一个插槽。"乔布斯坚持着。鲁宾斯坦也没有让步。乔布斯的愤怒一点儿都没有减弱。"我当时几乎要哭出来了，因为要作任何改变都为时已晚。”乔布斯后来回忆道。

他们停止了预演，接下来的那一刻，大家认为乔布斯似乎要取消整个产品发布会。“鲁比[①]看着我，就好像在说：‘我疯了吗？’”席勒回忆道，“这是我和乔布斯合作的第一个产品发布会，我也第一次明白了他的心态：如果有什么不对劲儿就干脆取消。”最终，他们达成了共识——在下一代iMac中把托盘变成插槽。“只有确定了我们将尽快生产插槽式光驱，我才可以放心地筹备发布会。”说到这里，乔布斯已经眼含泪水。

此外，他计划展示的一段视频也出现了问题。在这段视频中，乔尼·艾弗向大家讲解他的设计理念，并问大家：“你们认为‘杰森一家’应该拥有什么样的计算机？这在昨天看来遥不可及。”这时，会出现一个两秒钟的卡通片段：简·杰森正看着一个屏幕；接下来的两秒钟片段是杰森一家在圣诞树前咯咯地笑。在预演中，一个制作助理告诉乔布斯，他们必须要删掉这四秒钟的画面，因为他们没有得到哈娜-巴贝拉（Hanna-Barberra）制作公司的许可。“我就要放在这儿！”乔布斯冲他喊道。那个助理向他解释这样做会违反相关法规。“我才不在乎，”乔布斯说，“我们就要用它。”最后这段视频被保留了。

李·克劳正在准备一系列彩色的杂志广告。他给乔布斯发了一些排版后的打样，很快便接到了乔布斯怒气冲冲的电话。乔布斯坚持说广告中的蓝色和他们挑出来的iMac照片上的蓝色不一致。“你们这帮家伙不知道自己在干什么，”乔布斯嚷道，“我要另找别人做这个广告，因为你们把它给毁了。”克劳反驳道：“你再去比比看。”乔布斯根本不在办公室里，却一直坚称自己是对的，而且不停地喊叫。最后，克劳让他冷静地坐下来，再对比一下原始的照片。“我最终向他证明了这个蓝色就是他要的那个蓝色。”几年之后，在Gawker网的“史蒂夫·乔布斯讨论区”里冒出来一个帖子，发帖人曾经在加州帕洛奥图的全食超市（Whole Foods）工作，这家超市离乔布斯的住宅只隔几个街区。帖子写道：“一天下午，我正在整理购物车，看到一辆银色的奔驰停在残疾人停车位上。史蒂夫·乔布斯正在车里对着他的车载电话大喊大叫。当时正值第一代iMac发布之前，所以我肯

① 鲁比，鲁宾斯坦的昵称。

定没有听错，他在大喊：'去他妈的！不够蓝！！！'"

一直以来，乔布斯都会绞尽脑汁准备揭幕时那戏剧性的一刻。就在上次的预演因为CD托盘事件而中止之后，他又预演了好几次，以确保在正式发布会上令人瞩目。他一次次地演练那个高潮时刻——他走到舞台另一边，揭开遮布，然后宣布："向新的iMac问好吧。"他要求灯光恰到好处，把iMac的半透明效果衬托得栩栩如生。但是在几次预演之后，他仍然不满意，这也让人想起了1984年Mac电脑发布会预演时的那一幕，当时斯卡利目睹了他在舞台灯光上的纠结：他要求把灯光再调亮一些，而且开得再提早一些，但是他始终不满意。最后他走下舞台，坐在观众席正中央的位子上，把两条腿搭在前排的椅背上。"你们调吧，直到调好为止。"他说。工作人员又尝试了一次。"不对，不对。"乔布斯抱怨道，"这根本不行。"又试了一次，这次灯光的亮度够了，但出现得太晚。"我已经懒得再说你们了。"乔布斯喊道。最后，iMac终于在灯光下闪亮登场。"对了！就是这样！非常好！"乔布斯兴奋地大叫。

一年之前，乔布斯把他早期的导师兼合作者迈克·马库拉从董事会开除。但是出于对iMac的自豪之情，以及iMac与Mac之间千丝万缕的联系，乔布斯把马库拉邀请到苹果总部，让他提前看一下产品。马库拉觉得iMac棒极了，但他唯一反对的就是艾弗设计的鼠标，他说它看起来太像一个冰球了，人们不会喜欢的。乔布斯不同意他的观点，但后来事实证明，马库拉是对的。除此之外，iMac像它的前辈Mac电脑一样无与伦比。

iMac发布会：1998年5月6日

在1984年的Mac电脑发布会上，乔布斯就创造了一套新的舞台效果——产品发布就像一场划时代的盛会，整场盛会以"要有光"[①]的神圣时刻为高潮：天地分开、一束光射下来、天使歌唱、唱诗班合唱《哈利路亚》。而对此次产品发布盛会，乔布斯有两个希望，一是使苹果公司起死回生，二是再次颠覆个人计算机的形象。因此，乔布斯特意为这次发布会选择了库比蒂诺市迪安扎社区学院

① 引自《圣经》，"上帝说，'要有光。'于是便有了光。"

的燧石礼堂（Flint），这也是举办1984年发布会的地点。为了消除疑虑、重整旗鼓、在开发者社区获得支持，并快速启动iMac营销，他愿意全力以赴。不过，他这么做的另外一个原因就是他很喜欢做“发布会总指挥”。和酝酿新产品一样，准备一场盛会也能大大激发他的热情。

他还不忘显示自己多愁善感的一面。作为开场白，他首先对着第一排观众席上的三位嘉宾礼貌地“喊话”。他曾经和这三个人渐行渐远，但是现在，他需要他们重新加入他的团队。“我曾经和史蒂夫·沃兹尼亚克在我父母家的车库里成立了苹果公司，现在，他就在这里。”他说着，用手指向沃兹，观众爆发出一阵掌声。“后来，迈克·马库拉加入了我们。不久之后，我们还迎来了我们的第一任总裁，迈克·斯科特。”他接着说，“他们今天都来到了现场。如果没有他们三个人，今天我们谁也不会来到这里。”掌声又响了起来，他的眼眶湿润了。观众席中还有安迪·赫茨菲尔德以及当年Mac团队的大部分成员。乔布斯向他们微笑致意。他的笑容中带着一种信心，他相信，接下来自己会让他们感到自豪。

在用幻灯片展示了苹果公司新的产品策略和新计算机的性能之后，他准备揭幕他的新宝贝了。“现在的计算机是这副样子的。”他说着，身后的大屏幕上出现了一套米色的、方方正正的计算机配件和显示器。“而我要荣幸地向你们展示，从今天起，计算机会变成什么样子。”他揭开了舞台中央桌子上的遮布，灯光洒下，新的iMac闪现在大家面前，熠熠生辉。他按了一下鼠标，就像在Mac电脑的发布会上那样，屏幕上快速闪现着介绍计算机各种奇妙用途的图片。最后，“你好”（hello）的字样出现了，用的还是1984年Mac电脑上的字体，但是这一次在“你好”下面还加了一个括号，里面写着“又见面了”（again）——Hello（again）。这一刻，雷鸣般的掌声再次响起。乔布斯站在那儿，自豪地看着他的新iMac。“它看起来像是从外星来的。”他说，观众大笑，“显然是来自一个不错的星球，那儿的设计师更棒。”

乔布斯又一次推出了标志性的新产品，也是一个新纪元的开端。它履行了“非同凡想”的承诺。计算机不再是米色的方形主机和显示器、缠得一团糟的电线和厚厚的安装手册；在你面前的是一部友好的、生气蓬勃的装置，手感顺滑、赏心悦目，就像一只知更鸟的蛋[①]。你可以拎着那可爱的小提手把它从典雅的白色盒子里面提出来，然后插上电源。那些以前害怕碰计算机的人现在也想拥有一台，而且他们还想把它摆在房间中最显眼的地方，好让人羡慕甚至是嫉妒。“这是一台结合了科幻之光和奇思妙想的机器，”《新闻周刊》的记者史蒂芬·列维这样写道，“这不仅是近几年来推出的外观最酷的计算机，同时也是一个强有力的宣告：硅谷这家最初的‘梦想’公司终于不再‘梦游’了！”《福布斯》将iMac称为“一个产业的华丽转身”。已被驱逐的约翰·斯卡利也表示：“他采用的是和15年前一样的简单策略——制造大受欢迎的产品，发动无比强大的营销攻势。这个策略让当时的苹果公司大获成功。”

一个熟悉的声音又在吹毛求疵了。iMac屡获殊荣之际，比尔·盖茨确信这只是一时的潮流而已。他对一群拜访微软公司的财务分析师说：“苹果公司现在唯一胜出的就是在颜色方面。”盖茨指了指一台他故意漆成红色的Windows计算机，“我们不用花太多时间就能做到，我认为不会很久。”乔布斯气坏了。他告诉一个记者说，盖茨——这个曾被他公开嘲笑“完全没有品位”的人，根本没搞清楚是什么让iMac比其他计算机更有吸引力。“我们的竞争对手大错特错的地方就在于，他们认为这只是时尚，只是表面功夫而已。”他说，“他们会说，‘我们也要在这破机器上喷点儿漆，不就是这么回事儿吗。’”

1998年8月，iMac正式发售，售价1 299美元，上市6个星期就售出27.8万台，到年底售出了80万台——成为苹果公司历史上销售速度最快的计算机。最值得注意的是，32%的购买者是首次购买计算机，12%的购买者曾经使用的是Windows计算机。

除“邦迪蓝”之外，艾弗很快就为iMac设计出了4款看起来非常诱人的新颜色。为同一款电脑提供5种颜色必定会为制造、库存、分销带来巨大挑战。对大多数公司来说，包括曾经的苹果公司，都会有专门的研究和会议来讨论成本和利润。而乔布斯看到新颜色时非常激动，并马上召集其他高管到设计工作室。“我们要使用所有这些颜色！”他兴奋地对他们说。在众人离开之后，艾弗惊讶地

---

① 知更鸟蛋的蛋壳是蓝色的。

看着自己的团队。“在其他公司，作这样的决定要花上好几个月，”艾弗回忆道，“史蒂夫只用了半个小时。”

乔布斯还希望对iMac作出一个重大改进：去掉讨厌的CD托盘。“我看过一套非常高端的索尼立体声音响用的就是吸入式光驱，”他说，“所以我去找了光驱制造商，让他们为9个月之后上市的新版iMac制造吸入式光驱。”鲁宾斯坦试图劝乔布斯不要作这个改动。他预计今后的趋势是光驱不仅能播放音乐，还能刻录音乐光盘。而且这种新功能将先在托盘式光驱上实现，然后才是吸入式光驱。“如果你要做吸入式光驱，那你就会永远在技术上落后一步。”鲁宾斯坦坚持道。

“我不在乎，我就是要这么做。”乔布斯毫不让步。他们当时正在旧金山的一家寿司店吃午餐，直到饭后散步时，他们的对话仍在继续。“就算是我以个人名义请你帮个忙，帮我做吸入式光驱吧。”乔布斯请求道。鲁宾斯坦当然不能拒绝，但是后来事实证明，鲁宾斯坦是正确的。松下推出了一款读写兼备且能刻录的CD光驱，而且是先装在那些使用“过时的”CD托盘的计算机上。这件事的影响在之后的几年中以非常有趣的方式逐渐扩散开来：它导致了苹果公司无法满足用户想要自己刻录音乐光盘的需求，但是这也恰恰促使苹果公司发挥想象力，大胆地寻找一条越级攀升的道路，直到最终，乔布斯决定进军音乐市场。

第二十七章

CEO

Still crazy after all these years

CEO

多年之后，疯狂依旧[1]

2007 年，蒂姆 · 库克和乔布斯

蒂姆 · 库克

在重返苹果公司之后的第一年，史蒂夫 · 乔布斯推出了“非同凡想”广告和iMac，再一次向世人展现了他的创意和远见——这一点，他在苹果公司的第一阶段就表现出来了。但大家都没有把握他是否能运营好一家公司。在此之前，他在这方面的能力未曾表现出来。

① 保罗 · 西蒙的一首歌曲名。

乔布斯开始投入到一些以细节为导向的很现实的工作里，这让曾经和他共事过的人很惊讶，之前的他是那样桀骜不驯，世间的条条框框似乎在他身上毫无约束作用。“他成为了一个经理人，而非之前的身份——高管或架构师。他的改变确实让我又惊又喜。”董事长埃德 · 伍拉德回忆道，是他诱使乔布斯回来的。

他的管理准则是“专注”。他取消了多余的生产线，去除了正在开发的操作系统中无关紧要的功能。他还放下了对产品制造过程的控制欲，把从电路板到成品计算机的制造全部外包了出去。他对供应商的要求极其严苛。当他开始接管苹果公司的时候，产品的库存期已超过两个月，这比任何一家科技公司都要长。就像鸡蛋和牛奶一样，计算机的贮存期限也很短，这么长的库存周期对利润造成的潜在损失威胁高达 5 亿美元。到 1998 年初，乔布斯把库存期缩短为一个月。

乔布斯的成功来之不易，因为“怀柔政策”仍然不在他的原则之内。当他发现安邦快运（Airborne Express）下属的一家分公司运送零件的速度不够快时，他让苹果公司的一个经理去终止合约。这位经理说这样做可能会导致法律诉讼，乔布斯回答：“你就告诉他们，如果他们糊弄我们，那他们永远别想再从我们这儿拿到一分钱。”那位经理辞职了，案子闹上了法庭，用了一年的时间才解决。“如果我能继续待下去，我的股票期权现在会值 1 000 万美元，”那位经理说，“但是我知道我不可能拥有了——无论如何，他都会把我炒了。”新的经销商被规定把库存减少 75%，最终也做到了。“乔布斯丝毫不能容忍差错。”这家公司的CEO说。当VLSI公司出现问题无法按时送来足够的芯片时，乔布斯在会议上大发雷霆，大骂他们是“没有生殖器的浑蛋”①。最终，VLSI还是把芯片准时送到了苹果公司。该公司的高管们还专门做了背后印有“FDA团队”的夹克衫。

在和乔布斯工作了 3 个月之后，苹果公司的运营主管因为不堪压力而辞职。在之后将近一年的时间里，乔布斯亲自负责运营，因为他认为来面试的人“都是些在生产制造方面观念陈旧的家伙”，他回忆道，他想找一个能够建立准时制工厂和供应链的人，就像迈克尔 · 戴尔做的那样。1998 年，他遇到了蒂姆 · 库克。

① 原文为Fucking Dickless Assholes，缩写即为FDA。

蒂姆·库克37岁，彬彬有礼，当时是康柏计算机公司的采购和供应链经理。后来，他不仅成为了苹果公司的运营经理，又逐渐成为乔布斯运营苹果公司不可或缺的幕后搭档。乔布斯回忆道：

> 蒂姆·库克从前是做采购的，这恰好是我们所需要的背景。我发现，他和我看待问题的方式是一样的。我在日本参观过很多采用准时制生产的工厂，也曾为Mac和NeXT建立这样的工厂。我知道我想要什么，然后就遇到了蒂姆，他和我想的一样。于是我们就开始合作，不久之后，我越发确信他十分清楚自己该做什么。我们的设想差不多，我们也可以在高级战略的层面上进行互动。我会忘记很多事，他总是能提醒我。

库克在亚拉巴马州的罗伯茨代尔长大，这是一个位于莫比尔市和彭萨科拉市之间的小镇，距离墨西哥湾大约半小时的路程。他的父亲是一家造船厂的工人。库克先是在奥本大学学习工业工程，随后又在杜克大学取得了管理学学位。在接下来的12年里，他在北卡罗来纳州的三角研究园（Research Triangle）为IBM工作。乔布斯面试他的时候，库克刚刚得到康柏公司的工作。他一直是位逻辑严谨的工程师，康柏公司的职位似乎是一个更加理性的选择，但是他被乔布斯放出的光芒吸引了。“在我第一次面试中，5分钟之内我就决定把谨慎和逻辑都抛在脑后，我要加入苹果。”他后来说，“我的直觉告诉我，加入苹果、为一个创意天才工作，这是我这一生唯一的机会。”于是他辞职加入了苹果。“工程师应该是通过理性的分析去作出决定，但是难免会出现依赖内心直觉的时刻。”

在苹果公司，他成了贯彻乔布斯直觉的角色。他默默耕耘，全心投入工作，至今未娶。大多数日子里，他都在凌晨4点半起床，收发邮件，然后去健身房运动一个小时，6点刚过就到达办公室；他在每周日的晚上都要安排电话会议，为下一周的工作作准备。在一个易怒、暴躁的老板手下，库克总是用冷静的态度以及亚拉巴马州人特有的那种镇静的口音和沉着的目光来控制局面。“尽管库克也会感到开心，但他一贯的表情就是皱眉，他的幽默感也是一本正经的、不露声色的，”《财富》杂志的亚当·拉辛斯基（Adam Lashinsky）这样写道，“在会议上，他以让人不适的长时间停顿而出名。每到这时，你听到的都是他在撕他常吃的能量棒包装纸的声音。”

在任职初期的一次会议上，库克听说苹果公司的某一家中国供应商出了问题。“这太糟糕了。”他说，“应该有人马上去中国处理这件事。”30分钟后，他看着还在桌前坐着的一位运营主管，面无表情地说：“你怎么还没走？”那位主管站起来，没带任何行李，直接开车去了旧金山机场，买了机票飞往中国。他后来成了库克的第一副手。

库克把苹果的主要供应商从100家减少到24家，并要求他们减少其他公司的订单，还说服许多家供应商迁到苹果工厂旁边。此外，他还把公司的19个库房关闭了10个。库房减少了，存货就无处堆放，于是他又减少了库存。到1998年初，乔布斯把两个月的库存期缩短到一个月。然而到同年9月底，库克已经把库存期缩短到6天；下一年的9月，这个数字已经达到惊人的两天——有时仅仅是15个小时。另外，库克还把制造苹果计算机的生产周期从4个月压缩到两个月。所有这些改革不仅降低了成本，而且也保证了每一台新计算机都安装了最新的组件。

高领衫和团队合作

20世纪80年代初，乔布斯在日本拜访时曾问过索尼公司的主席盛田昭夫(Akio Morita)，为什么公司里的所有人都穿着制服？“他看起来非常惭愧地告诉我，在战后，人们都没有衣服穿，所以一些公司必须要给工人提供每天的衣物。”乔布斯回忆道。几年之后，制服成为了他们标志性的穿着，尤其是在索尼公司。而且这也成为了一种凝聚员工的方式。“我也想让苹果这样做。”乔布斯回忆道。

作为一家注重时尚风格的公司，索尼聘请了著名设计师三宅一生为他们设计制服。这是一款防撕裂尼龙面料的外套，袖子可以拆卸下来，变成一件背心。“所以我给三宅一生打电话，请他给苹果公司的员工设计一件背心。”乔布斯回忆道，“我带回来一些样品，然后对大家说，如果我们都穿这种背心，那该多好。但是天哪，我被喝了倒彩。所有人都不赞成这个建议。”

不过，在这个过程中，乔布斯和三宅一生成为了朋友，也会定期去看他。乔布斯又有了新的想法，他想给自己设计一套制服，一是为了日常方便穿着（这是他的基本原则），二是传达一种标志性的风格。“我很喜欢三宅穿的黑色高领衫，让他帮我做几件，结果他帮我做了上百件。”乔布斯看出了我的惊讶，所以他打开衣柜向我展示摆在里面的衣服。“我穿的就是这种，”他说，“这些够我穿一辈子了。”

虽然乔布斯天性独裁专制，也从不信奉共识，但他却着力在公司内部营造出一种合作的文化。很多公司都在力求减少会议，乔布斯却独独相反：每周一是高管会议、每周三下午要开营销战略会议，此外还有无数的产品评论会。他不喜欢用PPT，也不喜欢正式的讲话，他坚持让所有参会者一起讨论问题，利用各方优势，听取不同部门的观点。

因为他坚信，苹果公司的一个巨大优势就是各类资源的整合，从设计、硬件、软件，直到内容。他希望公司的所有部门都能够并行合作。他把这称为“深度合作”（deep collaboration）和“并行工程”（concurrent engineering）。所以，一个产品的开发过程并不是像流水线一样先从工程到设计，再到营销，最后分销，相反，这些部门是同时进行工作的。“我们的方针就是开发高度整合的产品，这也意味着我们的生产过程也必须是通过整合和协作完成的。”乔布斯说。

这一政策也应用到了重要职位的招聘上。他会安排候选人直接面见公司的主要负责人——库克、泰瓦尼安、席勒、鲁宾斯坦，还有艾弗——而不是只见一下部门经理。“然后我们就会一起讨论他们能不能入选。”乔布斯说。他这样做的目的是避免“笨蛋大爆炸”，免得公司上下充斥着“二流人才”：

> 在生活中，大多数情况下，“最佳”和“一般”之间大约相差30%。无论是品质一流的飞机还是最棒的美食，它们也只是比平均水准高30%。但是当我见到沃兹尼亚克时，我认为他比普通工程师要优秀50倍。很多要开会解决的事在他的脑子里就能完成了。麦金塔团队就致力于成为一个全部是他这样的一流选手的团队。人们总是说他们和别人合不来，他们不喜欢团队合作。但是我发现，一流选手喜欢和一流选手共事，他们只是不喜欢和三流选手在一起罢了。在皮克斯公司，整个公司的人都是一流选手。当我回到苹果，我决定也这么试一下。首先就需要一个协作式的招聘过程。当我们

招聘时，即使那个人是要去营销部门的，我也会让他和设计部的人以及工程师们聊聊。我一直把罗伯特·奥本海默（J. Robert Oppenheimer）视为榜样。我知道他在建立原子弹项目小组时的招聘要求。我没有他那么优秀，但这是我渴望达到的目标。

招聘的过程是严苛的，但是乔布斯能够慧眼识人。当他们想找人设计新的苹果操作系统的图形界面时，乔布斯收到了一个年轻人的邮件，于是就叫他到公司来。面试进展得并不顺利，年轻人显得太紧张。这天晚些时候，乔布斯碰见了他，他正沮丧地坐在大厅里。年轻人问乔布斯可不可以向他展示一个作品。乔布斯在他身后不以为然地看着，他看到了一段用Adobe Director制作的视频：所有图标都在屏幕的下方排成一排，当年轻人把鼠标停在某一个图标上时，鼠标就会像放大镜一样把那个图标膨胀变大。“我说，我的天啊，然后当场就雇了他。”乔布斯回忆道。这一界面特征成为了苹果操作系统Mac OS X中一个非常受人喜爱的部分，这个设计师又接着设计出了多点触控屏幕的惯性翻页功能（是指在手指停止滑动之后，页面仍能够自动翻页一段时间）。

乔布斯在NeXT公司的经历使他成熟，却没有使他更圆熟。他依然还没有给他的奔驰车挂牌照，而且仍旧把车停在前门旁边的残疾人停车区，有时候还要占两个车位。这辆奔驰车的笑话流传开来。员工们还做了一个标志——“非凡泊车”[①]，更有甚者，把残疾人车位标志上的轮椅也改成了奔驰的标识。

在大多数会议结束的时候，乔布斯都会宣布下一步要作的决定或是战略，通常用他简单粗暴的方式。他会说，“我有个绝妙的点子”——即便这个主意是刚刚有人提出过的。或者他会说：“这简直烂透了，我一点儿都不想这么做。”偶然遇到尚未准备好处理的事务，他就会暂时放在一边。

员工们能够，甚至是被鼓励去挑战他，有时他还会因此而尊敬你。但是在他处理你的意见时，你必须要准备好迎接他的回击，他甚至会把你骂个狗血淋头。“你永远不可能当时就赢得这场辩论，不过有时你会在最后胜出。”和李·克劳一起工作的创意广告人詹姆斯·文森特说。“你提出一些观点，他说：‘这是个愚

① 原文为“Park Different”，改编自苹果公司的广告语“非同凡想”（Think Different）。

蠢的想法。'之后他又回来，说：'我们就这么做吧。'你会忍不住想说：'我两个星期前提出来的时候，你说这是个愚蠢的想法。'但是你不能这么说，而只能说：'这点子很棒，我们就这么做吧。'"

人们还要忍受乔布斯偶尔提出的无理要求或错误主张。无论是对家人还是同事，他都会非常坚决地去断定一些跟现实没什么关系的科学或历史事实。"这世界上一定有什么事是他完全不了解的，但是他会利用他疯狂的表现力和坚信不疑，去说服人们相信他知道自己在讲什么。"艾弗说，并认为这是一种"古怪的可爱"。李 · 克劳回忆起，有一次他给乔布斯看一段广告片，是按照乔布斯的意见修改过的，但他还是被乔布斯长篇大论地批评了一顿，说他"把这个广告给彻底毁了"。于是克劳只好给乔布斯看之前的那些版本，试图证明他是错的。乔布斯有时火眼金睛，能够发现别人注意不到的细节。"有一次他发现我们多剪掉两个镜头，这两个镜头是一闪而过的，几乎不可能被发现。"克劳说，"但是他要求每幅画面都要和背景音乐结合得恰到好处，他的想法完全正确。"

发布会总指挥

就在iMac发布会大获成功之后，乔布斯开始精心设计每年四到五次的产品发布会和演讲。他精通演讲艺术，以至于公司的其他主管都不敢和他较量。在《乔布斯的魔力演讲》（*The Presentation Secrets of Steve Jobs*）一书中，卡迈恩 · 加洛（Carmine Gallo）写道："乔布斯的演讲往往会刺激听众大脑中多巴胺的分泌。"

乔布斯最为重视舞台上那戏剧性的揭幕，所以他对事前保密的要求十分严格。苹果公司甚至为此事上过法庭。他们甚至通过起诉关闭了一个名为"畅想秘密"（Think Secret）的个人博客，博主是哈佛大学的学生尼古拉斯 · 西亚雷利（Nicholas Ciarelli），也是麦金塔的拥趸。他在这个博客中发表了一些对苹果未来产品的猜测和抢先播报。虽然这种行为（另外一个例子就是2010年苹果起诉了Gizmodo网站关于提前披露iPhone 4消息的行为）受到了批评，但它们帮助提升了大众对苹果产品的期待，甚至到了白热化的程度。

乔布斯的产品发布会都是精心安排的。他会穿着黑色高领衫和牛仔裤缓步上台，手里拿着一瓶水。听众都带着教徒般的虔诚，整个活动更像是一场宗教复兴大会，而不是公司的产品发布会。记者们被安排在中间的区域。乔布斯会亲自撰写和修改演讲内容的幻灯片和要点，他会给朋友和同事观看并征求他们的意见。妻子劳伦说："每一页幻灯片他都要改上六七次。在每一次演讲前，我都会陪他准备几个晚上。"他把每一页内容都做成三种不同风格的幻灯片，然后让劳伦选出最好的一个。"他对此十分投入。他会把每句话翻来覆去地说，改变一两个词，再重新说一遍。"

发布会的展示方式也体现了苹果产品的简约——几乎没有表演的成分和道具辅助——但是在背后却是真正的精密复杂。苹果的产品工程师迈克 · 埃万杰利斯特（Mike Evangelist）开发了iDVD软件，并帮助乔布斯准备这部分的演讲。在发布会的前几周，他和他的团队花了几百个小时，为乔布斯找那些要刻录进DVD并要在台上展示的图片、音乐和照片。"我号召了公司里所有我们认识的人，让他们交来最好的家庭录像和照片。"埃万杰利斯特回忆道。"作为一个完美主义者，这些素材中的大部分乔布斯都不喜欢。"埃万杰利斯特认为乔布斯不可理喻，不过后来他也承认，不断的敦促带来了更好的效果。

下一年，乔布斯让埃万杰利斯特上台演示Final Cut Pro——一款视频编辑软件。在预演中，乔布斯坐在观众席中央，这让埃万杰利斯特十分紧张。乔布斯来者不善，他听了一分钟之后就打断他，不耐烦地说："你要是搞不定，我们就要把这段演示从主题演讲中删掉。"菲尔 · 席勒把埃万杰利斯特叫到旁边，教他怎么让自己放松下来。他终于通过了下一轮预演，在正式发布会上也表现得很好。他说，他珍视的不仅是乔布斯最终给他的赞赏，还包括他在预演过程中的苛刻评估。"他迫使我要更加努力，而且最终我做得比预期的要好。"他回忆说。"我相信这是史蒂夫 · 乔布斯带给苹果的最重要的影响力之一。他无法容忍自己和他人的不完美。"

从iCEO到CEO

两年多的时间里，乔布斯在苹果董事会的导师埃德 · 伍拉德一直在催促他把"临时"一词去掉。乔布斯不仅一直拒绝接受这个职位，更让大家困惑的是，他每年只拿 1 美元年薪，而且也没有领取期权。乔布斯对此开玩笑说："50 美分是出勤，另外 50 美分要看工作表现。"自从他 1997 年 7 月回归以来，苹果的股价已从将近 14 美元涨到了 2000 年初互联网泡沫时期的 102 美元以上。1997 年，伍拉德恳请他拿回一些股权，但乔布斯拒绝了："我不希望公司里的同事认为我是为了钱才回来的。"如果他当初接受了伍拉德的请求，他的股票价值如今已达到 4 亿美元。但事实上，他这两年多只拿了 2.5 美元的工资。

他坚持挂着"临时"名号的主要原因是他对苹果公司的未来有一种不确定感。但是随着 2000 年临近，很明显苹果已经东山再起了，而这都归功于他。他和妻子劳伦一起散步时讨论了这件事，大多数人都认为这是水到渠成，而他却觉得这是个重大的决定。如果他去掉了"临时"一词，苹果公司将可能实现他所有的设想，包括让苹果进军计算机产业以外的市场。他最终作出了决定。

伍拉德非常兴奋，他表示董事会愿意给他巨额股份。"我直截了当地和你说吧，"乔布斯告诉他，"我更想要一架私人飞机。我刚刚有了第三个孩子。我不喜欢搭商业航班。我只是想带全家去夏威夷度假。当我去东海岸的时候，我更愿意让我认识的飞行员开飞机。"他是一个对商业航班和航站楼毫无好感和耐心的人，即便是被美国运输安全管理局（TSA）接管之前也是一样。董事会成员拉里 · 埃利森爽快地答应了乔布斯的要求（乔布斯用过几次他的飞机，为此苹果公司在 1999 年向埃利森支付了 10.2 万美元）。埃利森还说："看在他作出那么多贡献的分上，给他 5 架飞机都不为过！"他后来又说："这是一个完美的'致谢礼物'，他拯救了苹果，却不求回报。"

所以，伍拉德愉快地答应了乔布斯的要求——一架湾流 V 型飞机，此外还赠与他 1 400 万份期权。但是乔布斯的回应出乎所有人的意料。他想要更多："2 000 万份。"伍拉德既困惑又生气。董事会只有权从股东那里分出 1 400 万份期权。伍拉德说："你说你不要别的，我们给了你一架飞机，你说你只要飞机。"

乔布斯回答："我从来没有在期权的问题上坚持过，但是你曾建议说，我最多能拿到公司 5% 的期权，这就是我现在想要的。"这个口角使原本的庆祝场面顿时尴尬起来。最终，他们研究出一个复杂的解决方案（基于 2000 年 6 月的一份"合二为一"的股权分割计划）：2000 年 1 月，以现价授予乔布斯 1 000 万股股票，但是视同已在1997年授予；2001年他还将再获得另一半期权。糟糕的是，互联网泡沫破裂之后股价下跌，乔布斯从未行使过这笔期权。到2001年底，乔布斯要求把期权的行权价格调低后再度授予。这场期权之争到后来还会困扰公司。

虽然没有从期权当中获利，但乔布斯对飞机还是非常满意的。不出所料，他为飞机内部的设计大费周章，前后共花了一年多的时间。他雇了一个设计师，从埃利森的飞机开始练手。很快，设计师就被他逼疯了。打个比方，在埃利森的G-5飞机的机舱之间有一扇门，门上有按钮分别控制开与关。乔布斯要求在他的飞机里，要换成二合一可以转换的按钮；而且他还不喜欢按钮那光滑的不锈钢材料，要把它们都换成拉丝金属的。最终他得到了一架他心目中的飞机，他很喜欢它。埃利森说："我对比了一下我们俩的飞机，他的改装确实更好。"

2000年1月，在旧金山的Macworld大会上，乔布斯发布了新的操作系统Mac OS X，其中使用了苹果公司3年前从NeXT购买的一些软件。这是个恰当的时机，不完全是巧合——就在NeXT的操作系统被合并进苹果计算机时，乔布斯发觉自己也想"合并"回苹果公司。阿维·泰瓦尼安把NeXT操作系统中基于UNIX的Mach内核转换成了Mac OS内核——也被叫做"达尔文"(Darwin)。这种内核提供内存保护机制、升级的网络功能，以及抢先式多任务处理功能。这正是麦金塔需要的操作系统，而且也为后来的Mac OS系统奠定了基础。包括盖茨在内的一些批评人士发现，苹果并没有完全采用NeXT的操作系统。事实的确如此，因为苹果并不想直接推出一个与以往完全不同的新系统，而是想对现有的系统进行更新。老的麦金塔程序中的应用软件都适用于或易于转换到新系统中，而苹果电脑的用户都会发现，升级后的系统多了很多新功能，而不仅仅是全新的界面。

Macworld大会上的苹果爱好者们对这一消息反应热烈。当乔布斯在展示系统桌面时，鼠标滑过使图标依次变大，大家爆发出阵阵欢呼。但是，掌声最热烈的时刻是他每一次在结尾时的"保留节目"——"哦，还有一件事……"他谈了关于他在皮克斯公司和苹果公司的工作，并表示这种双重身份是行得通的。"所以我今天很高兴地宣布，我要摘掉‘临时’这个帽子。”他微笑着说道。人们激动地起立尖叫，就像是看到披头士乐队再聚首了一样。乔布斯咬了咬嘴唇，调整了一下金丝镜架，换上一副优雅而谦卑的面孔，说：“你们让我觉得有点儿不好意思了。我每天都和世界上最聪明的人们一起工作，无论是在苹果还是在皮克斯。但是这些成就是团队合作的结果。我代表苹果公司的每一个人，接受你们的感谢。”

第二十八章

Apple Stores

Genius bars and Siena sandstone

苹果零售店

天才吧和锡耶纳沙石

顾客体验

乔布斯不喜欢失去对任何事情的控制，尤其是关系到顾客体验的事情。但是他面临着一个问题，在这个过程中有一个部分他还没有控制到——那就是在商店里购买苹果产品的体验。

Byte Shop的时代已经结束了。计算机行业的销售已经从本地的计算机专卖店过渡到了大型连锁商店和量贩店，但是在这些地方，大部分店员既不具备苹果产品的基本知识，也没有意愿去为顾客解释产品的独特性能。乔布斯说："所有的销售员都只关心那50美元的销售提成。"其他的计算机都很普通，但是苹果计算机有一些创新的功能，价格也更高。他不希望iMac被放在戴尔和康柏的旁边，然后不懂行的店员向顾客背诵出每台计算机的配置。"除非有办法在商店里就把我们的理念传达给顾客，否则我们就完蛋了。"

1999年中后期，乔布斯开始秘密地面试一些能开发苹果零售店的管理人员。其中一个候选人热爱设计，他就像是天生的零售商一般拥有孩童般的热情——罗恩·约翰逊（Ron Johnson）当时是塔吉特公司（Target）负责销售规划的副总裁，主要工作是发布有特色的新产品，比如迈克尔·格雷夫斯（Michael Graves）设计的茶壶。约翰逊回忆起他们的第一次会面时说："史蒂夫非常平易近人。他穿着高领衫和破旧的牛仔裤，开门见山地谈起他为什么想要开零售店。他告诉我，如果苹果想要成功，那一定是通过创新取胜。但如果你无法把创新之处传达给顾客，你就无法通过创新取胜。”

2000 年 1 月，约翰逊来参加第二轮面试。乔布斯建议他们一起出去走走。早上 8 点半，他们去了斯坦福购物中心，这是一栋向四处伸展的不规则建筑，里面有 140 家商铺。当时这些商铺都还没开门，于是他们一边在里面上上下下地走来走去，一边讨论着购物中心的布局、大型购物中心相对于其他商店来说扮演了什么角色，以及某些专卖店成功的原因。

他们一直谈论到上午 10 点，商铺纷纷开门了，他们先去了艾迪堡（Eddie Bauer）。这家商铺有两个入口，一个直接面对购物中心内部，另一个连着停车场。乔布斯说苹果零售店只能有一个入口，这样能够更好地控制顾客体验。他们一致认为艾迪堡的商铺过于狭长，而最好的情况是让顾客一进来就能了解店铺的整体布局。

在这家购物中心里没有科技类的店铺，约翰逊将原因解释为：“传统观念认为，交通不太便利的地方一般租金都比较便宜。当消费者要买计算机这种大件的，又不经常购买的商品时，还是愿意开车去那里，因为那边的租金会便宜些。”乔布斯不同意这个说法。他认为苹果零售店应该开在繁华街区的购物中心里——那种区域客流大——无论租金有多贵。他说：“我们不能让顾客驱车 10 英里去看我们的产品，而是要在 10 步之内。”尤其是 Windows 用户，一定要给他们设好“埋伏”。“如果路过这里，他们会出于好奇心走进来。如果我们把店面做得足够吸引人，一旦我们有机会向他们展示我们的产品，我们就赢了。”

约翰逊认为商铺的面积能够体现品牌的重要性。他问道：“苹果有 GAP 那么大牌吗？”乔布斯说，比 GAP 大多了。约翰逊于是说，那苹果零售店也应该比 GAP 的大。“否则你就是个无关紧要的牌子。”乔布斯向他描述了迈克·马库拉的名言：一家好的公司要学会“灌输”——它必须竭尽所能传递它的价值和重要性，从包装到营销。约翰逊很喜欢这个概念。这绝对可以应用到零售店中。他说：“零售店将成为品牌最强有力的实体表达。”约翰逊描述了自己年轻时第一次踏进拉尔夫·劳伦开在曼哈顿麦迪逊大道与 72 街交叉口处的店铺时所看到的——四下镶嵌着木板、如大厦般宏伟的店面散发着艺术气息。“每当我买了一件 polo 衫，我都会想起那栋大厦，那是对拉尔夫理念的实体表达。”他还说：“米基 · 德雷克斯勒（Mickey Drexler）对GAP也采取了同样的策略。当你想到GAP品牌时，马上就会联想到它巨大的商铺——洁净的空间、木质地板、白色墙面和整齐叠放的衣物。”

结束了考察之后，他们开车回到公司，坐在会议室里把玩着公司的产品。产品的数量不多，不足以装满一个传统意义上的商店，但这反而是一个优势。他们决定要建立一个以“少”为特色的商店，简约、通透，给人们提供很多试用产品的位置。约翰逊说：“大多数人并不了解苹果产品。他们认为苹果是一个异类。如果你想要转变形象，从异类变成炫酷有趣，那么建立一个能给人们提供试用空间的商店会很有帮助。”商店风格也将沿袭苹果产品的特点：有趣、简单、时髦、有创意，在时尚与令人生畏之间拿捏得刚刚好。

苹果样板店

当乔布斯说出他开苹果零售店的设想时，董事会成员并未露出喜悦之情。他们提出，捷威计算机（Gateway）在开了郊区的零售店之后就走向了衰落。但是乔布斯认为他能够做得更好，因为苹果零售店将开在地段更昂贵的购物中心里，不过他的分析看来并没让董事会放心。“非同凡想”和“致疯狂的人”可以拿来做不错的广告词，但是董事会却在犹豫是否该把它们当成公司的战略方针。亚瑟 · 莱文森在2000年被乔布斯邀请加入董事会，此前他是基因泰克公司的CEO。他回忆说：“我当时挠着头想，这点子可真够疯狂的。”“我们是一家小公司，还比较边缘化。我说，我不敢确定自己会支持这种做法。”埃德 · 伍拉德当时也对此表示怀疑，“捷威就作过这样的尝试，最后失败了，而戴尔并没开零售店，通过直销也取得了成功。”乔布斯没有把董事会的阻挠放在心上。最后一次讨论时，乔布斯已经换掉了董事会中的大部分成员。这一次，既是出于个人原因，也是因为不想再和乔布斯玩这种“拔河比赛”，伍拉德决定辞职。不过在他辞职之前，董事会已经批准了开设4家苹果零售店，进行试运营。

在董事会里面，倒是有一个人一直都支持乔布斯。他就是GAP的前CEO米勒德 · 米基 · 德雷克斯勒。这个在纽约布朗克斯区出生的零售界大亨，在1999

年被乔布斯拉进了苹果的董事会。他曾经把死气沉沉的GAP连锁店变成了美国休闲文化的标志。他也是这个世界上极少数的在设计、形象和消费者需求方面与乔布斯同样成功和精明的人。另外，他还强调端到端的控制模式：GAP商店只出售GAP品牌的产品，而且GAP产品几乎只能够在GAP商店里独家销售。德雷克斯勒说："我不再把产品放进百货商店，因为我必须要控制我自己的产品，从生产制作到最终销售。史蒂夫也是这样的人，我想这也是他把我拉进来的原因。"

德雷克斯勒给了乔布斯一个建议：在苹果园区附近秘密建立一个模拟商店，按照正式的店面进行装潢布置，然后就在那里讨论，直到有完整的想法。于是，约翰逊和乔布斯就在库比蒂诺租下了一间空置的库房。接下来的6个月里，每周二整个上午他们都在那里进行头脑风暴会议，一边在里面来回走动，一边完善他们的零售理念。这个商店的性质和艾弗的设计工作室很相似，都是乔布斯的避风港，乔布斯用他那可视化的方式通过触摸和观察里面的变化，不断地想出新点子。乔布斯回忆说："我很喜欢自己一个人到这儿来走走，只是随便看看。"

有时，他也会让德雷克斯勒、拉里·埃利森以及其他可以信赖的伙伴过来看看。埃利森说："有很多个周末，只要他没有让我看《玩具总动员2》里的新场景，他就会让我去库房看模拟商店。他对美学和服务体验的每一个细节都力求完美。搞得我不得不和他说：'史蒂夫，如果你还要我去看那个商店，我就不去找你了。'"

埃利森的甲骨文公司当时正在开发手持结账系统软件，这样就不必再设一个现金收银台。每一次拜访，乔布斯都会刺激埃利森找到简化付款流程的办法，减少一些不必要的步骤，比如出示信用卡和打印凭条。埃利森说："如果你见过苹果零售店和苹果产品，你就会了解到史蒂夫对美学和简约主义的热爱——这种包豪斯设计体系和简约主义，从进入商店一直贯穿到付款流程。这意味着对步骤的绝对简化。史蒂夫明确地告诉了我们他对付款流程的要求。"

德雷克斯勒看到接近完工的模拟商店之后，提出了一些批评。"空间太琐碎了，还不够干净。还有太多让人分心的建筑结构和色彩。"他强调要让顾客一进入这个零售区域，只需看一眼，就了解这里的流程。乔布斯同意他的观点：简约、减少分心的因素，是一家商店成功的关键，对于产品来说也是一样。德雷克斯勒说："在那之后，他作了一些修正并且成功了。他的愿景是能够完全控制产品的全过程，从设计到销售。"

2000 年 10 月，就在约翰逊觉得即将大功告成的时候，他在周二例会前的半夜醒来，头脑中冒出一个可怕的想法：他们犯了一些基础性的错误。他们围绕着苹果的主要产品线把商店分成若干个区域：有Power Mac、iMac、iBook和PowerBook。但是乔布斯开始发展出一个新的概念：使计算机成为你所有数字生活的中枢。换句话说，你的计算机能够处理相机里的视频和照片，或许有一天也能用做音乐播放器来听歌，或者阅读书和杂志。黎明时分，约翰逊计上心头：商店内部不能只按照公司的四款计算机产品线进行划分，还应该考虑到顾客想做什么。他说："比如，我想可以有一个'电影区'，在那里我们可以用几台Mac电脑和PowerBook，运行iMovie软件，向顾客展示怎么从摄像机中导入文件并编辑。"

周二一大早，约翰逊就来到乔布斯的办公室，告诉了他那临时冒出的关于重新组织商店格局的新想法。他早就听说过他的老板经常会口不择言，极力挖苦，这次他才算是真正领教了。乔布斯爆发了："你知道这个变化有多大吗？"他嚷道，"我他妈为这个商店玩命干了 6 个月，你今天才告诉我全部都要改。"然后他突然安静下来："我累了，我不知道还能不能从零开始设计一间商店。"

约翰逊无语了，乔布斯也没有再让他开口。在开车去模拟商店（大家已经汇合在那里等着开周二会议）的路上，乔布斯告诉约翰逊，一会儿不要跟他或团队的任何成员说话。于是这 7 分钟的车程里，两人一直保持沉默。当他们抵达时，乔布斯已经把刚才的信息过了一遍。"我知道罗恩是对的。"他回忆道。乔布斯作了这样一个令约翰逊惊讶的开场白："罗恩认为我们错了。他觉得我们不应该按照产品来划分区域，而是应该考虑到顾客的活动。"他停顿了一下，继续说，"你们知道，他是对的。"他说他们将重新设计布局，即使这样会把首次展示的时间从原定的 1 月份再拖延三四个月。"我们只能一次成功。"

乔布斯喜欢向人们讲述，他所做的每件漂亮事都曾有过返工的时候。当他觉得不够完美时，就会重来。那天，他对团队也讲了这些故事。他讲到了在制作

《玩具总动员》的时候，胡迪这个角色原本是一个令人讨厌的家伙；还有麦金塔的制造过程中也出现过一些问题。他说："如果你发现有些事做得不对，你不能只是忽略它，然后说'以后再处理'，这是其他公司的做法。"

苹果样板店终于在2001年1月完成了改装工作，乔布斯首次请董事会前往参观。他先是在白板上向大家讲述了他的设计理念，然后带大家乘面包车前往两英里外的样板店。在了解了乔布斯和约翰逊建好的商店之后，大家一致批准让项目继续进行。董事会认为，看到苹果零售店将把零售和品牌之间的关系提升到一个新的高度，同时也能确保消费者不会把苹果电脑看成戴尔或康柏那样的大众化商品。

但大多数外界专家都不看好苹果零售店。《商业周刊》发表了一篇题为"抱歉，史蒂夫，这就是苹果零售店无法成功的原因"的文章，其中写道"也许这次乔布斯不再'非同凡想'了"。苹果的前首席财务官约瑟夫·格拉齐亚诺的话也被引用到文章中："苹果公司的问题就在于，他们仍然认为成长的秘诀是——当这个世界已经格外满足于奶酪和脆饼时，他们应该去卖鱼子酱。"零售顾问戴维·格斯丁（David Goldstein）也断言道："不出两年他们就会闭门歇业，并为这个错误付出痛苦而沉重的代价。"

木材，石头，钢铁，玻璃

2001年5月19日，第一家苹果零售店在弗吉尼亚州的高端购物中心泰森角（Tyson's Corner）开业了。亮白色的柜台、浅色的木地板，店内还悬挂着一张印有"非同凡想"的巨幅海报，上面是约翰·列侬和小野洋子坐在床上。那些怀疑论者估计错了。当初，捷威计算机商店每周的客流量只有250人左右。截至2004年，苹果零售店每周的客流量已经达到了5 400人。在这一年，苹果零售店的收入达到12亿美元，并因为突破10亿美元量级而创下了零售业的新纪录。每家零售店的销量每隔4分钟就会由埃利森的软件汇总成电子表格，快速地生成关于如何整合制造、供应和销售渠道的信息。

随着零售店越来越受欢迎，乔布斯便开始插手方方面面。李·克劳回忆道："零售店刚开业时，在一次营销会议上，乔布斯让我们花半个小时的时间决定店内厕所的标识该使用哪一种灰色。"波林–赛温斯基–杰克逊建筑事务所（Bohlin

Cywinski Jackson）为店面提供设计方案，但是主要方面还是由乔布斯作决定。

乔布斯尤其关注楼梯的设计，苹果零售店的楼梯和他以前为NeXT办公楼设计的楼梯如出一辙。他每去一个正在兴建的店铺时，都会对楼梯的设计提出改进建议。为他设计的楼梯递交的两项专利申请书上都把他作为主要发明者：一个专利是采用了透明玻璃踏板和玻璃混合金属钛的支架；一个专利是采用含有多层玻璃压制而成的整块承重玻璃系统。

1985 年，在被苹果驱逐之后，乔布斯去了意大利，佛罗伦萨人行道上的灰蓝色石头给他留下了深刻印象。2002 年乔布斯得出一个结论：浅色的木地板有些平庸——你很难想象这种担忧会困扰史蒂夫 · 鲍尔默（Steve Ballmer）这样的人——就决定改用那种石头做地面。一些同事建议他用混凝土，成本是石头的 1/10，而且也可以模仿出石头的颜色和纹路。但是乔布斯坚持必须用真正的石头。灰蓝色的锡耶纳沙石有着清晰的纹理感，来自佛罗伦萨外围费伦佐拉的一个家庭自营采石场——Il Casone。约翰逊说："我们只从山上采集的石头中挑选了3%，因为它们必须要有合适的颜色、纹路和纯度。史蒂夫对石头的颜色和完整性非常挑剔。"所以佛罗伦萨的设计师千挑万选，再叫人把它们切成尺寸适当的石块，并在每一个石块上面做好标记，以确定哪一块石头和哪一块相邻。约翰逊说："铺在佛罗伦萨人行道上的石头，一定能经受住时间的考验。"

苹果零售店的另一个特色就是"天才吧"（Genius Bar）。这是约翰逊和他的团队用两天外出集思的时间想出来的。他让每个人描述他们享受过的最好的服务。几乎每个人都提到了在四季酒店和丽兹卡尔顿酒店的一些经历。所以约翰逊派出了第一批共 5 名零售店经理去参加丽兹卡尔顿酒店的培训项目，然后他们学到了一点，就是建立一个融礼宾服务台与吧台特色于一体的服务设施。"如果我们在吧台都配上些最聪明的Mac专家，你看怎么样？"约翰逊对乔布斯说，"我们可以叫它'天才吧'。"

乔布斯觉得这个点子太离谱了，而且还反对这个名字。他说："你不能叫他们'天才'，他们是极客。他们没有那种交际能力来贯彻天才吧的宗旨。"约翰逊也不知所措了。但是第二天，他碰巧遇到苹果公司的法律总顾问，对方告诉他："对了，史蒂夫刚才让我去给'天才吧'这个名字注册商标。"

苹果位于曼哈顿第五大道上的零售店在2006年开业，这家新开张的店面把乔布斯的很多创意激情集结到了一起：立方体、标志性的楼梯、玻璃，并且把简约主义发挥到了极致。约翰逊说："这是真正的'乔布斯店'。"每天营业24小时，全年无休，开业第一年的客流量就达到每周5万人（还记得捷威的客流量吗？——每周250人），这也证明了乔布斯选址在繁华地段的策略是正确的。乔布斯在2010年自豪地说："这家店每平方英尺带来的平均收入比世界上任何一家店都多，而且总收入也比纽约的任何一家店（包括萨克斯百货和布鲁明戴尔百货）要多——这是实实在在的美元，还不仅仅是每平方英尺的平均收入。"

乔布斯还把产品发布会上的那种戏剧性的手法用到了零售店的开业典礼上。人们开始奔走于各个开业典礼，并且整夜在门外排队，就是为了能成为首批进店的人。盖瑞·艾伦（Gary Allen）为苹果零售店的狂热拥护者们开设了一个网站，他说："在我14岁儿子的建议下，我在帕洛奥图第一次熬夜排队，这成了当时一项有趣的社会活动。我们熬过好几次夜，还有5次在其他国家，我们还遇到了很多很棒的人。"

2011年，第一批苹果零售店开业10年之后，全世界已经有317家苹果零售店。最大的店在伦敦的科芬园，最高的店在东京的银座。每家店每周的平均客流量是17 600人，每家店的平均收入是3 400万美元，2010财年的净销售总额是98亿美元。但是零售店的贡献还不仅仅是这一点。零售店为苹果公司贡献的收入仅占15%，但它们在制造话题和提高品牌认知度这些方面作出了间接的贡献，提升了整个公司的业务。

2010年，即使在与癌症作斗争时，乔布斯也仍然在花时间设想未来的店铺规划。一天下午，他向我展示了一张第五大道店的照片。他指着两边各18块玻璃的外墙对我说："这是当时流行的玻璃技术，但我们必须自己制造高压玻璃脱泡机。"然后，他拿出一张图纸，上面的18块玻璃已经变成了4大块巨大的玻璃。他说这是他下一步要做的。这是对美学与技术结合的又一次挑战。他说："用现在的技术，我们不得不让这个立方体外形矮一英尺。但是我不想这样做，所以我们必须在中国造一些新的玻璃脱泡机。"

罗恩·约翰逊对这个提议并不感兴趣。他认为18块玻璃比4块玻璃要好看些。他说："这家店铺的外观比例刚好和通用汽车大楼的柱廊协调一致。它像一个珠宝盒那样熠熠闪光。我认为如果玻璃的透明度太高，也会成为一个错误。"他为此和乔布斯争辩，但没有用。约翰逊还说："一旦技术有了新突破，他就要利用起来。而且，对史蒂夫来说，'少'永远意味着'多'，越简单越好。所以，最好就是能用更少的元素搭建起一个玻璃屋，不但更加简约，而且是站在技术的前沿。这就是史蒂夫最喜欢做的，无论是对于他的产品还是对于他的零售店。"

第二十九章

The Digital Hub
From iTunes to the iPod

数字中枢
从 iTunes 到 iPod

2001 年，最早的 iPod

连点成线

每年，乔布斯都会带着他最有价值的员工进行一次百杰外出集思会。这 100 名员工是这样被选出来的：如果你只能带上 100 人跳上救生船去开创下一家公司，你会带上谁？在每一次秘密会议结束时，乔布斯会站在一块白板前（他非常喜欢白板，因为白板能让他完全掌控现场，而且方便讨论要点），问大家："我们下一步应该做的十件事情是什么？"人们会互相争论，让自己的建议能被采纳。乔布斯会把这些建议写下来，然后再删掉那些他认为愚蠢的。几轮辩论下来，整个小组将最终确定前十大“最应该做的事”。乔布斯会把最后七件全部画掉，然后宣布：“我们只能做前三件。”

到 2001 年，苹果已经为自身的计算机产品做了不少创新。现在是“非同凡想”的时候了。那一年，乔布斯白板上的“下一步做什么”清单中又多了一些新的可能性。

那时候，数字领域被蒙上了一层阴影。互联网泡沫破裂了，纳斯达克指数也比最高时下降了超过 50%。只有 3 家科技公司在 2001 年 1 月的“超级碗”大赛上登了广告，而上一年这个数字是 17 家。与此同时，通货紧缩也更加严重。自乔布斯和沃兹尼亚克创立苹果公司以来的这 25 年中，个人计算机成为了数字革命中的核心产品。但是现在，专家预测它的核心地位即将结束。《华尔街日报》的沃尔特·莫斯伯格（Walt Mossberg）写道：计算机“已经衰变成了无聊的东西”。捷威的CEO杰夫·韦特泽恩（Jeff Weitzen）宣称：“我们已经明确地要改变个人计算机作为核心产品的局面。”

就在这个时候，乔布斯宣布了一项新的重大战略，这不仅将改变苹果，也将影响到整个技术产业。个人计算机不会成为边缘化的副线产品，而将成为一个“数字中枢”，整合各种数字设备，包括音乐播放器、录像机，以及相机。你可以用计算机连接并同步所有这些设备，它也可以管理你的音乐、图片、视频、信息，以及乔布斯称为“数字生活方式”中包含的方方面面。苹果公司将不再仅仅是一家计算机公司——事实上，“计算机”这个词也将从“苹果计算机公司”的名称中剥离——麦金塔将得到重生，至少在下一个十年中，成为各种新潮数字产品的中心，包括iPod、iPhone和iPad。

乔布斯年近 30 岁时曾作过一个关于唱片的比喻。他一直在思考为何人在 30 多岁后就会变得思维僵化、缺乏创新意识。他说：“人们被卡在这些固有的形式中，就像唱片中某一段固定的凹槽，他们永远无法摆脱出来。当然，有些人天生就有强烈的好奇心，永远有一颗孩子般的心，可惜这样的人太稀少了。”45 岁时，乔布斯准备从他的凹槽中跳出来。

有很多原因可以解释，为什么他能比其他任何人更清楚地预见到未来的数字革命，并全身心投入这一潮流之中：

- 一直以来，他都站在人性和科技的交叉点上。他热爱音乐、图片和视频。他也热爱计算机。数字中枢的本质就是把我们对创意艺术的欣赏和伟大的工程技术结合起来。乔布斯在很多次产品介绍的最后都会展示一个简单的页面：上面有一个路标，标示着“人文”和“科技”的十字路口——他正处在这个位置，而且也是基于此，他才先人一步，有了对数字中枢的设想。
- 因为他是一个完美主义者，所以他要求把产品的所有部分都整合在一起，从硬件到软件，从内容到营销。在台式计算机领域，这一策略并未胜过微软—IBM模式——一家公司的硬件可以向另外一家的软件开放，反之亦然。但如果计算机成为了数字中枢，对于苹果这样一个整合了计算机、数字设备和软件的公司来说，乔布斯的策略绝对是一个优势。这将意味着移动设备中的内容可以和计算机无缝连接，受其控制。
- 他对简约有一种与生俱来的追求。2001年以前，就有人发明了便携式音乐播放器、视频编辑软件，和其他各类数字时尚产品。但是它们都过于复杂。它们的用户界面甚至比你的录像机更令人困惑，更无法与iPod和iTunes相提并论。
- “孤注一掷”是他最喜欢的词之一，他也愿意把这个词用在他的新构想上。互联网泡沫的破裂导致其他科技公司减少了对新产品的投入。他回忆说：“当所有人都在削减开支的时候，我们反而决定要在情况低迷时继续投资。我们主要会投资在研发上面，发明出一些新东西，一旦低潮期过去，我们就已经领先于竞争对手了。”这种投入造就了苹果公司持续创新最辉煌的十年。

火线

乔布斯关于“计算机将成为数字中枢”这个设想，要追溯到苹果公司在20世纪90年代初开发的“火线”（Fire Wire）技术。火线是一条高速的串口，能够将数字文件（比如视频）从一台设备快速转移到另一台设备。日本的摄像机制造商采用了这一技术，之后乔布斯决定把火线用在1999年10月上市的新版iMac上。他开始预见到，火线将成为苹果系统的一部分，用来把视频文件从摄像机中转移到计算机上，然后再进行编辑和发布。

为了让这一功能得以实现，iMac需要有一款出色的视频编辑软件。为此，乔布斯决定去Adobe公司找他的老朋友。Adobe是一家出品数字图像软件的公司，当年也是他帮助成立的。他请他们制作一款适用于新的Mac版本的Adobe Premiere软件，当时这一软件在Windows系统中很流行。可是，Adobe公司高层断然拒绝了他，这让乔布斯备受打击，他们说："麦金塔的用户太少，要单独为它做一个软件不太划算。"乔布斯愤怒了，觉得自己遭到了背叛。他后来跟我说："我让Adobe出了名，他们却这样对待我。"Adobe随后又拒绝为 Mac OS X系统定制其他的流行软件，比如Photoshop，即使麦金塔电脑在使用这类软件的设计师和创意人士中非常受欢迎。整个局面更加糟糕了。

乔布斯永远都不会原谅Adobe，十年后，他向Adobe发起了一场公开的战争——不允许Adobe Flash在iPad上面运行。他得到了一个宝贵的教训，而这更坚定了他的决心：要对一个系统中的所有关键元素实施端到端的控制。他说："当 1999 年Adobe背叛了我们之后，我的第一个想法就是，在我们所涉足的领域，必须要同时控制硬件和软件，否则我们迟早要受制于人。"

所以，从 1999 年开始，苹果为Mac操作系统制作应用程序，目标用户就定位在横跨艺术和科技交汇处的人群。这些软件包括数字视频编辑软件Final Cut Pro，为入门级用户开发的iMovie，制作视频或音乐光碟的iDVD，和Adobe竞争的照片编辑软件iPhoto，用于音乐制作和混音的工具"车库乐队"（GarageBand），管理歌曲的iTunes，以及购买歌曲的iTunes商店。

数字中枢的创意很快清晰起来。乔布斯说："我是通过摄像机才理解到这一点的。使用iMovie软件能让你的摄像机价值增加 10 倍。"你不用再花几百个小时坐在那里看原片，而是在你的计算机上进行编辑，制作漂亮的淡入淡出效果、添加背景音乐、把你的名字加在片尾字幕中，也过一把当制片人的瘾。它激发了人们的创意，让人们表达自己，制作出一些富有情感的作品。"在那一刻，我觉得个人计算机正在演变成另一种东西。"

乔布斯还有一个想法：如果计算机成为一个中心，还可以使便携式设备变得更简单。这些数字设备中的很多功能——比如编辑视频或图片——都不太好用，因为屏幕太小了，很不适合功能太多的菜单。计算机就可以简单地解决这些问题。

而且，还有一点，乔布斯还观察到，如果将设备、计算机、软件、应用程序、火线整合到一起，就能让这些功能发挥得更好。他回忆道："我更加相信，端到端的解决方案是正确的。"

这个方案的绝妙之处在于，苹果是唯一一家提供这种整合方案的公司。微软做软件，戴尔和康柏做硬件，索尼生产数字设备，Adobe开发应用程序。但是只有苹果把这些整合到了一起。乔布斯在接受《时代》杂志采访时说："我们是唯一一家掌握全部设备的公司——硬件、软件、操作系统。我们能够为用户体验负全部的责任。我们能做到其他公司做不到的事情。"

苹果在数字中枢战略中的第一个突破是对视频的整合。你可以用火线把视频传到苹果电脑上，然后通过iMovie编辑成一个作品。然后呢？你还可以把作品刻录进一些DVD里，这样你和你的朋友就能在电视上欣赏。他说，"所以我们花了很多时间和光驱制造商进行合作，以给用户生产出能刻录DVD的光驱。我们是第一个这样做的公司。"和往常一样，乔布斯格外关注为用户制造出尽可能简单的产品，这也是成功的关键。迈克·埃万杰利斯特负责软件设计，他回忆起当初为乔布斯展示早期版本的用户界面时的情景。在看了一些界面截屏图之后，乔布斯跳起来，抓起一支记号笔，在白板上画了一个简单的长方形。他说："这是新的应用程序。它有一个窗口，你把视频拖拽进这个窗口，然后按下'刻录'按钮。就这么简单。这就是我们现在要做的。"埃万杰利斯特目瞪口呆，然而这一想法却为iDVD的简便功能奠定了基础。乔布斯甚至还帮助设计了"刻录"按钮的图标。

乔布斯意识到，数码照相也是一个即将爆发的领域，所以苹果也开发了一些让计算机成为"照片中心"的方法。但是至少在第一年里，他错过了一个绝好的机会。当时，惠普和其他一些公司正在制造刻录音乐CD的光驱，但是乔布斯意气用事，坚持让苹果专注于视频而不是音乐。另外，乔布斯还坚持让iMac装配一种"更高雅"的吸入式光盘插槽而不是传统的托盘式光驱，这就意味着iMac错过了配备第一代刻录光驱的机会，因为当时只有托盘式光驱才能具备这种功能。他回忆道："我们错过了这班船，所以我们需要迎头赶上。"

一家创新型的公司不仅仅要做到推陈出新，而且还要在落后时知道如何迎头追上。

iTunes

不久，乔布斯就意识到音乐将是一笔大生意。2000 年时，人们正热衷于把音乐从CD拷贝到计算机上，或者从文件分享服务商那里（比如Napster）下载音乐，然后把自己挑选的音乐刻录进空白CD。那一年，美国的空白CD销量达到 3.2 亿张，而美国总人口也只不过 2.81 亿人。这说明，有一些人非常喜欢刻录CD，但是苹果却无法满足这一人群的需求。乔布斯告诉《财富》杂志："我就像一个笨蛋。我知道我们错过了，我们必须要努力追上去。"

乔布斯在iMac上加了一个CD刻录光驱，但这还不够。他的目标是把这一过程变得更简单：从CD上传输音乐到计算机、用计算机管理音乐，然后刻录。其他公司已经在制作一些音乐管理软件了，但这些软件既笨拙又复杂。乔布斯有一个特长是，一眼就能看出市场上充斥着二流产品。他看了所有音乐应用程序，包括Real Jukebox、Windows Media Player，以及惠普推出的和刻录光驱配套的一款软件。然后他得出了结论："它们都太复杂了，即使是天才也只能搞明白其中一半的功能。"

这时，比尔 · 金凯德（Bill Kincaid）出现了。他之前是苹果公司的软件工程师。有一天，他一边驱车前往加州的威洛斯赛道，准备开着他的福特跑车在赛道上驰骋，一边（虽然有点儿不搭调）听着美国公共广播电台（National Public Radio）的节目。他听到一条新闻在介绍一种叫做Rio的便携式音乐播放器，能够播放一种叫MP3 的数字音乐格式。当他听到播音员的一句话时突然兴奋起来："但是别激动，苹果用户们，因为Rio和苹果电脑不兼容。"金凯德自言自语道："哈哈，这个我可以做到。"

为了给苹果电脑写Rio的管理程序，金凯德叫来了他的两个朋友：杰夫 · 罗宾（Jeff Robbin）和戴夫 · 海勒（Dave Heller），他们之前也是苹果公司的软件工程师。三人制作的软件叫做SoundJam，给苹果电脑用户提供了一个专为Rio设置的界面，一个用来管理计算机上音乐的点唱机，而且在播放音乐时屏幕上还可以显示那种迷幻的律动。2000年7月，当乔布斯催促他的团队做出音乐管理软件时，苹果公司果断出手，买下了SoundJam，而且这也把他们三个发明人带回了苹果公司。（他们三个人一直留在苹果公司，罗宾在接下来的十年里继续管理音乐软件开发团队。乔布斯认为他非常有价值，所以有一次当《时代》杂志的记者想要采访罗宾时，乔布斯的条件是不要公开他的姓氏。）

乔布斯亲自上阵，和他们三人合作，把SoundJam变成了苹果产品。它的功能太多，导致屏幕显示也很复杂。乔布斯要求他们必须把软件改得更加简单有趣。之前的界面是用户可以按照歌手、歌曲名或是专辑名进行搜索，但是乔布斯坚持把它改成了一个简单的输入框，你可以直接输入任何你想搜索的信息。从iMovie开始，团队把这个系列的软件界面改成了统一的拉丝金属风格的外框，并给音乐软件取了名字——iTunes。

作为数字中枢战略的一部分，乔布斯在2001年1月的Macworld大会上发布了iTunes。他宣布，所有苹果电脑用户都可以免费使用该软件。“和iTunes一起加入音乐革命吧，它可以把你的音乐设备的价值增加十倍！”他的结束语引发了热烈掌声。随后，iTunes的广告语也出来了：“扒歌，混制，刻录”（Rip，Mix，Burn）。

就在那天下午，乔布斯和《纽约时报》的约翰·马尔科夫见面。采访进行得很不顺利，但是最后乔布斯坐在他的Mac电脑前展示iTunes。“它让我想起了我的年轻时代。”当屏幕上出现了迷幻风格的屏保时，他这样说道。这让他想起了曾经服用迷幻药的时候。乔布斯对马尔科夫说，服用迷幻药是他这辈子做过的两三件最重要的事之一。没有这种经历的人永远也不可能完全理解他。

iPod

数字中枢战略的下一步就是制造一个便携式音乐播放器。乔布斯意识到，苹果可以设计一个和iTunes配套的设备，让收听音乐变得更简单。由计算机来完成复杂的任务，而音乐播放器的功能要简单。iPod因此而诞生了。在接下来的十年里，iPod使苹果公司从一家计算机生产商转变成了世界上最有价值的科技公司。

乔布斯对这个项目怀有特殊的热情，因为他非常热爱音乐。他和他的同事们说："市场上现有的这些音乐播放器实在是太差劲儿了。"菲尔·席勒、乔恩·鲁宾斯坦，以及团队的其他成员都表示同意。在开发iTunes的时候，他们试用了Rio和其他音乐播放器，然后高兴地把它们扔在一边："我们坐在一起，讨论着这些东西到底有多差劲儿。"席勒回忆道，"它们最多能装16首歌曲，而且你根本不知道怎么用。"

2000年秋天，乔布斯开始督促设计便携式音乐播放器，但是鲁宾斯坦回应说还缺少一些重要的部件，他让乔布斯再等一阵子。几个月之后，鲁宾斯坦开始选择合适的液晶屏幕和可充电的锂电池。不过，最大的挑战在于要找到一个尺寸小但存储空间大的硬盘。之后，2001年2月，他去了日本的苹果供应商那里作例行访问。

在和东芝公司开完例会之后，工程师们提到，他们正在实验室研发一项新产品，到6月可以完成。那是一个1.8英寸见方的硬盘（大约是1美元硬币的大小），带有5G的容量（大约能存放1 000首歌曲），但他们不知道可以用它来做什么。当东芝的工程师把这个小硬盘展示给鲁宾斯坦时，他立刻就想到了该怎么利用它。把1 000首歌装进口袋！这主意太棒了！但他当时不动声色。乔布斯当时也在日本，他正在东京的Macworld大会上作主旨演讲。他们当晚就在乔布斯下榻的大仓酒店见面。鲁宾斯坦告诉他："我知道现在该怎么做了，我只需要一张1 000万美元的支票。"乔布斯马上就批准了。后来鲁宾斯坦开始和东芝谈判，希望买下所有小硬盘的专有权，然后，他便开始物色可以领导开发团队的人选。

托尼·法德尔（Tony Fadell）是一个傲慢的程序设计师，也是一个创业者。他喜欢打扮成赛博朋克的造型，却总是面带迷人的微笑。当他还是密歇根大学学生的时候，就已经创立了三家公司。他曾在一家制造手提设备的公司通用魔力（General Magic）工作，在那里他结识了曾经逃出苹果的安迪·赫茨菲尔德和比尔·阿特金森，接着他还在飞利浦电子（Philips Electronics）混迹了一段日子。那时他为了抵制保守古板的文化而留着漂白的短发，打扮成叛逆的造型。后来，他想出了一些关于制造更好的数字音乐播放器的点子，他走遍了里尔网络

(RealNetworks)、索尼和飞利浦推销他的创意，但没有人买账。一天，他到科罗拉多州的范尔去和他的叔叔滑雪，正坐在升降机上的时候，手机响了。电话是鲁宾斯坦打来的，他说苹果公司正在寻找一个能制造“小型电子设备”的人。法德尔丝毫没有胆怯，他信心十足地说，自己绝对是制造这种设备的天才。鲁宾斯坦便邀请他前往库比蒂诺。

法德尔原以为他是去做PDA（个人数字助理），也许是牛顿（苹果之前尝试研发的PDA）的后继型号。但是当他和鲁宾斯坦见面时，话题很快就转向了已经上市3个月的iTunes。鲁宾斯坦告诉他：“我们一直在努力将市场上现有的MP3播放器连接到iTunes上，但是它们太糟糕了，非常糟糕。我们认为我们应该做一个自己的播放器。”

法德尔很兴奋：“我非常热爱音乐。我以前在里尔网络时就一直想尝试做些和音乐相关的工作，而且我还和Palm公司提过一个MP3播放器的方案。”他同意加入团队，至少以顾问的形式参与。几周之后，鲁宾斯坦坚持说，如果法德尔要领导这个团队，那么他必须要成为全职的苹果公司员工。但是法德尔很抗拒，他喜欢自由的状态。鲁宾斯坦认为法德尔在发牢骚，所以感到很愤怒，他告诉法德尔：“这是能改变你一生的决定，你永远都不会后悔的。”

鲁宾斯坦决定来硬的。他召集了一屋子的人，大约有二十几个，这些人都是负责iPod项目的。当法德尔进来时，鲁宾斯坦告诉他：“托尼，如果你不签约成为全职员工，我们就不做这个项目了。你来还是不来？你必须现在就决定。”

法德尔看着鲁宾斯坦的眼睛，又看了看其他人，然后说：“苹果公司经常发生这种胁迫人签约的事情吗？”他停顿了一下，说“好吧”，然后极不情愿地和鲁宾斯坦握了一下手。法德尔回忆道：“这件事让我和罗恩在之后的很多年都有不安的感觉。”鲁宾斯坦同意他的说法：“我觉得他永远都不会原谅我当年的做法。”

法德尔和鲁宾斯坦注定要发生冲突，因为他们都认为自己是iPod之父。从鲁宾斯坦的角度来看，乔布斯早在项目开始的几个月前就给他布置了任务，他找到了东芝的硬盘，又确定了显示屏、电池和其他重要元件，然后他让法德尔把这些组合起来。他和其他人都很讨厌法德尔这种处处邀功的行为，所以戏称他为“夸夸其谈的家伙”。但是法德尔认为，在他来到苹果公司以前自己就已经有了MP3的计划，而且他已经在其他公司兜售了一圈，最后才同意加入苹果。关于他们谁对iPod的功劳最大、谁能落得“iPod之父”的称号，在此后多年的各类采访、文章、网页，甚至是维基百科中，一直争论不休。

但是在最初的几个月里，他们忙得没有时间吵架。乔布斯希望iPod能在圣诞节之前上市，也就是说，在10月就要准备好发布。他们研究了其他正在设计MP3的公司，想找到一家能够为苹果公司提供基础服务的，最后锁定了一家叫PortalPlayer的小公司。法德尔告诉PortalPlayer的团队：“这个项目将会改造整个苹果公司，而且十年之后，苹果公司将成为音乐公司，而不再是计算机公司。”他说服他们签下了独家协议，然后他们就开始修正PortalPlayer的一些缺陷，包括复杂的界面、较短的待机时间，以及只能容纳十首歌曲的小播放列表。

“就这个！”

总有一些值得铭记的会议，不仅是因为它们标志了一个历史性的时刻，而且还明确了领导者的运作方式。2001年4月，在苹果公司四层的会议室里就有这样一个会议，乔布斯确定了iPod的一些基础问题。在会上，法德尔要向乔布斯讲解他的提案，听众有鲁宾斯坦、席勒、艾弗、杰夫·罗宾，还有营销总监斯坦·吴（Stan Ng）。

一年前，法德尔在安迪·赫茨菲尔德家举办的生日聚会上见过乔布斯，他也听说了许多关于乔布斯的故事，其中有很多都堪称骇人听闻。不过由于他并不真正了解乔布斯，所以他那天也不免有些忐忑。“当他走进会议室的那一刻，我不由得挺起身，心想：‘哇，这就是乔布斯！’我开始小心翼翼起来，因为我早就听说过他的野蛮无理。”

整个演讲以介绍“潜在市场”和“竞争对手”开始。和往常一样，乔布斯显然没有耐心听这些。法德尔说：“我能感觉到，他没耐心在一张幻灯片上花上一分钟的时间。”当翻到“市场上的其他播放器”这张幻灯片时，他挥手示意法德尔停止。他说：“不要担心索尼。我们知道自己在做什么，但是他们不知道。”于是，会议不再播放幻灯片，乔布斯开始向团队抛出一连串的问题。法德尔学到了一课："史蒂夫关注当下，说话直来直去。有一次他告诉我：'如果你一定要用幻灯片来讲，那说明你不知道自己要讲什么。'"

乔布斯希望在展示中看到实物，这样他就能够触摸、审视和把玩。为此法德尔带来三个不同的模型到会议室。鲁宾斯坦指导他要按照顺序展示它们，这样，他的首选也许会被乔布斯看中。他们把最后要展示的模型藏在了桌子中央一个倒扣的木碗里。

在这一轮演示中，法德尔先从一个盒子中拿出了iPod要使用的各种元件，并把它们摆在了桌上，有1.8英寸的硬盘、液晶显示屏、几种主板和几种电池，每一样都标注了成本和重量。在展示的过程中，大家讨论了未来一两年内这些部件的价格和尺寸会如何降低。有一些元件可以像乐高积木那样拼接，从而产生出不同的组合。

接下来，法德尔开始展示他的模型。这些模型都是由泡沫聚苯乙烯制成的，里面填入了一些铅，以模拟真实的重量。第一个模型有一个插槽，用来放可拆除的音乐存储卡。乔布斯表示不喜欢，理由是太复杂。第二个模型拥有动态存储器（dynamic RAM），成本很低，但是断电后所有数据都会消失。乔布斯也不满意。接下来，法德尔把这些"乐高"元件组合在一起，展示了带有1.8英寸硬盘的设备。乔布斯似乎提起了兴趣。随后就到了整个会议的高潮部分——法德尔把木碗揭起，一个组装完毕的成品模型出现在大家面前。"我本来以为要多拼几次乐高元件，但史蒂夫喜欢的硬盘组装方式正是我们已经做好的那样。"法德尔回忆道。他甚至有些吃惊："我曾经在飞利浦工作，如果要作出这样的决定，一定要经过很多轮PPT演示会议和会下研究。"

接下来轮到了菲尔 · 席勒发言："下面来说说我的点子。"他走出房间，然后拿来一堆iPod的模型，它们的正面都有一个相同的装置，也就是后来著名的转盘追踪设计。他回忆道："我一直在想怎么浏览播放列表。你不可能按几百次按钮。如果有个转盘岂不是很好？"通过大拇指旋转转盘，你可以滚动所有的歌曲。而且你转的时间越长，列表下拉的速度就越快，所以你可以很容易地浏览几百首歌。乔布斯大叫："就这个！"他让法德尔和工程师们按照这个构思开工。

自从项目开始，乔布斯每天都投入其中。他最主要的要求就是"简化！"他会浏览用户界面的每一个页面，并且会作严格的测试：如果要找某一首歌或者使用某项功能，按键次数不能超过3次，而且按键的过程要自然。如果他觉得导航不够清楚，或者需要按3次键以上，他就会非常生气。法德尔说："有很多次，在用户界面设计的问题上，我们绞尽脑汁去思考和讨论，自认为已经考虑得很周全了，但乔布斯还会说：'你们想过这个吗？'然后我们就心想：'真见鬼！'他会重新定义这些问题或方法，我们的小麻烦就会迎刃而解。"

每天晚上，乔布斯都会在电话里讲述他的想法。法德尔和其他人，包括鲁宾斯坦，他们会联合起来一起"对付"乔布斯给他们中的任何一个人抛出的难题。他们会互相通电话，交流乔布斯的最新建议，然后计划怎样把乔布斯引导到他们希望的方向上去。这个方法半数会有效。法德尔说："我们会一起讨论乔布斯最新的想法，同时也在努力预测他会怎么想。每天都会有这样的问题，比如要不要有开关、按键用什么颜色，或者是定价策略。在他的管理方式下，我们必须要相互合作，彼此照应。"

乔布斯还有一个重要的观点，那就是应该把尽可能多的功能集合在iTunes软件里，用计算机操作，而不要让iPod有太多功能。他后来回忆说：

> 为了让iPod真正易于操作——关于这一点，我内心经过了很多挣扎——我们需要限制它的功能。相反，我们把这些功能放在了计算机里的iTunes上。比如，你不能在iPod上制作音乐清单。但你可以用iTunes来制作，然后再用iPod进行同步。这个问题有一些争议性。但是Rio和其他播放器不成功的原因就在于它们太复杂了。它们必须要有制作音乐清单的功能，因为它们不能和计算机上的音乐播放软件整合在一起。所以，同时拥有iTunes软件和iPod，我们就能够让计算机和设备一起工作，同时，我们也能把复杂度控制得恰到好处。

所有的"简洁"中最为玄妙的是乔布斯让同事们大吃一惊的一个决定：iPod上不能有开关键。这在之后的大部分苹果产品中都实现了。开关键是没有必要的，从美学和神学的角度来看，开关让人不快。如果一段时间不操作，它会自动进入休眠状态；当你触摸任意按键时，它又会自动"醒来"。但是没有必要专门设定这样一个流程：按下去—等待关机—再见。

突然之间，一切都准备就绪了：一张可以承载1 000首歌曲的芯片；一个可以操控1 000首歌曲的界面和滚动式转盘；能够在10分钟之内下载1 000首歌的火线连接；还有一块能持续播放1 000首歌的电池。乔布斯回忆说："我们突然间彼此相视，说：'这个东西一定会很酷。'我们知道它到底有多酷，是因为我们都知道自己多想要拥有一部。而且产品的概念也变得简洁诱人——把1 000首歌曲装进你的口袋。"有一个广告撰稿人建议把它命名为"Pod"[①]，而乔布斯沿袭了iMac和iTunes的命名方式，把它改为iPod。

那么，这1 000首歌曲从哪儿来？乔布斯知道，有些歌曲可以从正规购买的CD中拷贝，这是合法的，但是还有一些是来自非法下载。仅从做生意的角度考虑，乔布斯将得益于非法下载——它使用户以更低廉的成本填满自己的iPod，而且以乔布斯的反主流文化传统，他也不会对那些因之受损的唱片公司抱有同情。但是他主张知识产权保护，艺术家们也应当劳有所得。所以，在开发工作接近尾声时，他决定iPod只能单向同步。用户可以从计算机里把歌曲转移到iPod上，但是不能把iPod上的歌曲转移到计算机里。这样就防止人们把已经同步到iPod上的歌曲复制给其他人。他还决定，在iPod的塑料包装上印一条简明的标语："不要盗版音乐。"(Don't Steal Music.)

"白鲸的白"[②]

乔尼·艾弗一直在摆弄iPod的泡沫模型，反复设想成品的样子。一天早上，在他开车从旧金山的家里到库比蒂诺的路上，一个想法突然跳了出来。他在路上打电话告诉他的同事：iPod的正面要用纯白色外壳，然后与背面光滑的不锈钢壳进行无缝连接。艾弗说："很多小型消费类产品给人的感觉都是'用后即弃'的，缺少文化内涵。关于iPod，我最得意的地方就是其中有一些元素为它赋予了意义，让它历久弥新。"

白色不是简单的白色，而是"纯净"的白色。他回忆道："不只是机身，耳

① 意为"豆荚"，形容外形精巧。

② 引自《白鲸》第42章的章名。

机、连接线，甚至是电源适配器也要是白色的，‘纯净’的白色。”但其他人都认为耳机当然应该是黑色的，和其他耳机一样。艾弗说：“但是史蒂夫立刻就决定要用白色。这给产品增加了‘纯度’。”蜿蜒的白色耳塞线使iPod成为了一个标志。艾弗是这样描述的：

> iPod包含着一些非常有意义且不易被丢弃的元素，但是也有一些非常安静和内敛的部分。它不会搔首弄姿，它是内敛的，但那平滑的耳机又是个疯狂的创意。这就是我喜欢白色的原因。白色并不仅仅是一种中性的色彩。它既纯净又安静，醒目、出挑但又不张扬。

李·克劳所在的TBWA\Chiat\Day广告公司的团队希望凸显iPod的独特内涵和白色外壳，而不是做一个传统的介绍产品功能的广告。詹姆斯·文森特是一个又高又瘦的年轻英国人，他曾在一个乐队里担任乐手，还做过DJ。他是最近刚加入TBWA\Chiat\Day广告公司的。出于职业习惯，他在设计苹果广告时，自然而然地将新千年一代的音乐发烧友作为受众，而不是叛逆的“婴儿潮一代”主题。在艺术总监苏珊·艾琳珊甘（Susan Alinsangan）的协助下，他们创作出一系列iPod的广告牌和海报，然后把它们摊在乔布斯的会议室桌上供他审阅。

他们把最保守的提案放在了桌子的最右边——白色背景中一张iPod的特写照片；而最左边的是最有图像感和符号感的设计——一个人边听iPod边跳舞的剪影，白色的耳机线也随之舞动。文森特说：“这幅图表达了人与音乐之间紧密的情感联系。”他建议创意总监邓肯·米尔纳说，大家都要坚定地站在最左边，看能否把乔布斯引到这款设计上来。乔布斯一走进来，就马上走到了最右边，看着干巴巴的产品图片说：“这个看起来不错，我们来讨论一下。”文森特、米尔纳和克劳都没有挪动脚步。最后，乔布斯抬起头来，看了看那张符号化的图片，说：“哦，我猜你们喜欢这一张。”他摇了摇头：“但它没有展示出产品，人们都不知道这是什么东西。”文森特提出他们想使用这张图片，但是会再加上一句广告词：“把1 000首歌装进口袋。”这样就不言自明了。乔布斯又往桌子的最右边看了一眼，最终同意了他们的想法。不出所料，他很快就声称这是他的创意——要推出更多符号化的广告。乔布斯回忆道：“我听到一些怀疑的声音：‘这样的广告怎么能真正卖出一台iPod呢？’这就到了CEO要发挥作用的时候了，我要促成这个创意。”

乔布斯意识到iPod还有一个优势，那就是苹果品牌是一个可以把计算机、软件和设备整合起来的系统。这就意味着iPod也能促进iMac的销售。反过来说，也就意味着苹果公司可以把原本要为iMac广告花费的7 500万美元投入到iPod广告上，还能获得双倍的成效——其实是3倍，因为这些广告能给整个苹果品牌注入新的光彩和活力。他回忆说：

> 我当时有了这个疯狂的想法——通过宣传iPod来销售更多的苹果电脑。另外，iPod也能把苹果定位成一个创新和年轻的品牌。所以我把7 500万美元转移到iPod的广告费用上。虽然从产品类别上来说连对其投入其中的1%都嫌多，但这意味着我们完全占领了音乐播放器的市场。我们的投入是其他公司的数百倍。

电视广告决定使用乔布斯、克劳和文森特商定的舞者的剪影，配合着背景音乐。克劳说：“选择音乐成为了我们每周营销会议的主要乐趣。我们会播放一些很前卫的音乐，史蒂夫会说‘我讨厌这个’，然后詹姆斯就会去说服他。”苹果广告让很多新乐队流行起来，最著名的例子就是“黑眼豆豆”（Black Eyed Peas），那首《嗨，妈妈》（*Hey Mama*）就是这一系列广告的经典。当一则新广告进入制作环节时，乔布斯经常会动摇，他会打电话给文森特，坚持说要取消这个广告。他会说，“这听起来有些浮夸”，或者“这有点儿普通”，“我们取消吧”。詹姆斯会一阵慌乱，但仍努力劝说乔布斯：“要坚定，这会是一个很棒的广告。”乔布斯每次都会妥协，然后广告继续制作，最后他还是会喜欢它。

2001年10月23日，乔布斯以他那标志性的产品发布会隆重推出了iPod。邀请函上开玩笑般地写着：“提示：这不是一台Mac。”在描述了产品的技术参数之后，到了揭幕产品的时刻。这一次，乔布斯没有像往常那样走到一张桌子前揭开遮布，而是说：“我口袋里刚好有一个。”他把手伸进牛仔裤口袋，拿出了一个炫目的白色机器：“这绝妙的小机器里面装着1 000首歌曲，而且刚好能放进我的口袋。”说完他把iPod又放回了口袋，观众爆发出热烈掌声。

最初，在技术极客中有一些对于iPod的质疑，尤其是关于399美元这个价格。在博客圈里流传着一个笑话，说iPod的全称是“白痴给我们的产品定的价”[①]。不过，消费者中还是掀起了iPod热潮。不仅如此，iPod也代表了苹果品牌的核心价值——诗意与工程紧密相连，艺术、创意和科技完美结合，设计风格既醒目又简洁。简便的操作得益于整合的端到端一体化的系统——从计算机到火线、设备、软件，再到内容管理。当你从盒子里拿出一台iPod，它美丽得耀眼，让所有其他音乐播放器都黯然失色，看起来都像是在乌兹别克斯坦设计和制造的一样。

自第一代Mac电脑诞生以来，还没有哪个产品能够有如此清晰的愿景，并有力地推动了公司的未来发展。乔布斯当时对《新闻周刊》的史蒂芬·列维这样说：“如果有人好奇为什么苹果公司会存在于世，我就要拿这个来解释。”当时，沃兹尼亚克一直对整合的系统抱有怀疑，后来他改变了这个想法。“哇，要说这个是苹果公司的产品，那一点儿都不奇怪。”沃兹尼亚克在iPod推出后非常兴奋，他说：“毕竟苹果公司一直都在做硬件和软件，现在它把两者整合起来，效果更好。”

就在列维拿到iPod试用样品的那天，他正好要与比尔·盖茨共进晚餐，于是他把样品拿给他看。列维问：“你看过这个了吗？”列维描述当天的情景：“盖茨就像是科幻电影里的外星人。当外星人看到了一个新奇的物件，就会在自己和这个物体之间建立一条能量通道，这样就能把所有关于这个物体的信息都灌进大脑。”盖茨摆弄着iPod的转盘，试了试所有的按键组合，他的眼睛一直盯着屏幕，最后说：“这看起来是个很棒的产品。”然后他停顿了一下，露出疑惑的表情，问道：“这只能在麦金塔上面用吗？”

① 原文为“idiots price our devices”，首字母缩写恰好是iPod。

第三十章

The iTunes Store

I'm the Pied Piper

iTunes商店

"我是花衣魔笛手"[①]

华纳音乐

2002年初，苹果公司遇到了一个挑战。iPod、iTunes软件和计算机之间的无缝连接可以让你更方便地管理音乐，但是如果要得到新的音乐，你必须要离开这样一个"舒适"的环境，去外面购买CD，或者在网上下载歌曲。如果选择第二种方式，就意味着要涉足文件分享和盗版服务的灰色地带。所以，乔布斯希望给iPod用户提供一个简单、安全且合法的下载音乐的方式。

音乐产业也面临着一个挑战。它其实已经受到了一系列盗版的侵害——Napster、Grokster、Gnutella、Kazza——人们可以从这些服务商那里下载免费歌曲。正是在一定程度上受到了这样的冲击，2002年正版CD的销量下降了9%。

音乐公司的高层们都陷入了极度混乱，不过却不能像启斯东警察[②]般在疯狂中保持精确的思考，他们迫切地需要制定保护数字音乐版权的通用标准。当时，华纳音乐的保罗·维迪奇（Paul Vidich）和同属AOL时代华纳集团的比尔·拉杜切尔（Bill Raduchel）为此正在和索尼公司合作，协同制定规则，他们希望把苹果公司也拉进来。于是，一行人在2002年1月飞到库比蒂诺去见乔布斯。

会议进行得并不顺利。维迪奇因为感冒喉咙嘶哑，所以他让助理凯文·凯

① 原文为"I'm the pied piper"，是海滩男孩乐队（The Beach Boys）的一首歌曲名。

② Keystone Kops，原为滑稽剧片名，后被用来指出现混乱现象的团体。

奇（Kevin Gage）来作介绍。乔布斯坐在会议桌的主导位置，不耐烦地晃来晃去，看起来还有些愤怒。凯奇讲了4页幻灯片之后，乔布斯摆手打断了他："你们可以自己解决的！"他说道。所有人都转过头来看维迪奇。维迪奇努力地清了清嗓子："没错。"停顿了很久之后他又说："但我们不知道该做什么。你要帮助我们找到方向。"乔布斯后来回忆，他当时确实有点儿吃惊。不过他最后同意了让苹果公司和华纳及索尼合作。

如果音乐公司达成了一致，为了实现音乐文件保护而开发一个标准化的编码解码器，那么各种网上商店就会激增。这样的话，乔布斯要建立一个用来控制网上销售的iTunes商店就难了。不过，索尼公司给了乔布斯这个机会。在2002年1月的库比蒂诺会议之后，索尼公司决定退出上述计划，因为它希望拥有自己专有的格式，并可以从中获得版税收益。

索尼公司的CEO出井伸之在接受《红鲱鱼》杂志的编辑安东尼·帕金斯采访时说："你知道史蒂夫，他有自己的打算。虽然他是个天才，但是他不愿意和别人分享一切。大公司很难与他合作……那简直是一场噩梦。"索尼公司北美区总裁霍华德·斯金格（Howard Stringer）补充道："说实话，寻求与他合作简直就是在浪费时间。"

后来，索尼公司和环球音乐集团合作，创建了一个叫做Pressplay的订阅服务。同时，AOL时代华纳、贝塔斯曼（Bertelsmann）及百代唱片（EMI）和里尔网络合作，推出了MusicNet。这两个平台都不会把自己的歌曲授权给对方，所以它们各自拥有一半的资源。而且它们仅为用户提供播放功能，不提供下载，所以如果你的订阅过期了，就无法再访问。另外，它们还有诸多复杂的限制条款和笨拙的界面。事实上，这两款软件因为"不分伯仲"，在《计算机世界》杂志（*PC World*）评选出来的"历史上最差的25款科技产品"中并列第九。杂志上这样写道："这些产品惊人的愚蠢功能说明唱片公司仍然没有理解用户需求。"

本来，乔布斯完全可以放任盗版的存在。免费音乐意味着能卖掉更多的iPod。但是，因为他真的热爱音乐，也热爱创作音乐的艺术家，所以他反对这种偷窃创意产品的行为。他后来告诉我：

从苹果公司创立之初，我就意识到，我们的成功是来自知识产权。如果人们可以任意复制或偷取我们的软件，我们早就破产了。如果知识产权不受到保护，我们也没有动力再去制作新软件或设计新产品了。如果没有了对知识产权的保护，那么很多创意公司就会消失，或者根本不会出现。其实说到底，道理很简单：偷窃是不道德的。这样做会伤害其他人，也有损自己的名誉。

然而他知道，阻止盗版的最佳办法——其实也是唯一办法——就是提供一个比那些音乐公司推出的愚蠢服务更加吸引人的选择。他告诉《君子》杂志的安迪·兰格（Andy Langer）："我们相信，有80%下载盗版的人都是不得已的，只是没有给他们提供合法的选择而已。所以我们说：'我们创立一个合法的途径吧。'这样大家都会受益。音乐公司能赢利，艺术家能赢利，苹果公司也能赢利，而用户也会有所收获，因为他们既享受到了更好的服务，又不必偷窃。"

就这样，乔布斯开始创立"iTunes商店"，并争取五大唱片公司的数字音乐的销售权。他回忆道："我从来不会花太多时间去说服人们做对自己有利的事。"这些公司都担心定价模式和专辑的拆分，乔布斯回应说这项新服务只会在麦金塔上使用，只占有5%的市场。虽有小小的风险，但可以尝试。他说："我们把市场份额小作为优势来说服音乐公司，即使iTunes商店失败了，也不会造成太大损失。"

乔布斯计划把每首歌曲的价格定为99美分——这是个简单又容易让人心动的价格。唱片公司将从中抽取70美分。乔布斯坚持认为，这种做法比音乐公司喜欢的月度订阅的模式更有吸引力，因为他认为（后来也被证明是正确的），人们和他们喜欢的歌曲之间有一种情感联系。他们希望拥有《给恶魔的同情》和《暴风雨中的庇护》，[①] 而不仅仅是租用。他对《滚石》杂志的杰夫·古德尔（Jeff Goodell）说："我觉得也可以发起第二波订阅服务模式，但是它恐怕不会成功。"

乔布斯还坚持在iTunes商店出售单首歌曲，而不仅是整张专辑。这就造成了和唱片公司之间最大的分歧，因为唱片公司赚钱的模式是在一张专辑中主打两三首好歌，另外填充一些一般的作品，然后一起打包出售。为了获得想要的歌

---

① 《给恶魔的同情》（*Sympathy for the Devil*），滚石乐队的一首歌曲名。《暴风雨中的庇护》（*Shelter from the Storm*），鲍勃·迪伦的一首歌曲名。

曲，消费者就必须买下整张专辑。一些音乐人也从艺术家的立场反对乔布斯“拆分专辑”的做法。九寸钉乐队（Nine Inch Nails）的主唱特伦特·雷泽诺（Trent Reznor）说：“一张好的专辑具有一定的连贯性，所有歌曲之间是互相支持的。这也是我喜欢制作音乐的原因。”但反对无效。乔布斯回忆道：“盗版和网上下载早已将专辑分解了。如果你不能出售单首歌曲，那你也无法和盗版竞争。”

问题的核心是热爱科技的人和热爱艺术的人之间的分歧。乔布斯两个都爱，这一点在他为皮克斯公司和苹果公司工作时都有所体现，因此他也为二者之间建立了桥梁。正如他后来所说的：

> 当我去皮克斯公司工作时，我开始意识到这个巨大的分歧。科技公司不懂创意，他们也不欣赏依赖直觉的思维方式，比如唱片公司的A&R部门[①]听了100个人演唱之后就能感觉到哪5个人会成功。他们之所以认为创意人员只是整天窝在沙发里，自由散漫，是因为他们从来没见过在皮克斯这样的地方，创意人员是多么富有紧迫感和专业素养。另一方面，音乐公司也对技术完全没概念。他们认为他们总能从外面雇到一些技术人员。但是这就像苹果公司去找人制作音乐一样。我们只能得到二流的A&R人员，就像音乐公司只能找到二流技术人员一样。我属于少数人，既懂得发明技术需要直觉和创造力，也知道制作艺术作品需要接受真正的专业训练。

乔布斯与时代华纳旗下的AOL的CEO巴里·舒勒（Barry Schuler）是老交情，于是开始就如何把唱片品牌融入iTunes商店寻求他的建议。舒勒告诉他：“盗版颠覆了所有人的认知。而能够与之抗衡的就是把iTunes做成一种端到端一体化的服务，从iPod到商店，你就能最好地保护这些音乐。”2002年3月的一天，舒勒接到了乔布斯的电话，并决定要维迪奇加入到这个电话会议中。乔布斯问维迪奇，是否可以带上华纳音乐的总裁罗杰·艾姆斯（Roger Ames）一起来库比蒂诺开会。这一次乔布斯表现得很有亲和力。艾姆斯是个幽默风趣又聪明的英国人，属于乔布斯喜欢的类型（就像詹姆斯·文森特和乔尼·艾弗）。所以“好脾

① A&R全称为“artist and repertoire”，是唱片公司下属的一个部门，负责发掘、培养歌手或艺人。

气的史蒂夫”出现了。在会议初期，乔布斯甚至还搞起了“外交”。当iTunes的主管埃迪·库埃和艾姆斯争论起为什么英国的广播没有美国的那么有活力时，乔布斯打断了他们，说：“我们虽然懂技术，但不算懂音乐，所以不要争了。”

会议一开始，艾姆斯请乔布斯支持一种新的带有防复制功能的CD格式。乔布斯很快就同意了，然后把话题转向了他想讨论的内容。他说，华纳音乐应该帮助苹果公司建立一个简洁明快的网上iTunes商店，然后再向整个业界进行推广。

艾姆斯之前在一次董事会会议中提出，希望集团的AOL部门能够提升他们刚起步的音乐下载服务，但没有获得支持。他回忆道：“当我用AOL下载了歌曲，我在我那台烂电脑上怎么也找不到这首歌。”所以，当乔布斯展示了iTunes商店的雏形时，艾姆斯大感震撼。他说：“对，对，这恰恰是我们一直期待的模式。”他同意华纳音乐加入，并负责聚拢其他的音乐公司。

乔布斯飞到美国东部，向时代华纳的其他高层展示iTunes服务。维迪奇回忆道：“他坐在一台苹果电脑前，就像是一个孩子在玩他心爱的玩具。和其他CEO不同，他对他的产品全心投入。”艾姆斯和乔布斯开始敲定iTunes商店的一些细节，包括一首歌曲能被下载到不同设备上的次数，以及防复制系统怎么运作。他们很快就达成了一致，并开始集结其他的唱片公司。

“放养猫”[①]

环球音乐集团的CEO道格·莫里斯（Doug Morris）是他们要拉拢的关键人物。他旗下有很多“必备艺人”，包括U2乐队、艾米纳姆（Eminem），以及玛利亚·凯莉（Mariah Carey），还有魔城唱片（Motown）和Interscope-Geffen-A&M（IGA）两大巨头。莫里斯很希望能够合作。他比任何人都更担心盗版问题，也受够了唱片公司里那些二流技术人员的水平。莫里斯回忆道：“这简直就像当年的荒蛮西部。没有人愿意卖数字音乐，他们宁愿和盗版同流合污。我们在唱片公司里所作的努力全部失败了。音乐人和科技人员之间的技能属性差距太大了。”

艾姆斯和乔布斯一起徒步前往莫里斯在百老汇的办公室，在路上，艾姆斯

① 原文为“Herding cats”，猫是以喜欢自由出名的，向来不喜欢被驯服，因此驯服一只猫绝非易事，意指“非常困难的事”。这也是一首歌曲的名字。

向乔布斯简要地提示了一下稍后要谈的内容。这些提示收到了效果。让莫里斯惊叹的是，乔布斯把一切都整合在iTunes商店里了，方便了用户的同时也保证了唱片公司的利益。莫里斯说："史蒂夫做了一件伟大的事。他提出了一个完整的系统——iTunes商店、音乐管理软件和iPod。整个过程非常顺畅，他把这些服务都打包了。"

莫里斯承认乔布斯具有唱片公司普遍缺乏的技术视野。他和自己的技术副总裁说："我们当然要依靠乔布斯来做这些。因为环球音乐集团里没有一个人了解技术方面的知识。"但这番话并没有使技术人员愿意与乔布斯合作，莫里斯只能压制住他们的反对意见，并快速促成合作。他们给苹果的数字版权管理系统FairPlay又增加了一些限制条款，保证已购买的歌曲不会被下载到太多设备上。但是总的来说，他们都比较认同乔布斯与艾姆斯及其华纳的同事研究出来的iTunes商店的概念。

莫里斯很欣赏乔布斯，他立刻打电话给音乐集团旗下公司IGA的董事长吉米·约维内（Jimmy Iovine），约维内是个语速很快又有些急性子的人，和莫里斯是很好的朋友，在过去30年中几乎每天都有交流。莫里斯回忆道："当我遇到史蒂夫，我就感觉到他是我们的救世主，所以我立刻把吉米找来，给我们增加点儿印象分。"

乔布斯也可以在自己愿意时表现出超乎寻常的好脾气，在约维内飞到库比蒂诺来会面时，他就展露了这一面。"看，多简单。"他对约维内说，"你们的技术同事永远不会做这个，在唱片公司里没有人可以把它变得足够简单。"

约维内马上给莫里斯打了电话，他说："这家伙的确与众不同！你说得没错，他有个现成的解决方案。"接下来两人又抱怨了他们是如何在过去两年里与索尼公司合作，却一无所获。约维内告诉莫里斯："索尼永远解决不了问题。"他们最终达成一致，终止与索尼的合作，加入苹果阵营。约维内说："索尼错过这个好机会的原因让我简直不敢相信，这真是个可以记入史册的大错。如果部门之间合作不力，史蒂夫会解雇有关人员，但是索尼内部一直搞得一团糟却没人出面解决。"

实际上，索尼给苹果提供了一个清晰的反面教材。他们的消费电子产品部门能制造出时髦漂亮的产品；他们的音乐部门也签约了当红的艺人（比如鲍勃·迪伦）。但是由于每一个部门都在竭力保护自己的利益，所以整个公司也无法合作推出端到端的服务。

索尼音乐的新总裁安迪·拉克（Andy Lack）面临着一项艰巨的任务——和乔布斯谈判，争取把索尼的音乐放进iTunes商店里出售。拉克是一个精明能干、不服输的人。他曾是哥伦比亚广播公司的制片人、全国广播公司的总裁，在电视新闻界是个响当当的人物。他看人很准，而且很有幽默感。他意识到，对于索尼来说，在iTunes商店出售音乐是一个既疯狂又必要的选择——对于唱片行业来说很多决定都是这样作出的。苹果将采用一种强盗式的做法，不仅要从歌曲中抽取利润，还要连带促进iPod的销售。拉克认为，既然是唱片公司促成了iPod的成功，那么他们也应该从iPod的销售利润中分一杯羹。

乔布斯可以和拉克在许多问题上达成一致，他也对拉克表示，想要成为音乐公司真正的合作伙伴。"史蒂夫，如果我们合作，你要答应每出售一台iPod就要给我一些好处。"拉克提高了声调对他说，"虽然你的机器不错，但是我们的音乐也促进了它的销售。这就是我认为的真正的合作关系。"

"我答应你的条件。"乔布斯不止一次说出这样的话，但是之后他就会到道格·莫里斯和罗杰·艾姆斯那里去抱怨，带着一丝"阴谋"意味，说拉克根本没弄明白，他对音乐产业并不在行，而且也没有莫里斯和艾姆斯聪明。拉克说："经典的史蒂夫风格就是，他会同意一些事，但永远不会实现。他会把你设进一个局，然后置之不理。他的表现是病态的，但这点在谈判中很有用。他的确是个天才。"

拉克知道，他是最后的抵抗者，除非能获得业内其他人的支持，否则自己无法赢得这场战役。但是乔布斯不惜甜言蜜语，并用苹果公司的营销优势把其他人拉拢得很好。拉克说："如果整个业界结成联盟，我们就可以拿到授权费，这样我们就会有两个收入来源，这正是我们梦寐以求的。我们帮助提升了iPod的销量，所以这个要求也是合理的。"当然，这也是乔布斯端到端一体化战略的精妙之处：iTunes上的歌曲首先促进了iPod的销售，从而拉动麦金塔的销售。让拉克更为恼火的是，索尼公司原本也可以采用这种策略，但是它的硬件部门、软件部门以及内容部门永远都无法统一步调。

乔布斯也在努力拉拢拉克。一次在纽约出差期间，他邀请拉克来他住的四季酒店顶楼的套房。乔布斯还特意为两人订了一份早餐——燕麦片和鲜莓，而且"格外殷勤"。拉克回忆道："但是杰克·韦尔奇（Jack Welch）教我不要'被迷惑'。莫里斯和艾姆斯就抵挡不住诱惑。他们会说，'你不懂的。你应该去投怀送抱。'他们也的确这么做了。这样一来，我就成了孤零零一个人。"

即使后来索尼同意了在iTunes商店出售音乐，但双方的关系也仍旧充满争议，每一轮合同续签和条款更改都要经过一番决战。乔布斯说："和安迪共事，你得忍受他的'自我'过度膨胀。他从来都没有真正懂得音乐行业，他也从来都没作出过什么贡献。有时，我甚至觉得他是个侦探。"当我复述了乔布斯的这番话后，拉克回应道："我是在为索尼和整个音乐行业争取利益，所以我能理解他为什么觉得我是个侦探。"

不过，仅仅把唱片公司拉拢进iTunes还不足够。有很多音乐人在合同中有这样的条款：他们可以自己控制数字歌曲的发行，或者禁止他们的歌曲从专辑中被抽出单独售卖。所以乔布斯又开始拉拢一些顶尖的音乐人。他从中收获了乐趣，同时也发现，这比想象中要困难得多。

在iTunes发布之前，乔布斯约见了至少20多位主流歌手，包括波诺、米克·贾格尔，以及雪儿·克罗（Sheryl Crow）。"他会在夜里10点给我家打电话，不管不顾，说他还是需要得到齐柏林飞船乐队和麦当娜的支持。"华纳唱片的罗杰·艾姆斯回忆道，"他已经下定决心，但是这些歌手中，有几位是谁都无法说服的。"

或许最奇怪的会面就要算"德瑞博士"（Dr. Dre）去苹果总部拜访乔布斯的那次。乔布斯喜欢披头士乐队和鲍勃·迪伦，但是他承认，最近流行起来的说唱音乐让他动摇了。现在，乔布斯想要把艾米纳姆和其他说唱歌手的歌曲加入iTunes商店里出售，所以要先与德瑞博士套近乎，因为他曾是艾米纳姆的导师。当乔布斯向他展示iTunes商店和iPod之间的完美结合时，德瑞博士惊呼："天哪，终于有人走对路子了。"

乔布斯喜欢的另一种风格完全不同的音乐人，是小号演奏家温顿·马萨里斯（Wynton Marsalis），他当时正在西海岸为林肯中心爵士乐队进行募捐巡演，并要会见乔布斯的妻子劳伦。乔布斯坚持让他来到了帕洛奥图的家里，然后给他展示了iTunes。他问马萨里斯："你想找什么音乐？""贝多芬。"小号手答道。"看看iTunes能做到什么吧！"乔布斯努力让马萨里斯不要走神儿。"看看iTunes的界面是怎么工作的。"马萨里斯之后回忆道："我对计算机方面的东西不怎么感兴趣，而且我也一直在向他强调这一点。但是他在那里摆弄了两个小时，就像着了魔一样。过了一会儿，我的视线从计算机转移到了他身上，因为我着迷于他的热情。"

乔布斯在2003年4月28日推出了iTunes商店，发布会在旧金山的莫斯康尼会议中心（Moscone Convention Center）举行。他头发修得很短，有点儿谢顶，脸上特意留着胡须。乔布斯走上台，首先讲了Napster是怎样"体现出互联网就是为音乐分享而服务的"。他说，它的下一代，Kazaa，提供免费的音乐。你怎样和它们竞争？为了回答这个问题，他开始介绍这些免费服务的式微。下载的内容不可靠，而且质量通常很差。"很多歌曲都是7岁小孩编的码，他们做得并不怎么样。"此外，也不提供试听和专辑封面。之后他还补充了一句："最糟糕的一点——这是偷窃行为，会遭报应的。"

那么，为什么这些盗版网站还这么猖獗？乔布斯说，是因为没有别的选择。像按键播放和音乐网这样的订阅服务"把你像罪犯一样对待"，他一边说，一边展示了一张穿着条纹囚服的囚犯照片。接下来的一页是鲍勃·迪伦的照片。"人们想要拥有自己喜欢的音乐！"

在和一些唱片公司进行了很多轮谈判之后，他说："他们想加入我们，和我们一起改变世界。"iTunes商店起初会有20万首歌曲，之后的每一天都会有新增曲目。他还说，有了iTunes商店，你可以得到你想要的歌曲，把它们刻录成CD，不用担心质量问题，可以在下载之前试听曲目，还可以用iMovie和iDVD以这些歌曲为配乐"制作你自己的音乐大碟"。价格如何？99美分。他说，还不到一杯星巴克拿铁咖啡价格的1/3。为什么花这个钱是值得的？因为要从Kazaa下载一首优质的歌曲需要15分钟，而iTunes只需要1分钟。为了省4美元而花费整整1个小时，他说："你赚得比最低时薪还要低！"还有……"用iTunes下载歌曲，不再偷窃。你种下的是善因。"

最热烈的掌声来自观众席的前排，几大唱片公司的老板都坐在那里，包括道格·莫里斯，他的旁边是戴着棒球帽的吉米·约维内，还有华纳音乐的所有高层。负责iTunes商店的埃迪·库埃预计，苹果将在未来6个月销售100万首歌曲。但事实上，iTunes商店在6天内就卖掉了100万首。乔布斯宣告："这将作为音乐行业的一个转折点被载入史册。"

微软公司

"我们被干掉了。"

这是微软公司负责Windows系统开发的主管吉姆·阿尔钦（Jim Allchin）发给4个同事的一封直言不讳的邮件，发件时间是下午5点钟，吉姆刚刚看完iTunes商店的发布会。整封邮件只有两句话，除了上面的这句，还有一句："他们是怎么把音乐公司给拉进来的？"

那天晚上，负责运营微软在线业务的戴维·科尔（David Cole）回信了："一旦苹果把iTunes引入Windows系统（我觉得他们不会愚蠢到不进军Windows），那我们才是真的有麻烦了。"他说，Windows团队需要"把这种解决方案推向市场"。他还补充道："我们的关注点和目标要集中在端到端服务上，传递用户价值，这是我们现在还没能做到的。"即使微软有自己的网络服务（MSN），但它并没有像苹果那样提供"端到端的服务"。

比尔·盖茨在当晚10点46分发表了评论，标题是"还是苹果的乔布斯"——他的沮丧表露无遗。他说："史蒂夫·乔布斯有种惊人的能力：把关注点放在真正有价值的地方，能找来会做用户界面的人，以及革命性的营销手段。"他也非常惊讶于乔布斯能说服那么多唱片公司加入他的商店。"这在我看来很奇怪。音乐公司提供的服务都太不人性化了。但不知为什么，他们却决定把这个绝好的机会让给苹果。"

还有一点让盖茨觉得奇怪：除了苹果之外，没有其他公司推出过购买歌曲的服务，而都是采用月度订阅的方式。他写道："我说奇怪并不是指我们搞砸了——至少，如果我们搞砸了，那么Real、PressPlay和MusicNet，甚至每个公司也都搞砸。既然乔布斯已经做了，那我们就需要赶快去找一些同样好的用户界面、拿到同样好的版权……我认为我们需要一些计划来证明自己，即使乔布斯又一次让我们措手不及，我们也可以迅速行动起来，做出更好的东西。”这种私下的说法让人吃惊，无异于承认：微软再一次被赶超，被打了个措手不及，它也将再次复制苹果的模式，奋起直追。但是和索尼一样，微软从来都没有完成这个任务，即使乔布斯已经给他们指明了方向。

事实上，苹果继续向微软开火，而且还是以科尔预计到的方式——苹果把iTunes软件和商店引入到了Windows系统。但是这也引起了内部的激烈争论。首先，乔布斯和他的团队需要决定是否要让iPod和Windows计算机兼容。起初，乔布斯是反对的，他回忆道：“如果iPod只能用在苹果电脑上，就可以促进苹果电脑的销售，而且销量比我们预期的更多。”但是4位主要高层——席勒、鲁宾斯坦、罗宾和法德尔都不同意他的观点。他们的争论主要围绕苹果公司的未来。席勒说：“我们觉得，我们应该立足于音乐播放器市场，而不仅仅是苹果电脑。”

乔布斯一直希望苹果公司能建立起独立统一的乌托邦，在这个神奇的围墙花园里，硬件、软件和外围设备完美结合，创造一种绝妙的体验，某一个产品的成功也能促进所有关联产品的销售。然而现在，他正面临一个压力——让他最热门的新产品和Windows计算机配置在一起，这显然违背了他的天性。乔布斯回忆道：“这场拉锯战持续了好几个月。所有人都站在我的对立面。”有一次，他甚至宣称Windows用户只能等他死了才可以使用iPod。但是他的团队仍在竭力推动这个建议。法德尔说：“iPod的确需要打入个人电脑市场。”

最终，乔布斯决定：“除非你们可以证明给我看这具有商业价值，否则我不会同意的。”这其实是他让步的方式。其实抛开情感和教条来说，很容易证明Windows用户购买iPod所体现的商业价值。他们请来了专家，分析了很多种销售情况，结果每种情况都证明这样做能带来更多利润。席勒说：“我们制作了一张数据表。在任何一种情况下，无论将各种苹果电脑如何搭配，它们的销量都无法超过iPod的销量。”有时乔布斯愿意放下身段作出妥协，但他在让步这个问题上从来都没有好名声。一次会议上，他们向他展示了分析结果。他说：“去他的！我已经厌烦了听你们这群浑蛋说话。你们爱怎么做就怎么做吧。”

但这又带来了另一个问题：如果苹果允许iPod和Windows计算机兼容，那么它是否要为Windows用户开发一个新版本的iTunes音乐管理软件？和往常一样，乔布斯认为硬件和软件应该一体化。用户体验依赖于iPod和计算机上的iTunes软件的完全同步（从某种意义上可以这么说）。席勒反对专门制作一个软件，他回忆说："我觉得这样做太荒谬了，因为我们又不是做Windows软件的。但是史蒂夫一直坚持说：'既然我们要做这件事，就应该做得漂亮。'"

席勒的意见起初占了上风。苹果先通过一家外部公司MusicMatch的软件来实现iPod和Windows系统兼容。但是这个软件太笨拙了——这也证明了乔布斯的观点是对的。之后，苹果迅速为制作Windows版本的iTunes迈出了第一步。乔布斯回忆道：

> 为了让iPod在Windows计算机上使用，我们起初和一个制作播放器软件的公司合作，并告诉了他们连接iPod的秘诀，但是他们做得太差了。这是整个世界上最糟糕的事情，因为这家公司控制了用户体验中的关键部分。所以我们容忍了这个讨厌的外部播放器长达6个月，之后我们终于写出了Windows版的iTunes软件。最终，你还是不想让其他人去控制用户体验。人们可能对此有非议，但我一直非常坚持这个做法。

把iTunes装在Windows系统里，也意味着要和所有的音乐公司重新谈判。因为此前签订的协议中明确约定，保证iTunes仅仅是为麦金塔用户这一小众群体服务的。索尼公司尤其反对这个改变。安迪·拉克认为这是乔布斯又一次在合同签订之后修改条款——也确实如此。但是当时，其他的唱片公司都对iTunes的新举动感到高兴，这样一来索尼公司也不得不停止抵抗。

2003年10月，乔布斯在旧金山的一次产品推介会上发布了Windows版本的iTunes。"在我们加上这个功能之前，人们以为我们永远不会这样做。"他一边说，一边在大屏幕前挥手——幻灯片上写着"冰封地狱"①。这次展示还包括iChat的界面外观，以及米克·贾格尔、德瑞博士和波诺的视频。"这对音乐人和音乐来说都是个很新潮的玩意儿。"波诺这样评价iPod和iTunes，"所以我才要来拍苹果的马屁，要知道我可不是到处拍马屁的人。"

---

① 老鹰乐队（The Eagles）的一首歌曲名"Hell Freezes Over"，这里用的是过去式"Hell Froze Over"，以此强调苹果已不再如此。

乔布斯从来都不是谦虚保守的人。他对着正在欢呼的人群宣布："Windows版的iTunes很可能是Windows系统里最棒的应用程序！"

微软一点儿都不领情。比尔 · 盖茨在接受《商业周刊》采访时说："他们现在采取的策略和当初进攻计算机市场时一样，他们要同时控制硬件和软件。我们和苹果的做法不太一样，我们会给用户更多选择。"直到3年之后，2006年11月，微软终于对iPod宣战，推出了Zune播放器，和iPod外观类似，但没有iPod轻巧。两年过去，它的市场份额还不到5%。又过了几年，乔布斯直截了当地指出了造成Zune缺乏灵感的设计和市场疲弱的原因：

> 随着年纪增长，我越发懂得"动机"的重要性。Zune是一个败笔，因为微软公司的人并不像我们这样热爱音乐和艺术。我们赢了，是因为我们发自内心地热爱音乐。我们做iPod是为了自己。当你真正为自己、为好朋友或家人做一些事时，你就不会轻易放弃。但如果你不热爱这件事，那么你就不会多走一步，也不情愿在周末加班，只会安于现状。

"铃鼓先生"[①]

安迪 · 拉克在索尼参加的第一次年度会议是在2003年4月，和苹果公司推出iTunes商店的时间在同一周。他在4个月之前被指派掌管音乐部门，花了很多时间和乔布斯谈判。实际上，他带着最新版本的iPod和关于iTunes商店的介绍，从库比蒂诺直接飞到了东京。在200位经理面前，他从口袋里拿出了iPod，"就是这个。"CEO出井伸之和索尼北美区总裁霍华德 · 斯金格看了看。"随身听的大敌来了。这并不是个徒有其表、滥竽充数的东西。我们收购一家音乐公司的原因就是为了能做出这样的产品。我们可以做得更好。"

但是索尼并没有做到。它拥有前卫的便携式随身听系列，有一家很棒的唱片公司，还有多年制造精致的消费电子产品的经验。它拥有所有能与乔布斯的"硬

---

① "Mr. Tambourine Man"，鲍勃 · 迪伦的一首歌曲名。

件、软件、设备、内容销售整合战略”相匹敌的资本。那为什么失败了？一部分原因在于索尼是一家像AOL时代华纳这样的大公司，旗下有多个分支（“分支”这个词本身就不吉利），每个分支都有自己的“底线”。在这样的公司里，如果让多个分支为了共同目标而协同运作，通常是很难实现的。

乔布斯没有把苹果公司分割成多个自主的分支，他紧密地控制着他所有的团队，并促使他们作为一个团结而灵活的整体一起工作，全公司只有一条“损益底线”。蒂姆·库克说：“我们没有财务独立核算的事业部，全公司统一核算。”

此外，和其他很多公司一样，索尼也很担心“内部相残”。如果他们推出了一个音乐播放器，以及一个方便人们分享数字音乐的服务，那么唱片分支的销售就会受到影响。乔布斯的一个商业原则就是：永远不要害怕内部相残。他说：“与其被别人取代，不如自己取代自己。”所以，即使iPhone的出现会蚕食iPod的销售，或者iPad影响了笔记本电脑的销售，都没有阻碍他的想法。

这一年7月，索尼聘请了一位唱片业资深人士杰伊·萨米特（Jay Samit）来制作一款和iTunes类似的服务软件。这款软件被命名为Sony Connect，能够在线销售音乐，并能够在索尼的便携式音乐设备上加以播放。《纽约时报》报道说：“这一举动马上就被看做是电子产品和内容领域的结合，虽然有时二者是相冲突的。内部纷争是随身听发明者和便携音乐播放器市场第一大巨头索尼被苹果打败的原因，很多人都这么认为。”2004年5月，Sony Connect发布了。但是只维持了3年，索尼就关闭了这项服务。

微软愿意把Windows Media软件和数字版权授予其他公司，就像他们在20世纪80年代授权操作系统一样。但另一方面，乔布斯不会把苹果的FairPlay授权给其他的设备制造商，这个软件只能在iPod上运行；而且他也不允许其他网上商店销售供iPod播放的歌曲。一些专家认为，这将最终导致苹果损失市场份额，就像20世纪80年代计算机大战时那样。哈佛商学院的教授克莱顿·克里斯坦森（Clayton Christensen）告诉《连线》杂志：“如果苹果继续依靠这种‘专有制’结构，iPod很可能变成一个小众产品。”[虽然这个预言没成真，但不妨碍克里斯坦森是世界上最有预见性、最富洞察力的商业分析师之一。乔布斯深受他的书《创新者的窘境》（*The Innovator's Dilemma*）影响。] 比尔·盖茨也有相同的看法。他说："做音乐没什么特别的。这一点在个人电脑方面得到了体现，容许选择，是行之有效的方式。"

2004 年 7 月，RealNetworks的创始人罗伯·格拉瑟（Rob Glaser）试图绕开苹果的限制，推出了一项名为Harmony（和谐）的服务。他曾经努力说服乔布斯把苹果的FairPlay格式授权给Harmony，但是未能如愿，于是格拉瑟就把FairPlay格式做了逆向工程，并使用在Harmony出售的歌曲上。格拉瑟的策略是让Harmony出售的歌曲能够在任何设备上播放，包括iPod、Zune和Rio。之后他还发布了以"选择自由"为口号的营销活动。乔布斯怒不可遏，发布新闻稿称，苹果"非常吃惊里尔网络采用黑客式的不道德手段侵入iPod"。作为回应，里尔网络发起了一次网络请愿，广为呼吁："嗨，苹果！不要毁了我的iPod。"随后的几个月内，乔布斯一直保持沉默，但是在 10 月，他发布了一款新版的iPod软件，不再支持从Harmony购买的任何歌曲。格拉瑟说："史蒂夫是个独一无二的家伙。你和他做生意的时候就能感受到这一点了。"

同时，乔布斯和他的团队——鲁宾斯坦、法德尔、罗宾以及艾弗——也在不断地推出新版本的iPod，产品大受欢迎之余，更稳固了苹果的领先地位。2004 年 1 月，苹果宣布了第一项重大的改革——推出iPod Mini，比最初的iPod小很多，和一张名片差不多大，但是容量也更小，价格不变。有一段时间，乔布斯曾想过放弃这个想法，因为他不理解为什么有人会花同样的价钱买更小的容量。法德尔说："他平时不怎么运动，所以他也不知道iPod Mini在跑步或去健身时有多方便。"事实上，iPod Mini真正使iPod站稳了市场，消灭了其他经营小体积闪存播放器的竞争者。在iPod Mini发布 18 个月之后，苹果在便携式音乐播放器市场中的份额从 31% 增加到了 74%。

2005 年 1 月，苹果引入了iPod Shuffle，这是一个更具革命性的创新。乔布斯注意到iPod上面的"随机播放"功能非常受欢迎，它可以让使用者以随机顺序播放歌曲。这是因为人们喜欢遇到惊喜，而且也懒于对播放列表进行设置和改动。有一些用户甚至热衷于观察歌曲的选择是否是真正的随机，因为如果真的是随机播放，那为什么他们的iPod总是回到比如内维尔兄弟乐队（The Neville

Brothers）这儿来？

这个功能引出了iPod Shuffle。当鲁宾斯坦和法德尔努力制造一款体积更小、价格更低的闪存播放器时，他们一直在尝试把屏幕的面积缩小之类的事情。有一次，乔布斯提出了一个疯狂的建议：干脆把屏幕去掉吧。“什么？！”法德尔没有反应过来。“去掉屏幕。”乔布斯坚持。法德尔担心的是用户怎么找歌曲，而乔布斯的观点是他们根本不需要找歌曲，歌曲可以随机播放。毕竟，所有的歌曲都是用户自己挑选的，他们只需要在碰到不想听的歌曲时按“下一首”跳过去。iPod Shuffle的广告词是：“拥抱不确定性。”

随着竞争者的踌躇不前和苹果的不断创新，音乐日益成为了苹果公司的一大块业务。到2007年1月，iPod的销售收入占到了苹果总收入的一半，同时也为苹果品牌增加了价值。然而更大的成功来自iTunes商店。自从在2003年4月发布后的6天内卖出100万首歌曲开始，iTunes商店在第一年一共卖出7 000万首歌曲。2006年2月，iTunes商店卖出了第10亿首歌曲，买家是来自密歇根州西布鲁姆菲尔德的16岁男孩阿历克斯·奥斯特洛夫斯基（Alex Ostrovsky），他买的是酷玩乐队（Coldplay）的《音速飞行》（*Speed of Sound*）。乔布斯亲自打电话向他祝贺，并赠送了他10部iPod、1台iMac，还有1张价值1万美元的音乐礼品券。2010年2月，乔治亚州的伍德斯托克，一位71岁的老人路易·舒尔策（Louie Sulcer）下载了第100亿首歌曲——约翰尼·卡什（Johnny Cash）的《世事如此》（*Guess Things Happen That Way*）。

iTunes商店的成功还带来了一个微妙的好处。2011年，出现了一种重要的全新商业模式：iTunes商店成了这样一项服务：能把信任它的用户的在线身份和支付信息收集起来。苹果与亚马逊、维萨（Visa）信用卡、贝宝（PayPal）在线支付、美国运通银行，以及其他一些服务商进行合作，将信任它们的用户收录进数据库，里面包含了用户的邮箱地址和信用卡信息，方便他们以安全和便利的方式进行在线购买。除了音乐，苹果还可通过在线商店提供杂志订阅服务，在订单达成之后，苹果将代替杂志出版商和订阅者建立直接的联系。随着iTunes商店开始销售视频、应用程序和订阅服务，截止到2011年6月，该数据库中已有2.25亿活跃用户，把苹果带入了数字商业的新时代。

第三十一章

Music Man

The soundtrack of his life

爱音乐的人

他生命中的音乐轨迹

2004 年，吉米 · 约维内、波诺、乔布斯与“刀刃”

他的iPod里面有什么歌？

随着iPod现象越来越热，从总统候选人、二线明星，到初次约会的人、英国女王，只要是戴着白色耳机的人，见面时都会被问到这样一个问题：“你的iPod里面有什么歌？”这个热门话题开始于《纽约时报》记者伊丽莎白 · 布米勒（Elisabeth Bumiller）在2005年初写的一篇文章。文章是分析时任美国总统的乔治 · W · 布什（George W. Bush）在被问到这个问题时的回答。她写道：“布什的

iPod里面大部分都是传统的乡村音乐。其中包括范 · 莫里森（Van Morrison），他的那首《棕色眼睛的女孩》（*Brown Eyed Girl*）是布什的最爱；还有约翰 · 弗格迪（John Fogerty）那首主打曲《中外场》（*Centerfield*）。”她还找来《滚石》杂志的编辑史蒂芬 · 列维分析布什的歌单。列维评论道：“有趣的地方在于总统喜欢的歌手都不喜欢他。”

史蒂芬 · 列维在《完美之物》（*The Perfect Thing*）一书中写道：“只要把你的iPod交给一个朋友、你初次约会的人，或者是飞机上那个坐在你身旁的陌生人，你就像一本书一样被打开了。所有人只需要用转盘浏览一遍你的歌曲库，从音乐角度上说，你就一丝不挂了。暴露的不仅仅是你的喜好——而是你是一个怎样的人。”所以，有一天，当我和乔布斯坐在他家的客厅里听音乐时，我让乔布斯给我看看他的iPod。他给了我一部他在2004年装满了音乐的iPod。

不出所料，这里面有迪伦的所有6张系列合辑，包括多年前在乔布斯刚刚迷上迪伦时，和沃兹尼亚克用磁带录下来的那几首当时尚未正式发行的歌曲。另外还有15张迪伦的其他专辑，从1962年的第一张《鲍勃 · 迪伦》开始，到1989年的《噢，仁慈》（*Oh Mercy*）。乔布斯花了很多时间和安迪 · 赫茨菲尔德及其他人争论迪伦后来的专辑——事实上，自从1975年的《路上的血迹》之后，迪伦的表现就不如从前了。但有一个例外就是2000年的电影《天才小子》（*Wonder Boys*）中的插曲《一切都已改变》（*Things Have Changed*）。不过，他的iPod里没有1985年的《皇帝讽刺剧》，这是赫茨菲尔德在乔布斯被赶出苹果的那个周末送给他的专辑。

他的那只iPod里的另一部分珍藏是披头士，包括7张专辑：《一夜狂欢》（*A Hard Day's Night*）、《艾比路》（*Abbey Road*）、《救我！》（*Help!*）、《顺其自然》（*Let It Be*）、《魔法神秘之旅》（*Magical Mystery Tour*）、《遇见披头士》（*Meet the Beatles!*），以及《佩珀中士孤心俱乐部乐队》（*Sgt. Pepper's Lonely Hearts Club Band*）。独唱专辑没有收录其中。接下来是滚石乐队的6张专辑：《情感救援》（*Emotional Rescue*）、《闪光点》（*Flash Point*）、《“跳回去”精选大碟》（*Jump Back*）、《一些女孩》（*Some Girls*）、《手指冒汗》（*Sticky Fingers*），以及《为你文身》（*Tattoo You*）。对于迪伦和披头士的专辑来说，乔布斯放进去的几乎都是整

张专辑，但是他也认为专辑可以并且应该被拆分，在他的iPod里，滚石乐队和其他歌手都是每张专辑收录了三四首歌。此外，他的播放列表里还有曾经的女友琼·贝兹的歌，是从4张专辑中挑选出来的，其中有两首不同版本的《爱就那么回事》（*Love Is Just a Four Letter Word*）。

这只iPod中的歌曲反映出他的主人是一个生活在20世纪70年代但心却埋在60年代的孩子。那个时候的艺术家包括了艾瑞莎（Aretha）、比比金（B.B. King）、巴迪·霍利（Buddy Holly）、布法罗·斯普林菲尔德乐队（Buffalo Springfield）、唐·马克林（Don Mclean）、多诺万（Donovan）、大门乐队（The Doors）、詹尼斯·乔普林、杰弗逊飞船乐队、吉米·亨德里克斯、约翰尼·卡什、约翰·麦文盖博（John Mellencamp）、西蒙和加芬克尔（Simon & Garfunkel），甚至还有演奏《我是一个信徒》（*I'm a Believer*）的门基乐队（The Monkees），以及演奏《乌利布利》（*Wooly Bully*）的Sam the Sham乐队。只有1/4的歌曲出自当时的流行歌手，比如一万个骗子乐队（10 000 Maniacs）、阿丽西娅·吉丝（Alicia Keys）、黑眼豆豆、酷玩乐队、蒂朵（Dido）、绿日乐队（Green Day）、约翰·梅尔（John Mayer，既是乔布斯也是苹果的朋友）、莫比（Moby，同上），以及波诺和U2乐队（同上）、席尔，还有"会说话的头"朋克乐队（Talking Heads）。古典音乐方面，有一些巴赫的曲目，包括《勃兰登堡协奏曲》。此外还有3张马友友的专辑。

2003年5月，乔布斯告诉雪儿·克罗他正在下载一些艾米纳姆的歌曲，还说"他已经开始进入我的生活了"。詹姆斯·文森特还带他去看了艾米纳姆的演唱会。即便如此，乔布斯也没有把这个说唱歌手放进他的播放列表里。在演唱会结束后，乔布斯和文森特说："我不知道……"他后来告诉我，"艾米纳姆是我欣赏的一个艺术家，但我只是不想听他的歌，他不能让我产生像我对迪伦那样的共鸣。"所以，乔布斯2004年的音乐收藏并不是最新潮的，但却是他生命中的音乐轨迹，20世纪50年代出生的人会与之产生共鸣，甚至非常欣赏。

在他装满那个iPod 7年之后，他的喜好并没有太大改变。2011年3月，iPad 2面市时，他把他喜欢的音乐转存到了里面。一天下午，我和他坐在他家的客厅，他的手指在全新的iPad上滑动，带着一种怀旧的情绪，点击着他想听的歌曲。

我们先听了一些迪伦和披头士的歌，然后他似乎心事重重，选择了一首格林高利圣咏——《主的灵》(*Spiritus Domini*)，是由本笃会僧侣合唱团（Benedictine monks）演唱的。他恍惚出神了一会儿，喃喃自语着："简直太美了。"之后，他播放了巴赫的《F大调勃兰登堡协奏曲》和《十二平均律曲集》中的一段赋格曲。他说，巴赫是他最喜欢的古典音乐家。他尤其热衷于比较格伦·古尔德（Glenn Gould）弹奏录制的两个版本的《戈登堡变奏曲》之间的区别。古尔德第一次录制是在1955年，当时他刚22岁，还是个没什么名气的小钢琴师；1981年第二次录制时，距离古尔德去世仅一年时间。在一个下午，乔布斯在按顺序播放完两个版本的《戈登堡变奏曲》后说道："它们就像白天与黑夜。第一版热情洋溢、年轻有活力，弹奏速度很快，像是神示；而第二个版本更加简洁，主题鲜明。你可以感受到一个经历丰富的灵魂，更加深沉而充满智慧。"那天是乔布斯第三次休病假期间，我问他更喜欢哪个版本。他说："古尔德本人更喜欢第二版。我以前喜欢早期的版本，有活力的那一版。但是现在我能感受到他在两次演奏之间所经历的一切。"

然后他从宏伟的古典乐跳到了20世纪60年代，播放了多诺万的《捕风》(*Catch the Wind*)。当看到我面露疑惑，他说："多诺万真的有些好作品，真的。"他切换到了《柔美之黄》(*Mellow Yellow*)，但他后来也说这首歌也许不是最好的证明。"我们年轻时觉得它更好听。"

我问他，有哪些我们童年时代的歌曲到如今都历久弥新。他浏览了iPod的播放列表，找到了感恩而死乐队1969年的歌曲《约翰叔叔的乐队》(*Uncle John's Band*)。他随着旋律点头轻唱起来："当生活看起来很简单时，危险正在你门外……"一时间，我们回到了那个躁动的、在冲突中戛然而止的60年代。"喔—哦，我想知道的是你还善良吗？"

然后，他换到了琼尼·米雪儿（Joni Mitchell）。他说："她把她的女儿送给别人收养了。这首歌就是关于这个女孩的。"他播放了《小小格林》(*Little Green*)，我们听着那悲伤的旋律和歌词："你用你的新姓氏签订所有的文件，你觉得悲伤而遗憾，但是你不必羞愧。小格林，希望你有个美好的未来。"我问乔布斯是否还会经常想起自己被收养的事情。他说："不，不怎么想。不太常想起。"

他说，那段日子，他想得更多的是关于成长，而不是自己的身世。这时他选择了琼尼·米雪儿最著名的一首歌《正反两面》（*Both Sides Now*），歌词是关于成长和智慧："现在我看人生，看得到两面。看到得与失，却仍然迷惘。那时以为的人生，也许是幻象。人生啊，我真的不知道。"就像格伦·古尔德先后两次录制《戈登堡变奏曲》一样，米雪儿也在很多年之后重新录制了《正反两面》，在1969年的第一版之后，她又在2000年录了一个哀伤婉转的版本。他播放了第二版，并说道："人们变老的过程真是有趣。"

他还补充道，有一些人并没有随着年龄的增长而更成熟。我问他想到了谁。他回答："约翰·梅尔是世界上最棒的吉他演奏家之一，但是我觉得他挥霍了大把时间，他的生活失控了。"乔布斯很喜欢梅尔，还偶尔请他在帕洛奥图吃晚饭。梅尔在27岁时参加了2004年1月的Macworld大会，当时乔布斯介绍了GarageBand录音软件。自那之后，梅尔就成了Macworld大会的常客。乔布斯点击了梅尔最重磅的歌曲《地心引力》（*Gravity*），歌词是关于一个充满爱的男人梦想着丢掉地心引力的方法："地心引力正在和我作对；地心引力要让我倒下。"乔布斯摇着头评价道："我觉得他本质上是一个很好的孩子，他只是失控了。"

在听歌环节的最后，我问了他一个早就被问滥了的问题："如果披头士和滚石乐队二选一，你会选哪个？"他回答："如果地下室着火了，我只能救出一套碟片，我想我会拿披头士的。但是更难的选择是在披头士和迪伦之间。有些人复制了滚石，但是没有人能复制迪伦或披头士。"当他正在沉思我们是何等幸运、能在成长道路上听到这么棒的音乐时，他18岁的儿子走进了房间。乔布斯感叹道："里德是不会理解的。"又或许里德能理解一些。他正穿着印有琼·贝兹的T恤衫，上面写着"永远年轻"（Forever Young）。

鲍勃·迪伦

在乔布斯的记忆中，唯一让他紧张得舌头打结的时刻就是见到鲍勃·迪伦。2004年10月，迪伦在帕洛奥图附近演出，当时乔布斯正处在第一次癌症手术后的恢复期。迪伦不是一个爱社交的人，不是波诺和鲍伊（Bowie）那样的人。迪伦从来都不能被称为是乔布斯的朋友，而且他也不在乎是或不是。不过，他曾邀请乔布斯在演唱会之前在他住的酒店见面。乔布斯回忆道：

> 我们坐在他房间外面的露台上，谈了两个小时。我真的非常紧张，因为他是我心目中的英雄之一。而且我也怕他本人不像我想象中那么聪明，或者他只是在“模仿”自己，就像很多人那样。但是我很高兴，因为他说话入木三分，他的一切都和我想象的一样。他非常开朗和真诚。他和我谈论他的生活，谈论写歌的过程。他说：“有时一些旋律就那么来了，我并不是刻意要作出曲子来。那样的事不会再有了，我怎么都不能再那样写曲子了。”他停顿了一下，然后用他沙哑的嗓音微笑着对我说：“但是我还是会哼出这些调调。”

迪伦再一次到附近演出时，他邀请乔布斯在演出前到他乘的旅行车上来坐坐。他问乔布斯最喜欢什么歌，乔布斯提到了《多余的清晨》(*One Too Many Mornings*)，于是迪伦当晚就唱了这首歌。演出结束后，乔布斯走在回家的路上，一辆旅行车驶过他身旁，发出了刺耳的刹车声，车门滑开了，“喂，你听到我为你唱的歌了吗？”依旧是迪伦沙哑的声音。然后车就开走了。当乔布斯讲到这段故事的时候，他表示非常欣赏迪伦的嗓音。他回忆道：“他是我心目中经久不衰的英雄之一。我对他的喜爱随着时间而生长，现在已经成熟。我无法想象他在那么年轻时就取得了成功。”

在演唱会见到迪伦之后的几个月，乔布斯想到了一个伟大的计划。iTunes商店将推出一套迪伦的打包专辑，里面收录了迪伦的每一首歌曲，总共超过700首，售价199美元。乔布斯将成为迪伦进军数字时代的监护人。但是迪伦的唱片公司属于索尼，而索尼的安迪·拉克对这笔生意并不感兴趣，除非iTunes作出一些让步。另外，拉克认为199美元的价格太低了，贬低了迪伦的价值。拉克说：“鲍勃是国家级的珍宝，而乔布斯要把他的作品以一个低价放进iTunes，把他商品化。”这就触及了拉克和其他唱片业高层人士与乔布斯争论的核心：是乔布斯成了价格制定者，而不是他们。所以拉克拒绝了乔布斯的合作建议。

乔布斯说：“那好吧，我直接给迪伦打电话。”但是迪伦也没有处理过类似事件，所以他交给他的助理杰夫·罗森（Jeff Rosen）来处理。

“这真的是个坏主意。”拉克对罗森说，并向他展示了一些数字。“鲍勃是史蒂夫的偶像，史蒂夫会给他开出更高的价钱。”无论是从生意还是从个人角度出发，拉克都不想让乔布斯得逞，甚至还想借机将他一军。所以他私下里和罗森达成协议：“如果你能暂时拖延一下乔布斯，我明天会给你100万美元的支票。”拉克后来解释说，这笔钱只不过是抵扣后续版税的预付金而已：“是很多唱片公司的一项财务处理程序罢了。”罗森在45分钟之后回了电话，接受了拉克的提议。他回忆道：“安迪和我们一起解决了此事，并请求我们不要和乔布斯合作，我们同意了。我想这是安迪给了我们一笔预付版税。”

不过，到2006年，拉克卸任索尼BMG的CEO，乔布斯开始了新一轮谈判。他寄给迪伦一台iPod，里面装着迪伦所有的歌曲，然后他向罗森介绍了苹果的营销计划。8月，他宣布了这一重大交易。迪伦允许苹果以199美元的价格打包出售他录制过的所有歌曲，再额外提供他的最新专辑《摩登时代》（*Modern Times*）的抢先预定。乔布斯宣布说：“鲍勃·迪伦是我们这个时代最值得尊敬的诗人和音乐家之一，而且他也是我个人的偶像。”这套773首歌的专辑还收录了42首稀有作品，比如：1961年在明尼苏达州的一间酒店录制的《涉水而行》（*Wade in the Water*）；1962年格林尼治村煤气灯咖啡馆（Gaslight Café）现场音乐会版本的《英俊的莫利》（*Handsome Molly*）；1964年纽波特民谣音乐节上现场弹唱的《铃鼓先生》（*Mr. Tambourine Man*），这也是乔布斯最喜欢的一个版本；还有1965年的《歹徒布鲁斯》（*Outlaw Blues*）清唱版本。

作为交易的一部分，迪伦还拍了一部关于iPod的电视广告，并推广他的新专辑《摩登时代》。这是“汤姆·索亚让他的小伙伴帮他给栏杆刷漆”[①]的一次惊世骇俗的翻版。在过去，让名人做广告需要支付一大笔钱。但是到了2006年，情况完全变了，很多艺人希望出现在iPod广告里，因为这样的曝光更容易走红。詹姆斯·文森特在几年前就预料到了这种情况，当时乔布斯还在想着怎么和一些音乐人联系，并支付给他们拍广告的费用。文森特回答说：“不用着急，情况很快就会变化。苹果是一个与众不同的品牌，甚至比大多数艺人的品牌更酷。我们可以给我们使用的每个乐队准备1 000万美元的媒体费用，但是应该先着重和他

① 《汤姆·索亚历险记》中的一段情节，讲汤姆·索亚是如何利用智慧让小伙伴们帮他刷漆而又得到了许多礼物的故事。

们谈我们给他们创造的机会，不要急于支付。”

李·克劳回忆起当时苹果和广告公司的确有一些年轻员工不愿意让迪伦出面做广告。克劳说：“他们都担心他不像以前那么受欢迎了。”乔布斯完全不予理会，能和迪伦合作已经让他激动万分了。

乔布斯开始格外关注迪伦广告的每一个细节。罗森飞来库比蒂诺，和乔布斯一起挑选广告里使用的歌曲，最后他们选中了《有一天，宝贝》(*Someday Baby*)。克劳先用替身代替迪伦制作了一个样片，乔布斯批准了，然后再派人去纳什维尔让迪伦本人拍摄。但是等正式的片子回来之后，乔布斯又不满意了。他说这不够特别，他想要一个新的风格。所以克劳又请了另一个导演，罗森又说服迪伦重新拍摄。这次沿用了iPod平面广告使用过的剪影风格，轻柔的背光下，迪伦戴着牛仔帽，坐在一张高脚凳上，抱着吉他漫不经心地边弹边唱；另一个镜头中，一个嘻哈风格的女子戴着报童帽、拿着iPod翩翩起舞。乔布斯很喜欢。

这则广告体现了iPod营销策略的“光环效应”：它为迪伦赢得了年轻一代的歌迷，就像iPod促进了苹果电脑的销售那样。在这则广告的推动下，迪伦的新专辑在发行后的第一周就跃居“公告牌”(Billboard)排行榜的第一名，超过了当时人气正旺的克里斯蒂娜·阿奎莱拉(Christina Aguilera)和说唱组合Outkast。自1976年的《渴望》(*Desire*)专辑以来，迪伦在30年后再次荣登宝座。《广告时代》杂志刊登了以“苹果对迪伦的推动作用”为题的文章，其中写道：“这次iTunes和迪伦的合作不是通常意义上的‘和明星签协议’，不是大品牌花巨资请一个明星代言那么简单。他们打破了陈规，这次是强大的苹果品牌为迪伦先生开拓了年轻歌迷的市场，并帮助他把专辑卖到了他们自从福特政府时期以来从没有到过的地方。”

披头士

在乔布斯珍贵的CD收藏中，有一张是自制的专辑，里面是约翰·列侬和披头士的《永远的草莓地》(*Strawberry Fields Forever*)，有十几个版本。它成为了印证乔布斯追求完美哲学的一组华彩乐章。安迪·赫茨菲尔德找到了这张CD，并在1986年复制了一张送给乔布斯，但乔布斯有时会和同事们说这是小野洋子给他的。一天，我坐在乔布斯帕洛奥图家中的客厅里，乔布斯在几个带有玻璃门的书架上翻腾了一通，把这张CD找了出来，然后播放给我听。他还向我描述了这张CD带给他的感悟：

> 这是一首复杂的歌曲。最有趣的是看到整个创意的过程，他们反复地修改，直到几个月后才创作出最满意的作品。列侬一直是我最喜欢的披头士成员。（当我们听到第一次录制过程中列侬让乐队暂停，然后重新修改旋律时，乔布斯笑了。）你听到刚才他们绕了一小段吗？但是效果不好，所以他们回去从头开始。这一版非常粗糙，听起来也就是普通人的水准。你其实可以想象，普通人也可以这样做，做到这个水平。不是在写词或构思方面，而是演奏。但是他们没有就此罢休。他们是那么追求完美、精益求精。在我三十几岁时，他们的这种精神给了我很大的影响。你完全可以看到他们为此付出了多少。
>
> 他们在每两次录音的中间都会做很多工作。他们不断地倒回、修改，直到接近完美。（当我们听到第三次录音时，他向我解释曲谱是如何变得更加复杂了。）在苹果公司，我们也经常用这种方法对待我们的产品。即使已经做出了一些新的笔记本电脑或iPod的样机，我们也会从某一个版本出发，不断地改进再改进，包括设计细节、按键，或者是功能操作。这需要大量的工作，但是最终产品会变得更好。很快，人们就会说："哇，他们是怎么做到的?! 有什么绝招？"

因此，我也能够理解乔布斯为何会为iTunes里缺了披头士极度不安了。

他和披头士的控股公司苹果唱片公司（Apple Corps）[①]的恩怨已经超过了30年，很多记者都用"漫长而曲折的道路"来形容二者之间的关系。矛盾开始于1978年，苹果计算机公司（Apple Computer）刚成立不久，苹果唱片公司就以"商标侵权"为由将它告上了法庭，因为披头士之前的唱片公司也叫做"苹果"。官司在3年后了结，苹果计算机公司赔偿了苹果唱片公司8万美元。双方还达成了协定（现在看来这真是个天真的协定）：披头士不得生产任何与计算机有关的

---

① 披头士乐队早在1968年就注册了名为"苹果"的唱片公司。

产品，而苹果计算机公司也不得推销任何与音乐有关的产品。

披头士乐队遵守了约定，没有一个成员参与计算机行业。但是苹果计算机公司却进军了音乐领域。于是，1991 年官司再起，原因是苹果电脑上增加了播放音乐文件的功能。又一次是在 2003 年，当时 iTunes 音乐商店刚刚发布。披头士的一名资深律师发现乔布斯是一个为所欲为的人，完全不会顾及法律的约束。2007 年，官司终于结束，判决苹果公司向苹果唱片公司支付 5 000 万美元，以获得全球范围内对“苹果”名称的使用权，并且允许披头士在唱片和控股公司中继续使用“苹果唱片”这一商标。

但是，还有一个问题没有解决，就是把披头士拉进 iTunes。为了促成合作，披头士和拥有他们大多数歌曲版权的百代唱片公司必须要针对数字版权的处理方式进行谈判。乔布斯后来回忆道：“披头士所有成员都希望把歌曲放进 iTunes，但是他们和百代就像老夫老妻那样，彼此厌烦却又不能分道扬镳。事实上，我最爱的乐队被阻碍进入 iTunes 是我非常希望解决的问题。”事实证明，他后来真的做到了。

波诺

波诺是 U2 乐队的主唱，他非常欣赏苹果的营销策略。这支来自爱尔兰都柏林的乐队曾是世界上最棒的乐队。2004 年，在乐队成立了将近 30 年之后，他们希望重整旗鼓。他们制作了一张非常棒的新专辑，其中有一首歌，主音吉他手“刀刃”（The Edge）[①]宣称这首歌是“摇滚乐之母”。波诺意识到他需要想办法给这首曲子一些推动力。于是他给乔布斯打了一个电话。

波诺回忆道：“我需要从苹果那里得到一个具体的帮助。我们有一首歌叫《眩晕》（*Vertigo*），里面有一段吉他的即兴片段，我认为非常有感染力，但是这种感染力需要人们听很多很多遍之后才能体现出来。”他担心通过电台宣传歌曲的方式已经过时了。所以波诺去乔布斯在帕洛奥图的家中找他，借着他们在花园里散步的机会，进行了一次“不寻常的推销”。多年来，U2 乐队曾拒绝了累计

① 本名戴维 · 荷威 · 伊凡斯（David Howell Evans），The Edge 是波诺给他取的绰号。

2 300万美元的广告邀请。而如今，他们想免费为乔布斯拍iPod广告——或者至少是进行一次双赢的合作。乔布斯回忆道："他们从来没有拍过广告。但是他们已经深受盗版下载的伤害，他们更喜欢iTunes的运作模式，而且他们认为，我们能把他们推广到年轻群体中。"

不仅是歌曲，波诺希望让乐队也出现在广告里。要是换成其他的CEO，都会在广告里尽可能多地展示U2乐队，但是乔布斯对此持保留态度。苹果从来不会在iPod广告里清晰地展现人物的脸孔，只有剪影。（当时还没拍迪伦的广告。）波诺回答说："你的广告里有苹果迷的剪影，那下一步为什么不做些艺人的剪影？"乔布斯认为这值得一试。波诺留下了一张尚未发行的专辑《如何拆除原子弹》（*How to Dismantle an Atomic Bomb*）给乔布斯听。波诺说："他是乐队之外唯一一个拥有这张专辑的人。"

一系列会谈就此开始。乔布斯开始和吉米·约维内进行商谈，他所在的环球音乐集团负责发行U2乐队的作品。乔布斯来到约维内位于洛杉矶荷尔贝山的家中，U2乐队的主音吉他手刀刃和经纪人保罗·麦吉尼斯（Paul McGuinness）也在场。另一次会谈是在乔布斯家的厨房，麦吉尼斯在日记本背面写下了合作细节。U2乐队将出现在电视广告片中，苹果要通过多个渠道大力推广U2的新专辑，从"公告牌"排行榜到iTunes主页。乐队不会获得直接的报酬，但是可以从U2特别版iPod的销售中分得版税。和拉克一样，波诺也认为艺人们应该从每一台iPod的销售中分成，他坚持这一原则，并用一种特定的方式为乐队作出了努力。约维内回忆道："波诺和我要求史蒂夫为我们制作一批黑色的iPod。我们不仅仅是赞助了广告，我们做的是品牌联合推广。"

"我们希望推出自己的iPod，和普通的白色版本不同。"波诺回忆道，"我们想做黑色的，但是史蒂夫说：'我们已经尝试过白色以外的其他颜色了，但是行不通。'然而当下一次见面时，他给我们看了一个黑色的，我们都觉得很好看。"

广告片的设计是U2乐队成员各自的近景镜头配合部分剪影，同时也有像往常一样的边听着iPod边跳舞的女人剪影。广告已经在伦敦开机了，然而苹果这边又出了状况。乔布斯还是不喜欢黑色的iPod特别版，而且版税和推广资金也没有最终决定。他打电话给监管广告公司的詹姆斯·文森特，告诉他把手头的工作暂缓。乔布斯说："我认为这么做不合适。他们没有意识到我们给了他们多少价值，这样下去真的很糟糕。我们想想其他的广告形式吧。"文森特是U2乐队的铁杆乐迷，他知道这则广告，无论是对乐队还是对苹果来说，影响力会有多大。他请求乔布斯给他一个机会，让他打电话给波诺，然后商量一下怎么把事情做好。乔布斯把波诺的手机号码给了他，于是文森特拨通了波诺的电话，他正在都柏林家中的厨房里。

波诺告诉文森特："我觉得这样不行。我们乐队是不会情愿这么做的。"文森特问他出了什么问题。波诺回答说："在都柏林，当我们还是少年时就说过，我们永远不会做'蹩脚'的事。"文森特虽然是一个熟悉"摇滚俚语"的英国人，但他还是不太明白波诺的意思。波诺解释说："就是不会为了钱而做一些垃圾的事情。我们热爱我们的歌迷，我们认为如果我们出现在广告里，会伤了他们的心。这种感觉很不好。我们很抱歉耽误了你们的时间。"

文森特又问，苹果还需要做些什么才能达成这次合作。波诺说："我们把我们认为最重要的东西都给了你们，那就是我们的音乐。但是你们为我们提供了什么？如果只是拍广告，我们的歌迷会认为我们在为你们服务。我们需要更多。"文森特还不知道iPod U2特别版的情况，也不清楚版税的安排，所以他把这些作为好处提了出来。文森特说："这是我们认为最有价值的回馈。"波诺从第一次和乔布斯见面起就在争取这些条件，并一直想办法敲定此事。"那就太好了，但是你要让我确信我们是否真的能这么做。"

文森特马上打电话给乔尼·艾弗，向他说明了情况。艾弗也是一个U2迷（他早在1983年就在纽卡斯尔看过他们的演唱会）。艾弗说他已经做好了一个黑色外壳配红色转盘的iPod，就像波诺要求的那样，配合《如何拆除原子弹》专辑封面的颜色。文森特打电话给乔布斯，并建议他让艾弗带着黑红配色的iPod去趟都柏林，乔布斯同意了。文森特又给波诺打了电话，问他是否认识乔尼·艾弗，没想到他们不仅见过，而且还彼此欣赏。波诺笑道："'认识'乔尼·艾弗？我简直是爱上这个家伙了。我情愿喝他的洗澡水。"

"那还真有点儿重口味。"文森特回答道，"那让他来拜访你，给你看看你们的iPod有多酷，怎么样？"

波诺说："我会开着我的玛莎拉蒂去接他。他还可以住在我家里，我还会带他出去喝酒，保证把他灌得烂醉如泥。"

第二天，就在艾弗飞往都柏林的途中，文森特马上去做乔布斯的工作，希望他转变心意。乔布斯说："我不知道我们是否在做正确的事情。我们不希望为任何人这样做。"他担心的是，一旦为某些艺人在每台iPod中抽版税的问题上开了先河，接下来会后患无穷。文森特向他保证和U2的合作只此一家。

"乔尼到了都柏林，我把他安顿在我的客房，很安静，向窗外眺望还可以看见铁轨和大海。"波诺回忆道，"他给我看了这款漂亮的黑色iPod，上面配着深红色的转盘，我说很好，我们就这么做吧。"他们还去了一家当地的酒吧，讨论了一些细节，然后打电话给库比蒂诺的乔布斯，问他是否同意。乔布斯针对合作的每一项细节和设计都讨价还价了一番，这着实让波诺印象深刻，他说："有这样一位如此注重细节的CEO真是太出乎我的意料了。"当一切都敲定之后，艾弗和波诺痛快地喝了几杯。他们都很喜欢酒吧。几杯下肚之后，他们决定给加州的文森特打电话。但是文森特不在家，所以波诺给他的电话答录机留了言——文森特说他永远不会删除这条留言："我正在和你的朋友乔尼在一起，在美得冒泡的都柏林。我们都有点儿醉了，而且我们对这个新的iPod赞不绝口，我甚至不敢相信它确实存在，而且就拿在我的手里。谢谢你！"

乔布斯在圣何塞租下了一座古典剧场，作为发布iPod电视广告和iPod特别版的场地。波诺和刀刃与他一起出现在舞台上。U2的新专辑在发行第一周就售出了84万张，而且长居"公告牌"排行榜的第一名。后来，波诺在接受媒体采访时表示，他是免费拍这个广告的，因为"U2从广告中获得的价值和苹果一样多"。吉米·约维内还补充道，这次合作将为乐队"争取到更年轻的听众"。

更为绝妙的一点在于，与计算机和电子产品公司合作，是摇滚乐队贴近时尚、吸引年轻一族的最佳方式。波诺后来解释道，并不是所有和企业的合作都是"与魔鬼做交易"。他告诉《芝加哥论坛报》的乐评人格雷格·科特（Greg Kot）："我们看一看，'魔鬼'是一群创意人才，比很多摇滚乐队的人更有创意。如果他们是一个乐队，那主唱就是史蒂夫·乔布斯。这些人设计出了音乐文化中继电吉他之后最美的艺术品，那就是iPod。艺术的作用就是驱赶丑陋。"

2006年，波诺和乔布斯又谈了一笔生意。这次是请苹果参与到波诺的“红计划”（Product Red）市场活动中来，这个活动呼吁为非洲的艾滋病预防项目募集资金、提升公众防病意识。乔布斯对慈善活动从来没什么兴趣，但这次他同意为波诺的活动做一款红色的iPod。不过他并不是很情愿，比如他不喜欢此次活动的商标设计：把公司名用圆括号括起来，再把“RED”（红色）一词放在括号的右上角，就像这样：（APPLE）RED。乔布斯坚持道：“我不希望把‘苹果’放在括号里。”波诺回应说：“但是史蒂夫，这是我们这个活动的统一标准。”他们的对话进入了白热化，一直到吐出了脏话，最后双方决定暂时搁置争议。最终，乔布斯作了一些妥协。波诺可以照自己的意思设计广告，但是苹果的任何一款产品、任何一家零售店都不能出现把“苹果”放进括号里的标示。新款iPod被标示为（PRODUCT）RED，而不是（APPLE）RED。

波诺回忆道：“乔布斯有时很火暴。但是那些时刻也让我们成为更亲密的朋友，因为在你的一生中也不会有几次机会和人进行如此富有激情的讨论。他非常有见解。在我们的活动结束后，我和他谈话，他总是能提出一些想法。”乔布斯和家人偶尔会去法国里维埃拉的尼斯，拜访波诺和他的妻子及4个孩子。在2008年的一次假期中，乔布斯租了一条船，划到波诺家附近。他们一起吃饭，波诺还为乔布斯播放他和U2乐队计划放进新专辑《消失的地平线》（*No Line on the Horizon*）中的歌曲。不过，即使他们是朋友，乔布斯仍然是一个强硬的谈判者。他们又尝试进行一次合作，为《穿上你的靴子》（*Get On Your Boots*）做广告和特别发行。但是他们没能达成共识。2010年，波诺因背部受伤取消了巡回演唱会，鲍威尔寄给他一个礼品篮，里面有一张《弦乐航班》（*Flight of the Conchords*）搞笑系列剧的DVD、一本书《莫扎特的大脑与战斗机飞行员》（*Mozart's Brain and the Fighter Pilot*）、自家花园采集的蜂蜜，以及一盒止痛膏。乔布斯在最后一样礼品上附了一张纸条，写道：“止痛膏——我喜欢这玩意儿。”

马友友

有一位古典音乐家，乔布斯既尊敬他的为人，又欣赏他的艺术造诣，这就是马友友，一位多才多艺的艺术家，他的人就像他的大提琴曲一样和蔼而深邃。他们在 1981 年相遇，当时乔布斯在参加阿斯彭国际设计大会，而马友友正在参加阿斯彭音乐节。乔布斯被马友友追求“纯粹”艺术的精神深深打动，并成为了他的乐迷。他曾邀请马友友去他的婚礼上演奏，但是马友友当时去了外地演出。几年之后，马友友来到乔布斯的家，坐在客厅里，拿出了他的 1733 斯特拉迪瓦里大提琴，演奏了巴赫的曲目。他告诉乔布斯夫妇：“这是我本来希望在你们的婚礼上演奏的曲子。”乔布斯泪流满面，告诉他：“你的演奏是我听过的最棒的，有如上帝驾临，因为我不相信一个凡人能做到这样。”在后来的一次拜访中，他们围坐在厨房里，马友友让乔布斯的女儿埃琳摸了摸他的大提琴。当乔布斯被确诊癌症后，他请求马友友答应在他的葬礼上演奏。

第三十二章

Pixar's Friends

...and Foes

皮克斯的朋友

……当然还有敌人

《虫虫危机》

在苹果开发出了iMac之后，乔布斯和乔尼·艾弗开车去了皮克斯，把iMac展示给那儿的伙伴们。乔布斯认为这款活力十足的机器能够吸引“巴斯光年”和“胡迪”的创造者，而且他很高兴看到艾弗和约翰·拉塞特都具备这种把艺术和科技有趣结合的天赋。

皮克斯就像一座避风港，得以让乔布斯排解在库比蒂诺的压力。在苹果，管理人员时而兴奋时而疲累，乔布斯情绪多变，经常把大家弄得不知所措。在皮克斯，编剧和插画师无论彼此合作还是和乔布斯在一起，都更加平和，举止行为也更加和善。换句话说，领导者的性格奠定了整个公司的风格，就如同苹果带着乔布斯的影子，而皮克斯也深受拉塞特的影响。

乔布斯陶醉于电影制作过程的趣味性，并深深着迷于魔法般的计算机特技，比如计算机模拟制作雨滴折射出阳光，或青草叶在微风吹拂下晃动。同时他也克制自己不要去控制创意过程。在皮克斯，他懂得了要给创意人员天马行空的自由空间。这在很大程度上是因为，他很欣赏拉塞特这样一位彬彬有礼的艺术家，能像艾弗一样，激发出自己最好的一面。

在皮克斯，乔布斯的主要任务是“谈生意”，他与生俱来的强硬态度绝对是个优势。在《玩具总动员》发行上映后不久，他就和杰弗里·卡曾伯格谈崩了。

卡曾伯格在 1994 年夏天离开迪士尼，加入了史蒂文·斯皮尔伯格和大卫·格芬的团队并成立了新的工作室——梦工厂。乔布斯认为，当卡曾伯格还在迪士尼工作时，皮克斯团队曾和他讨论过关于第二部电影《虫虫危机》（*A Bug's Life*）的内容，但卡曾伯格盗取了这个昆虫卡通动画电影的创意，在梦工厂制作了《小蚁雄兵》（*Antz*）。乔布斯说："当杰弗里还在运营迪士尼的动画业务时，我们就和他讲过《虫虫危机》的创意。在过去 60 年的动画片历史中，还没有人想过以昆虫为角色制作动画电影，拉塞特是第一人。这是他最精彩的创意之一。之后杰弗里离开了迪士尼，加入了梦工厂，他'一眨眼'就想到了一个动画电影的主题——哦！昆虫。他假装好像从没听过这个创意似的。他是个骗子，满嘴谎话。"

其实这并不是事实。真实的情况更加有趣。卡曾伯格在迪士尼时，从来没有听过关于《虫虫危机》的创意。但是在离开迪士尼去了梦工厂之后，卡曾伯格仍然和拉塞特保持着联系，而且还时不时地给他打电话，不过大都是"嗨，伙计！最近怎样，随便问问"之类的对话。所以，当拉塞特去环球影业旗下的特艺公司（Technicolor）时，路过梦工厂，他打电话给卡曾伯格，约出来见一面，在场的还有拉塞特的几个同事。卡曾伯格问他们下一步有些什么计划，拉塞特告诉了他。"我们向他描述了《虫虫危机》，以一只蚂蚁为主要角色，而且还给他讲了整个故事，主角组织其他蚂蚁并在一群昆虫马戏团演员的帮助下，一起打败了蚱蜢。"拉塞特回忆起那时的情景："我当时应该警觉一些的。杰弗里还一直在问我打算何时发行。"

1996 年初，拉塞特开始担心了。他听到一些传言说梦工厂正在制作一部关于蚂蚁的动画电影。他打电话给卡曾伯格，直截了当地质问他。卡曾伯格干咳了几声，闪烁其词了几句，然后问他是从哪里听到的。拉塞特又问了一次，这次卡曾伯格承认了。一向彬彬有礼的拉塞特大喊道："你怎么能这样？"

卡曾伯格说："我们很久以前就想到这个创意了。"并还解释说，这是梦工厂的业务发展总监和他提起的。

"我不相信你。"拉塞特回答。

卡曾伯格承认，他后来加速了《小蚁雄兵》的制作是为了和迪士尼的前同事竞争。梦工厂的第一部主要作品是《埃及王子》(*The Prince of Egypt*),计划在1998年感恩节期间上映。后来他听说迪士尼也计划在同一个周末首映皮克斯的《虫虫危机》,所以他加快了《小蚁雄兵》的进度,以迫使迪士尼改变《虫虫危机》的首映日期。

"去你妈的!"平时几乎没说过脏话的拉塞特彻底愤怒了。之后的13年里,拉塞特再没有和卡曾伯格说过一句话。

乔布斯怒不可遏,在发泄情绪这方面,他显然比拉塞特更放得开。他打通了卡曾伯格的电话,破口大骂。卡曾伯格提出了一个条件:如果迪士尼改变《虫虫危机》的首映日期,不和《埃及王子》竞争的话,他们就可以放慢《小蚁雄兵》的制作。乔布斯回忆道:"这是个无耻的敲诈,我不接受。"他告诉卡曾伯格,他无能为力,无法让迪士尼改变首映日期。

卡曾伯格回答:"你当然做得到。你连大山都可以搬动。你还教过我该怎么做!"他说,当皮克斯濒临破产时,是他给《玩具总动员》投了钱才拯救了整个公司。"我曾经这样支持你们,可如今你却帮他们来反咬我一口。"他认为,如果乔布斯愿意,完全可以放缓《虫虫危机》的制作而不被迪士尼知道。如果这样,卡曾伯格说他也会暂停《小蚁雄兵》的制作。"我根本不想谈。"乔布斯回答。

卡曾伯格的抱怨是有理由的。显然,艾斯纳和迪士尼打算用皮克斯的新电影来报复卡曾伯格离开迪士尼并创办同类动画工作室的行为。"《埃及王子》是我们制作的第一部作品,在我们宣布了首映日期之后,他们的安排很明显是带有敌意的。"卡曾伯格说,"我的看法和《狮子王》里说的很相似——如果你把爪子伸到我的笼子里来抓我,等着瞧。"

双方都没有妥协,这场"蚂蚁电影之战"也在媒体上炒得沸沸扬扬。迪士尼希望乔布斯保持安静,因为理论上看,过分夸大对手的不是,反而有益于《小蚁雄兵》的曝光。但是乔布斯没那么轻易被说服。"坏人们几乎要打赢了。"他告诉《洛杉矶时报》。作为反击,梦工厂精明的营销专家特里·普莱斯(Terry Press)说:"史蒂夫·乔布斯该吃药了。"

《小蚁雄兵》在1998年10月初首映了。这是一部不错的电影,伍迪·艾伦

（Woody Allen）还为这个生活在保守社会、渴望表达个人主义观点的神经质蚂蚁配了音。《时代》杂志报道称："这是伍迪·艾伦已久未制作的'伍迪·艾伦式'喜剧。"该片在美国获得高达 9 100 万美元的票房，全球票房达到 1.72 亿美元。

按照计划，《虫虫危机》将于 6 周后上映。这部动画电影更具史诗情节，灵感来自伊索寓言《蚂蚁与蚱蜢》的故事，并加入了更加精彩的电脑特技表现细节，使得银幕上从昆虫的视角看到的青草让人震撼。《时代》杂志的评论家理查德·科里斯对这些特效的喜爱之情溢于言表："电影的设计做得太精彩了——满银幕的树叶和迷宫，如同伊甸园，各种丑陋的、毛茸茸的、可爱又滑稽的角色——相比之下，梦工厂的电影就像收音机那样缺乏表现力。"《虫虫危机》的票房收入是《小蚁雄兵》的两倍，在美国本土达 1.63 亿美元，全球票房 3.63 亿美元（也一举打败了《埃及王子》）。

几年后卡曾伯格碰到乔布斯，试图重修旧好。卡曾伯格坚持说自己在迪士尼时从没听过关于《虫虫危机》的内容；如果听过的话，按照他和迪士尼的协议，他还能从利润中得到一些分成，所以他没有撒谎。乔布斯笑了，接受了这个说法。卡曾伯格说："我请你更改首映日期，你不同意，所以你也不能反对我保护自己的'孩子'。"他回忆，乔布斯当时"变得非常冷静，像个禅师"，并表示理解。但是乔布斯事后说，他从来没有真正原谅过卡曾伯格：

> 我们的电影票房胜过了他的。这种感觉好吗？不，我们仍然觉得很糟糕，因为人们开始谈论好莱坞人人都在做昆虫电影。他从约翰那里窃取了精彩的原创点子，而这是永远不能被取代的。这样做太没良心了，所以我永远不再相信他，即使事后他试图补偿也没用。在他的《怪物史莱克》（*Shrek*）获得成功后，他来找我，和我说"我变了，我现在完全平静下来了"诸如此类的屁话。我的回应是，得了吧，杰弗里。他工作很努力，但是我不想看到他的道德观成为这个世界的主流。好莱坞的人经常撒谎，这是个奇怪的现象。他们撒谎，是因为在这一行不用对自己的行为负责任。零责任。所以，他们都可以侥幸过关。

比打败《小蚁雄兵》更重要的，也是比这场战争更刺激的是，皮克斯证明了自己并不是昙花一现的奇迹。《虫虫危机》赚得的收入和《玩具总动员》相当，证明了第一次成功并不是偶然。乔布斯之后说："在商业界有个很经典的理论，叫做'第二个产品综合征'。"症结在于对第一个产品的成功缺乏理解。"我在苹果就对此深有体会。我的感觉是，如果做成了第二部电影，我们就成功了。"

"史蒂夫自己的电影"

《玩具总动员 2》在 1999 年 11 月上映，比第一部还要轰动，在美国获得 2.46 亿美元的票房，全球票房达到 4.85 亿美元。既然皮克斯的成功已经得到了认可，那么是时候盖一栋可以展示形象的总部大楼了。乔布斯和皮克斯的设施管理团队在爱莫利维尔市找到了德尔蒙食品公司（Del Monte）一个废弃的水果罐头厂，这是一个位于伯克利和奥克兰之间的工业区，就在旧金山海湾大桥的另一端。他们拆除了旧工厂，乔布斯委托苹果零售店的建筑师彼得 · 伯林（Peter Bohlin）为这块 16 英亩的区域设计一栋新大楼。

乔布斯关注着新大楼的每一个方面，从整体设计理念到建材和建造方式这些最细枝末节的地方。皮克斯总裁埃德 · 卡特穆尔说："史蒂夫坚信，设计对路的建筑物会对文化起到积极的作用。"乔布斯控制着大楼的建造，就像导演精心操控电影的每一个场景。拉塞特说："皮克斯大楼是史蒂夫自己的电影。"

拉塞特最初的想法，是建造一个传统样式的好莱坞工作室——各自独立的大楼为不同的项目服务，开发团队在单层建筑里办公。但是迪士尼的同事说，他们并不喜欢这样的新园区，因为团队之间有疏离感，乔布斯认同这个看法。实际上，他走向了另一个极端——一栋庞大的建筑围绕着中庭，为员工们的"偶遇"制造机会。

虽然生活在数字世界里，又或许因为他太了解数字生活带来的孤立感，乔布斯非常推崇面对面的交谈。他说："在我们这个网络时代，有一种想法认为，创意通过邮件和网络 iChat 聊天就可以被开发出来。这是个疯狂的想法。创意产生于自发的谈话和随机的讨论中。比如你偶遇某个人，你问最近在做些什么，然后你说'哇'，很快你就会蹦出各种想法。"

所以，乔布斯把皮克斯的大楼设计成了一个推崇“偶遇”和“计划外合作”的场所。他说：“如果一栋大楼没有这样的功能，你就会失去很多由于偶遇而产生的创意和奇想。所以我们设计这栋大楼的目的，是希望员工们走出办公室，多到中央中庭来走走，因为他们会遇到一些平时见不到的人。”大楼的前门、主楼梯和走廊都能通到中庭，那里有咖啡厅和信箱，几间能透过玻璃窗看到中庭的会议室，还有一座能容纳600人的剧场，以及两个小放映室。拉塞特回忆道：“史蒂夫的理论从第一天起就见效了。我接连遇见一些几个月都没碰见的人。我还从来没见过哪座大楼的设计能如此鼓励合作和激发创意。”

乔布斯更进一步，决定在整栋大楼里只建造两个大的卫生间，一男一女，和中庭连接在一起。皮克斯的总经理帕姆·克尔温回忆道：“他一定要坚持这么做。但我们有些人觉得这有点儿夸张了。有个怀孕的员工说她不能为了上厕所还要走上10分钟的路。这件事最后还引起了很大的争议。”这大概是拉塞特极少数不认同乔布斯的地方之一。最后他们妥协的结果是：在两层中庭的两边各设立两个男女卫生间。

根据设计，由于大楼的钢筋要外露出来，为了挑选出颜色和材质最好的，乔布斯看遍了美国各地所有制造商提供的钢筋样本。他最后选择了阿肯色州的一家工厂，让他们把钢材喷成纯净的颜色，并确保卡车司机在运输中丝毫不能磕碰。他还坚持要把所有的钢筋用螺栓固定，而不是焊接。他回忆道：“我们喷沙处理了钢材，并在表面刷了透明涂层，所以人们能看到钢筋的本来面目。建筑工人搭建的时候，他们可以让家人在周末过来参观。”

整栋建筑最古怪的地方就是“爱的酒吧”（The Love Lounge）。一个动画制作人在搬进自己的办公室之后，在后墙发现了一扇小门。门外是一条低矮的过道，可以由此爬到一个金属板覆盖的房间，里面是一些中央空调的阀门。这个制作人和他的同事“私吞”了这个秘密房间，用圣诞彩灯和熔岩灯装饰了一下，摆放了一些动物印花图案的长凳、几个流苏抱枕、一张可折叠的鸡尾酒桌、几瓶烈酒、一套吧台设施，还有印着“爱的酒吧”的餐巾纸。他们还在走廊里安装了一个摄像头，以便查看外面的动静。

拉塞特和乔布斯带来一些重要人物，并邀请他们在“爱的酒吧”墙上签名。

签名者包括迈克尔 · 艾斯纳、罗伊 · 迪士尼、蒂姆 · 艾伦（Tim Allen），以及兰迪 · 纽曼。乔布斯很喜欢这间屋子，但是因为他不怎么喝酒，所以他有时也把它叫做“禅房”。他说，这个房间让他回想起他和丹尼尔 · 科特基在里德大学时期的经历，但与毒品无关。

分家

2002 年 2 月，在呈给参议院委员会的一份声明里，迈克尔 · 艾斯纳严厉批评了乔布斯为苹果 iTunes 制作的广告：“某些计算机公司在整版的广告和广告牌上写着‘扒歌、混制、刻录’。换句话说，所有买这款计算机的人可以去偷窃，并把这个成果散布给他们的朋友。”

这并不是个高明的评论。它误读了“扒歌”（Rip）的意思，认为广告中有引导大众“偷窃他人财物”（Rip someone off）的嫌疑，其实这是指从 CD 上把文件输入计算机。更严重的是，这条消息彻底把乔布斯激怒了，艾斯纳应该预计到这一点——这仍然不高明。皮克斯最近刚推出了与迪士尼合作的第四部电影《怪物公司》（*Monsters Inc.*），并一举超过前三部，全球票房达到 5.25 亿美元。到了迪士尼和皮克斯即将续约的日子，艾斯纳并没有把事情变得更简单，还在参议院里公开拆台。乔布斯觉得难以置信，他打电话给迪士尼的一位高层人士发泄不满：“你们知道迈克尔对我做了什么吗？”

艾斯纳和乔布斯分别来自东西海岸，生活背景不同。但是两人有一个共同点，那就是拥有强大的意志力，并且不愿妥协。他们都热衷制造好的产品，而这也通常意味着苛求细节，批评起人来丝毫没有温言软语。为了研究出更方便的路线，艾斯纳曾经一遍一遍地搭乘迪士尼乐园动物王国的“野生动物号”（Wildlife Express），以提升游客体验；这和乔布斯不断研究 iPod 界面、希望把界面做得更加简洁的举动极为相似。然而，两人在管理人的方面的确都不怎么在行。

他们两个都擅长逼迫别人，却不喜欢被逼迫，所以当彼此试图去威慑对方时，气氛就变得很不愉快。遇到任何意见不合的情况，都倾向于认为对方在撒谎。此外，艾斯纳和乔布斯都不认为自己能从对方那里学到什么，而且他们谁也不可能先低头，哪怕是装作自己不懂而需要讨教。乔布斯把过失全都推到了艾斯纳身上：

> 我认为最糟糕的事情，就是皮克斯成功地让迪士尼重现活力，当迪士尼每况愈下时，皮克斯就一部接一部地推出精彩的电影。你可能会想，迪士尼的那位CEO会很好奇皮克斯是怎么做到这些的。但是在我们长达20年的合作中，他来皮克斯拜访的时间累计只有两个半小时，只是发表几句祝贺的话。他从来都没好奇过。我十分震惊。好奇心是很重要的。

这话说得严苛了一点儿，艾斯纳拜访皮克斯的时间不止这么短，有几次来的时候乔布斯也不在场。但是艾斯纳的确对皮克斯在艺术或技术方面的造诣没什么好奇心。同样，乔布斯也没有花什么时间学习迪士尼的管理方法。

乔布斯和艾斯纳正式开战是在2002年夏天。乔布斯一直都很欣赏沃尔特·迪士尼的创意精神，主要是因为他“培育”了一家能够沿袭几代人的公司。乔布斯把沃尔特的侄子罗伊看做是这一历史传承和精神的化身。罗伊依然在迪士尼的董事会里，虽然他和艾斯纳的矛盾也越来越大。乔布斯对罗伊说，在艾斯纳任职CEO期间，皮克斯不会和迪士尼续约。

罗伊·迪士尼和他在董事会里的一位亲密同伴斯坦利·高德（Stanley Gold）开始提醒其他董事关于皮克斯拒绝续约的事情。这促使了艾斯纳在2002年8月下旬向董事会所有成员发了一封措辞激烈的邮件，他坚信皮克斯最终会和迪士尼续约，一部分原因是因为迪士尼拥有皮克斯迄今为止制作的电影和动画人物的版权。他还补充，在皮克斯制作完《海底总动员》（*Finding Nemo*）之后，迪士尼将在谈判中居于更有利的地位。他写道：“昨天我们第二次看了皮克斯将在明年5月发布的新电影《海底总动员》。这将是对皮克斯这些工作人员的真实考验。这部电影虽然不错，但是没有他们之前的电影好。当然，他们肯定自认为很棒。”这封邮件出现了两个主要问题：第一，邮件透露给了《洛杉矶时报》，这让乔布斯暴跳如雷；第二，艾斯纳预测错了，大错特错。

《海底总动员》成为了皮克斯（也是迪士尼）到当时为止最火暴的作品，一举打败《狮子王》，成为了历史上最成功的动画电影，美国国内票房达到3.4亿美元，全球票房高达8.68亿美元。截至2010年，《海底总动员》的DVD也成为史上最畅销的DVD，累计售出了4 000万张。该片更是成为迪士尼乐园中最受欢迎的主题之一。此外，《海底总动员》的画面质感丰富细腻，在艺术方面成就非凡，还获得了奥斯卡最佳动画长片奖。乔布斯说："我喜欢这部电影，因为这是关于冒险，以及学会让你爱的人也去冒险的故事。"《海底总动员》的成功为皮克斯的现金储备增加了1.83亿美元，并为和迪士尼的最终摊牌准备了5.21亿美元的"战争资本"。

就在《海底总动员》制作完毕后不久，乔布斯向艾斯纳开价，但这种过于一相情愿的要求显然会被拒绝。相对于现有协议下的五五分成，乔布斯提出了一个新的协议——皮克斯将拥有电影和卡通人物的全部版权，而且只分给迪士尼7.5%的发行分成。另外，在现有协议下的最后两部电影——正在制作的《超人特攻队》（*The Incredibles*）和《汽车总动员》（*Cars*），将被转入新的协议下。

不过，艾斯纳还握着一张王牌。即使皮克斯不续约，迪士尼也有权制作《玩具总动员》和其他所有皮克斯制作过的动画电影的续集，而且迪士尼还拥有合作产生的所有卡通人物，从胡迪到尼莫，就像拥有米老鼠和唐老鸭一样。艾斯纳已经计划——或者说是威胁——既然皮克斯拒绝再做下去了，那就让迪士尼自己的动画工作室制作《玩具总动员3》。乔布斯说："当你听说有哪家公司要做《灰姑娘2》时，你肯定会觉得恐怖吧。"

艾斯纳在2003年11月迫使罗伊·迪士尼离开了董事会，但是这场混乱并未结束。罗伊·迪士尼发布了一封言辞尖刻的公开信，信中写道："公司已经丢失了焦点，丢失了创意的能量，也丢失了传统。"罗伊对艾斯纳的不满还包括没能让迪士尼与皮克斯建立一种积极的关系。到了这时，乔布斯已经决定不再与艾斯纳合作。所以在2004年1月，他公开宣布与迪士尼停止谈判。

通常情况下，乔布斯能够控制住自己，不会把在家里饭桌上和朋友探讨的过激言论公开化。但是这一次他忍不住了。在一次和记者的电话会议中，他说，当皮克斯在制作精彩的作品时，迪士尼动画正在生产"令人尴尬的旧衣服"。他嘲笑了艾斯纳的关于"迪士尼为皮克斯的电影作出了创造性贡献"的说法："事实上，我们已经多年没有和迪士尼在创意方面进行合作了。你可以比较我们的电影和迪士尼最近推出的三部电影在创意质量上的差别，两家公司的创意能力一目了然。”除了建立一支更好的创意团队之外，乔布斯还打赢了一场品牌大战，皮克斯对影迷的吸引力已经不亚于迪士尼。当乔布斯打电话给罗伊 · 迪士尼，帮他打气时，罗伊回答道：“我们认为皮克斯已经成为动画界最强有力而且是最值得信赖的品牌。等‘邪恶的巫婆’死去，我们又可以一起合作了。”

约翰 · 拉塞特对乔布斯决定与迪士尼分家的消息大为震惊。“我担心我的‘孩子们’，那些人会怎么对待我们创造出来的这些角色呢？”他回忆道，“就像匕首刺中了我的心。”拉塞特在皮克斯的会议室把这一消息告知其他高层人员时流下了眼泪；第二次流泪，是在皮克斯大楼的中庭里面向约 800 名员工讲话时。“这种感觉就像，你有一群可爱的孩子，而现在不得不放弃他们，而且还把他们交给了被控有虐童罪的人来收养。”之后，乔布斯走上中庭的讲台，试图让气氛平缓下来。他向大家解释了不再和迪士尼合作的原因，并保证：皮克斯作为一家具有标志意义的公司，一直在向成功的目标迈进。一位在皮克斯任职很久的技术人员奥伦 · 雅各布（Oren Jacob）说：“他有一种绝对的能力让你去相信他。突然之间，我们都有了信心，无论发生什么，皮克斯一定会成功的。”

迪士尼的首席运营官鲍勃 · 艾格（Bob Iger）不得不介入此事，控制损失。当周围的人正在喋喋不休的时候，他依然保持着理智和冷静。艾格来自电视行业，曾任美国广播公司（ABC Network）的董事长，该公司于 1996 年被迪士尼收购。他举止大方合宜，善于灵活处理事件；同时也懂得慧眼识人，具有幽默感，善解人意；为人低调不多言，才得以稳坐如今的位子。不同于艾斯纳和乔布斯，艾格处事冷静的性格使他懂得如何与过度自我的人交流。艾格回忆道：“史蒂夫通过宣布与我们停止谈判，获得了一些关注。我们现在进入了危机模式，为了把事情处理妥当，我也有所准备。”

从弗兰克 · 威尔斯（Frank Wells）任总裁开始，艾斯纳在迪士尼掌权已超过十年。威尔斯为艾斯纳减少了很多管理工作，才使得他能够专心出谋划策，提出有价值的建议，改进每一个电影项目、主题公园火车、电视节目以及其他产品。

但在 1994 年，威尔斯由于直升机失事不幸去世，之后，艾斯纳一直没有碰到合适的新人选。卡曾伯格提出接替威尔斯的职位，这就是艾斯纳把他挤走的原因。1995 年，迈克尔 · 奥维茨（Michael Ovitz）成为了新任总裁，但好景不长，奥维茨干了不到两年就离职了。乔布斯之后作出了如下评价：

> 在艾斯纳任职CEO的第一个十年中，他干得不错，但是在最后十年里，他真是差劲儿透了。弗兰克 · 威尔斯的去世成为了分水岭。艾斯纳是一个非常有创意的人，他提出了很多精彩的建议。所以当弗兰克负责运营时，艾斯纳像只蜜蜂一样穿梭于各个项目之间，提升每个项目的品质。但是当艾斯纳全盘接手运营时，他就变成了可怕的管理者。没有人喜欢为他工作。大家觉得自己没有被授权。他的战略计划团队就像盖世太保那样，在这里，如果没有得到批准，你一分钱都不能动用。不过，即使我和他的关系破裂，我依然尊重他在前十年取得的成就。而且我确实很欣赏他的某些性格。他是个有趣的家伙，聪明又机智。但是他也有黑暗的一面，他的自我过于膨胀。起初，艾斯纳对我还算合理公正，但十年来，随着相处的时间增加，我开始看到了他的黑暗面。

2004 年，艾斯纳最大的麻烦就在于他不知道动画部门已经一团糟了。最新推出的两部电影《星银岛》（*Treasure Planet*）和《熊的传说》（*Brother Bear*）并未达到迪士尼应有的水准，甚至没有达到收支平衡。动画片是迪士尼的命脉，正是它们衍生了主题公园、玩具和电视节目。一部《玩具总动员》成就了续集、一部迪士尼冰上表演、一部在迪士尼海上巡游船上表演的《玩具总动员》音乐剧、一部以“巴斯光年”为主角的电视电影、一本计算机故事书、两款电子游戏、销量达 2 500 万个的电动玩具、一条服装生产线，以及迪士尼主题公园里的 9 个场景。相比之下，《星银岛》可就没有这么好运了。

艾格后来解释道：“迈克尔还没有意识到，迪士尼在动画片上出的问题已经很严重了。这也反映到了他对待皮克斯的态度。他并不觉得他有多么需要皮克斯。”此外，艾斯纳喜欢谈判，痛恨妥协，而这种性格并不适合和乔布斯一起共事，因为乔布斯也是这种人。艾格说：“每一次谈判最终都要以妥协来收尾。但是他们两个谁都不愿作出让步。”

僵局在2005年3月的一个周六晚上被打破了。艾格接到了前参议员乔治·米切尔（George Mitchell）和迪士尼其他董事会成员的电话。他们告诉艾格，再过几个月，他将取代艾斯纳成为迪士尼的CEO。第二天，艾格起床之后，分别给他的女儿、乔布斯，以及约翰·拉塞特打了电话。他直截了当地说，他非常重视皮克斯，并希望能够达成合作。乔布斯非常兴奋。他喜欢艾格，甚至惊异于他们之间在冥冥之中的联系：他的前女友珍妮弗·伊根和艾格的妻子威罗·贝（Willow Bay）曾是宾夕法尼亚大学时期的室友。

那年夏天，在艾格正式接任之前，他和乔布斯进行了一次“试合作”。苹果将推出一款既能播放音乐又能播放视频的iPod，艾格想在iPod上面播放电视剧，但是在谈判中，乔布斯表示不想做得太公开，因为和往常一样，他希望在产品被正式发布之前保留神秘感。在当时有两部很受欢迎的美剧，《绝望主妇》（*Desperate Housewives*）和《迷失》（*Lost*），都是由美国广播公司（ABC）推出的。而美国广播公司恰好属于艾格的管辖范围。艾格拥有好几部iPod，从早上5点晨练一直用到深夜。他早就想着怎么能够把iPod和电视剧结合起来，所以立刻就决定植入美国广播公司最热门的电视剧。艾格说：“我们用了一个星期的时间谈这项合同，其中的条款比较复杂。这次合作很重要，因为史蒂夫会看到我是怎么做事的，而且这也会让每一个人看到，迪士尼其实是能够与史蒂夫合作的。”

为了发布这款带有视频功能的iPod，乔布斯在圣何塞租了一座剧院，还邀请了艾格作为“神秘嘉宾”。艾格回忆道：“我从来没有参加过苹果产品的发布会，所以我不知道这会是个多大的场面。对于我们的关系来说，这是一次真正的突破。他认为我是个技术专家，并且敢于冒险。”乔布斯又像往常一样进行了精彩的表演，首先是演示新款iPod的所有功能，它为什么能被称为“我们做过的最好的产品之一”，以及iTunes商店将开始销售音乐视频和短片。之后，按照他的习惯，他以“还有一件事”作为结束语——“新款iPod将开始销售电视剧。”全场顿时掌声如雷。他还提到了美国广播公司播出的两部最受欢迎的电视剧。“谁拥有美国广播公司？是迪士尼！我认识他们！”他兴高采烈地说。

艾格上台时，和乔布斯一样轻松自若。他说："史蒂夫和我最兴奋的一件事，就是精彩的内容和伟大的科技相结合。"他又补充道："今天能在这里宣布我们和苹果的关系又进了一步，我感到非常高兴。"在适度的停顿之后，他接着说："不是和皮克斯，而是和苹果。"

他们友好的拥抱也意味着，皮克斯和迪士尼的新一轮合作再一次成为了可能。艾格回忆道："这也体现了我对公司的运营方式。我希望创造出爱，而不是战争。我们曾经和罗伊·迪士尼、康卡斯特（Comcast）、苹果和皮克斯都有过战争。我希望改善和他们的关系，尤其是皮克斯。"

艾格与艾斯纳一起参加了香港迪士尼乐园的开幕式，这是艾斯纳在任职CEO期间的最后一次大动作。庆祝活动包括常规的迪士尼队伍在主街上的游行。艾格发现，在游行队伍中，近十年出现的最新的卡通人物都是由皮克斯打造出来的。他回忆道："我当时有一种恍然大悟的感觉。我站在迈克尔旁边，但是我什么都没有说，因为这就像一场对他这些年在动画业务管理上的控诉。继《狮子王》《美女与野兽》（*Beauty and the Beast*）和《阿拉丁》（*Aladdin*）之后的十年完全是一片空白。"

艾格回到伯班克之后作了一些财务分析。他发现在过去十年中，迪士尼在动画方面其实是亏损的，而且对附属产品的营销也没有什么推动作用。在接任CEO之后的第一次会议中，他向董事会报告了财务分析的结果。董事会成员也表现出愤怒，因为他们从来没有被告知过这些。艾格告诉董事会："随着动画片业务的开展，我们的公司却每况愈下。一部热卖的动画片对拉动全公司的业务有显著的效果，而我们经营的每一个分支却都处于衰落趋势——包括出现在游行中的卡通角色、音乐、主题公园、电子游戏、电视节目、互联网、消费产品。如果我们不能制造出有拉动效应的动画片，公司是不会成功的。"之后，他又给董事会提供了一些可供选择的方案：一、沿用现在的动画片管理模式，但他认为这样做不会有成效；二、重组董事会，但是他不知道该找谁来加入；最后一个方案就是收购皮克斯。他说："问题是我不知道皮克斯愿不愿意出售，如果他们愿意，那会是很大一笔钱。"董事会准许他去考察一下这笔交易的可能性。

这一次艾格用了不同寻常的方式。当他第一次和乔布斯提起这件事的时候，坦陈了自己在香港的感悟，他认为迪士尼是太需要皮克斯了。乔布斯回忆道："这就是我很喜欢鲍勃·艾格的原因，他是个心直口快的人。在谈判中这么早就泄露底牌是一种最愚蠢的做法，至少按照传统的规则来说是这样的。他就那么把他的牌摊在桌面上，说了句'我们完蛋了'。我立刻就喜欢上了这个家伙，因为我也是这种人。所以我们就马上把所有的牌都摊在桌上，看看他是在哪里摔的跟头。"（事实上，这并不是乔布斯惯常的操作模式。通常情况下，在谈判最初的阶段，他都会抱怨其他公司的产品或服务不好。）

乔布斯和艾格在帕洛奥图的苹果园区一起走了很久，又到了位于森尼韦尔的艾伦公司（Allen & Co.）的度假中心。起初，他们商定了一个新的发行计划：皮克斯将收回所有之前制造的电影和卡通人物的版权，作为回报，迪士尼将掌控皮克斯的一部分股权；对于未来的电影，皮克斯将向迪士尼支付一定的发行费用。但是艾格担心这么做会把皮克斯变成迪士尼的一个强大的竞争对手，即使迪士尼拥有一部分股权，也可能会造成不好的结果。

所以，他开始向乔布斯暗示，也许他们可以做得更大。他说："我想让你知道，关于这个问题我有个超出常规的想法。"乔布斯似乎很鼓励他把话说出来，他回忆道："没过多久，我们就明确了这场合作将以收购的方式进行。"

但是首先，乔布斯需要得到约翰·拉塞特和埃德·卡特穆尔的支持，所以他邀请他们来到家中。乔布斯开门见山："我们需要了解一下鲍勃·艾格。我们应该和他合作，帮助他重建迪士尼。他是个很不错的人。"

起初，拉塞特和卡特穆尔都对此表示怀疑。拉塞特回忆道："他能看出来，我们当时都很震惊。"乔布斯继续说："如果你们不想这么做，完全可以，但是我希望你们在决定之前认识一下艾格。我和你们的感觉一样，但是我越来越喜欢这家伙了。"他向他们讲述了当时是如何轻松地把美国广播公司的电视剧放在iPod上面的，然后补充道："这和艾斯纳时期的迪士尼简直是天壤之别。艾格是个直来直去的人，从来不会变幻无常。"拉塞特还记得，他和卡特穆尔坐在那里，听得目瞪口呆。

艾格开始了行动。他从洛杉矶飞到拉塞特所在的城市，到拉塞特家共进晚餐，见了他的妻子和家人，和他们聊到深夜。艾格还与卡特穆尔一道晚餐，之后独自拜访了皮克斯工作室，没有任何随行人员，也没有和乔布斯一起。艾格说："我和所有导演一一交谈，他们都向我推销自己的电影。"艾格对拉塞特的团队印象深刻，这一点令拉塞特很自豪，这也让他对艾格有了兴致。他说："在皮克斯，我从来没有像那天那样自豪过。我们所有的团队和推介讲演都很精彩。让鲍勃大吃一惊。"

实际上，在看了皮克斯准备在之后几年推出的作品——《汽车总动员》、《美食总动员》（*Ratatouille*）以及《机器人瓦力》（*WALL-E*）——之后，艾格对迪士尼的首席财务官说："天哪，他们的产品真不错。我们要把这笔生意谈下来。这关系到我们公司的未来。"他承认他对迪士尼制作的动画片没有信心。

双方最后商定，迪士尼将用 74 亿美元收购皮克斯的股份，乔布斯也将由此成为迪士尼最大的个人股东，拥有迪士尼近 7%的股份；相比之下，艾斯纳所拥有的股份仅为 1.7%，罗伊 · 迪士尼的股份为 1%。迪士尼动画将归属皮克斯，由拉塞特和卡特穆尔运营。皮克斯可以保留其独立身份，皮克斯的工作室和总部可以继续留在爱莫利维尔市，原有的电子邮件域名也可以继续使用。

艾格告知乔布斯，于某个周日的早晨带上拉塞特和卡特穆尔去参加一个在洛杉矶世纪城召开的迪士尼董事会的秘密会议，以示尊重他们在此次巨额交易中的地位。当三人准备从停车场出发时，拉塞特对乔布斯说："如果我一会儿兴奋得忘乎所以或者滔滔不绝，你就拍一下我的腿。"结果在会议中乔布斯还真的拍了一下他的腿，但除此之外拉塞特的推介演讲堪称完美。他回忆道："我讲了我们怎么制作电影，我们的理念是什么，我们之间的互信，以及我们是怎么培养创意人才的。"董事会问了很多问题，乔布斯让拉塞特回答了其中的大部分。乔布斯自己则谈到了把艺术和科技联系起来是一件多么令人兴奋的事情："这就是我们的文化理念，和苹果是一样的。"他说。艾格回忆道："每个人都惊讶于他们是如此引人注目和热情洋溢。"

然而，在迪士尼董事会通过收购决议之前，迈克尔 · 艾斯纳有些动摇，并试图阻止这次合作。他打电话给艾格说这个价格太贵了。"你可以自己解决动画片的困境。"艾斯纳说。艾格问："怎么解决？""我知道你可以的。"艾斯纳说。艾格有些生气了。"迈克尔，你自己都解决不了，凭什么认为我能做到？"

艾斯纳说他想召开一次董事会来反对这次收购——即使他已经不是董事会成员了，也不算是公司高层。艾格拒绝了，但是艾斯纳给公司的大股东沃伦·巴菲特（Warren Buffet）和董事长乔治·米切尔打了电话。这位前议员说服了艾格，让艾斯纳表达自己的意见。“我告诉董事会，我们不需要买下皮克斯，因为我们已经拥有了皮克斯制作的85%的动画片。”艾斯纳说道。他指的是对于皮克斯已经推出的电影，迪士尼已经可以从收入中获得一定比例的分成、有权制作所有电影的续集，并拥有所有卡通人物的版权。“我对他们说，现在皮克斯只有15%不属于迪士尼，所以你们将得到的也只有这15%，其他的就要看皮克斯接下来的电影如何了。”艾斯纳承认，皮克斯运营得很好，但是他认为好景不会太长。“我向大家列出了历史上屡获殊荣，却又走向失败的制片人和导演名单，都是斯皮尔伯格、沃尔特·迪士尼之类的人物。”他还计算了一下，要让这笔生意做得值得，皮克斯的每一部新片的收入必须要达到13亿美元。“我知道我把乔布斯气疯了。”艾斯纳事后回忆道。

在艾斯纳离开会议室之后，艾格逐项反驳了他的观点。“让我来告诉你们，他刚才的演讲中出现了哪些错误。”当董事会成员听完双方的观点之后，他们通过了艾格的提案。

艾格飞到爱莫利维尔去见乔布斯，并和乔布斯一起，向皮克斯的员工们宣布了收购的决定。但是在他们宣布之前，乔布斯和拉塞特还有卡特穆尔单独聊了一会儿。他说：“如果你们两个有任何一个人有异议，我可以告诉他们‘谢谢，不必了’，然后取消这个交易。”他说这句话的时候并不很情愿。在当时的形势下，取消这个交易几乎是不可能的了。但是乔布斯还是听到了他期待的回应。“我觉得可以。”拉塞特说，“我们就这么做吧。”卡特穆尔也同意了。三人拥抱在了一起，乔布斯流泪了。

之后，所有人都聚集到了中庭。乔布斯宣布：“迪士尼要收购皮克斯了。”一些员工哭了，但是当乔布斯解释了这次合作的内容之后，员工们开始明白，从某种程度上来说，这其实有一些反向收购的意味。卡特穆尔将成为迪士尼动画部门的负责人，而拉塞特将出任首席创意官。讲话的最后，大家都欢呼喝彩。艾格本来站在边上，乔布斯邀请他来到中间的舞台上。当他讲到皮克斯特立独行的文化，以及迪士尼是多么需要培养这种文化并向皮克斯学习时，人群中爆发出热烈的掌声。

“一直以来，我的目标不仅仅是制作杰出的作品，还要建立卓越的公司。”乔布斯之后说道，“沃尔特·迪士尼做到了。以这样的方式合并之后，皮克斯仍然是一家卓越的公司，同时我们也帮助迪士尼保持着卓越公司的地位。”

第三十三章

21st Century Macs

Setting Apple apart

21世纪的Mac

苹果脱颖而出

蛤、冰块和向日葵

自从1998年推出iMac后，乔布斯和乔尼·艾弗将诱人的设计变成了苹果电脑的招牌。他们推出了橙色蛤壳式笔记本电脑，以及标榜“禅意”、外观如冰块般的专业台式电脑。有些产品就好比你从衣橱角落里翻出的喇叭牛仔裤，当时看起来比现在回想起来要更好；这些产品体现出苹果对设计的热爱，这种热爱有时过于强烈。但是，苹果因此脱颖而出，并获得了在“Windows世界”中生存所需要的名气。

苹果公司2000年推出的Power Mac G4 Cube非常迷人，最终进入纽约现代艺术博物馆。该产品是一台边长只有8英寸的完美立方体，跟舒洁（Kleenex）面巾纸盒一般大小。它是乔布斯审美观的纯粹表达。它的精密源于极简主义风格。该机器从外部看不到按钮；没有CD托盘，只有一个微小的插槽。同早期的麦金塔一样，该款产品也没有风扇。纯粹的禅意。“当看到一个外表如此贴心的东西时，你会想，‘噢，哇，内部一定也非常精细’。”乔布斯在接受《新闻周刊》采访时说道，“我们通过简化去除多余的东西，取得进步。”

G4 Cube并非虚有其表，其功能也很强大。但是，该产品并不成功。它已然被设计成一款高端台式电脑，但是乔布斯想要将其推向大众市场，就像他的几乎所有产品一样。结果，Cube在两个市场的表现都不好。普通的专业人士并不追求在自己的桌上放一台宝石般的雕塑，而大众市场消费者宁可购买一款平淡无奇的台式机，也不愿花两倍的价钱买这款产品。

乔布斯曾预计，苹果公司每季度将卖出 20 万台 Cube。但在其销售的第一季度，只卖出了预计销量的一半。第二季度，销量低于 3 万台。乔布斯后来承认，Cube设计过度且定价过高，就像当年的NeXT电脑一样。但是，渐渐地，乔布斯吸取了自己的教训。在制造iPod这类设备时，他会控制成本并作出必要的权衡，让产品能够在预算内按照预定时间发布。

2000 年 9 月，苹果公司的营收不佳，部分原因是Cube的销售业绩太差。当时，科技泡沫开始破裂，苹果公司在教育市场正处于衰落状态。苹果公司的股价之前一直处于 60 美元以上，在一天之内下跌 50%；至同年 12 月初，其股价已低于 15 美元。

但这些都没能阻止乔布斯继续推动个性鲜明，甚至是喧宾夺主的新设计。当纯平显示器具备了商业可行性后，他决定用新产品取代iMac；iMac是一款半透明的台式电脑，就像《杰森一家》里的东西。艾弗想出了一个有些传统的模型，将电脑主机和纯平显示器合而为一。乔布斯不喜欢这个提议，一如在皮克斯和苹果常做的那样，他立即决定重新思考方案。他觉得艾弗提出的设计缺少纯粹性。“如果你要把所有东西都塞到显示器后面，那干吗要纯平的显示器？”乔布斯向艾弗发问道，“我们应该让每个元素都忠于它本身。”

当天，乔布斯早早回到家，开始仔细考虑这个问题，并把艾弗也叫来了。他们漫步走进花园，乔布斯的妻子在花园里种了许多向日葵。“每年我都在花园里做些疯狂的事儿，当时就是种了很多向日葵，给孩子们一个满是向日葵的家。”她回忆道，“乔尼和史蒂夫当时正在思考产品的设计问题，然后乔尼问，‘把屏幕像向日葵那样和底座分离开来怎样？’他感到很兴奋，并开始画起了草图。”他很喜欢用自己的设计来表达一个故事，他意识到，向日葵造型能传达出纯平显示器的流畅性和出色的响应能力，仿佛随时可以迎着太阳转动。

在艾弗的新设计中，Mac的屏幕连着一个铬合金活动支颈，这样整个显示器不仅看上去像向日葵，也让人联想到《顽皮跳跳灯》中小台灯的俏皮个性，该动画片是约翰 · 拉塞特为皮克斯制作的第一部短片。苹果为这一设计申请了许多专利，大多数都计入艾弗名下，但就其中一项设计——“平板显示器和底座之间由一个活动组件连接”，乔布斯将自己列为主要发明者。

现在回想起来，苹果麦金塔的一些设计似乎有点儿太过可爱了。然而其他电脑制造商处于另一个极端。人们以为计算机行业应该充满创新，但实际上，这一行业充斥着设计粗糙的通用型电脑。戴尔、康柏和惠普这些公司，曾经贸然地尝试过新造型并把电脑喷涂成蓝色，后来也都将电脑制造外包出去，并展开价格竞争。苹果凭借大胆的设计和开创性的应用，如iTunes和iMovie，成为唯一有所创新的企业。

英特尔芯片

苹果公司的创新并非流于表面。1994年起，该公司就一直在使用PowerPC芯片，该微处理器由IBM和摩托罗拉联合生产。在当时几年的时间里，该芯片比英特尔公司生产的芯片更快，苹果公司曾在自己的幽默广告中吹捧过这一点。然而，当乔布斯重回苹果时，摩托罗拉在生产新版本芯片方面已开始落后。这引发了乔布斯和摩托罗拉CEO克里斯 · 高尔文（Chris Galvin）的争吵。1997年，乔布斯回到苹果后，立即决定停止授权同类电脑制造商使用麦金塔操作系统。他打电话向高尔文提议，如果摩托罗拉加速研发可用于笔记本电脑的新版威力芯片，那么苹果公司可能会考虑为摩托罗拉破例，授权其StarMax Mac兼容机使用麦金塔操作系统。两人的对话越来越激烈。乔布斯对高尔文说，摩托罗拉的芯片烂透了。高尔文也是个有脾气的人，立即反驳。乔布斯挂了他的电话。摩托罗拉停止生产StarMax电脑，而乔布斯则开始暗中计划抛弃摩托罗拉/IBM的威力芯片，转而投向英特尔的怀抱。换芯片并不容易，这相当于要重新编写整个操作系统。

乔布斯并没有给予董事会任何实质性权力，但他还是秘密同董事会成员一起从各个角度讨论想法，并仔细思考战略。会议中，他会站在白板前，主导自由讨论。就是否应该转移至英特尔架构，董事们讨论了18个月。“我们就这个事情进行辩论，提出了很多问题，最终一致决定有必要这么做。”董事会成员亚瑟 · 莱文森回忆道。

保罗 · 欧德宁（Paul Otellini）时任英特尔公司总裁，后来成为该公司CEO；

他开始与乔布斯私下碰头。两人相识于乔布斯努力保全NeXT公司的时候，欧德宁后来回忆，“他的傲慢态度那时还算有所收敛。”欧德宁待人冷静幽默，2000 年过后的最初几年，他和乔布斯谈生意的时候，发现乔布斯“暴躁脾气又回来了，不像当初那样谦恭”，但欧德宁并不生气，反而觉得很有趣。英特尔公司与其他电脑制造商也有合作，乔布斯希望拿到比那些公司更好的价格。“我们必须用有创造性的方式来谈拢数字。”欧德宁说。两人的大多数谈判都在散步时完成，这是乔布斯喜欢的方式。有时他们会沿着斯坦福校园内的小径，一路漫步到山丘上。散步开始时，乔布斯会以一个故事开头，阐述自己如何看待计算机演进的历史，而散步结束时，已经在就具体数字讨价还价了。

“人们都觉得英特尔是个难对付的合作伙伴，这是安迪 · 格鲁夫和克雷格 · 巴雷特（Craig Barrett）掌管英特尔时给人的印象。”欧德宁说，“而我想要告诉大家，英特尔是一家可以合作的公司。”于是，英特尔派出一支精干团队与苹果公司合作，在 6 个月的期限内成功完成了芯片转换。乔布斯邀请欧德宁参加苹果公司百杰集思会。欧德宁身着兔子装一样的英特尔实验室外套，拥抱了乔布斯。2005 年两家公司就合作发表了公开声明，一向矜持的欧德宁又一次做出了同样的举动，大屏幕上出现了“苹果和英特尔，终于在一起”。

比尔 · 盖茨对此感到惊奇。他对于设计色彩花哨的电脑机箱并无兴趣，但是秘密换掉电脑内部的CPU，并能按时无缝完成，这是他真正钦佩的壮举。多年后我采访盖茨，提起乔布斯的成就，他告诉我：“如果你说，好，我们现在要换掉微处理器芯片，但是一拍都不能落下，这听起来是不可能的，但他们基本做到了。”

期权

乔布斯的怪癖之一便是对于金钱的态度。1997 年重回苹果时，他把自己描述为这样一种人：可以为 1 美元的年薪工作，为的是公司的利益，而非个人利益。但是，对于不受惯常的董事会审查和业绩考核约束的巨额期权激励政策（即授予大量以一个既定价格购买苹果股票的权利），他却推崇备至。

当他于 2000 年初甩掉了头衔中的“临时”二字，正式成为了CEO，他从埃德·伍拉德和董事会那里得到了一大笔期权（还有那架飞机）。有悖于他一直以来所表现出那种不贪财的形象，他索要的期权数量甚至比董事会最初的提议还要多，令伍拉德大跌眼镜。不过就在他将这些期权收入囊中后没多久，这一切都变得毫无意义。受累于Cube令人失望的销量，加之互联网泡沫的破裂，苹果股价于2000年9月一泻千里，令这些期权变得一钱不值。

雪上加霜的是，《财富》杂志2001年6月刊登了一篇题为“薪酬大盗CEO”的封面报道，直指CEO薪酬过高的问题。那期杂志的封面上就是扬扬得意的乔布斯。虽然他所持有的期权此时并无价值，但在这些期权被授予的当时，技术估值方法（被称为“布莱克-斯科尔斯估值法”）给它们的定价是8.72亿美元。《财富》声称这“绝对是”有史以来给予CEO的最丰厚的一笔报酬。真是悲惨至极。用4年的艰辛工作带领苹果成功复苏的乔布斯兜里几乎没有一分钱，此时却成了贪婪CEO的典型代表，这让他看起来像是一个伪君子，也损害了他的自我形象。他给编辑写了一封言辞激烈的信，表示自己的期权实际上“价值为零”，既然《财富》报道的价值是8.72亿美元，他愿意打个五折把这些期权卖给《财富》。

与此同时，鉴于旧的期权看起来已经一文不值，乔布斯希望董事会能授予他另外一大笔期权。他对董事会坚称，这样做更多的是为了让自己获得应有的认可，而不是发大财，也许这也是他内心的一种信念。“这跟钱并没有多大的关系。”后来在证券交易委员会就这些期权提起的一起诉讼中，乔布斯在作证时说了这样一句话，“每一个人都希望得到其他人的认可……我觉得董事会当时并没有真正地认可我。”由于他的期权已经没有价值，他认为董事会应该主动向他提出新的股权激励，而不是等他开口索要。“我认为我的工作很出色，这会让我感觉好一些。”

事实上，乔布斯亲手选定的董事们并没有亏待他。他们于2001年8月决定授予他另外一大笔期权，当时公司的股权略低于18美元。问题在于，乔布斯还担心个人形象问题，特别是在《财富》发表那篇文章之后。除非董事会同时取消旧的那笔期权，他不想接受这些新的期权。但这样做在财务上会有负面的影响，因为这实际上等于期权的重新定价，会要求冲减当期的赢利。避免这个“可变会计”问题的唯一方法就是在新期权授予至少6个月后再取消旧的期权。此外，乔布斯开始就新期权的授予速度问题与董事会讨价还价。

直至 2001 年 12 月中旬，乔布斯才接受了新的期权，而且又等待了 6 个月之后才取消了旧的期权。但那个时候，苹果股价（经过分股后的调整）已经上涨了 3 美元，达到了 21 美元。如果行权价定在这个新的水平，那么每一份期权的价值便会下降 3 美元。于是苹果的法律顾问南希 · 海宁（Nancy Heinen）在分析了近期的股价之后，帮着选定了 10 月份的某一天为基准，那一天的股价是 18.30 美元。她还签批了一系列的会议记录，刻意显示董事会是在这一天批准这个期权计划的。对乔布斯来说，这种日期倒签的做法可能价值 2 000 万美元。

最终，乔布斯又一次在分文未得的情况下遭到了公众的恶评。苹果股价持续下跌，到 2003 年 3 月，即使是新的期权都已经一钱不值，乔布斯不得不用这些期权换取了价值 7 500 万美元的直接股票激励——从他 1997 年返回公司直至 2006 年新期权授予完毕，这相当于他每年入账 830 万美元。

如果《华尔街日报》没有在 2006 年就期权的日期倒签现象刊登那个影响巨大的系列报道，这一切本来算不了什么。报道中并没有提到苹果公司的名字，但苹果的董事会委派了一个 3 人委员会（阿尔 · 戈尔、谷歌的埃里克 · 施密特，以及曾在IBM和克莱斯勒任职的杰里 · 约克）对公司的内部行为展开了调查。"一开始我们就决定，如果史蒂夫确实负有责任，我们不会姑息迁就。"戈尔回忆说。委员会发现了乔布斯以及其他一些高管的期权激励中的违规之处，并立即向证券交易委员会递交了调查结果。报告中说，乔布斯对日期倒签行为是知情的，但他最终并没有从中获得经济利益。（迪士尼公司董事会的一个委员会也发现，皮克斯公司在乔布斯主政期间也曾有过类似的日期倒签行为。）

针对这类日期倒签行为的法律模糊不清，特别是，苹果公司最终并没有一个人从这种有疑问的期权政策中获益。证券交易委员会用了 8 个月的时间完成了调查，并于 2007 年 4 月宣布不会对苹果采取行动，这"部分是基于公司对委员会调查工作迅捷、全面、出色的配合以及（它）及时的主动汇报。"尽管证券交易委员会发现乔布斯对日期倒签行为确实知情，但撇清了他有任何不当行为的嫌疑，因为他"对会计上的影响并不知情"。

但证券交易委员会控告了当时担任董事的前首席财务官弗雷德 · 安德森以及

公司法律顾问南希·海宁。退役空军上尉安德森长着一个方方的下巴，为人极度正直，曾以他的机智与平和对公司施加重要影响，以擅长控制乔布斯的臭脾气而闻名。证券交易委员会仅控之以“疏忽”责任，无非涉及某些期权政策（不是给乔布斯的那些）中的文书工作，而且允许他继续出任企业的董事。但是，他最终辞去了苹果董事一职。当戈尔的委员会讨论其调查发现时，安德森和乔布斯均已被免除了出席董事会议的义务，最终，两人又在乔布斯的办公室里单独相见。这是他们最后一次谈话。

安德森认为自己成了替罪羊。当他与证券交易委员会达成和解，他的律师发布了一份声明，将某些罪责加到了乔布斯的头上。声明说，安德森已经“提醒过乔布斯先生，高管团队的股权激励必须以实际的董事会决议那一天为基准定价，否则可能出现一笔会计费用”。而乔布斯回答说“董事会之前已经批准了”。

海宁最初奋起反击对她的指控，最终同意和解，交了一笔罚金了事。类似的，苹果公司本身也同意支付1 400万美元的损失赔偿金，了结了一起股东诉讼。

在某些方面，乔布斯在薪酬问题上的立场与他的停车怪癖有异曲同工之处。他拒绝使用CEO专有车位，却霸占了残疾人停车位。他希望被（他自己和其他人）看成一个愿意为1美元年薪工作的人，却又希望得到大笔的期权。从一名反主流文化的叛逆者变为一名商业创业者，他自身充满了矛盾。他希望在心灵上得到的启迪和感悟，与他通过股票和期权获得的财富并无关联。

第三十四章

Round One

Memento mori

第一回合

死之警示

Courtesy of Mike Slade

在乔布斯 50 岁生日派对上，劳伦 · 鲍威尔搂着伊芙，埃迪 · 库埃、约翰 · 拉塞特（拿着相机），以及李 · 克劳（留着胡子的）

癌症

乔布斯后来推测，自己之所以会得癌症，是因为 1997 年辛苦工作了一整年，同时管理着苹果公司和皮克斯。由于两头奔忙，他患上了肾结石和其他疾病，到家后会虚脱得说不出话来。“癌症可能就是那个时候开始生长的，因为当时我的免疫系统非常弱。”他说道。

并没有证据表明疲劳和免疫系统薄弱会导致癌症。不过，乔布斯的肾脏问题间接让医生发现了癌症。2003 年 10 月，乔布斯偶然碰到了自己的泌尿科医生，她让乔布斯作一下肾脏和输尿管的CAT扫描；他之前一次CAT扫描检查还是在 5 年前。这一次的扫描显示肾脏没有问题，但却发现胰脏有一层阴影。于是，她叫乔布斯安排一次胰腺检查，但他并未听从。一如既往，乔布斯会刻意忽视自己不想处理的事情，但是医生坚持一定要作检查。“史蒂夫，这很重要，”几天后她对乔布斯说，“你需要检查一下。”

她的语气十分迫切，乔布斯不得不听从。他一大早就去了医院，在研究过扫描结果后，医生们告诉了他一个坏消息，他的胰脏上有个肿瘤。其中一位医生甚至建议他尽快安排好后事，换言之，就是说乔布斯只有几个月的寿命了。当天晚上，医生们将内窥镜从乔布斯的喉咙放入肠内，以便将一根探针深入他的胰脏，从而获取一些肿瘤细胞进行活组织切片检查。鲍威尔回忆说，医生检查完后高兴得哭了。因为那是胰岛细胞或是胰腺神经内分泌肿瘤，很少见，但生长较慢，因而更容易成功治愈。乔布斯很幸运，能及早发现这一肿瘤，这也算是定期肾脏检查的意外发现，这样，医生就能够在肿瘤大面积扩散前进行手术切除。

拉里 · 布里连特是乔布斯第一批电话通知的人之一，两人当年在印度静修时相识。“你还相信上帝吗？”乔布斯问他。布里连特说相信，然后两人开始讨论印度大师尼姆 · 卡罗里 · 巴巴曾教给他们的通向上帝的几条路径。布里连特询问乔布斯有什么不妥，乔布斯回答说：“我得了癌症。”

亚瑟 · 莱文森当时是苹果公司董事会成员，他正在主持自己的基因泰克公司的董事会会议，电话响了，屏幕显示是乔布斯打来的。会议休息时间刚到，他就赶忙打给了乔布斯，得知了肿瘤的消息。莱文森有癌症生物学背景，基因泰克公司研制癌症治疗药物，于是莱文森成了乔布斯的顾问。英特尔公司的安迪 · 格鲁夫也一样，他成功对抗了前列腺癌。乔布斯在那个周日联系了格鲁夫，他立刻驱车赶往乔布斯家，一待就是两小时。

令朋友和妻子感到害怕的是，乔布斯不愿进行肿瘤切除手术，而手术是唯一可行的治疗方法。那之后几年过去，乔布斯对我说，“我当时真的不想让他们把我的身体切开，因此我努力寻找其他可行的方法。”言语中略带一丝遗憾。具体来说，他找的方法就是实行严格的素食，摄入大量新鲜胡萝卜和果汁。除此之外，他还进行针刺疗法，尝试各种草药疗法，有时也会采用在互联网上或在美国各地寻医问药获得的疗法，甚至还请过灵媒。有一阵子，他受到一位在加利福尼亚州南部开设自然疗法诊所的医生影响，这个医生主张使用有机药草，果蔬汁断食，经常洗肠、水疗，并发泄自己所有的负面情绪。

"最大的问题在于他还没准备好要开刀，"鲍威尔回忆说，"很难强迫一个人这样做。"但她还是尝试了。她对乔布斯说，"身体是为精神而存在。"乔布斯的朋友也多次劝他接受手术和化疗。"有一次，他告诉我他尝试通过吃些杂七杂八的草根进行治疗，我说你疯了吧。"格鲁夫回忆道。莱文森说，自己"每天恳求"乔布斯进行手术治疗，却发现"挫败感非常强烈，因为自己没法儿说服他"。这种分歧甚至差点儿让两人友谊破裂。"癌症不是这么治的，"当乔布斯谈论自己的饮食疗法时，莱文森坚持说道，"不动手术，想依靠这些有毒的化学物质来除掉肿瘤，根本不可能。"饮食医生迪恩 · 奥尼什（Dean Ornish）是使用替代疗法和营养疗法的先驱，在一次陪乔布斯长时间散步时，甚至他也坚持认为传统的手术治疗有时是正确的选择。"你真的需要动手术。"奥尼什对乔布斯说。

自 2003 年 10 月肿瘤确诊以来，乔布斯顽固地坚持了 9 个月。这部分是因为其现实扭曲力场的不良影响。"我觉得，史蒂夫强烈渴望世界按照自己所设想的那样运行，"莱文森推测道。"有时这是行不通的，现实是无情的。"另一部分原因则在于，乔布斯有着可怕的意志，能够完全忽略自己不想处理的事情。这给他带来了许多重大突破，但也可能造成适得其反的效果。"他能够忽略自己不想面对的东西，"他的妻子解释说，"他天生就是这样。"无论是与家庭和婚姻有关的个人问题，还是涉及工程或业务的专业问题，或是癌症和健康问题，乔布斯有时干脆就置之不理。

乔布斯认为自己能把事情变成所希望的样子——他妻子称这为"异想天开"——以前，他也的确能够如愿以偿，然而他的癌症却是个例外。鲍威尔发动了乔布斯所有亲近的人，包括他妹妹莫娜 · 辛普森，想要让他回心转意。最终，2004 年 7 月，CAT 扫描结果显示肿瘤已长大并可能扩散。这令他不得不面对现实。

2004 年 7 月 31 日，周六，乔布斯在斯坦福大学医学中心接受了外科手术。

他所进行的并非是完整的"魏普尔手术"——切除大部分胃和肠道，及全部胰脏。医生们考虑过实施完整的手术，但最终决定不采用如此彻底的做法，而只是切除了乔布斯的部分胰脏。

手术后第二天，乔布斯在医院病房用PowerBook连接到AirPort Express无线基站，给公司员工发送了一封邮件，宣告自己完成了手术。他安慰员工们，自己所患的胰腺癌类型"在每年确诊的各种胰腺癌病例中只占1%，如果发现得及时（我就是），可通过手术切除治愈"。他表示自己不需要化疗或放疗，并计划于9月复工。"在离开的这段时间，我已让蒂姆 · 库克负责苹果公司的日常运营，因此我们不应该乱了阵脚，"他写道，"我敢肯定，8月份，我会经常联系你们中的一些人，并期待在9月见到你们。"

手术带来的一个影响对乔布斯来说很成问题，原因在于他近乎强迫的饮食习惯，以及从十几岁起就一直坚持的节食和禁食的怪异实践。胰脏会分泌出一种酶，让胃消化食物并吸收营养，部分胰脏被切除后，人体就难以获得足够的蛋白质。因此，患者应该多餐，并保持营养丰富的饮食，食用各种肉类、鱼类蛋白质，以及全脂牛奶。但乔布斯从来没有这样做过，也永远不会这样做。

他在医院住了两周后，挣扎着进行力量恢复。"我记得回来以后，坐在那个摇椅上，"他边说边指着客厅里的那张摇椅，"我没有力气走路。休养了一个星期后，我才能在街区走动。我强迫自己走到几个街区之外的花园，然后再走到更远的地方，不出6个月，我的精力基本都恢复了。"

不幸的是，癌细胞扩散了。在手术中，医生们发现肝脏上有三处转移。如果不是拖了9个月才手术，医生们也许可以在癌细胞扩散前就把整个肿瘤切除，虽然这也并不确定。乔布斯开始接受化疗，这进一步加剧了他在饮食上面临的挑战。

斯坦福大学毕业典礼演讲

乔布斯隐瞒了他继续与癌症抗争的实情，告诉大家，他已被"治愈"了，这一如他2003年10月癌症确诊后的缄口不言。这样保密并不稀奇，它是乔布斯本性的一部分。更为令人惊奇的是，他决定公开谈论自己的健康问题。除了登台演示产品，乔布斯平时很少作演讲，但他仍然接受了斯坦福大学2005年毕业典礼的演讲邀请。在癌症确诊之后，即将 50 岁的他，处于一种反思状态。

为了完成演讲，乔布斯找到了杰出的编剧艾伦 · 索金（Aaron Sorkin），其作品包括电影《好人寥寥》（*A Few Good Men*）和《白宫风云》（*The West Wing*）。索金答应帮忙，于是乔布斯给他发了电子邮件，表达了自己的一些想法。乔布斯回忆道："当时是 2 月，他没有回复。于是 4 月的时候我又发了一次邮件，他说'哦，好啊。'然后我又发了些新想法给他，后来终于电话联系上了，他不停地说'嗯'，但是一直到 6 月初，他什么都没给我。"

乔布斯有点儿不安。以前产品展示的脚本都是他自己写的，但是他从来没有在毕业典礼上作过演讲。一天晚上，他开始自己撰写演讲稿，除了征求妻子的意见，没有其他任何人的帮助。他写出了一篇非常亲切简洁的讲话稿，充满朴实的个人感受，是完美的乔布斯作品。

美国作家亚历克斯 · 黑利（Alex Haley）曾说过，演讲最好的开场是"我来给你们讲个故事吧"。没人愿意听别人说教，但是人人都喜欢听故事。而这正是乔布斯选择的演讲方式。他的开场白是这样的："今天，我想向你们讲述我人生中的三个故事，就是这样，没什么大不了的，三个故事而已。"

第一个是从里德学院退学的故事。"我不用再去上自己不感兴趣的必修课，可以去听更有趣的课程。"第二个故事是被苹果公司解雇如何变成了对自己有益的经历。"成功的沉重又重新被初学者的轻松所取代，对所有事情都不再那样确信。"尽管现场有架飞机拖着一张敦促乔布斯"回收所有电子废物"的条幅，不停地在演讲场地上方盘旋，但是学生们都听得异常专注。不过，深深吸引他们的是第三个故事——确诊患有癌症及这一事实所带来的想法。

> 记住自己很快就要死了，这是我面对人生重大选择时最重要的工具。因为，几乎一切——所有外界的期望，所有骄傲，所有对于困窘和失败的恐惧——这些东西都在死亡面前烟消云散，只留下真正重要的东西。记住自己终会死去，是我所知最好的方式，避免陷入认为自己会失去什么的陷阱。你已是一无所有，没理由不追随内心。

乔布斯的极简主义，令这场讲话简洁、纯粹，充满魅力。无论文集里还是

YouTube上，你都找不到更好的毕业演讲了。有些演讲可能更重要，如乔治 · 马歇尔（George Marshall）1947年在哈佛大学的演讲，宣布重建欧洲的计划。但是，没有哪个演讲比乔布斯的更富魅力。

50岁的雄狮

乔布斯的30岁和40岁生日都是和硅谷名人及各界名流共同庆祝。但是，2005年，在他做完癌症手术后，妻子为他的50岁生日举办了一个惊喜派对，主要邀请了他最亲密的朋友和同事。派对在朋友们位于旧金山的家中举行，著名大厨爱丽丝 · 沃特斯呈上了来自苏格兰的鲑鱼、北非名菜库斯库斯，还有各种田园时蔬。沃特斯回忆说："场面温馨亲密极了，大人小孩都坐在一起。"娱乐活动是一出即兴表演，由《对台词》（*Whose Line Is It Anyway?*）的演员表演。乔布斯的好朋友迈克 · 斯莱德（Mike Slade）也去了，还有来自苹果公司和皮克斯的同事，包括拉塞特、库克、席勒、克劳、鲁宾斯坦和泰瓦尼安。

在乔布斯病休期间，库克把公司打理得很好。在他的带领下，苹果公司个性十足的员工们表现良好，同时，库克又避免让自己进入公众视线。在某种程度上，乔布斯喜欢强势的人，但是他从未真正让他人代理自己的工作或分享自己的舞台。做他的替补很难，出风头了该死，不出众也该死。库克成功避开了这些危险。在发号施令时，他冷静果断，但同时，他并不追求别人的注意与喝彩。"有些人反感什么好处都算在史蒂夫头上，但是我对这些从来都不在乎，"库克表示，"老实说，我希望自己的名字从不出现在报纸上。"

乔布斯病假结束回到苹果后，库克重新做回自己以前的工作——紧密地整合苹果公司各个行动部门，也依然平静地面对乔布斯的怒气。"我知道，人们会把史蒂夫的一些评论误会成大叫大嚷或干脆反对，但事实上那只是他表达激情的方式。我就是这样面对他的情绪化作风的，我从不觉得他是在针对我。"在很多方面，库克都和乔布斯截然相反：他镇定，情绪稳定（正如NeXT机器中安装的辞典所解释的那样），属于土星型而非水星型的。"我是个谈判高手，但他可能比我更好，因为他大胆又冷静。"乔布斯后来表示。又夸赞了库克几句之后，乔布斯不动声色地说出了自己的保留意见，"但蒂姆本身不是搞产品的人。"他是认真的，但很少这么说。

2005 年秋，乔布斯任命库克为苹果公司的首席运营官。当时他们共同飞往日本，乔布斯并没有征询库克的意见，直接告诉他说："我决定让你担任首席运营官。"

那段时间里，乔布斯的老朋友乔纳森 · 鲁宾斯坦和阿维 · 泰瓦尼安决定离开苹果。他们分别是硬件和软件方面的团队管理者，1997 年，乔布斯回归苹果后重新聘用了他们。泰瓦尼安已经赚了很多钱，准备退休。"阿维是个出色的家伙，人很好，比鲁比更踏实，不自大。"乔布斯说，"阿维的离开是苹果公司的一个巨大损失，他独一无二，是个天才。"

鲁宾斯坦的离职略有争议。他对于库克的晋升感到不满，也因为他在乔布斯手下工作了 9 年，身心疲惫。他们的争吵越发频繁。还有一个实际问题：鲁宾斯坦曾多次与乔尼 · 艾弗发生冲突，艾弗曾在鲁宾斯坦手下工作，现在直接向乔布斯汇报。艾弗经常挑战工程制造的极限，作出目眩神迷但难以实现的设计。鲁宾斯坦天性谨慎，他的工作则是用一种可行的方式来组建硬件，于是他常常否决艾弗的设计。"话说回来，鲁比以前是在惠普工作，"乔布斯说道，"他从来不会深入探究，他没什么进取心。"

有一次，苹果需要为Power Mac G4 制作用来固定提手的螺丝。艾弗认为这些螺丝也应该进行抛光和塑形。但鲁宾斯坦认为，这样做的成本将是"天文数字"，而且会将项目推延数周，于是否决了这个想法。他的工作是提供产品，也就意味着有权衡决策的权力。艾弗认为这种做法不利于创新，于是直接越过鲁宾斯坦找到乔布斯，同时还绕过他联系中级工程师。"鲁比会说，不能这么做，会拖延工期。我就说，我觉得可以。"艾弗回忆道，"我也确实知道可以，因为我已经背着他找过产品团队。"在这次和其他事件中，乔布斯都站在艾弗这边。

有时，艾弗和鲁宾斯坦互不相让，几乎大打出手。最后，艾弗跟乔布斯说："选我还是他。"乔布斯选择了艾弗。至此，鲁宾斯坦已经准备离开。他和妻子在墨西哥购置了一处地产，他想休息一段时间，在那儿建造一个家。后来，他进入奔迈公司（Palm）工作，该公司想要与苹果公司的iPhone竞争。对于奔迈公司聘请自己的前员工，乔布斯十分愤怒，开始向波诺抱怨。波诺是一家私人股本集团的联合创始人，该集团由苹果公司前首席财务官弗雷德 · 安德森掌管，并持有奔迈公司的控股权。波诺给乔布斯回信道："你应该淡定点儿。你这样就好像披头士因为赫尔曼的隐士（Herman's Hermits）乐队带走了自己的巡演工作人员而发毛一样。"乔布斯后来承认自己反应过度。"他们的彻底失败减轻了这件事造成的伤害。"他说。

乔布斯建立起了一支新的管理团队，争议更少，服从更多。除了库克和艾弗，主要成员还包括：斯科特 · 福斯托（Scott Forstall），运营iPhone软件；菲尔 · 席勒，负责市场营销；鲍勃 · 曼斯菲尔德（Bob Mansfield），制作Mac硬件；埃迪 · 库埃，处理网络服务；以及彼得 · 奥本海默（Peter Oppenheimer），担任首席财务官。虽然这一顶级管理团队的成员看似一样——都是中年白人男性，但他们风格各异。艾弗情绪化，富有表现力；库克如钢铁般冷静；他们都知道自己应该对乔布斯恭敬有加，但同时也需要反驳他的想法并乐于与之争论。这个平衡很难拿捏，不过他们都做得很好。库克说："我很早就意识到，如果你不说出自己的意见，他就会把你赶走。他会采取对立的立场以激发更多讨论，因为这样做可能会带来更好的结果。因此，如果你不习惯反对他的想法，那么就无法在苹果待下去。"

自由发表意见的重要场所是每周一上午的管理团队会议，上午 9 点开始，持续三四个小时。库克会用 10 分钟作图表展示，说明公司的运转状况，之后大家会就公司的每样产品进行广泛讨论。讨论的重点常常着眼于未来：每款产品接下来该怎么做，应该开发哪些新东西？乔布斯会利用这个会议加强苹果公司的共同使命意识。这种集中式控制，使得苹果公司犹如一个完好的苹果产品那样紧密整合在一起，并且防止了部门之间的斗争，这种斗争令分散式管理的企业陷于窘境。

乔布斯还利用这个机会强调公司的焦点所在。当年在罗伯特 · 弗里德兰的农场，他的工作是给苹果树剪枝，以让它们茁壮成长，这一举动后来成为了他精简苹果公司的隐喻。乔布斯不鼓励每个团队出于营销的考虑增加产品线，也不允许主意满天飞，他坚持苹果公司一次只着重于两三个优先项目。"在无视身边噪音这方面，没有人比乔布斯做得更好。"库克说道，"这样，他就能够集中精力于几件事情上，拒绝其他许多事情。很少有人擅长于这一点。"

在古罗马，当胜利的将军凯旋时，传说会有一个仆人，在他身边重复“死亡警示”(memento mori)。意思是，记住你终会死亡。必死的警示有助于英雄们正确地看待事物，培养谦逊的性格。乔布斯的死之警示来自医生，但这并未让他谦逊起来。相反，在手术恢复后，他的叫嚷更富激情，生怕自己用来完成使命的时间所剩无多。正如他在斯坦福大学演讲时所说的那样，疾病提醒着自己，已没有什么可失去的，因此他应该全速向前、锐意进取。“他带着一种使命回来了。”库克说，“虽然他现在是在掌管一家大企业，但他不断采取一些大胆的举动，我觉得除了他，任何人都不会这么做。”

有那么一阵子，有迹象，或者至少有希望表明，乔布斯的个人风格有所缓和，癌症和 50 岁的来临让他在心烦意乱的时候少了几分粗野。泰瓦尼安回忆说：“手术后刚回到公司的时候，他完全没有耐心。如果他不高兴，他会冲人大吼大叫，或者怒气冲天地咒骂对方，但是不会做出彻底摧毁对方的举动。他那样只是为了让对方做得更好。”泰瓦尼安说完沉思了片刻，然后补充道：“除非他觉得某人真的很差，必须走人，这种情况每过一阵子就会出现。”

然而不管怎样，坏脾气的人毕竟回来了。大多数同事对此早已习惯，而且他们也知道如何应付。最让他们心烦的地方在于，乔布斯的怒气会惹恼陌生人。艾弗回忆说：“有一次我们去全食超市买沙冰，做沙冰的是个年纪比较大的女人，乔布斯抱怨她做沙冰的方式，把对方搞得很烦。后来他又很同情那个女人，说‘她年纪比较大，也不想做这种工作。’他根本就没有把这两件事联系起来，一副全然与此无关的样子。”

在与乔布斯的一次伦敦之行中，艾弗负责挑选酒店，这是份吃力不讨好的差使。他最终选择了亨佩尔酒店（The Hempel)，这是一家静谧的五星级精品酒店，有着精致的极简主义风格，艾弗觉得乔布斯会喜欢。然而刚一登记入住，艾弗就打起精神，准备迎接乔布斯的责难。果然，一分钟后电话响了。“我讨厌这房间，”乔布斯说道，“狗屎一样。我们走。”于是，艾弗拿上自己的行李，来到前台。面对一脸惊愕的服务员，乔布斯直截了当地说明了自己的想法。艾弗意识到，包括他自己在内的大多数人，如果觉得某样东西很拙劣，通常不会直接说出来，因为不愿招人厌恶，“这其实是一种虚荣的性格。”这种解释过于宽容。不管怎么说，乔布斯没有这种特质。

艾弗天性善良，因此很困惑乔布斯这样一个让他深深喜爱的人，为什么会有这种行为。一天傍晚，在旧金山一间酒吧里，他俯下身来，认真地向我分析了这一点：

> 他是个非常非常敏感的人。这就是他有反社会行为、粗鲁和如此肆无忌惮的原因之一。我明白脸皮厚和绝情的人为什么会很粗鲁，但是我不明白敏感的人为什么也会这样。有一次我问他，为什么会对一些事情如此生气。他回答说："但是我没有一直生气。"他就是有这种非常孩子气的特点，会为某些事情格外较真儿，但又不会一直这样。但是说真的，也有另一些时候，他非常沮丧的时候，他的宣泄方式就是去伤害别人。我觉得，他认为自己有这样做的自由，社交的正常规则并不适用于他。因为他非常敏感，也清楚地知道如何能够真正地伤害某人。他也确实会这样做，但并不经常如此，只是偶尔。

乔布斯失控时，经常会有一个聪明的同事把他拉到一边，让他平静下来。李 · 克劳便是个中高手。"史蒂夫，我能跟你谈谈吗？"他会在乔布斯公开贬低别人时轻声说道。克劳会走进乔布斯的办公室，向他解释大家是如何努力工作的。有一回，克劳说："你羞辱别人，只会让对方变弱，而起不到激励作用。"这时，乔布斯就会道歉，说自己明白了。但是之后，他还是老样子。"我就是这样。"他会这样说。

然而，在对比尔 · 盖茨的态度上，乔布斯确实更加成熟了。1997 年，微软曾同意继续为麦金塔电脑开发优秀的软件，但一直谈判未果。此外，微软一直以来在复制苹果公司的数字中枢战略上都失败了，这也弱化了作为苹果竞争对手的身份。盖茨和乔布斯在产品和创新上采用了截然不同的方式，而两人之间的竞争也给彼此带来了惊人的自我意识。

2007 年 5 月的数字大会（All Things Digital）上，《华尔街日报》的专栏作家沃尔特 · 莫斯伯格和卡拉 · 斯威舍（Kara Swisher）努力想让盖茨和乔布斯接受一次联合采访。莫斯伯格先邀请了乔布斯，乔布斯并不经常参加这样的会议，他表示如果盖茨去自己就会去，这令莫斯伯格感到惊讶。听闻此事后，盖茨也接受了采访邀请。但是，《新闻周刊》对盖茨的采访差点儿令该计划搁浅。该周刊的记者史蒂芬 · 列维就苹果公司的“Mac对决PC”电视广告发问时，盖茨爆发了——该系列广告拿Windows用户开涮，将其塑造成十足的笨蛋，而将Mac描绘成新潮的产品。“我不明白他们为什么要表现得自己高人一等的样子，”盖茨说道，情绪越来越激动，“诚实在这些广告里不重要吗？或者，就算你真的很酷，是不是就意味着能随心所欲地撒谎？这里面一丝一毫的事实都没有。”列维又火上浇油，询问新的Windows操作系统Vista是否抄袭了Mac的许多特性。“如果你真的关心事实，可以自己去查一下，看看到底是谁先展现出这些东西的，”盖茨回应道，“如果你只是想说，‘史蒂夫 · 乔布斯造出了世界，我们其他人只是跟着他亦步亦趋’，那随便你。”

乔布斯打电话给莫斯伯格表示，鉴于盖茨在《新闻周刊》采访中所说的话，进行联合采访没什么意义。但是莫斯伯格成功将事情扳回正轨。他希望这一晚间联合采访是一次亲切友好的讨论，而不是辩论会。但是当天早些时候，乔布斯单独接受莫斯伯格采访时，对微软进行了猛烈抨击，莫斯伯格的希望似乎要落空了。当提及苹果公司为Windows电脑制作的iTunes软件非常受欢迎时，乔布斯开玩笑说：“这就像是往地狱里的某人身上浇冰水一样。”

当晚的联合采访开始前，乔布斯和盖茨会在嘉宾休息室里见面，莫斯伯格很担心。盖茨与助手拉里 · 科恩（Larry Cohen）先到达，科恩之前已经向盖茨简要汇报了乔布斯的评论。几分钟后，乔布斯缓步走了进来，从冰桶里拿出一瓶水，坐了下来。片刻沉默之后，盖茨开口了，脸上全无笑意，“我猜我就是那个地狱里的人。”乔布斯顿了一下，露出了自己招牌式的顽皮微笑，把冰水递给了盖茨。盖茨情绪有所缓和，紧张的气氛一扫而光。

这次联合采访最终成为两人之间的精彩对话，两位数字时代的天才谨慎进而热情地谈论彼此。最令人印象深刻的是，当坐在观众席的技术战略家丽丝 · 拜尔（Lise Buyer）提问，两人从对方身上学到了什么时，他们给出了直率的回答。“好吧，我愿意放弃很多东西来拥有史蒂夫的品位。”盖茨回答道。现场爆发一阵笑声，气氛有些紧张；十年前，乔布斯曾说过一句话，他不满意微软是因为它完全没有品位。但是盖茨坚称自己说这话是认真的，乔布斯的“直觉品位是与生俱来的，无论是对人还是对产品”。他回忆起自己和乔布斯当年坐在一起，检查微软为麦金塔开发的软件。“史蒂夫能够根据对人和产品的感觉作出决定，你们懂的，对我来说这甚至很难解释清楚。他做事的方式非常不同寻常，我认为很神奇。既然如此，我也只能感叹‘哇’。”

乔布斯盯着地板。他后来对我说，盖茨的诚实和风度让他震动。轮到乔布斯回答时，他也一样诚实，尽管并非像盖茨那样有风度。他描述了苹果和微软的理念鸿沟，苹果欲打造端到端一体化的产品，微软则将自己的软件开放授权给彼此竞争的硬件厂商。他指出，在音乐市场，集成的做法更好，这个已经有iTunes/iPod组合可以证明，但是在个人电脑市场，微软的分离政策发展得更好。这番话随即引出了一个潜在的问题：在手机市场，哪种方法会更好？

接着，他提出了一个精辟的观点。在设计理念上的差异导致他及苹果公司更不善于同其他公司合作。“因为沃兹和我创办公司的时候，所有东西都是自己在做，因此我们不是很善于与人合作，”他说道，“我认为，如果苹果天生能够多一点点合作精神，会非常好。”

第三十五章

The iPhone

Three revolutionary products in one

iPhone

三位一体

可以打电话的iPod

至2005年，iPod销量暴涨，当年售出2 000万台，数量惊人，是2004年销量的4倍。该产品对于苹果公司的营收越发重要，占当年收入的45%。同时，iPod还带动了Mac系列产品的销售，为苹果公司塑造出时髦的企业形象。

而这也是乔布斯担忧的地方。“他总在担心有什么会让我们陷入困境。”苹果公司董事会成员亚瑟·莱文森回忆道。乔布斯得出结论：“能抢我们饭碗的设备是手机。”他向董事会说明，手机都开始配备摄像头，数码相机市场正急剧萎缩。同样的情况也可能发生在iPod身上，如果手机制造商开始在手机中内置音乐播放器。“每个人都随身带着手机，就没必要买iPod了。”

乔布斯曾当着比尔·盖茨的面承认自己天生不善于合作，而此刻，他的第一个策略就是与另一家公司合作。摩托罗拉公司新任CEO埃德·赞德和他是朋友，于是，乔布斯开始商议与摩托罗拉的畅销手机刀锋（RAZR）系列合作。该系列手机配有摄像头，双方准备合作，在其中内置iPod。摩托罗拉ROKR手机就此诞生。

但是，该系列手机既没有iPod迷人的极简风格，也没有刀锋系列便捷的超薄造型。它外观丑陋，下载困难，只能容纳近百首歌曲。这是典型的委员会讨论之下形成的产品，与乔布斯喜欢的工作方式相悖。RAZR系列手机的硬件、软件和内容并非由同一家公司控制，而是由摩托罗拉公司、苹果公司及无线运营商辛格勒（Cingular）共同拼凑而成。《连线》杂志在其2005年11月号的封面上嘲讽道："你们管这叫未来的手机？"

乔布斯怒不可遏。在一次iPod产品评述会议上，他对托尼 · 法德尔及其他人说："我受够了跟摩托罗拉这些愚蠢的公司打交道。我们自己来。"他注意到市场上手机的奇怪之处：他们都很烂，就像以前的便携式音乐播放器一样。"我们会坐在一起谈论有多么讨厌自己的手机，"他回忆说，"它们太复杂，有些功能没人能搞明白，包括通讯簿。简直就跟拜占庭一样混乱不堪。"律师乔治 · 莱利还记得自己当时坐在会议室里检查法律问题，乔布斯觉得厌烦了，于是拿起莱利的手机，历数各类缺陷，指出这完全就是"脑残"设计。乔布斯及其团队十分兴奋，因为他们看到了打造一款自己想用的手机的前景。"这是最好的动力。"乔布斯后来说道。

另一个动力是潜在的市场。2005年，全球手机销量超过8.25亿部，消费者从小学生直至上了年纪的祖母。由于大多数手机都很烂，因此一款优质时髦的手机会有市场空间，就像之前在便携式音乐播放器市场一样。起初，乔布斯把这个项目交给了研发AirPort无线基站的团队，理由是该手机是一款无线产品。但是他很快意识到，这实际上是一款消费类电子设备，和iPod一样，于是又将该项目重新分配给法德尔及其团队。

他们最初设想在iPod的基础上制作一款手机，让使用者用滚轮选择手机功能，并且不用键盘就能输入数字。但这样的设计并不自然。"使用滚轮有很多问题，尤其是拨号的时候，"法德尔回忆说，"会很麻烦。"用滚轮浏览通讯簿很方便，但是想输入点儿什么就很不方便。团队一直在努力让自己相信，人们的电话主要是打给已经存储在通讯簿里的人，但是他们知道，这样其实是行不通的。

当时，苹果还有一个项目处于进行中：秘密打造一款平板电脑。2005年，项目组之间互相交流后，平板电脑的理念融入了手机计划之中。换言之，iPad的想法实际上先于iPhone出现，并且帮助塑造了iPhone。

多点触控

乔布斯夫妇有一位朋友的丈夫是微软的工程师，当时在进行平板电脑的研发。这位工程师50岁生日时举办了一场晚宴，邀请乔布斯夫妇和盖茨夫妇出席。乔布斯有些不情愿地去了。“其实史蒂夫那天晚上对我挺友好，”盖茨回忆说，但却对寿星“不是特别友好”。

那位工程师不停地透露微软平板电脑的情况，这让盖茨很恼火。“他是我们的员工，掌握着我们的知识产权。”盖茨回忆道。乔布斯同样很恼火，盖茨担心会引发自己不想看到的后果，他的担心成真了。乔布斯回忆道：

> 这个家伙缠着我说，微软这款平板电脑软件将如何彻底改变世界，淘汰所有的笔记本电脑，苹果应该使用他开发的微软软件。但是他设计的这个产品完全错了。就是因为配有一支手写笔，而只要有手写笔，这产品就废了。晚宴上他跟我说了近十遍这些玩意儿，我都烦死了，回到家我就说：“去他妈的，让我们告诉他真正的平板电脑应该是什么样。”

第二天，乔布斯一来到公司就召集自己的团队说：“我要做一款平板电脑，不要键盘和手写笔。”用户能够通过手指触摸屏幕输入，这意味着，平板电脑的屏幕需要使用一种被乔布斯形容为“多点触控”（multi-touch）的技术，能够在同一时间处理多个输入。“你们能做出一个多点触控、反应灵敏的样品给我吗？”他问道。团队成员花了6个月左右时间，做出了一个粗糙但可行的样机。乔布斯把样机交给了苹果公司另一位用户界面设计师，一个月后，这位设计师建议增加卷页功能——让用户能够轻扫屏幕移动图像，就像在实际生活中移动一张照片一样。乔布斯回忆说：“我很喜欢这个想法。”

但在乔尼·艾弗的记忆中，多点触控技术的研发不是这样来的。他说，当时自己的设计团队已经在为苹果MacBook Pro的触控板研发多点触控输入技术，他们还多方实验，试图将这种技术移至电脑屏幕。他们还用投影仪在墙上演示了这项技术。艾弗对团队成员说：“这将改变一切。”但他很谨慎，没有立即展示给乔布斯。由于团队是在业余时间研发这项技术，因此他不想打击大家的积极性。“因为史蒂夫会很快给出意见，所以我不会在有别人在场的时候向他展示东西，”艾弗回忆说，“他可能会说，‘这就是一堆狗屎’，然后打消掉我们的想法。我觉得这些想法还很脆弱，还处在孕育之中，需要温柔对待。如果他对此不屑一顾，那就太可惜了，因为我知道这项技术很重要。”

于是，艾弗选择在自己的会议室里私下向乔布斯展示团队的想法。他知道，在没有观众的情况下，乔布斯不大会作出草率的判断。幸运的是，他很喜欢这项技术。“这就是未来。”乔布斯高兴地说。

事实上，这个主意非常好，乔布斯意识到，可以用它解决手机界面的问题。由于手机项目更为重要，于是乔布斯暂时搁置了平板电脑的研发，将多点触控界面用于手机大小的屏幕上。“如果能用在手机上，”他回忆说，“那么我就知道，我们还能再回过头来把这个技术用在平板电脑上。”

乔布斯召集法德尔、鲁宾斯坦和席勒前往设计部门的会议室，进行秘密会议，艾弗在会上演示了多点触控技术。法德尔不禁惊呼“哇”，每个人都喜欢这项技术，但是还不确定能否在手机设备上予以实现。他们决定兵分两路：一组人马研发滚轮手机，代号P1；另一组人马研发多点触摸屏手机，代号P2。

特拉华州一家小企业FingerWorks已经制作出一系列多点触控板。该公司的创始人约翰 · 埃利亚斯（John Elias）和韦恩 · 韦斯特曼（Wayne Westerman）是美国特拉华大学的学者。FingerWorks公司已经研发出具有多点触控功能的平板电脑，并申请专利，保护自己将手指动作转化为有用功能的技术，如触控缩放和滑动浏览。2005年初，苹果公司悄悄收购了该公司及其全部专利，两位创始人也受雇于苹果。FingerWorks不再将其产品销售给他人，并将新专利归入苹果公司名下。

滚轮P1项目和多点触控P2项目进行了6个月后，乔布斯把核心圈子成员召至自己的会议室，进行最终抉择。法德尔一直以来都在努力研发滚轮模型，但他承认团队还未找出简单的拨号方式。多点触控方案风险更高，因为不确定能否将其工程化，但是该方案也更激动人心，更有前景。“我们都知道，这就是我们想做的东西，”乔布斯意指触摸屏，“那么，就让我们实现它吧。”这就是他所谓的拿公司一搏的时刻，风险高，但如果成功了，回报也高。

考虑到黑莓手机的流行，几位团队成员主张配备键盘，但乔布斯否决了这种想法。物理键盘会占用屏幕空间，而且不如触摸屏键盘灵活、适应性强。“物理键盘似乎是个简单的解决方案，但是会有局限，”乔布斯说道，“如果我们能用软件把键盘功能实现在屏幕上，那你想想，我们能在这个基础上作多少创新。赌一把吧，我们会找到可行的方法。”最后，产品出来了，如果你想拨号，屏幕会显示数字键盘；想写东西，调出打字键盘。每种特定的活动都有对应的按钮可以满足需求，但当用户观赏视频时，这些键盘都会消失。软件取代硬件，使得界面流畅而灵活。

乔布斯花了半年时间协助完善屏幕显示。“这是我所拥有过最复杂的乐趣，”他回忆说，“就像参与到《佩珀中士》变奏曲中一样。”很多现在看似简单的功能，都是当时创意头脑风暴的结果。例如，手机团队担心手机放在口袋里不小心碰到会播放音乐或拨号，他们就会思考如何解决这个问题。乔布斯打心眼儿里讨厌开关切换，他觉得那样“不优美”。解决方案是“滑过打开”，屏幕上简单有趣的滑块，用来激活处于休眠中的机器。另一个突破是，在用户打电话的时候，传感器能够作出判断，不会认为是手指在进行操作，从而避免出现耳朵意外激活某些功能的问题。当然，图标都是按照乔布斯最喜爱的形状进行设计的，这是比尔·阿特金森为第一款麦金塔电脑设计的软件形状：圆角矩形。

会议一个接一个，乔布斯参与到每个细节的讨论之中，团队成员们成功想出简化手机其他复杂功能的方法。他们添加了一个大指示条，用户可以选择保持通话或进行电话会议；找到了一种浏览电子邮件的简单方法；创造了能够横向滚动的图标，用户可以选择启动不同的应用程序。这些改进使得手机更加易于使用，因为用户可以直观地在屏幕上进行操作，而无需使用物理键盘。

金刚玻璃

乔布斯很喜欢在做一样东西时尝试用不同材料，就像他对待某些食物时那样。1997 年，他回归苹果后，开始着手制造 iMac，用半透明和彩色塑料做出了漂亮的产品。接下来是金属，他和艾弗用光滑的钛板制作出 PowerBook G4，淘汰了塑料外壳的 PowerBook G3，两年后又用铝制材料对该款电脑进行了重新设计，似乎只为了证明他们非常喜欢尝试不同的材料。之后，阳极电镀铝板被用在了 iMac 和 iPod Nano 上，这种材料是将铝进行酸浴和电镀，使其表面氧化。乔布斯得知这种材料的产量达不到他们的需要后，就在中国兴建了一家工厂进行生产。非典期间，艾弗前往该厂监督流程。“我在工厂宿舍里住了3个月，改进流程，”他回忆道，“鲁比和其他人认为不可能做到，但是我想做，因为乔布斯和我都觉得阳极电镀铝能够真正让产品完美起来。”

再接下来是玻璃。“在搞定金属材质后，我看着乔尼说，我们必须掌握玻璃材质的使用。”乔布斯说道。在苹果零售店，他们做出了巨大的玻璃窗和玻璃楼梯。而对于iPhone，苹果公司原计划像iPod一样，使用塑料屏幕。但是，乔布斯认为玻璃屏幕会更好，感觉更优雅实在。于是，他开始寻找结实耐划的玻璃。

很自然地，他们将眼光投向了亚洲，苹果零售店的玻璃就产自那里。但是乔布斯的朋友约翰·西利·布朗（John Seeley Brown）建议他先和温德尔·威克斯（Wendell Weeks）谈谈。威克斯是位于纽约北部的康宁公司（Corning Glass）的CEO，年轻而充满活力；布朗是该公司的董事会成员。于是，乔布斯拨通了康宁公司的总机，报上了自己的名字，说想要同威克斯通话。威克斯的助理接了电话，说会把电话内容转达给威克斯。“不，我是史蒂夫·乔布斯，”他回答说，“叫他接电话。”助理拒绝了。乔布斯打电话给布朗，抱怨自己遭遇了“典型的东海岸那一套”。威克斯听说此事以后，打到了苹果公司总机，表示要与乔布斯通话。结果总机要求他写下自己的请求传真过来。乔布斯得知后，喜欢上了威克斯，并邀请他来到库比蒂诺。

乔布斯向威克斯描述了自己想为iPhone寻找的玻璃类型，威克斯告诉他，康宁公司在20世纪60年代就研发出一种化学交换过程，能够做出一种被他们称为“金刚玻璃”的材料。这种玻璃非常结实，但当时找不到市场，于是就停产了。乔布斯怀疑他们的玻璃不够好，开始解释玻璃是如何制成的。威克斯被逗乐了，因为在这个话题上，他可比乔布斯在行得多。“你能闭嘴吗，”威克斯插话道，“让我来给你讲讲科学好吗？”乔布斯吃了一惊，陷入沉默。威克斯走到白板前，开始讲解金刚玻璃的化学原理——离子交换反应在玻璃表面产生一个压缩层。乔布斯打消了疑虑，并希望康宁公司在6个月内生产尽可能多的金刚玻璃。威克斯回答说：“我们没有这个能力，我们的工厂现在都不生产这种玻璃。”

“别害怕。”乔布斯回答。这让威克斯目瞪口呆，他虽然是个幽默自信的人，但还不习惯乔布斯的现实扭曲力场。他努力向乔布斯解释，不切实际的信心并不能克服这一工程难题，但是乔布斯一再拒绝接受他的说法。他目不转睛地盯着威克斯说："行的，你们能做到，动动脑子，你们能做到的。"

威克斯回忆这件事的时候，摇了摇头，一副不可置信的表情。"我们在6个月内做到了，"他说，"我们生产出了从未制造过的玻璃。"康宁公司在肯塔基州哈里斯堡有一家工厂，之前主要生产液晶显示器，一夜之间改头换面，开始全面生产金刚玻璃。"我们把自己最优秀的科学家和工程师都用在这个项目上，我们成功了。"威克斯的办公室很通风，里面只摆放着一件纪念品画框，写着iPhone推出后乔布斯发来的信息。"如果没有你，我们做不到。"

威克斯最后同乔尼·艾弗成为了朋友，艾弗偶尔会前往纽约州北部，造访威克斯的湖畔度假屋。"我会给乔尼展示相似的玻璃材料，他仅凭感觉就能知道这些玻璃不一样，"威克斯说道，"只有我们公司的研究负责人能做到这一点。当你给史蒂夫展示东西的时候，他当下就会表示喜欢或讨厌。但是乔尼会摆弄它，进行思考，找到这个东西的微妙之处和潜在用途。"2010年，艾弗带领自己的高层团队成员来到康宁公司，和厂里的领班一起制作玻璃。当时，康宁公司正在研发一种更为结实的玻璃，代号"哥斯拉玻璃"（Godzilla Glass）。该公司希望，有一天能够做出足够坚韧的玻璃和陶瓷材料，用于iPhone生产，这样iPhone手机就无需使用金属外框。"乔布斯和苹果让我们更优秀，"威克斯说，"我们所有人都对自己的产品非常狂热。"

设计

在许多重大项目上，如《玩具总动员1》和苹果零售店，乔布斯都会在其接近尾声的时候叫停，要求作出重大修改。iPhone的设计过程也逃不开这个命运。其最初设计是将玻璃屏幕嵌入铝合金外壳。一个周一早晨，乔布斯走到艾弗跟前说："我昨晚一夜没睡，因为我意识到我就是不喜欢这个设计。"这是自第一台麦金塔问世后乔布斯最重要的产品，可他就是看不顺眼。艾弗瞬间意识到，乔布斯说的没错，于是很沮丧："我记得自己当时感到非常尴尬，因为居然要等到他来发现这个问题。"

问题在于，iPhone的重点是屏幕显示，而他们当时的设计是金属外壳和屏幕并重。整个设备感觉太男性化，太注重效能，是一款任务驱动型产品。“伙计们，在过去 9 个月你们为了这个设计拼死拼活，恨不得杀了自己，但是我们要改掉它。”乔布斯告诉艾弗的团队，“我们要没日没夜没有周末地工作，如果你们愿意，我现在就给你们发几把枪，把我们全干掉。”然而团队成员并没有迟疑，同意修改。“这是我在苹果最值得骄傲的时刻之一。”乔布斯回忆说。

新的设计出来了，手机的正面完全是金刚玻璃，一直延伸到边缘，与薄薄的不锈钢斜边相连接。手机的每个零件似乎都是为了屏幕而服务。新设计的外观简朴而亲切，让人忍不住想要抚摸。而这也意味着，必须重新设计制作手机内部的电路板、天线和处理器，但是乔布斯认可了这种改动。“其他公司做了这么长时间可能都已经发货了，”法德尔说，“但是我们按下了复位键，重新来过。”

这款手机完全密封，这不仅体现了乔布斯的完美主义，也展现了他的控制欲。手机无法打开，也不可能更换电池。就像 1984 年最早的麦金塔一样，乔布斯不想让人在里面乱动。事实上，2011 年，发现第三方修理店能够打开 iPhone 4 后，苹果公司放弃了之前使用的小螺丝，而改用一种五角形防撬螺丝，用市售的螺丝刀无法打开。由于无需更换电池，iPhone 可以更薄。对乔布斯来说，总是越薄越好。“他始终以纤薄为美，”蒂姆 · 库克说道，“从我们所有的产品上就能看出。我们有最薄的笔记本电脑，最薄的智能手机，我们的 iPad 也很薄，而且以后会更薄。”

iPhone发布

iPhone 即将发布时，乔布斯决定像往常一样，让某家杂志独家参与发布会预演。他通过电话联系到时代集团总编约翰 · 休伊，开始了自己惯用的夸张言辞。“这是我们做过的最好的东西。”他说道，他本来想把这个独家报道机会给《时代》杂志，“但是《时代》杂志的人都不够聪明，不配写，于是我打算给别人。”休伊把他介绍给列夫 · 格罗斯曼（Lev Grossman）——《时代》杂志一位悟性高、精通文字的作家。格罗斯曼在其独家报道中一针见血地指出，iPhone 并没有真正发明许多新功能，而只是让这些功能实用了很多。“但这很重要。如果工具不顺手，我们往往会觉得是自己太傻，没有阅读使用手册，或者手指太肥……如果工具很糟，我们会觉得自己也很逊。如果有人改进了工具，我们会觉得自己也完美了点儿。”

2007年1月，iPhone在旧金山Macworld大会亮相。乔布斯邀请了安迪·赫茨菲尔德、比尔·阿特金森、史蒂夫·沃兹尼亚克，以及1984年首款麦金塔的研发团队，就像之前iMac发布时一样。在其辉煌的产品演示生涯中，这可能是乔布斯最好的一次。“每隔一段时间，就会出现一个能够改变一切的革命性产品。”他开场说道。乔布斯举出了两个较早的例子：最早的麦金塔，它“改变了整个计算机行业”，以及第一台iPod，“改变了整个音乐产业”。接着，经过一番小心翼翼的铺垫，他引出了自己即将推出的新产品。“今天，我们将推出三款这一水准的革命性产品。第一个是宽屏触控式iPod，第二个是一款革命性的手机，第三个是突破性的互联网通信设备。”他又将这句话重复了一遍以示强调，然后他问道：“你们明白了吗？这不是三台独立的设备，而是一台设备，我们称它为iPhone。”

5个月后，即2007年6月底，iPhone上市销售，乔布斯和妻子前往位于帕洛奥图的苹果零售店，感受人们的兴奋。由于乔布斯经常在新产品开始销售的第一天去店里，所以有些苹果迷已等在专卖店里期待他的到来，他们跟他打招呼，就好像他们碰到摩西去买《圣经》一样。赫茨菲尔德和阿特金森也出现在忠实苹果迷中间。“比尔排了一晚上的队。”赫茨菲尔德说。乔布斯挥了挥手臂，笑了起来：“我送了他一部。”赫茨菲尔德回答：“他要6个。”

iPhone立刻被博客写手们奉为“耶稣手机”。但是苹果公司的竞争对手强调，售价500美元很难成功。“这是世界上最贵的手机，”微软公司的史蒂夫·鲍尔默在接受美国全国广播公司财经频道（CNBC）的采访时这样说道。“但它确实对商务人士没有吸引力，因为没有键盘。”微软又一次低估了乔布斯的产品。至2010年底，苹果公司已售出9 000万部iPhone，其利润占全球手机市场利润总额的一半以上。

“史蒂夫了解人的欲望。”艾伦·凯说道。凯是施乐PARC的先驱，他在40年前就设想过推出一台Dynabook平板电脑。凯善于作出预言性的评价，于是乔布斯询问他对于iPhone的看法。“把屏幕做成5英寸宽，8英寸长，世界就是你的了。”凯说。而他当时并不知道，iPhone的设计源自平板电脑的想法，并将用于平板电脑上，而苹果的平板电脑实现了并且实际上超越了凯所设想的Dynabook。

第三十六章

Round Two

The Cancer Recurs

第二回合

癌症复发

2008 战役

到 2008 年初，乔布斯和他的医生们已经确定，他的癌细胞正在扩散。2004 年医生切除他的胰脏肿瘤时，他请专家对癌症基因进行了部分排序。这有助于医生确定问题出现在哪些致癌位点上，并对他采取他们认为最有效的定位靶向治疗。

他也在接受止痛治疗，一般都是用吗啡成分的镇痛药。2008 年 2 月的一天，鲍威尔的好朋友凯瑟琳 · 史密斯在他们帕洛奥图的家里做客时，跟乔布斯一起出去散步。“他告诉我，当他实在难受时，他就专注于疼痛，钻进去，似乎就能把疼痛驱散了。”她回忆说。但是事实并非总是如此。乔布斯疼的时候，会充分表达出来，让身边每一个人都知道。

还有另外一个健康问题越来越严重，之前并未像癌症或疼痛一样引起医疗研究人员的足够重视。他面临进食问题，体重不断下降。部分原因是他切除了大部分胰脏，而胰脏的功能是分泌消化蛋白质和其他营养素所需要的酶。另一个原因是镇痛用的吗啡让他缺乏食欲。此外还有心理原因，医生们都不知道该怎么应对，更别说治疗了——自从他十多岁起，乔布斯就沉迷于严格的节食和禁食。

即使是结了婚有了孩子后，他依然保留了那些令人质疑的饮食习惯。他会连续几个星期吃同样的东西——胡萝卜沙拉加柠檬，或只是苹果——然后同样突然地摒弃那种食物，宣称他不再吃了。一如他十几岁时一样，他还是会禁食，而且会在饭桌上虔诚地宣讲他所遵循的饮食方法都有怎样的好处。鲍威尔在他们刚结婚时还是个严格的素食主义者，但是在丈夫做手术后，她开始让家里的饮食更多样化，增加了鱼和其他蛋白质。儿子里德也曾是素食主义者，现在成了个不折不扣的杂食动物。他们知道，让乔布斯从多种来源摄取蛋白质是非常重要的。

乔布斯家聘请了一位温文尔雅又多才多艺的厨师，布里亚·布朗（Bryar Brown），他曾经在潘尼斯餐厅为爱丽丝·沃特斯工作。他每天下午都会来家里，用鲍威尔在花园里种植的香草和蔬菜做一桌丰盛的晚餐。每当乔布斯提出任何奇思怪想——胡萝卜沙拉，罗勒意大利面，香茅汤之类——布朗都会静静地、耐心地想办法做出来。乔布斯一直对食物极其挑剔，而且倾向于对任何食物都立即作出极端的评价：美极了或糟透了。一般人会觉得毫无区别的两个鳄梨，乔布斯尝一口就会宣称，一个是世界上最好吃的而另一个就难以下咽。

2008年初，乔布斯的饮食失调问题越来越严重。有的晚上，他会盯着地板，完全无视长桌上摆着的各种美食。其他人刚吃到一半，他会突然站起来，一句话不说就走掉。这给家人造成很大压力，他们眼看着他在2008年春天体重骤减40磅。

2008年3月，《财富》杂志刊登了一篇文章，题为“史蒂夫·乔布斯的麻烦”，令他的健康问题再度受到公众关注。文章透露，乔布斯试图通过饮食治疗癌症已经有9个月时间，文章还调查了他与苹果股票期权日期倒签事件的瓜葛。在这篇文章的采写过程中，乔布斯把《财富》总编安迪·瑟沃请到库比蒂诺——与其说是请，不如说是命令，向他施压，希望他撤掉这篇文章。他逼近瑟沃的脸问道，“那么，你就算发现了我是个浑蛋，这又有什么新鲜的呢？”他从夏威夷的康娜度假村用卫星电话打给瑟沃在时代公司的老板，约翰·休伊（John Huey），说了同样的颇有自知之明的话。他提出只要《财富》砍掉这篇文章，他可以召集一群CEO来开个座谈会，并且可以与《财富》讨论什么样的健康问题适合披露。然而《财富》还是刊登了这篇文章。

2008年6月，乔布斯推介iPhone 3G时，他的消瘦甚至抢了产品发布的风头。在《君子》杂志的一篇报道中，汤姆·朱诺（Tom Junod）描述舞台上那个“干瘪"的人，"穿着曾经象征他刀枪不入的战衣，像海盗般骨瘦如柴。"苹果发表了一个声明，谎称乔布斯体重减轻是"偶染微恙"的结果。过了一个月，质疑声依然不绝于耳，公司就又发表了一份声明，说乔布斯的健康是"私事"。

《纽约时报》的乔·诺切拉写专栏谴责对乔布斯健康问题的处理方式。"在关于其CEO真实情况的问题上，苹果根本不值得信任。"7月末他这样写道，"在乔布斯先生的领导下，苹果创建了一种保密文化，这种文化在很多方面效果不错——猜测每年Macworld大会上苹果会推出什么产品已经成了该公司最好的营销手段之一。但也正是这种文化毒害了它的公司治理。"他在写这篇文章时，从苹果那里得到的所有反馈都是这纯属"私事"，但他出乎意料地接到了乔布斯本人打来的电话。"我是史蒂夫·乔布斯。"他开门见山地说，"你觉得我是个认为自己可以凌驾于法律之上的傲慢浑蛋，而我觉得你是个把大部分事实都搞错了的烂人。"在这段"引人入胜"的开场白之后，乔布斯表示可以提供一些关于他健康状况的信息，但是诺切拉不能将之公之于众。诺切拉接受了这个条件，但是他可以报道说，虽然乔布斯的健康问题已经不仅仅是偶染微恙，"但还不足以危及生命，他的癌症也没有复发。"乔布斯给诺切拉的信息已经比他给苹果董事会和股东的信息还多了，但是那不是完整的事实。

部分缘于对乔布斯体重骤减的忧虑，苹果的股票价格从2008年6月初的188美元下滑到了7月底的156美元。雪上加霜的是，不久，彭博社（*Bloomberg News*）误发了提前准备好的乔布斯的讣告，最后上了Gawker网。几天后，乔布斯在他的年度音乐活动上引用了马克·吐温的名句："关于我死亡的报道是严重的夸大。"他在发布新的iPod产品系列时说。但是他那消瘦的外形还是让人无法安心，到10月初，股价跌到了97美元。

当月按照计划，环球音乐集团的道格·莫里斯要到苹果公司跟乔布斯会面。乔布斯改变了计划，把他请到自己家里。莫里斯惊讶地看到乔布斯的病容和痛苦。莫里斯要参加在洛杉矶希望之城国家医学中心举办的一场盛会，为对抗癌症筹款，他希望乔布斯出席。乔布斯一向回避慈善活动，但是这次他决定出席，既是为了莫里斯，也是因为这个主题。活动在圣莫妮卡海滩上的大帐篷里举行，莫里斯告诉2 000位来宾，是乔布斯让音乐产业重新焕发了生机。当晚的演出有史蒂维·尼克斯（Stevie Nicks）、莱昂内尔·里奇（Lionel Richie）、埃里卡·巴杜（Erykah Badu）和阿肯（Akon）献唱，一直持续到后半夜，乔布斯被冻坏了。吉米·约维内给了他一件带帽子的毛衣，他整晚都把帽子套在头上。“他是那么虚弱，那么冷，那么瘦。”莫里斯回忆说。

《财富》杂志的资深科技记者布伦特·施伦德那年12月就要离职了，他的告别作品将是同时采访乔布斯、比尔·盖茨、安迪·格鲁夫和迈克尔·戴尔。这样一次采访很难组织，然而就在采访日的前几天，乔布斯打来电话声明退出。“如果他们问为什么，就说我是个浑蛋。”他说。盖茨一开始很不高兴，后来发现了乔布斯健康状况的实情。“当然，他有非常非常好的理由，”盖茨说，“他就是不想说出来。”12月16日，苹果宣布乔布斯将取消出席1月份Macworld大会的计划，而过去11年来他都是在这个论坛上发布重量级产品。至此，他的健康状况更加明了。

网络上充斥着对乔布斯健康状况的各种猜测，其中很多都接近事实。乔布斯为之愤怒，感觉自己的隐私遭到了侵犯。他也因为苹果没有更积极地反击而感到不悦。因此在2009年1月5日，他撰写并发布了一封误导公众的公开信。他宣称他不出席Macworld是因为想有更多时间跟家人在一起。“如大家所知，2008年全年我的体重一直在下降。”他补充说，“我的医生们认为他们已经找到了原因——是荷尔蒙失调导致我维持身体健康所需的蛋白质流失，精密的血液检验已经证实了这个诊断。这个营养问题的解决办法是相对简单的。”

这封公开信里有一部分事实，但只是很小一部分。由胰脏分泌的荷尔蒙中有一种胰高血糖素可使血糖升高，与胰岛素（的降血糖作用）相互拮抗。乔布斯的癌细胞转移到肝脏，并造成了严重的破坏。实际上，他的身体在自我毁灭，所以医生在给他用药来降低胰高血糖素水平。他确实是有荷尔蒙失调，但那是由于他的癌细胞扩散到肝脏造成的。他不但自己不肯承认这点，而且也希望公众不这么认为。不幸的是，这在法律上是有问题的，因为他经营着一家上市公司。但是乔布斯对网络世界对待他的方式感到愤怒，而且他想还击。

尽管乔布斯的公开信语调乐观，但当时他非常虚弱，而且饱受疼痛的折磨。他接受了新一轮的化疗，副作用很大，皮肤开始干裂。他寻求各种治疗方法。他飞到瑞士巴塞尔，尝试了一种试验性的荷尔蒙传导的放射线疗法。他还接受了一种在鹿特丹发明的试验性疗法，叫做肽感受器放射性核素疗法。

在法律顾问越来越强烈的建议下，一周后乔布斯最终决定休病假。他在2009年1月14日给苹果员工的另一封公开信中宣布了这个消息。首先，他把这个决定归咎于那些博客和媒体的窥探行为。“很不幸，对我个人健康的好奇不仅持续干扰着我和我的家人，也干扰着苹果的每一位员工。”他说。但是接下来他承认，对他“荷尔蒙失调”的治疗并非如他之前宣称的那么简单。“在过去几周我得知，我的健康问题比我原来想象的要更加复杂。”蒂姆·库克将再次接手日常的运营工作，但是乔布斯说他仍然担任CEO，继续参与重大决策，6月就会回来上班。

乔布斯一直在向比尔·坎贝尔和亚瑟·莱文森咨询，他们既是他的个人健康顾问又是公司的联合独立董事。但是董事会其他成员就没有获得同样充分的信息，而且股东最初得到的信息是错误的。这引起了一些法律问题，证券交易委员会立案调查苹果公司是否向股东隐瞒了“重大信息”。如果公司允许错误信息传播或隐瞒了跟公司的财务前景相关的真实信息，将构成证券欺诈，是一项重罪。由于舆论认为乔布斯和他的魔力跟苹果的再度崛起紧密相关，他的健康问题似乎就符合了“重大信息”的标准。但这是法律的灰色地带，必须要把CEO的隐私权考虑在内。在乔布斯这个案例中，要实现信息公开与保护隐私的平衡尤为困难，因为他既重视自己的隐私，又比大多数CEO都赋予了公司更多的个人风格。他还令这个任务难上加难。他变得非常情绪化，痛骂起任何建议他不应该那么神秘的人，常常又是咆哮又是流泪。

坎贝尔很珍视他跟乔布斯的友谊，他不想因所承担的任何诚信责任而去侵犯乔布斯的隐私，因此他提出辞去董事职务。“保护他的隐私对我非常重要，”他后来说，“我们是一百万年的朋友了。”律师团最终决定，坎贝尔无需辞去董事会职务，但是不应继续担任联合首席董事。雅芳总裁钟彬娴接替了这一职位。证券交易委员会的调查无果而终，董事会也齐心协力保护乔布斯免受那些让他公开更多信息的要求。“媒体希望我们能透露更多个人细节，”阿尔·戈尔回忆说。“应该由史蒂夫来决定是否需要提供超出法律要求的信息，但是他非常坚决地认为他不希望自己的隐私受到侵犯。他的愿望应该得到尊重。”我问戈尔，2009 年初董事会是否应该提供更多信息，当时乔布斯的健康问题比股东们被误导去相信的状况要严重得多，他回答说，“我们聘请了外部律师去研究法律规定和最佳做法，然后我们完全是按章行事。我说起来像是在辩解，但那些批评真的让我烦透了。”

有一位董事会成员有不同意见。前克莱斯勒和IBM首席财务官杰里 · 约克没有公开置评，但是私下向《华尔街日报》的一位记者吐露，当他知道公司在 2008 年底隐瞒了乔布斯的健康问题时，觉得很“恶心”。“坦白地说，我真希望当时我已经辞职了。”2010 年约克去世时，《华尔街日报》发表了他的评论。约克还向《财富》杂志提供了非公开信息，该杂志在 2011 年乔布斯第三次休病假时进行了披露。

苹果公司的一些人不相信那些引述约克的话是准确的，因为约克当时没有正式提出反对意见。但是比尔 · 坎贝尔知道这些报道是真实的，因为约克在 2009 年初曾经向他抱怨过。“杰里在深夜多喝了点儿白葡萄酒，凌晨两三点钟打电话来说，‘去他妈的，我才不相信那些关于他健康的鬼话，我们得确认一下。’等我第二天早晨给他打电话，他会说，‘哦，没什么，没问题的。’这样说来，在某个晚上，我敢肯定他会喝多了然后跟记者说了些什么。”

孟菲斯

乔布斯的肿瘤治疗团队的负责人是斯坦福大学的乔治 · 费希尔，他是胃肠癌和结直肠癌领域的知名专家。他已经警告了乔布斯几个月时间，说他可能必须要考虑肝移植，但是这种信息是乔布斯拒绝接纳的。鲍威尔很高兴费希尔能反复提出这种可能性，因为她知道她丈夫要经过反复刺激才会考虑这个建议。

2009 年 1 月，就在他宣称他的“荷尔蒙失调”很容易治疗之后，乔布斯终于被说服了。但是还有一个问题。他在加利福尼亚登记等待肝移植，但是很显然，他在那儿根本来不及等到一个可移植的肝脏。跟他的血型匹配的捐献者数量很小，加上制定美国器官移植政策的机构——器官共享联合网络（United Network for Organ Sharing）所采用的机制，是优先考虑肝硬化和肝炎病人而非癌症病人。

病人没有合法途径在排位过程中插队，即使是像乔布斯这样富有的人也不行，他也没有那样做。器官接受者是根据他们的终末期肝病模型（MELD，Model for End-Stage Liver Disease）评分结果被选中的，该模型通过实验室检测荷尔蒙水平来决定移植需求的迫切性，同时也考虑病人已经等待的时间。每一例捐献都被严格审计，公开网站上能查到相关数据（optn.transplant.hrsa.gov/），你可以在任何时候上网查看你的排位情况。

鲍威尔成了这个器官捐献网站的忠实用户，每天晚上都会去查还有多少人在排位，他们的MELD分数是多少，以及他们排了多久。“你可以算出来，我算了一下，要等到他在加利福尼亚得到一个肝脏，时间早就过了6月，而医生们认为他的肝脏可能在4月左右就会出问题。”她回忆说。因此她开始四处打听，得知同时在两个州进行排位是允许的，有3%等待移植的病人会这样做。尽管有批评认为这是偏向富人，但多处排位没有政策限制，只是操作很困难。有两个主要的要求：一个是排位者必须能够在8小时内赶到选定的医院，这一点乔布斯有私人飞机可以做到；另一个是，选定医院的医生必须在把病人加入排位前对其进行当面评估。

担任苹果公司外部法律顾问的旧金山律师乔治·莱利是位细心的田纳西绅士，他跟乔布斯的关系很近。他的父母都是孟菲斯卫理公会大学医院（Methodist University Hospital）的医生，他在那里出生，他的朋友詹姆斯·伊森（James Eason）在那儿运营一家移植机构。伊森的机构是全美国最好也是最忙的，2008年他和他的团队做了121例肝移植手术。他不介意其他地方的人在孟菲斯重复排位。“这并不是钻系统的空子，”他说，“这是人们在选择他们希望在哪儿看病。有些人会离开田纳西去加利福尼亚或其他地方寻求治疗，现在有人从加利福尼亚来我们田纳西。”莱利安排伊森飞到帕洛奥图，对乔布斯进行所需的检查评估。

到2009年2月下旬，乔布斯在田纳西排上了队（在加利福尼亚也同时排队），然后开始了焦急的等待。3月的第一周他的情况迅速恶化，而等待的时间预计还有21天。“太可怕了，”鲍威尔回忆说，“当时觉得我们来不及了。”每一天都变得越发折磨人。到3月中旬，他在排位中上升到第三名，然后第二名，终于到了第一名。但是之后日子一天天过去。讽刺的是，即将到来的圣帕特里克节和

"疯狂三月"[①]（孟菲斯进入了2009全美锦标赛而且是分赛场）等活动创造了更大的捐献可能性，因为喝酒会导致交通事故飙升。

事实正是如此，在2009年3月21日，一位二十多岁的年轻人在一场车祸中丧生，他的器官可以移植。乔布斯和妻子立即飞往孟菲斯，他们在凌晨4点前抵达，伊森在那边等着他们。汽车在停机坪等候，一切都已经安排好了，他们当即签署了一系列许可文件，之后就赶往医院。

移植成功了，但是结果并不乐观。当医生们取出他的肝脏时，发现包围内脏的腹膜上有斑点。另外，他的肝脏上到处都是肿瘤，意味着癌症很可能已经扩散到了其他部位。显然，癌症变异和生长的速度很快。医生们取了样本进行基因定位。

几天后，他们需要施行另一项程序。乔布斯坚持拒绝把胃排空，当他们给他使用镇静剂时，他把一些镇静剂吸进了肺里，导致了肺炎。当时医生们以为他会死掉。他后来这样描述：

> 我差点儿死掉，因为在这个例行程序中他们搞砸了。劳伦在那儿，他们用飞机把孩子们也接来了，因为他们认为我挺不过那个晚上。里德跟劳伦的一个兄弟在参观一些大学，他们派私人飞机在达特茅斯附近接上他，告诉他发生了什么事，另一架飞机把女儿们也接来了。他们以为那是最后一次机会见到清醒的我，但是我挺过来了。

鲍威尔负责监控整个治疗活动，她整天待在病房里，警惕地盯着每一台监视器。"劳伦就像一只美丽的老虎保护着他，"乔尼·艾弗回忆说，乔布斯一能见客他就来了。鲍威尔的妈妈和三个兄弟时常来陪她，乔布斯的妹妹莫娜·辛普森也不离左右。她和乔治·莱利是乔布斯唯一允许替换鲍威尔看护他的人。"劳伦的家人帮我们照顾孩子们——她妈妈和兄弟们太好了。"乔布斯后来说，"我非常虚弱也很不合作。但是像这样的经历会把你们深深地团结在一起。"

鲍威尔每天早晨7点钟来，收集相关数据，录入到一个电子报表中。"因为

---

① "疯狂三月"（March Madness），即每年一度的美国大学篮球锦标赛（NCAA）。

同时进行许多监测，那些数据非常复杂。”她回忆说。当詹姆斯 · 伊森和医生团队 9 点钟到达时，鲍威尔会跟他们开个会，协调乔布斯治疗的各个方面。在她晚上 9 点钟离开前，她会做一份报告，汇总每个关键指标和其他监测结果的走势，以及她希望第二天得到答案的一系列问题。“这能让我集中注意力去想一些问题。”她回忆说。

伊森所做的一切即使在斯坦福也是史无前例的：他主管了治疗过程的所有方面。鉴于他经营这家机构，他可以协调移植康复、癌症监测、疼痛治疗、营养、康复和护理等各个方面。他甚至还会去便利店买乔布斯喜欢的功能饮料。

有两位护士来自密西西比州的小镇，她们成了乔布斯的最爱。她们都是健壮的家庭妇女，不会被乔布斯吓到。伊森安排她们专门护理乔布斯。“要管理史蒂夫，你必须要坚持。”蒂姆 · 库克回忆说，“伊森能管住史蒂夫，强迫他做别人无法让他做的事情，那些为他好，但可能做起来并不愉快的事。”

虽然备受呵护，乔布斯有时还是要发疯。他很气恼自己不能控制局面，有时他会产生幻觉或是发怒。即使在他几乎失去知觉时，他那强悍的人格依然存在。有一次在他深度镇静时，胸科医生要往他脸上戴面罩。乔布斯把面罩扯掉，嘟囔着说他讨厌这个面罩的设计，不要戴它。虽然他几乎无法说话，但是他命令医生拿来五种不同的面罩，选出一个他喜欢的。医生们看着鲍威尔，非常为难。她最终成功地转移了他的注意力，他们才能够给他戴上面罩。他也讨厌他们安装在他手指上的氧含量监视器，他告诉他们那个东西太难看也太复杂，他还建议了可以使之设计得更简洁的种种方式。“他高度关注周围环境和物体的任何一个细微差别，这让他筋疲力尽。”鲍威尔回忆说。

一天，在他半清醒状态的时候，鲍威尔的好朋友凯瑟琳 · 史密斯来探望他。她跟乔布斯的关系并不是一直都很亲密，但是鲍威尔坚持让她来到乔布斯的病床边。他示意她走近些，要来纸和笔，写道，“我要我的 iPhone。”史密斯从边柜上把它拿过来交给他。他手把手地教她“移动滑块解锁”的功能，还让她玩菜单。

乔布斯跟丽萨 · 布伦南-乔布斯（即他跟第一个女朋友克里斯安的女儿）关系早已变得很紧张。她已经从哈佛毕业，搬到了纽约，很少跟她父亲联络。但是这一期间她两度飞到孟菲斯，乔布斯心存感激。“她能那样做对我意味着很多。”

他回忆说。可惜他当时并没有告诉她。乔布斯周围很多人发现，丽萨像她爸爸一样爱发号施令，但是鲍威尔欢迎她，尽量让她参与进来。她希望能恢复乔布斯和丽萨之间的关系。

随着乔布斯健康的好转，他那易怒的性格又回来了。他的胆管还在。“当他开始康复时，他迅速地从感激阶段直接返回到暴脾气和控制狂的模式。”史密斯回忆说，“我们都猜想他去鬼门关走了一遭回来，是不是会变得友善些，可是他没有。”

他吃东西也还是那么挑剔，而这比以往都更成问题。他只吃水果沙冰，还会要求把六七种不同口味的摆在他面前，供他挑选一种令他满意的。他把勺子放在嘴边尝一小口就会断言，“这个不好。那个也不好。”最后伊森反击了。“你知道，这不是口味问题，”他教育乔布斯，“别再把这个当成食物。从现在开始就把它当成药。”

每当有苹果的同事来探望他，乔布斯就情绪高涨。蒂姆 · 库克会经常过来向他汇报新产品的进展。“每次话题转移到苹果，你就可以看到他神采奕奕，”库克说，“就像灯点亮了一样。”乔布斯深深地爱着这家公司，他似乎是为了能够重返公司而活着。细节问题会让他充满力量，当库克描述新一代的iPhone时，乔布斯会花上一小时的时间来讨论它的命名——他们商定叫iPhone 3GS——以及“GS”两个字母的字号和字体，包括是否应该大写（是）和是否斜体（否）。

有一天莱利安排了一次惊喜之旅，参观Sun工作室（Sun Studio），那个红砖建筑的摇滚乐圣地，猫王、约翰尼 · 卡什、比比金（B. B. King）等很多摇滚乐先驱都曾在此录制唱片。乔布斯一行被单独安排参观，并由一个年轻员工介绍历史，这个年轻人跟乔布斯一起坐在杰瑞 · 李 · 刘易斯（Jerry Lee Lewis）用过的满是烟头烫痕的长凳上。乔布斯可以说是当时音乐产业里最有影响力的人物，但那个年轻人没认出憔悴的他。他们走的时候，乔布斯告诉莱利，“那个孩子非常聪明。我们应该录用他来做iTunes。”莱利通知了埃迪 · 库埃，他安排那个男孩飞去加利福尼亚面试，最终聘用他参与建设iTunes商店早期节奏布鲁斯（R&B）和摇滚乐曲库的工作。后来莱利回到Sun工作室看望朋友们时，他们说这件事证明，如他们的口号所说——你的梦想在Sun工作室依然可以成为现实。

归来

2009年5月底，乔布斯与妻子和妹妹乘私人飞机从孟菲斯归来，蒂姆·库克和乔尼·艾弗在圣何塞机场迎接他们。飞机一落地，他们就登上了飞机。“你可以在他的眼中看到那种归来的兴奋。”库克回忆说，“他充满斗志，迫不及待。”鲍威尔开了一瓶苹果酒，提议为她的丈夫干杯，大家都热烈拥抱。

艾弗满心的疲惫。他开车从机场回乔布斯家，一路上都在跟乔布斯讲他不在的时候让一切照常运转有多么困难。他还抱怨那些媒体文章说苹果的创新全部仰仗乔布斯，如果乔布斯不回来创新就会消失。“我真的很伤心。”艾弗告诉他。他感觉“备受打击”，而且卖力不讨好。

乔布斯回到帕洛奥图之后，也陷入了类似的低落状态。他开始意识到，对公司来说他可能并不是不可缺少的。在他休息期间，苹果的股票走势良好，从他在2009年1月宣布病休时的82美元涨到了5月底他回来时的140美元。乔布斯病休后不久，在一次跟分析员的电话会议上，库克一改淡定的风格，富有煽动性地宣讲了为什么即使乔布斯不在，苹果也会继续高歌猛进：

> 我们相信，我们在地球上存在的目的就是创造伟大的产品，这一点不会改变。我们一直专注于创新。我们崇尚简约而不是复杂。我们相信我们需要拥有并控制我们制造的产品背后的重要技术，并只参与那些我们可以作出重大贡献的市场。我们相信要对成千上万的项目说不，这样我们才能真正专注于那些对我们来说确实重要和有意义的少数项目。我们相信团队间的深度合作和相互启发，这让我们用别人没有的方式进行创新。坦白地说，这家公司的每一个团队都在不懈地追求完美，我们能诚实地对待自己，承认错误，并有勇气去改变。我认为，无论是谁在做什么工作，这些价值已经深深地扎根在这家公司，苹果将表现非凡。

这听起来像是乔布斯会说的（和已经说过的），但是媒体把它命名为“库克教义”。乔布斯心生怨气，深感沮丧，尤其是对于那最后一句。那可能是事实，乔布斯不知道应该为此感到骄傲还是伤心。坊间传言他可能不会再做CEO，而是退居二线做董事长。这种说法让他更加不顾一切地想起身下床、克服病痛，再次开始他那恢复体力的长时间散步。

在他回来几天后，苹果按计划有一次董事会，乔布斯出人意料地露面了。他缓缓地踱进会议室，并留下来参加了大部分会议。到6月初，他开始在家里主持每日例会，到月底他就回公司工作了。

与死神擦肩而过的他，现在会变得更加平和成熟吗？他的同事们很快就得到了答案。在回来工作的第一天他就接二连三地发脾气，让他的高管团队大吃一惊。他让那些6个月没见的同事狼狈不堪，撕毁了一些营销方案，训斥了几个他认为工作质量拙劣的人。但真正惊人的还是那天下午晚些时候他对几个朋友说的话："我今天过得最开心，"他说，"我无法相信我感觉多么富有创造力，整个团队是多么富有创造力。"蒂姆·库克对这一切都泰然处之。"我从没见过史蒂夫能克制住自己不表达他的观点或情感，"他后来说，"但这很好。"

朋友们注意到乔布斯保留了他易怒的特点。在他康复期间，他购买了康卡斯特公司（Comcast）公司的高清有线电视服务，有一天他给该公司的老板布莱恩·罗伯茨（Brian Roberts）打电话。"我以为他打电话来是要夸奖我们的服务，"罗伯茨回忆说，"相反，他告诉我'它烂透了'。"但是安迪·赫茨菲尔德注意到，在他那粗鲁之下，乔布斯变得更真诚了。"以前，如果你请史蒂夫帮忙，他可能会做截然相反的事情。"赫茨菲尔德说，"那是他的叛逆本性。而现在，他实际上会尽量帮忙。"

他的公开回归是在9月9日，在公司例行的秋季音乐活动上，他登上了舞台。观众起立鼓掌将近一分钟，然后他做了个不太常见的个人化的开场白，说明他接受了肝移植。"没有这样的慷慨捐献，我将无法出现在这儿，"他说，"所以我希望我们都能够同样慷慨地成为器官捐献者。"一阵欢呼之后他又说，"我站起来了，我回到了苹果，我爱这里的每一天。"他随后揭幕了新的iPod Nano产品系列，内置摄像头，抛光镀铝材质，配有九种不同的颜色。

到2010年初，他已经恢复了大部分体力，重新投入到工作中，迎接他的是他、也是苹果最多产的一年。自从推行苹果的数字中枢战略以来，他已经打出了两个本垒打：iPod和iPhone。现在，他要再次出击。

第三十七章

The iPad

Into the post-PC Era

iPad

后PC时代

你说你想要一场革命

2002年，微软一位工程师把乔布斯惹毛了，他一直在吹嘘自己研发的平板电脑软件，用户可以用手写笔在屏幕上输入信息。当年，一些制造商推出了使用该款软件的平板电脑，但并未改变世界。乔布斯一直渴望向人们展示平板电脑的正确做法——没有手写笔！但是，当看到苹果公司正在研发的多点触控技术后，他决定将其先用于iPhone。

当时，平板电脑的想法还只是在麦金塔硬件团队中酝酿。2003年5月，乔布斯接受沃尔特·莫斯伯格的采访时说："我们没有制作平板电脑的计划。事实证明，人们需要键盘。只有那些已经有了许多电脑和计算机设备的有钱人才会对平板电脑感兴趣。"是的，他这是在误导竞争对手，就像宣称自己只是"荷尔蒙失调"一样。事实上，在苹果公司大多年度的百杰集思会上，平板电脑都被纳入未来项目的讨论之中。"我们在多次集思会上都会花大量时间讨论平板电脑的想法，因为史蒂夫一直渴望制作这样一款产品。"菲尔·席勒回忆道。

2007年，乔布斯在考虑低成本上网本计划时，意外推动了平板电脑项目。在某个周一的一次头脑风暴会议上，艾弗说，为什么要在屏幕旁边装上键盘呢，那样又贵又笨重。他提议利用多点触摸界面，将键盘的功能纳入屏幕中。乔布斯对此表示赞同。于是，苹果公司放弃了设计上网本的想法，将资源投入平板电脑项目，令其快速运转起来。

平板电脑项目伊始，乔布斯和艾弗需要研究出合适的屏幕尺寸。项目团队设计了20个模型——都是圆角矩形，但大小和长宽比略有不同。艾弗将模型排列在设计工作室的桌子上。下午大家一到，就可以揭开罩在桌上的丝绒布，摆弄这些模型。“我们就是这样确定屏幕尺寸的。”艾弗说。

乔布斯一如既往地主张最为纯粹的简洁设计。这就需要明确平板电脑的核心本质。答案就是显示屏。因此，平板电脑项目的指导原则即是，所有功能和设计都必须服从屏幕的需要。艾弗问道：“怎样才能不让众多功能和按钮分散对于屏幕显示的注意力？”在每一个步骤上，乔布斯都会推进删除和简化。

有一次，乔布斯看着模型，略有不满，认为模型不够自然和友好，无法让人随意地拿起来。艾弗敏锐地指出了问题所在：平板电脑的形状要让人觉得有冲动去拿，而且可以随意用一只手就抓起来。边缘的底部需要再圆润一点，这样会让人觉得拿起来很舒服，而不用小心翼翼地抬起来。这意味着，必须把必要的连接接口和按钮都设计在平板电脑的边缘，同时设备的边缘又很薄，薄到让人忘却它的存在。

关注专利申请的人应该会注意到，2004年3月，苹果公司申请了编号为D504889的专利，并于14个月后通过。这项专利的发明者是乔布斯和艾弗。专利申请中附有一张圆角矩形平板电脑的草图，草图上一个男子随意地用左手拿着这部平板电脑，右手食指触碰屏幕，图上的平板电脑看上去正是后来推出的iPad。

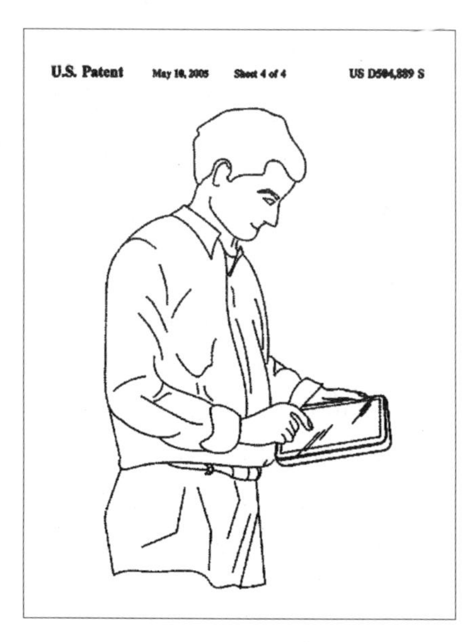

由于麦金塔电脑当时已开始使用英特尔公司的芯片，乔布斯最初计划在iPad中采用凌动芯片（Atom）——英特尔公司正在研发的低电压芯片。英特尔公司CEO保罗·欧德宁极力促成两家公司一起进行设计工作，乔布斯也比较信任他。英特尔公

司的处理器速度全球最快，但是其芯片往往用在带外接电源的计算机中，从来不需考虑电池的续航时间。于是，托尼·法德尔极力主张采用基于ARM的架构，其芯片更为简单，耗电更少。苹果公司很早就开始同ARM合作，最早的iPhone产品就使用了该架构的芯片。法德尔获得了其他工程师的支持，相信有可能挑战乔布斯并且说服他。在一次会议上，当乔布斯坚持认为最好信任英特尔公司能做出优秀的移动设备芯片时，法德尔吼道："错了，错了，错了！"当时，法德尔甚至把自己的名牌拍在会议桌上，威胁要辞职。

最终，乔布斯松口了："我听你的，我不会反对我最优秀的员工。"事实上，他走向了另一个极端。苹果公司在获得ARM构架授权的同时，收购了帕洛奥图一家150人的微处理器设计公司P. A. Semi，并让其设计一款定制的系统单芯片(System-on-a-Chip)；这款名为A4的芯片基于ARM架构，由三星公司在韩国制造。乔布斯回忆道：

> 在高性能方面，英特尔公司最好。他们制造的芯片速度最快，如果你不在乎功耗和成本的话。但是他们的芯片上只有处理器，因此需要许多其他部件。我们的A4芯片将处理器、显卡、移动操作系统和内存控制都集成于一个芯片之中。我们曾想要帮助英特尔公司，但是他们不怎么听我们的。多年来，我们都跟英特尔反映，他们的图形芯片很差劲儿。每个季度，我和其他三名苹果公司高管都会跟保罗·欧德宁开会。开始的时候，我们一起做出了很棒的东西。他们希望这个联合项目可以为今后的iPhone制作芯片。我们没有继续合作的原因有二。一是他们真的很慢，就像蒸汽轮船一样，不是很灵活，而我们习惯快速前进。二是我们不想把什么都教给他们，因为他们可能会把我们的东西卖给竞争对手。

据欧德宁说，iPad本可以采用英特尔芯片。问题在于苹果公司和英特尔公司无法谈拢价格，"没有合作主要是因为成本原因。"他说道。而这也是乔布斯控制欲——确切地说是强迫症——的一个表现，他想要控制产品的每一个环节，从芯片到材料。

2010年1月，iPad发布

2010年1月27日，iPad在旧金山亮相激起的狂热，令乔布斯通常在产品发布会上所能激起的热情黯然失色。《经济学人》杂志的封面上，乔布斯穿着长袍，头顶光环，手持被称为“耶稣平板电脑”的iPad。《华尔街日报》也发表了类似的赞美报道：“人类上一次对一个平板如此兴奋是因为上面写有十诫。”

似乎是为了强调这一产品的历史意义，乔布斯邀请了苹果公司当年的许多参与者。更意味深长的是，他还请来了詹姆斯·伊森和杰弗里·诺顿。伊森一年前刚刚为他做了肝脏移植手术；诺顿则是2004年为他做了胰腺手术，iPad发布当天，他携妻带子，与乔布斯的妹妹莫娜·辛普森一起坐在观众席中。

乔布斯以一贯的大师风格为新产品的登场铺陈渲染，就像三年前发布iPhone时一样。这一次，屏幕上显示出一台iPhone和一台笔记本电脑，中间标着一个问号。“问题是，两者之间还可能存在别的东西吗？”他问道。这个“东西”必须能用来很好地浏览网页、电子邮件、照片、视频、音乐、游戏和电子书。他给予了上网本概念致命的一击，说道：“上网本无论从哪个角度来讲都乏善可陈！”来客和员工欢呼起来。“但是我们有这样一个‘东西’，它叫做iPad。”

为了强调iPad的亲和性，乔布斯从容地走到一把舒适的皮革椅子和一张边桌前，拿起了一台iPad；实际上，出于他的品位，椅子是勒·柯布西耶（Le Corbusier）设计的，边桌则是埃罗·沙里宁（Eero Saarinen）的作品。他热情地说：“它比笔记本电脑亲和得多。”接着，乔布斯开始浏览《纽约时报》的网页，给斯科特·福斯托和菲尔·席勒发送电子邮件，题目是，“哇，我们真的在发布iPad。”然后他翻阅相册，使用日历，在Google地图上放大埃菲尔铁塔的图片，观看了《星际迷航》和皮克斯《飞屋环游记》的一些视频片段，展示iBook书架，并播放了鲍勃·迪伦的《像一块滚石》（*Like a Rolling Stone*），这首歌他曾在iPhone发布时播放过。“这难道还不够牛吗？”他问道。

在最后一张幻灯片中，一个路牌上标识着“科技”与“人文”两条街的交汇口。乔布斯着重阐述了其人生的一个理念，这一理念也在iPad身上得到了体现。“苹果之所以能够创造出iPad这样的产品，是因为我们一直努力融合科技和人文艺术。”他总结道。iPad是《全球概览》的电子化身，在这里，创意与实用工具相遇。

但iPad最初收到的反应并非颂歌。由于产品同年4月才上市，观看过乔布斯演示的一些人不太清楚这到底是个什么东西。一个增强型iPhone？《新闻周刊》的丹尼尔·莱昂斯（Daniel Lyons）写道：“自从Snooki和The Situation[①]好上之后，我还没有如此失望过。”莱昂斯曾在一个网络模仿秀中扮演“假史蒂夫·乔布斯”。Gizmodo网站发表了一篇撰稿人文章，题为“iPad的八大逊处”（Eight Things That Suck about the iPad），列举出iPad的种种缺点：没有多任务，没有摄像头，不支持Flash，等等。甚至就连iPad的名字也遭到博客圈的调侃，被恶搞成女性卫生用品。当天，“#iTampon”[②]这个标签在Twitter话题榜上排名第三。

比尔·盖茨也少不了冷嘲热讽一番。“我仍然认为，手写笔和真正的键盘，也就是上网本，会是主流，”他对布伦特·施伦德说，“我没有当初iPhone发布时的那种感觉。iPhone发布的时候，我心里想：‘哦天哪，微软的目标不够高。’iPad是个不错的阅读器，但是它没有任何地方会让我觉得，‘噢，我多希望这是微软做出来的。’”他坚持认为，微软的手写笔输入方案会成为行业标准。盖茨对我说：“多年来，我都一直预言今后会出现配备手写笔的平板电脑。要么我是对的，要么我就死定了。”

在发布会第二晚，乔布斯非常恼火和沮丧。我们聚集在他家厨房吃晚饭，他在餐桌旁来回踱步，用自己的iPhone收发电子邮件，浏览网页。

> 在过去24小时内，我收到了约800封电子邮件。大多数都是在抱怨。没有USB线！没有这个，没有那个。有些人会说，“靠，你怎么能这样做呢？”我一般不回复别人的邮件，但是这封我回了，“你父母会为你这么有出息而感到骄傲的。”有些人不喜欢iPad这个名字，等等等等。我今天有些郁闷，有点受到打击了。

---

① Snooki和The Situation是美国真人秀节目《泽西海滩》（*Jersey Shore*）中的两个演员在剧中的外号。

② Pad有女性卫生护垫的意思。Tampon是女性卫生棉条。

不过他那天也收到了一封值得高兴的贺电，发信人是奥巴马总统的办公厅主任拉姆·伊曼纽尔（Rahm Emanuel）。但他在晚餐时指出，奥巴马总统上任以来还没跟他通过电话。

4月，当iPad开始销售、人们亲手拿到它之后，公众的挑剔情绪开始消退。《时代》杂志和《新闻周刊》都将其做了封面报道。列夫·格罗斯曼在《时代》杂志撰文写道："撰写苹果公司产品文章的难题之一在于，它们常常伴随着天花乱坠的宣传。另一个难处则是，有时候炒作都是真的。"他对iPad的唯一保留意见就是，"虽然它是进行内容消费的好设备，但是对于内容创造并无多大助益。"事实确实如此。电脑，尤其是麦金塔，已成为人们制作音乐、视频、网站和博客的工具。"iPad将重点从内容创造转移至仅仅是吸收和使用内容。它让你成为观者，把你变成被动消费者，消费其他人的杰作。"乔布斯将这一批评放在心上，并着手改进，确保下一代iPad能够加强方便用户进行艺术创作的功能。

《新闻周刊》的封面标题是"iPad好在哪儿？哪儿都好"。之前用Snooki刻薄评论iPad的丹尼尔·莱昂斯修正了自己的观点。"在观看乔布斯演示的时候，我第一感觉就是，这好像没什么大不了的，"他写道，"就是个大点儿的iPod Touch，不是吗？后来，我有机会用了一下iPad，一下就爱上了它：我也想要一个。"莱昂斯和其他人一样，意识到这是乔布斯的得意之作，体现了他的所有理念。"他有种不可思议的能力，能够创造出一些小工具，我们原先不知道自己需要它们，等推出以后我们却发现自己离不开它们，"莱昂斯写道，"封闭的系统可能是传达苹果的技术禅理的唯一途径。"

关于iPad的大部分争论都着眼于其封闭的端到端一体化系统是卓越的还是注定失败的。Google这时开始扮演20世纪80年代微软的角色，该公司推出了移动系统安卓。这是一个开放平台，所有硬件制造商均可使用。《财富》杂志就这一话题进行了讨论。迈克尔·科普兰（Michael Copeland）写道："没理由封闭。"但是他的同事乔恩·佛特（Jon Fortt）反驳道："封闭系统的名声虽差，但是它们很好用，对用户有好处。在技术领域中，恐怕没人能比史蒂夫·乔布斯更能证明这一点。苹果公司能够通过捆绑硬件、软件和服务，并进行紧密控制，成功超越竞争对手，推出优美的产品。”二人一致认为，在麦金塔之后，iPad将是开放还是封闭这一问题最清楚的测试。“A4 芯片把所有功能都集成于一张芯片上，这表明苹果的控制癖已经到了一个新的高度。”佛特写道，“现在，对整个硅谷、设备、操作系统、应用程序商店和支付系统，苹果公司都具有绝对发言权。”

4 月 5 日中午之前，乔布斯来到帕洛奥图的苹果零售店，这是iPad开始销售的日子。丹尼尔·科特基也来了；他是乔布斯在里德学院和苹果公司早期的亲密伙伴，两人曾一起服用迷幻剂。科特基对当初没有得到发起人期权的事情早已释怀。“已经 15 年了，我想再见见他，”科特基回忆道，“我拉住他，说自己准备用iPad来写歌词。他当时心情很好，这么多年来，我们总算有了一次愉快的聊天。”乔布斯的妻子鲍威尔及小女儿伊芙在商店的角落里看着他们聊天。

沃兹尼亚克曾主张尽可能开放硬件和软件，他也在不断修正自己的意见。如以往一样，iPad上市当天，他和苹果迷们彻夜排队等待苹果零售店开门。这一天，他骑着一辆赛格威两轮自平衡电动车，来到圣何塞的维利菲尔购物中心（Valley Fair Mall）等待。一位记者向他询问苹果生态系统的封闭性。他回答说：“苹果把用户引进围栏并让他们留在里面，但是这也有一些优势。我喜爱开放式系统，但我是个黑客。而大多数人只想要简单方便易用的东西。史蒂夫的天才之处就在于，他知道如何把东西变得简单，而要做到这一点有时就需要控制一切。”

以前，人们会互相询问：“你的iPod里面有什么？”现在，这个问题变成了：“你的iPad上有什么？”连奥巴马总统的下属也在玩iPad，他们认为iPad是技术时髦的象征。经济顾问拉里·萨默斯（Larry Summers）下载的应用包括彭博财经资讯、拼字游戏Scrabble和《联邦党人文集》。白宫办公厅主任拉姆·伊曼纽尔下载了大量报刊应用，白宫沟通顾问比尔·伯顿（Bill Burton）的iPad上装有《名利场》的应用和一整季的美剧《迷失》。政治顾问戴维·阿克塞尔罗德（David Axelrod）下载了美国职业棒球大联盟和全国公共广播电台的应用。

有一个故事打动了乔布斯，他转发了给我。迈克尔·内尔（Michael Noer）在福布斯网站上发表了一篇文章：他在哥伦比亚首都波哥大北部农村的一个奶牛场，正在自己的iPad上读一部科幻小说，一个打扫马厩的 6 岁小男孩走了过来。小男孩很好奇，内尔于是把iPad递给了他。在没人指导也从未见过电脑的情况下，这个小男孩开始凭自己的直觉使用iPad。他开始用手指在屏幕上滑动，启动应用程序，玩弹球游戏。“史蒂夫·乔布斯设计出了一个强大的电脑，连目不识丁的6岁孩子都能在没有指导的情况下使用。”内尔写道，“如果这还不算神奇，那我真不知道有什么东西称得上神奇了。”

不到一个月，苹果公司就售出了100万台iPad，iPhone花了两倍的时间才达到这一销量。至2011年3月，即iPad发布9个月后，其销量已达1 500万台。从一些数据来看，它已成为有史以来最为成功的消费产品。

广告

乔布斯对于iPad原来的广告并不满意。像往常一样，他全身心投入营销工作之中。乔布斯同詹姆斯·文森特和邓肯·米尔纳一起合作，他们的广告公司现在改名为TBWA/Media Arts Lab，处于半退休状态的李·克劳也会给出一些建议。他们做出的第一个广告场景很温馨，一名男子穿着褪色的牛仔裤和运动衫，斜靠在椅子上，膝盖上放着iPad；他在上面查看邮件，浏览相册，阅读《纽约时报》，看电子书和视频。没有文字，只有蓝色面包车乐队（Blue Van）的《来吧我的爱》（*There Goes My Love*）作为背景音乐。“史蒂夫批准了这个广告方案后，又发现自己很讨厌它，”文森特回忆道，“他觉得这片子看起来就像陶瓷谷仓（Pottery Barn）家居店的广告一样。”乔布斯后来告诉我：

> 解释iPod是什么很容易——把1 000首歌装进你的口袋——我们很快就做出了标志性的剪影广告。但是，很难说清楚iPad是什么。我们不希望把它展示成一台电脑，也不想把它弱化成一台可爱的电视机。第一组广告表明我们不知道自己在做什么。它们太休闲，太惬意了。

为了做iPad的广告，詹姆斯·文森特几个月都没有休息。终于，iPad开始销售，广告也同步播出了，他开车带着家人前往棕榈泉观看柯契拉音乐节（Coachella Music Festival），参加演出的有他最喜欢的乐队，包括缪斯乐队、信仰破灭乐队（Faith No More）和退化乐队（Devo）。他刚到那儿没一会儿，乔布斯的电话就来了。“你的广告烂透了，”他说，“iPad正彻底改变世界，我们需要有冲击力的东西。你这都是小屁玩意儿。”

“好吧，那你想要什么？”文森特回敬道，“你一直都没能告诉我你想要什么。”

“我不知道，”乔布斯说，“你得给我点儿新东西。你给我看过的东西都差得远了。”

文森特开始争辩起来，乔布斯突然暴怒。文森特回忆说，“他开始冲我大吼大叫。”文森特也被激怒了，于是两人的争吵开始升级。

文森特喊道：“你得告诉我你要什么。”乔布斯回道：“你得给我展示一些东西，等我看到我想要的东西就知道是什么了。”

“噢，太棒了，让我把这记下来，发给我的创意人员：我看到我想要的东西就知道是什么了。”

为此，文森特非常沮丧，一拳打在了旅馆房间的墙壁上，在上面留下了一个大凹痕。当他终于走出屋外与家人坐在水池边时，他们都很紧张地看着他。他妻子最后开口问道：“你还好吧？”

文森特及其团队花了两周时间拿出了一系列新的备选方案，他要求在乔布斯家里而不是办公室中展示，希望这样的环境更放松。故事板架在茶几上，文森特和米尔纳共展出了 12 种方案。A 方案鼓舞人心，令人激动。B 方案采用幽默手法，让喜剧演员迈克尔 · 塞拉（Michael Cera）在一个假房子里针对人们使用iPad的方式发表有趣的评论。C 方案用名人，D 方案完全采用白色背景，E 方案演绎一个小情景喜剧，F 方案直截了当地进行产品演示，等等等等。

在仔细考虑了这些方案后，乔布斯明白了自己想要什么。不要幽默，不要名人，也不要产品演示。“广告要发出一份声明，”乔布斯说，“它应该是一个宣言，告诉人们iPad很了不起。”他曾宣布iPad会改变世界，他希望广告能够强化自己的宣言。乔布斯认为，在未来一年左右的时间里，其他公司会跟风推出平板电脑，而他希望人们记住，iPad才是真正的平板电脑。“我们需要这个广告能够站起来，向人们宣告我们的成就。”

他突然离开了自己的椅子，有些虚弱，但笑着说：“我要去做按摩了，开始干活儿吧。”

于是，文森特、米尔纳以及文案埃里克 · 格伦鲍姆（Eric Grunbaum）开始制作乔布斯想要的广告片，他们称之为“宣言”（The Manifesto）。这部广告片的节奏很快，激昂的节拍，生动的画面，它宣告iPad是革命性的产品。他们选择的音乐是耶耶耶合唱团（Yeah Yeah Yeahs'）女主唱凯伦·欧（Karen O）的一首名为《金狮》（*Gold Lion*）的副歌部分，颇具冲击力。画面展示出iPad神奇的功能，一个强有力的旁白宣告道：“iPad很薄，iPad很美……它非常强大，它不可思议……它是视频，是照片。能装下你一辈子都读不完的书。它已经是一场革命，而一切才刚刚开始。”

“宣言”广告片完成后，广告团队又尝试了更为柔和的手法，由年轻导演杰西卡·桑德斯（Jessica Sanders）拍摄了一段生活纪录片。最初，乔布斯挺喜欢这两个新广告。但没一会儿，他就开始反对，和他讨厌之前陶瓷谷仓式广告的理由如出一辙。“该死，”他大喊道，“这些就跟维萨卡的广告一样，典型的广告公司产品。”

他曾要他们做出新颖的广告，要与众不同；但最终，他意识到自己不想偏离自己所谓的苹果的声音。对乔布斯来说，苹果的声音有一系列特质：简单、干净、宣告式。“我们一直在探讨更生活化的广告方案，而史蒂夫似乎也慢慢产生了兴趣；结果突然他又说自己讨厌这个东西，它没有苹果的感觉。”李·克劳回忆道，“他叫我们找回苹果的声音，一种非常简单诚实的声音。”于是，他们又重新采用干净的白色背景，用一系列特写镜头以及“iPad是……”的短语来展示它的所有属性和功能。

应用程序

iPad广告没有介绍设备本身，而是讲述你可以用它做什么。事实上，iPad的成功不仅来自其漂亮的硬件，也来自其应用程序，用户可以借此进行各种有趣的活动。最开始只有数百种应用程序可供免费或低价下载，但很快，应用程序的数量就已成千上万。你可以玩“愤怒的小鸟”，也可以追踪股票信息、看电影、阅读电子书和杂志、获知新闻、玩游戏，消磨大把时光。硬件、软件和应用程序商店的整合让一切都变得很简单。但是，苹果公司也在对那些想要为iPad开发软件和内容的外部开发者有控制地开放应用程序商店；这个平台就像一个精心管理和控制的社区花园。

应用程序热潮始于iPhone。2007年初，iPhone刚刚推出时，没有外部开发人员开发的应用程序，乔布斯最初也拒绝向外部开发人员开放。他不想让外人为iPhone创建应用程序，因为这样可能会把iPhone搞得乱七八糟，让iPhonc感染病毒，或者破坏其完整性。

董事会成员亚瑟·莱文森和一些人主张开放iPhone应用程序。“我给他打了很多电话，游说他开放应用程序。”莱文森回忆说。如果苹果不允许开发者制作应用程序，而其他智能手机制造商允许，那么这实际上就将竞争优势拱手相让。苹果公司营销总监菲尔·席勒赞同莱文森的说法。“我无法想象，我们能创造出iPhone这样强大的产品，却不愿意授权开发者制作应用程序，”席勒回忆道，“我知道消费者会喜欢。”在苹果公司外部，风险投资家约翰·杜尔认为，开放应用程序平台能够催生出新型创业者，他们会创造出新的服务。

乔布斯一开始拒绝就此进行讨论，部分原因是，他认为其团队没有精力解决授权第三方应用程序开发者所涉及的复杂问题。他希望团队能专注。“于是他根本不愿意谈论这个问题。”席勒说。但是iPhone推出后不久，他又愿意听取大家就这个问题的争论。“每谈论一次这个话题，史蒂夫就好像更开放了一些。”莱文森表示。在四次董事会会议上，他们都就此问题进行了自由讨论。

乔布斯很快就想到了一个两全其美的好办法。他将允许外部开发人员编写应用程序，但是他们必须遵循严格的标准，接受苹果公司的测试和批准，并且只能通过iTunes商店出售自己的应用。这种方法既能获得授权众多软件开发者所带来的优势，又能保持足够的控制，以保护iPhone的完整性和用户体验的简单性。“这找到了一个好的平衡点，绝对是一个最佳解决方案，”莱文森说道，“能带给我们开放的好处，但同时又保留了端到端的控制。”

2008年7月，iPhone应用程序商店开放；9个月后，下载量就达10亿次。2010年4月iPad开始销售时，应用程序商店已经拥有18.5万个iPhone应用程序。大多数应用程序也能在iPad上使用，虽然大屏幕的优势并没有被利用到。但是，不到5个月的时间，就已经出现了2.5万个专门为iPad编写的新应用程序。至2011年6月，苹果应用程序商店中的iPhone和iPad应用程序已达42.5万个，下载量超过 140 亿次。

应用程序商店在一夜之间创造了一个新的产业。创业者们在宿舍、车库，以及主流媒体企业开发出了许多新的应用程序。约翰 · 杜尔的风投公司成立了iFund基金，提供 2 亿美元为最好的创意进行股权融资。杂志和报纸看到了最后的希望，他们此前一直免费发布电子内容，也许能凭借应用程序对电子内容进行收费，就像将精灵收回了魔瓶一样。富于创新的出版商专门为iPad创造出新的杂志、书刊和学习材料。例如，曾出版过麦当娜的《性》以及《蜘蛛小姐的茶会》等作品的高端出版社卡拉威（Callaway）决定破釜沉舟，完全放弃印刷业，而专注于利用交互式应用程序进行书籍出版。截至 2011 年 6 月，苹果公司已向应用程序开发者支付了 25 亿美元。

iPad和其他基于应用程序的数码产品预示着数码世界的根本性转变。在网络发展的第一阶段，20 世纪 80 年代，上网通常需要拨号进入一个服务商网络，如美国在线、CompuServe公司或Prodigy公司，这些服务商会提供一个围墙网络“花园”，里面都是服务商精心挑选组织的内容，同时这些“花园”会有一些出口，更为大胆的用户可以通过这些出口访问整个网络。第二阶段始于 20 世纪 90 年代初，浏览器开始兴起，所有人都能利用万维网超文本传输协议，通过浏览器浏览互联网上的数十亿个网站。雅虎和谷歌等搜索引擎的崛起，使用户可以轻易地找到自己想要的网站。而iPad的发布预示着一种新的模式。应用程序就像老式的围墙花园。创作者能够为下载这些应用程序的用户提供更多功能。但是应用程序的兴起也意味着牺牲网络的开放性和连接性。应用程序之间不易建立连接，也不易搜索。由于iPad可以同时使用应用程序和网络浏览，因此它同网络模式并无竞争。但是，它确实为内容创造者和消费者提供了一种替代方案。

出版和新闻

乔布斯用iPod改变了音乐产业。而iPad及其应用程序商店的出现，开始改变所有媒介，从出版到新闻，再到电视和电影。

自从亚马逊的Kindle表明市场对于电子书有兴趣后，苹果公司也着手创建了iBook商店，出售电子书，就像iTunes商店出售音乐一样。不过，iBook商店的模式有一个细微不同。在 iTunes 商店，乔布斯坚持所有歌曲都必须以低廉的价格出售，最初是 99 美分。亚马逊的杰夫·贝佐斯（Jeff Bezos）也曾试图在电子书销售方面采取类似的模式，将图书最高售价限定在 9.99 美元。乔布斯进入电子书领域，向出版商提出了唱片公司得不到的条件：他们可以在 iBook 商店中任意设置图书价格，苹果则从销售中提成 30%。起初，这种方式可能会让 iBook 商店里的电子书比亚马逊的贵。为什么人们要在苹果花更多钱来买书呢？沃尔特·莫斯伯格在 iPad 发布活动上向乔布斯发问，乔布斯回答道："这不成问题，价格还是一样的。"他说得没错。

iPad 发布第二天，乔布斯就向我讲述了自己对于图书的想法：

> 亚马逊搞砸了。它用批发价买了一些书，但用低于成本价的 9.99 美元进行销售。出版商对此深恶痛绝，这会影响他们以 28 美元的价格销售精装书的能力。因此，在苹果还未进入电子书领域之前，一些书商就已经停止向亚马逊供书。于是，我们跟出版商说，"我们采用代理模式，你们定价，我们抽成 30%。确实，消费者会多出点儿钱，但是反正这就是你们想要的结果。"不过，我们也要求，如果有别的地方比我们卖得更便宜，那么我们也能以更低的价格进行销售。于是，他们找到亚马逊说，"你们得跟我们签订代理合同，否则我们就不会给你们书。"

乔布斯承认，在音乐和图书领域，他可以都实行两种模式。他拒绝与音乐公司建立代理模式及赋予他们自己定价的权力。为什么？因为他不必如此。但是电子书就得这样。"我们不是最早进入图书业务的。"他说，"鉴于现有的情况，对我们最有利的策略就是借力使力，和出版商建立代理模式。我们成功了。"

2010 年 2 月，iPad 发布活动之后不久，乔布斯前往纽约同新闻界的高管们会面。两天之内，他会见了鲁珀特·默多克（Rupert Murdoch）、默多克的儿子詹姆斯，新闻集团旗下《华尔街日报》的高管，《纽约时报》高管小亚瑟·苏兹贝格（Arthur Sulzberger Jr.），以及《时代》杂志、《财富》杂志和其他时代集团旗下杂志的高管。"我想帮助有质量的新闻业，"他后来说道，"我们不能依赖于博客发布新闻。我们比以往都更需要真正的报道和编辑监督。因此，我想找到一种帮助人们创作数字产品的渠道，让他们能够真正赚到钱。”鉴于自己已经让人们购买数字音乐，他希望在新闻业也能收到同样的效果。

然而，出版商对于他送出的救命稻草持怀疑态度。同苹果合作意味着需要将自己 30%的收入都给苹果公司，但是这并非最大的问题。更重要的是，出版商担心，在苹果的系统下，他们无法再与订阅用户建立直接联系，无法获取订阅用户的电子邮件地址和信用卡号，无法直接向用户收钱、沟通和营销新产品。相反，苹果将拥有这些消费者，向他们发送账单，将他们的信息存入自己的数据库。而且由于苹果公司的隐私政策，只有用户明确同意的情况下，苹果公司才能共享用户的信息。

乔布斯尤其想要和《纽约时报》达成交易，他认为《纽约时报》是一份伟大的报纸，但由于不知道如何对数字内容进行收费而陷入衰退的危险之中。2010 年初，他对我说：“我已经决定，今年的个人项目之一就是帮助《纽约时报》，不管他们愿不愿意。我认为，他们搞清楚如何对数字内容进行收费，这对整个美国都很重要。”

纽约之行期间，他与 50 名时报集团高管在一家亚洲餐厅普拉娜（Pranna）的包房里共进晚餐。他点了一杯芒果奶昔和纯素意大利面，这两样在菜单上都没有。他在包房里展示了 iPad，并解释为数码内容制定出消费者愿意接受的适中价格有多重要。他画了一个图表，列出可能的价格和相应的销售量。如果《纽约时报》免费，会有多少订阅量？图表上已经标明了这个极端数字，因为《纽约时报》已经通过网站免费提供电子版内容，并有约 2 000 万定期访问者。如果他们定价非常高呢？这个数据也有；印刷版订阅者年费超过 300 美元，约有 100 万订阅者。“你们应该找到一个中间点，能达到 1 000 万电子版订阅者，”乔布斯对他们说，“这意味着，你们的电子版应该非常便宜、订阅非常简单，每月最多 5 美元。”

《纽约时报》的一位发行主管坚持，报纸需要所有订阅用户的电子邮件和信用卡信息，即使他们是通过苹果应用程序商店订阅的；乔布斯表示苹果公司不会公布这些信息。这激怒了那位高管。他说道，如果《纽约时报》拿不到这些信息，那么想都不要想这件事情。乔布斯说：“好吧，你们可以找订阅用户要啊，但是如果他们不愿自动把这些信息给你们，那也别怪我。如果你们不喜欢这种模式，那就别用我们的平台。又不是我让你们陷入这种困境的。是你们自己过去5年都在免费发行电子版，却没有收集到任何用户的信用卡信息。”

乔布斯还私下会见了小亚瑟·苏兹贝格。乔布斯后来说：“他是个不错的人，对《纽约时报》的新大楼非常自豪，这也是应该的。我把我认为他们应该做的事都告诉了他，但是没什么结果。”一年后，2011年4月，《纽约时报》才开始对电子版进行收费，并遵守乔布斯设立的政策，通过苹果应用商店销售部分订阅。乔布斯曾建议他们月收费定价5美元，然而《纽约时报》最终的定价接近其建议定价的4倍。

在时代–生活大厦，《时代》杂志的编辑里克·斯坦格尔（Rick Stengel）做东请来乔布斯。乔布斯喜欢斯坦格尔，因为他曾指派乔希·奎特纳（Josh Quittner）带领一个精英团队，每周为《时代》杂志编写iPad版本的应用程序。但是这次，斯坦格尔还邀请了《财富》杂志的安迪·瑟沃，乔布斯看到他不太高兴。他不留情面地告诉瑟沃，自己仍为两年前《财富》杂志披露其健康细节和股票期权问题而耿耿于怀。“我处于低谷的时候你们还来踩两脚。”他说。

时代集团的问题和《纽约时报》一样：该集团不希望苹果公司拥有其订阅用户并阻止自己直接向用户收费。时代集团希望创建的应用程序能够将读者跳转到自己的网站上完成订阅。苹果拒绝了。《时代》杂志和其他杂志提交过跳转订阅的应用程序，但均被苹果拒绝进入应用程序商店。

乔布斯试图与时代华纳的CEO杰夫·比克斯（Jeff Bewkes）亲自商谈；比克斯是一位精明的实用主义者，没有废话。几年前，就iPod Touch视频权的问题，两人已打过交道；乔布斯想获得美国家庭影院频道（HBO）的独家授权，电影播出后即可通过苹果设备下载观看，但未能成功说服比克斯；不过，他很佩服比克斯的坦率和果断。而比克斯则钦佩乔布斯既是一位战略思想家，又能掌控最微小的细节。“史蒂夫能随时从总体原则进入到细节。”他说。

乔布斯致电比克斯，提出就时代集团旗下杂志载入iPad做一笔交易；他一开始就警告说平媒业“糟透了”，“没有人真的想买你们的杂志”，苹果公司为他们提供一个销售电子版的绝好机会，但“你们这些家伙居然不接受”。比克斯完全不同意乔布斯的这些说辞。他表示，自己很愿意通过苹果公司销售时代集团的数字订阅产品，苹果公司30%的抽成也不成问题。“我现在就告诉你，你帮我们卖掉一份，就可以拿走30%。”比克斯告诉乔布斯。

乔布斯回答说：“好啊，这已经比其他人进步多了。”

“我只有一个问题，”比克斯继续说道，“如果你卖掉了我的杂志订阅，我给你30%的抽成，那么订阅用户算谁的——你还是我？”

“鉴于苹果公司的隐私政策，我不能给你所有的订阅者信息。”乔布斯回答说。

“好吧，那么我们得把其他事搞明白，因为我不想自己的整个订阅群到你手上，成为苹果商店的订阅用户。”比克斯说道，“今后你一旦取得了垄断，就会来找我，告诉我杂志不应该每本定价4美元，而应该是1美元。如果有人订阅了我们的杂志，我们需要知道订阅者是谁，我们需要能够建立订阅者网上社区，我们需要有直接向他们发送续订信息的权力。”

乔布斯与鲁珀特·默多克的进展要更为顺利。默多克新闻集团旗下拥有《华尔街日报》、《纽约邮报》，遍布全球的地方报纸，福克斯电影公司及福克斯新闻频道（Fox News Channel）。乔布斯会见默多克及其团队时，他们也要求拥有通过苹果应用程序商店订阅的用户信息。但是，乔布斯拒绝了他们的要求后，有趣的事情发生了。默多克并非一个易被说服的人，但是他知道自己在这个问题上并无筹码，于是接受了乔布斯的条件。“我们希望能够拥有这些订阅用户，也奋力争取了。”默多克回忆道，“但是史蒂夫不肯在这种条件下合作，于是我就说，‘好啦，那就按你说的合作吧。’我们觉得再继续浪费时间毫无意义。他不会退让，而且如果我站在他那个角度，我也不会退让，于是就同意了。”

默多克甚至还推出了一份专门为iPad量身定做的仅有电子版的报纸《日报》（*The Daily*）。这份报纸将按照乔布斯的条件在苹果应用程序商店中销售，价格为每周99美分。默多克亲自带队来到库比蒂诺展示这个应用程序的设计。毫不意外，乔布斯不喜欢他们的设计。“你介意让我们的设计师来帮忙吗？”他问道。默多克没意见。“苹果的设计师尝试设计一个新方案，”默多克回忆道，“我们的人也回去做了一个新设计。10天后我们再次来到苹果公司，当时我们和苹果的设计都进行了展示，而乔布斯比较喜欢我们这个。这让我们挺吃惊的。”

《日报》并非小报，也不是严肃报纸，而是类似《今日美国》（*USA Today*）

这样的中端产品。然而这份电子报并不是很成功。但它却让乔布斯和默多克建立了亲密的关系。默多克准备在 2010 年 6 月举行新闻集团年度管理层集思会，并请乔布斯前来发言；乔布斯的原则是从不出席这样的活动，但这次却破例接受了默多克的邀请。晚宴后，詹姆斯 · 默多克主持了一个近两小时的采访。“对于报纸在技术上的表现，他非常不客气地进行了批评。”默多克回忆道，“他对我们说，我们很难走上正轨，因为我们在纽约，而擅长技术的人都在硅谷。”时任《华尔街日报》数字网络部门总裁的戈登 · 麦克劳德（Gordon McLeod）并不能完全接受乔布斯的说法，他略微进行了反驳。最后，麦克劳德来到乔布斯跟前说：“谢谢，这是一个美好的夜晚，但是你可能会砸了我的饭碗。”默多克向我描述当时的场景时轻声笑了笑。“最后确实是这样。”他说。采访过后不到 3 个月，麦克劳德就离职了。

作为在新闻集团集思会上讲话的回报，默多克得洗耳恭听乔布斯对福克斯新闻网的看法。乔布斯认为福克斯新闻具有破坏性，对整个国家都有危害，并且会是默多克的一个名誉污点。“福克斯新闻搞砸了，”乔布斯在晚餐时对默多克说，“现在的核心问题不再是自由派和保守派，而是破坏性和建设性，而你们却和具有破坏性的人同流合污。福克斯已经成为我们社会一个非常具有破坏性的力量。你们可以做得更好；如果你再不注意，就会遗臭万年。”乔布斯认为默多克对福克斯的发展并不满意。“鲁珀特是一个建设者，而非破坏者，”乔布斯说，“我和詹姆斯见过几面，我认为他也同意我的看法。我看得出来。”

默多克后来表示，自己已经习惯了乔布斯这样的人抱怨福克斯。“在这个问题上，他有点儿左翼倾向。”默多克说。乔布斯让默多克的员工把肖恩 · 汉尼提（Sean Hannity）和格伦 · 贝克（Glen Beck）一周的节目做个合辑，他觉得这两人比起比尔 · 奥赖利（Bill O'Reilly）的节目更具破坏性。乔布斯后来告诉我，他也要乔恩 · 斯图尔特（Jon Stewart）的团队做一辑类似的节目给默多克看。默多克表示：“我会很高兴看到这些节目，但是他没有告诉我这件事。”

默多克和乔布斯相处融洽。第二年，他曾不止一次前往乔布斯在帕洛奥图的家，共进晚餐。乔布斯开玩笑说，默多克要来的时候，他得把餐刀藏起来，怕妻子会把默多克开膛破肚。据说，默多克曾打趣乔布斯家的有机菜肴：“在史蒂夫家吃晚饭是一个很棒的经历，只要能赶在当地餐馆打烊前出来就好。”遗憾的是，当我询问默多克是否说过这句话时，他已经记不得了。

2011年初，按照默多克的行程安排，他将于2月24日经过帕洛奥图，于是他发了条短信给乔布斯。他不知道那一天是乔布斯的56岁生日，乔布斯回短信邀请默多克共进晚餐时也没提起这个特殊的日子。“这是为了防止劳伦不让他来，”乔布斯开玩笑说，“那天是我的生日，所以她只得同意我把鲁珀特叫来。”埃琳和伊芙当时也在，里德在晚餐快结束时才从斯坦福大学慢悠悠地过来。乔布斯展示了自己的游艇设计，默多克觉得内部很漂亮，可是外部“有些简单”。默多克后来说，“他说了很多建造这艘游艇的事情，显然，他的健康状况挺乐观。”

晚餐时，他们谈到了在企业中注入创业精神和敏捷文化的重要性。默多克认为索尼公司未能做到这一点，乔布斯表示赞同。“我曾认为，一家真正的大企业不可能具有鲜明的企业文化，”乔布斯说，“但是，现在我相信这是可能的。默多克就做到了，我觉得我在苹果公司也做到了。”

晚餐上大部分谈话都围着教育展开。默多克刚刚聘请了乔尔·克莱因（Joel Klein）负责启动数字课程部门；克莱因曾担任纽约市教育局局长。默多克回忆说，对于技术能够改变教育的观点，乔布斯有些不屑一顾。但是乔布斯和默多克都认为，纸质教科书业务将会被数字学习材料淘汰。

事实上，教科书领域是乔布斯的下一个变革目标。他认为，现在是时候让数字技术摧毁这个每年80亿美元的产业了。许多学校出于安全考虑，没有储物柜，以至于孩子们得背着沉重的书包上下学，这也令乔布斯感到震惊。“iPad会解决这个问题。”他说。乔布斯想要聘请优秀的教科书编写者来制作电子版教科书，并让其成为iPad的一个特色。此外，他还与主要教材出版商会面，如培生教育出版集团（Pearson Education），商议合作。“国家认证教材的过程很腐败。”乔布斯说，“但是如果我们让教材免费，在iPad上提供教材，那么就无须认证这个环节。美国糟糕的经济形势还会持续十年，我们这样做可以帮政府规避认证流程，把这部分钱省下来。”

第三十八章

New Battles
And Echoes of Old Ones

新的战斗
昔日重现

谷歌：开放与封闭

2010 年 1 月 iPad 发布后几天，乔布斯在苹果园区举行了员工大会。然而，他并没有为这款变革性的新产品欢欣鼓舞，反而开始痛斥谷歌，因其决定进入手机领域与苹果竞争，并开发了安卓操作系统。乔布斯对此十分愤怒。“我们没有涉足搜索领域，”他说，“他们却进入了手机业务。没错，他们想要终结 iPhone，我们不会让他们得逞。”几分钟后，当会议进入到别的议题时，乔布斯又转回去长篇大论地攻击谷歌的著名价值观口号。“我想回到刚才的话题再说一件事。这个‘不作恶’的口号就是扯淡。”

乔布斯觉得自己遭到了背叛。在 iPhone 和 iPad 研发期间，谷歌公司 CEO 埃里克 · 施密特是苹果的董事会成员；谷歌公司的两位创始人拉里 · 佩奇和谢尔盖 · 布林（Sergey Brin）视施密特为良师益友。乔布斯感到被利用了。安卓的触摸屏界面正在越来越多地采用苹果首创的功能——多点触控、滑动操作、应用程序图标网格。

在谷歌研发安卓一事上，乔布斯曾努力劝阻。2008 年，他曾前往与帕洛奥图相距不远的谷歌总部，与佩奇、布林，以及安卓研发团队负责人安迪 · 鲁宾（Andy Rubin）大吵了一架。由于施密特当时是苹果董事会成员，他回避了一切关于 iPhone 的讨论。“我曾说，如果保持良好关系的话，我们会保证谷歌在

iPhone上的入口，并会在iPhone主屏幕上为谷歌放置一两个图标。”乔布斯回忆道。不过他也威胁，如果谷歌继续研发安卓并使用任何iPhone的功能，如多点触控，他会发起诉讼。起初，谷歌避免复制某些功能；但是2010年1月，宏达电子（HTC）推出了一款安卓手机，并大张旗鼓地宣扬其多点触控功能以及与iPhone在观感上的诸多相似之处。乔布斯就是在这种背景下认为谷歌的“不作恶”口号就是“扯淡”。

于是，苹果起诉了宏达电子，并将安卓作为连带起诉对象，称其侵犯了苹果20项专利。被侵犯的专利包括多点触控、滑动解锁、通过双触点滑动进行缩放，以及判断手持姿态传感器。在发起诉讼当周，乔布斯坐在帕洛奥图的家中，我从未见过他如此生气：

> 我们的诉讼是这样说的，“谷歌，你他妈的抄袭了iPhone，完全抄袭了我们。”这是偷窃。如果有必要，就算用尽最后一口气，花光苹果账户上的400亿美元，我也要纠正这个错误。我要摧毁安卓，因为它是偷来的产品。我愿意为此发动核战争。他们怕得要死，因为他们知道自己有罪。除了搜索引擎，谷歌的产品，包括安卓和Google Docs，都是狗屎。

几天后，乔布斯接到了施密特的电话，他在2009年夏天就已退出苹果董事会。施密特提议两人一起喝杯咖啡，于是他们在帕洛奥图购物中心的一个咖啡厅里会面。“我们一半的时间都在聊着个人问题，剩下一半时间就是乔布斯在说谷歌偷窃苹果用户界面设计的事。”施密特回忆说。当谈论到后面这个话题时，大部分时间都是乔布斯在说话。他说谷歌欺骗了他，言语中五味杂陈。“我们把你们抓了个正着。”他对施密特说，“我对和解没有兴趣。我不想要你们的钱。就算你们拿出50亿美元要求和解，我也不会要的。我有的是钱，我要你们停止在安卓上使用我们的创意，这才是我想要的。”两人的谈话没有解决任何问题。

这场争端的背后有着更深刻的问题及其令人不安的历史渊源。谷歌将安卓作为一个“开放”平台；各个硬件制造商都可以在自己的手机和平板电脑上免费使用它的开源代码。乔布斯则信奉苹果应该将其操作系统与硬件封闭地整合起来。20世纪80年代，苹果没有授权他人使用麦金塔操作系统，而微软则将其操作系统授权给多个硬件制造商使用，并最终主宰了操作系统市场；在乔布斯看来，微软的操作系统剽窃了苹果的界面。

将微软在 20 世纪 80 年代的所做和谷歌在 2010 年的所为放在一起比较虽不恰当，但也足以令人不安和愤怒。这体现了数字时代的大辩论：封闭还是开放，或者用乔布斯的话来说，一体化还是碎片化。是像苹果所主张的以及乔布斯自身完美主义的控制欲所推动的那样，将硬件、软件和内容都整合在一个干净漂亮的系统中以确保简洁的用户体验，还是通过创造能够在不同设备上修改使用的软件系统，让用户和制造商都拥有更多选择并释放更多创新？施密特后来对我说："史蒂夫管理苹果有其独特的方式，和 20 年前一样，苹果是封闭系统的优秀创新者，他们不希望别人在未经许可的情况下进入自己的平台。封闭平台的好处就是控制。但是谷歌相信，开放是更好的方式，因为这能带来更多可能性和竞争，并给予消费者更多选择。"

25 年前，乔布斯就曾为了其封闭策略向微软宣战，现在他又向谷歌宣战。比尔 · 盖茨看到此情此景有何感想呢？"从控制用户体验的角度来说，更为封闭的系统会有一些好处；当然，他有时也确实从中获益。"盖茨对我说。但是，他补充道，苹果拒绝授权 iOS 操作系统，这一行为让竞争对手，如安卓，有机会获得更大的市场空间。此外他还认为，各类设备和制造商之间的竞争，能够带来更多创新，给消费者更多选择。"并非每家公司都会在中央公园附近建造金碧辉煌的门店。"盖茨拿苹果在第五大道的零售店打趣道，"但是，为了争夺用户，他们总会有所创新。"盖茨指出，个人电脑的大多数进步都是因为消费者有很多选择，而总有一天，移动设备领域也会如此。"我认为，开放的方式最终会成功，不过这是从我的经历而言的。从长远来看，一以贯之的事物，你没法一直做下去。"

乔布斯则相信"一以贯之的事物"。即使安卓正在赢得市场份额，他却丝毫没有动摇，仍然推崇控制和封闭的环境。当我把施密特的说法告诉乔布斯后，他指责道："谷歌说我们比他们施加了更多的控制，我们是封闭的，他们是开放的。好吧，我们来看看结果——安卓一团糟。安卓系统的手机屏幕大小和版本都不同，有上百种样子。"即使谷歌的做法最终会赢得市场，乔布斯也非常排斥。"我喜欢为整个用户体验负责。我们做这些不是为钱，而是因为我们想要创造伟大的产品，而非安卓这样的垃圾。”

Flash，应用程序商店，以及控制

乔布斯坚持端到端的控制也体现在其他斗争中。在员工大会上，他不仅攻击了谷歌，也抨击了Adobe公司的网站多媒体平台Flash，认为它是“懒人”做出来的东西，“漏洞多”，耗电高。他表示，iPod和iPhone永远不会运行Flash。“Flash在技术上一团糟，性能差，并且有严重的安全问题。”他在同一周这样对我说。

乔布斯甚至封掉了那些借助Adobe官方提供的转码器将Flash代码编译为能适用于苹果iOS系统的应用。他鄙视编译器，开发者只用编写一次代码，然后通过编译器就能把代码移植到多个操作系统中去。“允许Flash跨平台移植，这意味着产品受限于所有平台都必须支持的特性，因而只能是平庸至极的，”乔布斯说，“我们花费了很多精力让我们的平台变得更好，如果Adobe只能和所有平台都有的功能兼容，那么开发者根本得不到任何好处。因此我们希望开发者利用苹果更好的特性，这样，在我们的平台上，他们的应用程序能比在其他平台上运行得更好。”在这个问题上，他是正确的。如果苹果放弃了让平台与众不同的能力——允许它们像惠普和戴尔的机器一样变成大路货——那这也意味着苹果自身的死亡。

此外，还有一个个人原因。1985年，苹果投资了Adobe公司，两家企业联手发起了桌面出版革命。“我帮助Adobe公司成名。”乔布斯称。1999年重回苹果后，乔布斯让Adobe公司为iMac及其新操作系统制作视频编辑软件和其他产品，但是Adobe拒绝了，并专注于为Windows开发产品。不久之后，Adobe公司的创始人约翰·沃诺克（John Warnock）退休了。“沃诺克离开后，Adobe公司的灵魂也消失了。”乔布斯说，“他是我愿与之打交道的创新者。他走以后，留下的只是一群西装革履的家伙，Adobe公司也变成了垃圾。”

博客圈的Adobe布道者和Flash支持者开始抨击乔布斯，认为他的控制欲太过火了。于是，乔布斯决定撰写并发表一封公开信。他的朋友，苹果董事会成员比尔·坎贝尔专程前往乔布斯家中通读这封信。“是不是有种我在给Adobe挑刺

的感觉？”他问坎贝尔。“不，你写的都是事实，就这样吧。”坎贝尔回答道。这封公开信大多着眼于Flash的技术缺陷。尽管有坎贝尔的指点，但是乔布斯在公开信的结尾处还是禁不住感慨于两家公司之间的历史纠葛。他指出：“Adobe是最后一家完整采纳Mac OS X标准的大型第三方软件开发商。”

那年晚些时候，苹果提高了对跨平台编译器的一些限制，而Adobe公司则推出了能够利用苹果iOS系统主要特性的Flash创作软件。这是一场痛苦的战争，但乔布斯占据了更大主动权。最后，它推动了Adobe和其他编译器开发者更好地利用iPhone和iPad的界面及其特性。

而当苹果意欲严格控制哪些应用程序可以下载到iPhone和iPad上时，乔布斯承受了更大的压力。防范含有病毒或侵犯用户隐私的应用程序理所当然；要求涉及订阅的应用程序必须让用户通过iTunes商店订阅而不能跳转至其他网站进行订阅也有其商业上的道理。但是乔布斯及其团队更进一步：他们决定禁止任何诋毁他人的应用程序，不论是具有政治争议性的，还是被苹果审查员视为含有淫秽内容的。

当一个以马克·菲奥里（Mark Fiore）的政治漫画为蓝本开发的应用程序被拒时，苹果试图扮演保姆的问题就凸显出来了。该应用因攻击布什政府的虐囚政策而被认为违反了不许诋毁他人的禁令。2010年4月，菲奥里赢得了普利策社论漫画奖，苹果的决定也被公之于众，并遭到嘲笑。苹果不得不收回成命，乔布斯也公开致歉。“我们对自己的错误感到愧疚，”他说，“我们尽可能做到最好，也尽可能快地学习——但我们的确曾以为这条规定是有道理的。”

这已经不仅仅是一个错误了。如果我们想用iPad或iPhone，那么苹果就能控制我们可以看到和下载的应用程序。乔布斯似乎有成为奥威尔笔下的老大哥的危险，而也正是他在麦金塔的“1984”广告中令人欢欣鼓舞地摧毁了老大哥。乔布斯对这个问题十分上心。有一天，他打电话给《纽约时报》的专栏作家汤姆·弗里德曼（Tom Friedman），讨论如何画定界线却又不至于落得审查者的臭名。他要弗里德曼带领一个咨询小组，帮助自己画定界线；但是弗里德曼的出版商表示，这样做存在利益冲突的问题，因此咨询小组的事情也就不了了之了。

色情作品禁令也带来了麻烦。“我们相信，苹果有道德责任让色情远离iPhone，”乔布斯在回复一位消费者的邮件时写道，“需要色情的人可以用安卓。”

这引发了瑞安·泰特（Ryan Tate）与乔布斯的电子邮件对话；泰特是科技八卦网站硅谷闲话（Valleywag）的编辑。一天晚上，泰特喝着鸡尾酒，给乔布斯发了一封电子邮件，谴责苹果公司严格控制用户所能下载的应用程序。“如果迪伦今天是20岁的话，他会怎么评价你的公司？”泰特质问道，“他是否会认为iPad和‘革命’根本没什么关系？革命的核心是自由。”

出乎意料的是，几个小时后，即午夜过后，乔布斯对泰特进行了回复。“没错，”他说，“远离那些窃取用户私人数据程序的自由，远离那些榨干电池电量的程序的自由，远离色情的自由。是的，自由。时代在变[①]，一些传统的个人电脑使用者觉得他们的世界正在逝去。没错。”

泰特在回复中提到了对于Flash和其他话题的看法，然后又回到了审查问题。“你知道吗？我不想要‘远离色情的自由’。色情有什么不好的！我觉得我妻子也会同意。”

乔布斯回复道：“等你有了孩子，可能就会关心色情的问题了。这与自由无关，苹果是在为用户做正确的事情。”末了，他反驳道：“顺便问一句，你又干过什么了不起的事情？你创造过什么东西没有？还是说你只会批评其他人的工作、贬低他人的动机？”

泰特承认这给自己留下了深刻的印象。“很少有CEO会这样跟消费者和博客写手一对一地交流，”他写道，“乔布斯打破了一般的美国高管模式，他应该为此受到赞誉，而不仅仅因为他的企业做出了如此卓越的产品：他依照自己对于数字生活的强烈意志创建并重建了自己的公司，而且他愿意公开辩护自己的观点——大力地，直言不讳地，在周末凌晨两点这个时段。”博客圈中许多人也赞同这一说法，他们给乔布斯发邮件赞扬他的争论精神。乔布斯也很自豪，他把同泰特的往来邮件和一些称赞转发给了我。

尽管如此，对于苹果公司禁止用户查看富有争议的政治漫画和色情作品，人

---

① 乔布斯在这里引用了鲍勃·迪伦的著名歌曲《时代在变》，一语双关。

们仍然感到不安。幽默网站eSarcasm.com发起了一项网络运动，名为“是的，史蒂夫，我想要色情作品”。网站宣称，“我们是肮脏、痴迷色欲的恶徒，需要一天24小时接触淫秽内容。或者，我们只是想要一个没有审查的开放社会，一个不由技术独裁者决定我们能看什么不能看什么的社会。”

当时，乔布斯和苹果公司正同硅谷闲话的附属网站Gizmodo开战；一位倒霉的苹果工程师在酒吧落下了一部还未发布的iPhone 4测试机，Gizmodo拿到了它。依照苹果公司的投诉，警方搜查了该网站记者的住所。这一事件令人质疑，除了控制癖以外，苹果公司是否太过傲慢嚣张。

乔恩·斯图尔特是乔布斯的朋友，也是苹果迷。2010年2月乔布斯前往纽约会见传媒高管时，曾私下拜访斯图尔特。但这也没能阻止斯图尔特在《每日秀》（*The Daily Show*）中将矛头对准乔布斯。“事情不应该是这样的！微软才应该是邪恶的那个！”斯图尔特半开玩笑地说道。他身后的屏幕上出现了“appholes”[①]的字样。“哥们儿，你们曾是反叛者，是处于弱势的人。但是现在，你们倒成了老大哥了？还记得‘1984’广告吗，推翻了老大哥的牛×广告？照照镜子啊，兄弟！”

同年春末的时候，董事会成员也开始讨论这个问题。亚瑟·莱文森在董事会会议上提出了这个问题。之后他在一次午餐的时候告诉我说：“史蒂夫的态度有些傲慢，这是他个性使然。他会本能地反抗，有力地摆出自己的信念。”在苹果还是充满反抗意识的弱势企业时，这种傲慢态度没什么问题。但是现在，苹果已经是移动市场的主导者了。“我们需要转变心态，符合自己大企业的身份，并处理狂妄傲慢的问题。”莱文森表示。阿尔·戈尔也在董事会会议上谈到了这个问题。“苹果的境况正发生巨大改变，”他回忆道，“它不再是向老大哥挥锤的人了。现在，苹果公司做大了，人们认为它傲慢嚣张。”一旦涉及这个问题时，乔布斯就变得很防备。“他还在调整，”戈尔说，“他更善于做一个处于弱势的人，而不是谦逊的巨人。”

---

① 用apple和asshole（浑蛋）合造的词，意为苹果很浑。

对于这类谈话，乔布斯毫无耐心。他告诉我，人们之所以批评苹果，是因为“谷歌和Adobe这样的公司在污蔑我们，企图摧毁我们”。那么对于人们认为苹果有时太傲慢的看法，他怎么看呢？“我对此毫不担心，”他说，“因为我们不傲慢。”

天线门：设计与工程谁说了算

在许多消费类产品企业中，设计师和工程师之间关系紧张；设计师想要产品美观，工程师需要确保产品满足功能需求。在苹果，乔布斯将两者都推向了极致，因此设计师和工程师之间的关系更为紧张。

1997年，他和设计总监乔尼·艾弗共同进行创意决策，他们常常认为，工程师需要克服那种觉得某事做不了的怀疑态度。iMac和iPod的成功，让他们更加坚信自己的信念——了不起的设计能够激发工程师做出超人的壮举。每当工程师表示有些事情做不了时，艾弗和乔布斯就会逼迫他们努力尝试，通常都成功了。但偶尔会有些小问题。例如，艾弗认为涂层会削弱自己设计的纯粹性，从而让iPod Nano很容易被刮花。但这并没有给苹果公司造成危机。

在设计iPhone的时候，艾弗的设计欲望撞上一个不可能被现实扭曲力场改变的物理学基本法则——金属不宜放在天线附近。物理学家迈克尔·法拉第（Michael Faraday）已经证实，电磁波在传播的过程中会绕过金属的表面，而无法穿过金属。因此，用金属外壳包裹手机会造成“法拉第笼”（Faraday Cage）的现象，削弱进出的信号。起初，iPhone的设计是在底部使用塑料壳；但是，艾弗认为这会破坏设计的完整性，要求全部使用铝质材料。这样的做法成功了，于是，在设计iPhone 4时，艾弗要求使用钢圈。钢圈是机身的支撑结构，看上去圆润饱满，并部分充当手机天线。

这就有个大问题。要作为天线使用，钢圈必须有一个微小的缝隙。但是，如果用户的手指或汗湿的手掌遮住了这个缝隙，就会造成信号损失。工程师建议在钢圈外部喷上涂层，以防止该问题的出现，但是艾弗认为这会影响拉丝金属的外观。iPhone团队在各种会议上都向乔布斯反映了这个问题，但是乔布斯认为工程师们只是在玩狼来了的把戏。他说，你们能行的。他们也确实做到了。

解决方案近乎完美，但并非完美。iPhone 4在2010年6月发布时看起来棒极了，但是问题很快就浮出了水面：如果用户以某种方式拿着手机，尤其是用左手拿着手机时，手掌就会盖住钢圈上的小缝隙，于是就会出现信号丢失的问题。这种问题发生的概率大约为1%。由于乔布斯要求对未发布的产品进行严格保密，就连Gizmodo网站在酒吧里拿到的那台测试机也装的是假外壳，iPhone 4并没有像大多数电子设备一样进行实用测试。因此，在大众抢购之前，这一缺陷并没有被人发现。“问题在于，设计高于工程和对未发布产品进行高度保密的双重政策是否对苹果有益。”托尼 · 法德尔后来表示，“总的来说，这样做有好处；但是不受制约的权力是件坏事，而事情就是这样的。”

一个普通手机出现一些信号丢失问题根本不会成为新闻，但这是iPhone 4，是让所有人惊叹的产品。这一故障问题被大家称为“天线门”。7月初，《消费者报告》（*Consumer Reports*）进行了一些严格的测试，表示鉴于天线问题，不推荐消费者购买iPhone 4。此举将“天线门”事件推向高潮。

就在“天线门”炒得沸沸扬扬之时，乔布斯正和家人在夏威夷康娜度假村度假。最开始，他还在为自己和苹果公司辩护。亚瑟 · 莱文森接二连三地跟他通电话，乔布斯坚持认为，这是谷歌和摩托罗拉在作怪，“他们想要打倒苹果。”他说。

莱文森让他谦虚一点。“我们来看看到底是不是有问题。”他说。当他再次提到公众认为苹果公司态度傲慢时，乔布斯很不高兴。这违背了他非黑即白、是非分明的世界观。乔布斯认为苹果是一家讲原则的公司。如果别人看不到这点，那么是他们的错，苹果没有理由放低姿态。

紧接着，乔布斯觉得受到了伤害。他认为这些批评是针对他个人的，他感到很痛苦。“他内心深处认为，自己绝不会像某些商界的纯实用主义者那样去做一些明显错误的事情。”莱文森表示，“因此，如果他认为自己是对的，那么就会往前冲，而没有想过质疑自己。”莱文森劝他不要沮丧，但没有用。“去他妈的，这事根本不值得费这么大工夫。”他跟莱文森说。最后，蒂姆 · 库克让他从低落的情绪中摆脱出来。库克跟乔布斯说，有人认为苹果将成为另一个微软，自满又傲慢。第二天，乔布斯转变了态度。“让我们把这个问题弄个水落石出。”他说。

从AT&T收集到信号丢失的统计数据后，乔布斯意识到，虽然实际情况并没有舆论所声讨的那样夸张，但确实是个问题。于是，他从夏威夷飞回公司。不过在回去之前，他打了几通电话，召集了几个值得信赖的老手，那些30年前麦金塔创始团队的聪明人。

他首先打给了公关老手里吉斯·麦肯纳。“我准备从夏威夷回来处理天线问题，需要你的意见。”乔布斯对他说。他们约好次日下午1点半在苹果会议室见面。第二个电话打给了广告人李·克劳。他曾想要放弃和苹果合作，但是乔布斯欣赏他并将他留下了。克劳的同事詹姆斯·文森特也接到了乔布斯的电话。

乔布斯还决定把儿子里德也带回公司一同参加会议；里德当时在读高中四年级，刚和他从夏威夷回来。“我接下来两天会全天不停地开会，希望你也能来，这两天你能学到的东西比在商学院两年还多。”他对里德说，“你将会和世界上最优秀的人才共处一室，看看一切是如何运作的。”在回忆这段经历时，乔布斯有些热泪盈眶。“我愿意再经历一次这样的事件，只要让他有机会看看我工作时的样子。”他说，“他应该看看自己的父亲在做什么。”

到会的还有苹果公司的公关主管，沉着冷静的凯蒂·科顿（Katie Cotton）以及其他七名高管。会议持续了整个下午。乔布斯后来回忆说：“这是我人生中最棒的会议之一。”会议一开始，他就拿出了自己收集的所有数据。“事实都摆在这儿，我们应该做些什么？”

麦肯纳最为沉着和直接，他说：“只需摆出事实和数据，不要表现得傲慢狂妄，但要坚定和自信。”其他人，包括文森特在内，都劝乔布斯表现得更有歉意些，但是麦肯纳不同意。他建议道：“不要夹着尾巴召开新闻发布会，你应该直接跟他们说，‘手机不完美，我们也不完美。我们是凡人，在尽自己最大的努力做事，而数据在这里。’”麦肯纳的提议被采用了。讨论到乔布斯的傲慢形象时，麦肯纳劝他不必多虑。“我不认为让乔布斯表现得谦卑一些就能解决问题。”麦肯纳后来解释道，“正如史蒂夫形容自己的那样，‘所见即所得’。”

周五，苹果在公司礼堂举办了新闻发布会，乔布斯采纳了麦肯纳的意见。他没有卑躬屈膝，也没有道歉，只表示苹果理解这个问题并会尽力改正，这样他就得以平息问题。接着，他话题一转，称所有手机都有些问题。后来他告诉我，自己在发布会上的语气有些“太恼怒”，但事实上，他的表述冷静而直接。他用了四个简短的陈述句："我们不完美。手机不完美。我们都知道这一点。但是我们想要让用户满意。"

他表示，如果有人不满意，可以退货或者免费获得苹果提供的胶套。结果，iPhone 4 的退货率只有 1.7%，还不到 iPhone 3GS 和大多数其他手机退货率的 1/3。在发布会上，他又接着报告了一些数据，表明其他手机也有类似问题。但这并不完全属实。苹果的天线设计让 iPhone 4 比大多数手机的天线都要差一点儿，包括之前的 iPhone 版本。但是，媒体对于 iPhone 4 信号丢失的报道确实夸大其词了。"这捏造出来的数据令人难以置信。"他说。对于乔布斯既没卑躬屈膝，又没有责令召回，大多数消费者并没有感到震惊，相反他们认识到乔布斯是对的。

iPhone 4 的存货已经售罄，排在等候名单上的人们现在要等上三周时间——之前还只需要两周的时间。它成为苹果历史上销售最快的产品。乔布斯在发布会上断言其他智能手机也有同样的天线问题，媒体遂将话题转移至他的说法是否正确。即使乔布斯所言不实，这也比讨论 iPhone 4 是否是个有缺陷的无用产品要好。

一些媒体观察家对此感到难以置信。newser.com 的迈克尔·沃尔夫（Michael Wolff）写道："通过一场大胆的表演，乔布斯向人们展示了他的坚定、正义及无辜，从而成功地回避了问题，消除了批评，并将火引到了其他智能手机厂商身上。这是现代营销、企业公关和危机管理的新高度，你只能目瞪口呆充满敬意地问他们：你们是怎么成功摆脱问题的？或者更准确地说，他是如何摆脱问题的？"沃尔夫将其归功于乔布斯的洗脑能力，称他是"最具有魅力的人"。换做其他 CEO 会卑微地进行道歉，并大量召回问题产品，但乔布斯不必如此。"他冷酷瘦削的外表，他的专制，宗教般的影响力，神一样的地位，使他有特权决定什么东西重要什么东西微不足道。"

漫画《呆伯特》（*Dilbert*）的创作者斯科特·亚当斯（Scott Adams）也同样感到难以置信，不过更多的还是欣赏。几天后，他发表了一篇博客文章，惊叹乔布斯"占据制高点的举动"，称其将会成为新的公关标准。乔布斯自豪地把这篇文章发送给很多人。"苹果对 iPhone 4 问题的回应并未遵循公关套路，因为乔布斯决定重新改写规矩。"亚当斯写道，"如果你想知道天才什么样，研究一下乔布斯的措辞吧。”通过宣称手机都不完美，乔布斯用一个不争的事实改变了争论的语境。“如果乔布斯没有把问题从iPhone 4引向所有智能手机，我可能会画一幅爆笑漫画，展示一款一拿到手里就无法使用的手机。但是，一旦问题变成了‘所有智能手机都存在问题’，幽默的机会也就随之溜走了。没有什么能比一般性的枯燥事实更能扼杀幽默了。”

太阳升起 ①

在乔布斯的职业生涯完满之前，有几件事情需要解决。其中一件就是结束与他喜爱的披头士乐队之间的“三十年战争”。2007年，苹果同苹果唱片公司就商标之争达成和解；该唱片公司是披头士的母公司。1978年，苹果唱片公司起诉刚刚起步的苹果计算机公司，称其使用自己的名字。但是商标案和解之后，披头士的音乐仍未进驻iTunes商店，成为唯一遗落在外的著名乐队。主要原因在于苹果唱片公司还未同百代音乐公司就如何处理数字版权达成一致，而百代音乐公司拥有披头士大部分歌曲的版权。

2010年夏，披头士和百代音乐公司找到了解决方案，并与苹果举行了四人峰会。乔布斯和负责iTunes商店的副总裁埃迪·库埃主持会议，邀请了杰夫·琼斯（Jeff Jones）和罗杰·法克森（Roger Faxon）：琼斯代表披头士的利益，法克森是百代音乐公司的总裁。既然披头士已经准备好了进军数码市场，苹果会如何为这一里程碑添加一点儿传奇色彩呢？乔布斯期待这一天很久了。事实上，三年前在计划如何吸引披头士加入时，他就曾和广告团队、李·克劳及詹姆斯·文森特一起构思了一些广告创意。

“史蒂夫和我想尽了一切能够做的事情。”库埃回忆道。其中包括重新设计iTunes商店主页，购买广告牌放上披头士乐队最好的照片，以及播放一系列经典苹果风格的电视广告。顶级的方案是一套价值149美元的套装产品，其中包括披头士的全部13张专辑，《昔日大师》（*Past Masters*）两张精选集，以及勾起人怀旧之情的1964年披头士华盛顿体育馆演唱会视频。

---

① 《太阳升起》（*Here Comes the Sun*），披头士乐队的经典歌曲。

大体原则都达成一致后，乔布斯亲自帮助挑选了广告需要的照片。每个广告结尾都是一张黑白静照，年轻的保罗·麦卡特尼（Paul McCartney）和约翰·列侬，微笑着，在录音棚里低头看一首乐曲。这使人想起了乔布斯和沃兹尼亚克的一张旧照，照片上是两人一起查看苹果电路板。库埃说："让披头士进入iTunes是我们进入音乐业务的终极目标。"

第三十九章

To Infinity

The Cloud, the Spaceship, and Beyond

飞向太空

云端，飞船，宇宙无限

iPad 2

在iPad开始销售之前，乔布斯就已经在思考iPad 2上该有什么。它需要前置和后置摄像头——大家都知道会是这样——而且他肯定希望它更加轻薄。但是有一个他专注思考的外设问题是大多数人没有想到的：人们用的保护套遮盖了iPad的美丽线条，也削弱了屏幕的效果。他们把本应轻薄的东西做得太厚了，给一个原本各方面都充满魔力的电子设备披上了件大路货的外衣。

大约就在那个时候，他读到一篇有关磁铁的文章，剪下来交给了乔尼·艾弗。磁铁的吸引力可以被精确地聚焦在一个锥形区域里，这也许可以用于连接一个可分离的保护盖。那样，保护盖就可以覆盖iPad的正面而无须包裹整个设备。艾弗的团队里有个家伙研究出了如何用有磁性的合页连接一个可分离的保护盖。当你打开它时，屏幕会被唤醒，而且这个保护盖还可以折叠成一个支架。

这不是高科技，只是纯粹的机械应用。但是它很迷人。这也是乔布斯追求端到端一体化集成的另一个例子：保护盖和iPad是一起设计的，因此磁铁和合页可以无缝连接。iPad 2会有很多改进，但是这个大多数CEO都会不屑一顾的小盖子，却将博得最多赞许的微笑。

iPad 2按计划在2011年3月2日于旧金山发布，由于乔布斯又在休病假，大家并未期待他会出席。但是等请柬发出去以后，他又让我尽量到场。现场一切照旧：苹果的最高管理层坐在第一排，蒂姆·库克吃着能量棒，音响系统大声播放着应景的披头士乐队的歌，最后是《你说你想要一场革命》和《太阳升起》。开幕前的最后一分钟，里德·乔布斯跟两个满脸稚气的大一室友赶到现场。

“我们做这个产品那么久，我可不想错过今天。”乔布斯缓步走上舞台时说。他瘦得吓人，却带着欢快的笑容。观众爆发出欢呼声，全体起立鼓掌。

乔布斯的iPad 2展示从新的保护盖开始。“这次，保护盖跟这个产品是一起设计的。”他解释说。接下来他开始回应一项质疑：原来的iPad更擅长消费内容而不是创造内容。这种说法不无道理，因此乔布斯一直为之耿耿于怀。这次，苹果改编了麦金塔上两项最有创造性的应用，GarageBand和iMovie，开发了适用于iPad的版本，功能强大。乔布斯演示了如何在新版iPad上轻松地作曲和编曲，或给你的家庭录像添加音乐和特效，以及发布和分享这些创作。

又一次，他用人文街（Liberal Arts Street）和科技街（Technology Street）交汇的画面结束了演讲。这次，他用最清晰的方式表达了他的信条：真正的创意和简洁来自产品的一体化——硬件、软件，以及内容、保护盖和销售员——而不是让这些部分都开放和各自为政，就像过去的Windows个人电脑和现在的安卓设备那样：

> 苹果的基因决定了只有技术是不够的。我们笃信，是科技与人文的联姻才能让我们的心灵歌唱。后PC时代的电子设备尤其如此。大家都在涌入这一平板电脑市场，可是他们把它看成是下一代PC，硬件和软件要由不同的公司制造。而我们的体验，以及我们身体中的每一块骨骼，都在说那种方式是不对的。这些是后PC时代的电子设备，需要比PC更加直观和简单易用，其软件、硬件和应用都要比在PC上更加无缝地结合。我们认为，我们不仅有合适的硅构造，而且有合适的组织构造，来制造这种产品。

这种构造不仅植入了他创建的企业，而且也植入了他自己的灵魂。

发布会结束后，乔布斯精神焕发。他到四季酒店来，跟我、他夫人、里德和里德的两个斯坦福同学共进午餐。这次他真的是吃东西了，虽然还是有些挑剔。

他点了鲜榨果汁，结果把果汁退回去三次，每次都说是瓶装的；还点了一份什蔬意大利面，尝了一口就说没法儿吃，推到一边去了。可是接下来他把我的蟹肉沙拉吃了一半，然后自己点了一整份，吃完以后又吃了一碗冰激凌。而最后，这家对客人百依百顺的酒店甚至还端上了一杯终于能达到他要求的果汁。

第二天在家中，他依然情绪高涨。他计划第三天一个人飞到康娜度假村，我要求看看为了这次旅行他都在他的iPad 2上安装了什么。有三部电影：《唐人街》（*Chinatown*）、《谍影重重3》（*The Bourne Ultimatum*）和《玩具总动员3》（*Toy Story 3*）。我还发现，他只下载了一本书：《一个瑜伽行者的自传》。这是一本冥想与灵修指南，他十几岁时第一次阅读，后来在印度再次阅读，从那以后每年都会重读一遍。

上午刚过了一半，他就想吃东西了。他仍然太虚弱，不能开车，所以我开车带他去一个购物中心的咖啡厅。咖啡厅还没开门，但是老板已经习惯了乔布斯在非营业时间敲门，他高兴地接待了我们。“他承担了让我胖起来的使命。”乔布斯开玩笑说。他的医生们要求他吃鸡蛋，作为优质蛋白质的一个来源，所以他点了鸡蛋卷。“得了这种病，加上所有的疼痛，会时刻提醒你你是会死的，而一不小心这就会对你的大脑产生奇怪的影响。”他说，“你不会作超过一年的计划，这很不好。你需要强迫自己像你要活很多年那样去作计划。”

这种神奇想法的一个例子就是他计划建造一艘豪华游艇。在他做肝脏移植手术之前，他和家人曾经租用游艇度假，去墨西哥、南太平洋或地中海。在很多次航行中，乔布斯都会厌烦或开始讨厌所乘游艇的设计，因此他们会缩短行程，然后飞到康娜度假村。但有些时候航行很成功。“我最好的一次假期就是我们沿着意大利海岸线航行，然后去雅典——雅典挺没劲儿的，不过帕特农神殿非常震撼——然后到土耳其的以弗所，那里保留着那种古老的大理石的公共厕所，中间还有一个地方供音乐家演奏小夜曲。”他们到达伊斯坦布尔后，乔布斯聘请了一位历史教授做他们的导游。最后他们还洗了土耳其浴，那位教授的讲解让乔布斯对青少年文化的全球化有了深刻的认识：

> 我受到了真正的启示。我们都穿着浴袍，他们为我们制作了土耳其咖啡。教授讲解了这里的咖啡制作方法跟其他地方有多么不同，而我认识到，

“那又他妈的能怎么样呢？”即使是在土耳其，又有哪个孩子会在乎什么土耳其咖啡呢？一整天我都在观察伊斯坦布尔的年轻人。他们都在喝世界上其他孩子喝的饮料，他们穿的衣服看起来就像是从GAP买的，他们也都在用手机。他们跟别处的孩子没什么两样。这让我意识到，对于年轻人来说，现在整个世界都是一样的。我们在制造产品时，没有一种东西叫土耳其手机，土耳其的年轻人想要的音乐播放器也不会跟世界上其他地方的年轻人想要的不一样。我们现在就是同一个世界。

那次愉快的航行之后，乔布斯自娱自乐地开始设计，之后反复地重新设计一艘他有朝一日想要建造的游艇。2009年他再次病重时，几乎取消了这个计划。“我认为我活不到它造好的那个时候。”他回忆说，“那让我非常悲伤，但是我又觉得做这个设计是件有意思的事，而且也许我侥幸可以活到它造好的时候。如果我停止设计，然后我又多活了两年，我会气疯的。所以我就坚持了下去。”

在咖啡厅吃完鸡蛋卷后，我们回到他家，他给我看所有的模型和设计图。不出所料，这艘计划中的游艇是流线型的极简风格。柚木甲板平直完美，不加任何装饰物。如苹果零售店一样，船舱的窗子都是几乎从地面直到天花板的大块玻璃，而主要生活区设计有40英尺长、10英尺高的玻璃墙。他让苹果零售店的总工程师设计了一种特殊的可以支撑船体结构的玻璃。

当时这艘船已经在由荷兰的游艇定制公司Feadship建造，但是乔布斯仍然在对设计改来改去。“我知道有可能我会死掉，留给劳伦一艘造了一半的船，”他说，“但是我必须继续做下去。如果我不这么做，就是承认我快要死了。”

几天以后，他和鲍威尔将会庆祝他们结婚20周年。他承认，有时候他没有给予她应得的感谢。“我非常幸运，因为当你结婚的时候你根本不知道未来将会怎样。”他说，“你都是凭直觉。我没法干得更漂亮了，因为劳伦不仅聪明漂亮，而且事实证明她是个非常好的人。”他的眼睛湿润了。他谈起其他的女朋友，尤其是蒂娜·莱德斯，但是说他最终作了正确的选择。他还反省了他是多么的自私和苛刻。“劳伦要应付这一切，还要照顾我的病况，”他说，“我知道跟我生活在一起可不是件享受的事情。”

他种种的自私特征之一，就是他经常不记得纪念日或生日。但这一次，他决定策划一个惊喜。他们当年在优山美地的阿瓦尼酒店举行的婚礼，他决定在结婚纪念日时再带鲍威尔去那里。但是当乔布斯打电话去时，酒店房间已经预订满了。他请酒店联系上预订了当初他和鲍威尔结婚时住的套房的人，询问他们是否愿意放弃。“我提出为他们支付另一个周末的费用。”乔布斯回忆说，“那人非常好，他说，‘20年，拿去吧，房间是你们的了。’”

随后他还找出一个朋友拍摄的结婚照，然后放大印在厚厚的纸板上，装在一个精美的盒子里。他翻看着自己的iPhone，找到当时他写了放在盒子里的那段话，大声读了出来：

> 20年前我们相知不多。我们跟着感觉走，你让我着迷得飞上了天。当我们在阿瓦尼举行婚礼时天在下雪。很多年过去了，有了孩子们，有美好的时候，有艰难的时候，但从来没有过糟糕的时候。我们的爱和尊敬经历了时间的考验而且与日俱增。我们一起经历了那么多，现在我们回到20年前开始的地方——老了，也更有智慧了——我们的脸上和心上都有了皱纹。我们现在了解了很多生活的欢乐、痛苦、秘密和奇迹，我们依然在一起。我的双脚从未落回地面。

读完一段，他已经泣不成声。哭过之后，他说他给每个孩子都做了一套照片。“我想他们可能愿意看到我也曾经年轻过。”

iCloud

2001年乔布斯就预见到：你的个人计算机将成为日常生活中的多种电子设备——例如音乐播放器、摄像机、移动电话和平板电脑——的“数字中枢”。这正与苹果创造简单易用的端到端一体化产品的能力相契合，就这样，这家公司从一个高端小众计算机公司转变为全球最有价值的科技公司。

到2008年，乔布斯已经预见到数字时代的下一个浪潮。他相信，未来你的桌上电脑将不再会是你的内容中枢。取而代之，中枢将被转移到“云端”。换句话说，你的内容将被存储在你所信任的公司管理的远程服务器上，你可以在任何地方任何设备上使用。接下来乔布斯用了三年时间实现这个设想。

他起初走错了一步。2008 年夏天他发布了一个叫做MobileMe的产品，是一项昂贵的收费服务（每年 99 美元），允许你把通讯录、文件、图片、视频、邮件和日历存储在云端，可以在任何设备上同步。理论上，你可以在你的iPhone或任何计算机上接入你的数字生活的方方面面。然而存在一个很大的问题，用乔布斯的话说，这项服务烂透了。它非常复杂，设备同步得不好，邮件和其他数据会随机丢失。沃尔特·莫斯伯格在《华尔街日报》上刊登评论文章，大标题是“苹果的MobileMe漏洞百出难以信赖”。

乔布斯怒不可遏。他把MobileMe团队召集到苹果园区的礼堂，站在台上问，“有没有谁能告诉我MobileMe是要做什么用的？”团队成员回答后，乔布斯追问道：“那他妈的为什么它做不了那个？”接下来半个小时他一直在斥责他们。“你们玷污了苹果的声誉，”他说，“你们应该相互憎恨，因为你们令彼此失望。连我们的朋友莫斯伯格都不再写赞美我们的文章了。”大庭广众之下，他炒掉了MobileMe团队的负责人，换成了埃迪·库埃，库埃当时负责苹果所有的互联网内容。如《财富》杂志的亚当·拉辛斯基在对苹果企业文化的分析文章中所说，“问责制得到了严格执行。”

到 2010 年，显然谷歌、亚马逊、微软等公司都在力争成为可以最好地存储你的内容和数据，并在你的各种设备上进行同步的公司。因此乔布斯加倍努力。那年秋天他向我作了如下说明：

> 我们要成为管理你与“云端”之间关系的公司——从“云端”中流畅地播放你的音乐和视频，存储你的图片和信息，甚至包括你的医疗数据。苹果率先认识到你的计算机会成为一个数字中枢。因此我们编写了这些应用——iPhoto、iMovie、iTunes——并将它们与我们的设备整合在一起，例如iPod、iPhone和iPad，效果棒极了。但是在接下来的几年间，这个中枢将从你的计算机转移到“云端”。因此这是同一个数字中枢策略，但是中枢的位置变了。这意味着你总是能访问你的内容而且不必再同步。

我们作这样的转型非常重要，正如克莱顿·克里斯坦森所说的“创新者的窘境”，即发明了某个事物的人往往是最后一个看到它过时的，而我们当然不想落在后面。我会让MobileMe免费，我们会让同步内容变得简单。我们正在北卡罗来纳州建一个服务器群。我们可以提供你需要的所有同步，那样我们就可以锁定客户。

乔布斯在每周一的晨会上讨论这个设想，渐渐形成了一个新战略。“我在凌晨两点给各团队的人发邮件，对问题进行充分讨论。”他回忆说，“我们对此作了很多思考，因为它不是一项工作，它是我们的生命。”尽管一些董事会成员，包括阿尔·戈尔在内，质疑让MobileMe免费的想法，但他们还是支持了它。这将是他们未来十年把客户圈进苹果领地的关键战略。

新的服务被命名为iCloud，2011年6月由乔布斯在苹果全球开发者大会（Apple's Worldwide Developer Conference）上发布。他还在休病假，而且在5月还因为感染和疼痛住院数天。一些好朋友劝他不要作这个演讲，因为这需要进行很多准备和彩排。但是在数字时代开启又一次结构调整的前景似乎让他充满力量。

当他在旧金山会议中心登上舞台时，他在平时常穿的三宅一生黑色高领衫外面套了件VonRosen黑色羊绒衫，还在蓝色牛仔裤里穿了件保暖裤。但是他看起来比任何时候都更加消瘦。观众起立长时间鼓掌——“非常感谢，我深受鼓舞。”他说——但是几分钟内苹果的股价就下跌超过4美元，到了340美元。他在作着悲壮的努力，但是他看起来非常虚弱。

他把舞台交给菲尔·席勒和斯科特·福斯托，他们演示了Mac和移动设备的新操作系统，然后乔布斯亲自展示iCloud。“大约十年前，我们有了我们最重要的一个预见，”他说，“PC将成为你数字生活的中枢。你的视频，你的照片，你的音乐。但是在过去几年这个预见破灭了。为什么？”他不厌其烦描述了把所有的内容同步到每一个设备上是多么困难。如果你在iPad上下载了一首歌，用你的iPhone拍了一张照片，在你的电脑上存了一段视频，你就要把USB线在各个设备上插来拔去才能实现这些内容的共享，最后会觉得自己像个旧时的电话接线员。“让这些设备保持同步快把我们逼疯了，”下面的笑声越来越大，“我们有一个解决方案。它是我们的下一个重要预见。我们要把PC和Mac降级为仅仅是一个设备，我们要把数字中枢转移到‘云端’。”

乔布斯非常清楚，这个“重要预见”实际上并不真的很新。他甚至还拿苹果的上一次尝试开玩笑：“你可能会想，我为什么要相信他们？就是他们给了我MobileMe。”观众们忐忑不安地笑着。“权且让我说那不是我们的最佳状态吧。”但是当他演示iCloud时，显然它要更好。邮件、联系人和日历条目瞬间同步。应用、照片、书籍和文件亦是如此。最让人印象深刻的是，乔布斯和埃迪·库埃跟多家音乐公司达成了协议（跟谷歌和亚马逊不同）。苹果的云端服务器将有1 800万首歌曲。如果你的任何电子设备或计算机上有这些歌曲中的任何一首——无论你是合法购买的还是盗版的——苹果将允许你在所有设备上使用这首歌的高质量版本，而无须费时费力把它上传到“云端”。“就是这么简单。”他说。

这个简单的概念——一切都将无缝连接——一如既往地是苹果的竞争优势。微软已经对其云计算“Cloud Power”大肆宣传了一年多，而早在三年前其首席软件架构师，传奇的雷·奥兹（Ray Ozzie），就曾向全公司发出了振奋人心的动员：“我们的愿望是人们只需要购买一次多媒体内容，然后就可以用他们的……任何电子设备接入和享用。”但是奥兹在2010年底辞职，而微软的云计算从未在消费类电子设备上实现。亚马逊和谷歌都在2011年推出了云服务，但是他们都没有能力整合硬件、软件和各种电子设备中的内容。苹果控制这个产业链上的每一个环节，可以通过设计使之全都共同工作：电子设备、计算机、操作系统、应用软件加上内容的销售和存储。

当然，只有当你使用某款苹果设备、待在苹果的封闭空间里时，这一切才能无缝合作。这就为苹果带来了另一个好处：消费者被粘住了。一旦你开始使用iCloud，就会很难切换到Kindle或安卓设备。你的音乐和其他内容无法同步到那些设备上；事实上，它们可能会无法工作。苹果30年来抵制开放系统的努力达到了高潮。“我们思考了是否要为安卓做一个音乐应用，”第二天吃早餐时他告诉我，“我们把iTunes装到Windows上以便能销售更多iPod。但是我没看到把我们的音乐应用装到安卓系统上有什么好处，除了让安卓的用户高兴之外。而我不想让安卓的用户高兴。”

新园区

乔布斯 12 岁时，从电话簿上查到了比尔 · 休利特的号码，给他打电话要一个自己在尝试制作频率计数器时用到的零件，结果得到了在惠普仪器部做暑期工作的机会。也就是在那年，惠普在库比蒂诺置地扩建计算器部门。沃兹尼亚克去那儿工作，就是在那里，他利用夜里的时间设计了 Apple I 和 Apple II 电脑。

惠普 2010 年决定弃用库比蒂诺园区，这一园区就在苹果的无限循环路 1 号楼总部东侧 1 英里处。乔布斯悄悄地安排买下了惠普的园区和毗邻的物业。他欣赏休利特和帕卡德打造一家传世公司的方式，也很自豪自己在苹果做了同样的事情。现在他想要一个能展示苹果形象的总部，这在西海岸的科技公司中是前所未有的。他最终聚积了 150 英亩土地，其中大部分在他少年时代还是杏树园。他投身到新园区的设计建设中，这将是一个传世的项目，融入了他对设计的激情和他对创建一家传世公司的热情。“我想留下一个标志性的园区，可以体现这家公司的价值观，代代相传。”他说。

他聘请了他认为是世界上最好的建筑公司——诺曼 · 福斯特爵士（Sir Norman Foster）的公司，该公司曾经修建了很多设计精美的建筑，如复原柏林的国会大厦，以及伦敦的圣玛丽斧街 30 号。不出所料，乔布斯深度参与到建筑规划中，事无巨细都要过问，以至于几乎无法形成最终的设计方案。这将是他的传世之作，他要力求完美。福斯特的公司派出了 50 名建筑师，2010 年全年，他们每隔三个星期都要给乔布斯看改进过的模型和各种选择方案。他会一次又一次地提出新的概念，有时甚至是全新的形状，让这些建筑师从头再来并提供更多的备选方案。

当他第一次在他的起居室向我展示那些模型和规划时，这个建筑的形状就像一条蜿蜒的巨型跑道，由三个相连的半圆组成，环绕着一个巨大的中心庭院。墙壁是落地窗，内部是一排排的办公室，阳光可以直射在过道上。“这样大家会面的空间就随处可见，方便灵活。”他说，“而且每个人都能够晒到太阳。”

下一次他再给我看规划时，已是一个月之后。我们在他办公室对面的大会议室里，桌子上放着建筑模型。他已经作了一个重要改动。所有的办公室都会跟落地窗有一段距离，这样长长的走廊就会沐浴着阳光，还可以作为公共空间。他跟一些建筑师有一个争论，建筑师希望这些窗子可以打开，而乔布斯从来不喜欢让人们能够打开东西的想法。“那只会让人们把东西搞砸。”他宣称。在这一点上，如在其他细节上一样，他赢了。

当晚他回家后，在晚餐上展示了设计图，里德开玩笑说那个建筑从空中看去让他想到男性生殖器。乔布斯把这个评论当做里德青春期的心理反应而不屑一顾。然而第二天他向建筑师们提起了这个说法。“很不幸，一旦有人这样跟你说了，你就永远无法把那个形象从你头脑中抹去。”他说。等到我下次见他时，建筑的形状已经被改成了一个简单的环形。

新的设计意味着在整个建筑中将没有一块平直的玻璃。一切都是弧形的并加以无缝连接。乔布斯长久以来一直迷恋玻璃，而他为苹果零售店定制巨型落地窗的经验使他非常自信地认为，量产巨大的弧形玻璃是可能的。规划中的中心庭院直径有 800 英尺（要比 3 个典型的城市街区还长，或几乎相当于 3 个橄榄球场的长度），他通过重叠幻灯片向我展示它可以将罗马的圣彼得广场围绕进来。他挥之不去的记忆之一就是曾经覆盖这里大部分区域的果园，因此他从斯坦福聘请了一位资深园艺家，要求园区 80%的区域都是自然风貌，有 6 000 株树木。“我让他要确保有一片新的杏树园，”乔布斯说，“以前你在哪儿都能见到杏树园，甚至是在街角上，它们是硅谷遗产的一部分。”

到 2011 年 6 月，这座共 4 层、300 万平方英尺、可容纳 12 000 多名员工的建筑终于规划完成，准备公布于众。乔布斯决定在全球开发者大会发布 iCloud 的第二天，低调而非公开地向库比蒂诺市议会报告这件事。

尽管他精力有限，但他那天的日程安排得很满。罗恩 · 约翰逊创建了苹果零售店并经营了十多年，现在决定要去 J · C · 彭尼公司（J. C. Penney）做 CEO，那天早晨他来乔布斯家讨论他辞职的相关事宜。之后乔布斯和我去帕洛奥图一个叫 Fraiche 的卖酸奶和燕麦粥的小咖啡厅，在那儿他兴致勃勃地谈论苹果产品的前景。当天晚些时候司机送他去圣克拉拉参加苹果和英特尔最高管理层的季度例会，讨论未来把英特尔芯片用到移动设备上的可能性。当晚，U2 在奥克兰大体育场举行演唱会，乔布斯本来考虑去看。但是他决定用这个晚上向库比蒂诺市议会展示他的园区规划。

乔布斯轻车简从来到市议会，穿着他在全球开发者大会上的那件黑色毛衣，看起来很放松。他站在讲台前，手里拿着遥控器，用 20 多分钟的时间向议员们展示了园区设计的幻灯片。当那简洁的、未来主义的、正圆形的建筑的透视图出现在屏幕上时，乔布斯停下来微笑着。“它就像一艘飞船降落了。”他说。过了一会儿他又说，“我想我们搞不好会造出一座世界上最棒的写字楼。”

之后的周五，乔布斯给一位很久以前的同事安·鲍尔斯（Ann Bowers）发了封邮件，她是英特尔联合创始人鲍勃·诺伊斯的遗孀。她在 20 世纪 80 年代初期曾担任苹果的人力资源总监和女训导，负责在乔布斯发脾气以后训斥他并安慰受伤的同事们。乔布斯问她第二天是否可以来看他。鲍尔斯刚巧在纽约，但回来后周日就去了乔布斯家。当时他又已经很虚弱了，疼痛发作，没什么精神，但却迫不及待地向鲍尔斯展示新总部大楼的透视图。“你应该为苹果而骄傲，”他说，“你应该为我们所创造的东西而骄傲。”

然后他看着她，专注地问了一个几乎让她站立不稳的问题：“告诉我，我年轻的时候是什么样子？”

鲍尔斯尽量诚实地回答了他。“你那时非常冲动，非常难以相处，”她说，“但是你的视野让人折服。你告诉我们，‘过程就是奖励。’结果表明你说得没错。”

“是的，”乔布斯回答，“我确实在这个过程中学到了一些东西。”然后，过了几分钟，他又重复了一遍，像是在让鲍尔斯和他自己安心。“我确实学到了一些东西。真的。”

第四十章

Round Three

The Twilight Struggle

第三回合

暮色下的抗争

家庭纽带

乔布斯一直热切盼望着参加2010年6月儿子的高中毕业典礼。“当我被诊断出患有癌症时，我跟上帝做了笔交易——无论如何，我一定要看到里德毕业，这个信念支撑我挺过了2009年。”他说。已经读高中四年级的里德，跟他父亲18岁的时候惊人地相似，那洞察一切又略带叛逆的微笑，那专注的眼神，还有那一头浓密的深色头发。但里德也从母亲那儿继承了对人友善和极富同情心的特质，而这却是他父亲所不具备的。他感情丰富，愿意与人为善。每当乔布斯身体不适时，常常闷闷不乐地坐在厨房的餐桌前盯着地板发呆，这时，唯一能让他眼前一亮的就是看见里德走进来。

里德深爱着他的父亲。就在我开始写作本书不久，他来到我的住处，像他父亲经常做的那样，提议我们出去散步。他热切地告诉我，他父亲不是一个唯利是图的冷酷商人，他的动力来源于他对事业的热爱和对苹果产品的自豪。

乔布斯被诊断出患有癌症后，里德开始去斯坦福的肿瘤学实验室做暑期实习，通过DNA排序去寻找结肠癌的基因标志。在一次实验中，他追踪到了基因变异如何在家庭成员间传播。“我病了以后，能让我感到一丝安慰的极少事情之一，就是里德可以有很多时间跟一些优秀的医生一起作研究。”乔布斯说，“他对此表现出的热情正像我在他这个年龄时对计算机的那种热情。我认为21世纪最大的创新将是生物学与技术的结合。一个新的时代正拉开序幕，就像我在他的年龄时，数字时代正拉开序幕。”

里德以他的癌症研究为基础，在他水晶泉高地中学（Crystal Springs Uplands School）的班级作了高年级报告。当他描述着如何用离心机和染色法做肿瘤的DNA排序时，他的父亲和其他家人一起坐在观众席中，面带微笑。“我幻想着将来里德和他的家人住在帕洛奥图这儿的一栋房子里，他在斯坦福做医生，每天骑着自行车去上班。”乔布斯后来说。

2009年，当乔布斯看似不久于人世时，里德迅速成熟起来。父母在孟菲斯时，他照顾着两个妹妹，已经颇具家长风范。不过等到2010年春天他父亲的健康状况稳定下来后，他就又恢复了爱打趣调侃的个性。一天吃晚饭时，他跟家人讨论带女朋友去哪儿共进晚餐。他父亲建议去伊尔弗纳奥餐厅（Il Fornaio），那是帕洛奥图高级餐厅的代表，但是里德说他没订到位子。“你想让我试试吗？”他父亲问。里德拒绝了，他想自己解决。生性有点儿羞涩、在家排行老二的埃琳建议说她可以在家里花园中搭一个帐篷，她和妹妹伊芙可以在那儿为他们奉上一顿浪漫的晚餐。里德站起来拥抱了她，承诺说改天一定要享用一下。

一个周六，里德作为学校“神童”（Quiz Kids）团队的四名选手之一，参加了一家当地电视台举行的比赛。除了去参加马术表演的伊芙，全家人都来给他加油。在电视台的工作人员乱糟糟地作准备时，他父亲努力控制着自己不耐烦的情绪，坐在摆着一排排折叠椅的家长席中，尽量不引人注意。但是他穿着标志性的牛仔裤和黑色高领衫，很容易被认出来，一个女人直接拉了把椅子坐到他旁边开始给他拍照。乔布斯没有看她，站起身挪到了那排座位的另一端。当里德上场时，他的姓名牌上写的名字是“里德 · 鲍威尔”。主持人问学生们长大以后想做什么。“研究癌症。”里德回答说。

比赛结束后，乔布斯开着他的双人座奔驰SL55，带着里德，妻子鲍威尔开着自己的车，带着埃琳紧随其后。在回家路上，鲍威尔问埃琳对爸爸拒绝给他的车挂牌照怎么想。“叛逆呗。”埃琳回答说。后来我问了乔布斯这个问题。“因为人们有时候会跟踪我，如果我有牌照，他们会跟到我家来，”他回答说，“但现在有了谷歌地图，这种说法也就不成立了。所以我想，实际上，没有就是没有吧。”

在里德的高中毕业典礼上，乔布斯用iPhone给我写了一封邮件，得意地说，“今天是我最快乐的一天。里德就要高中毕业了，就是现在。我把一切杂务都抛开了，就在现场。”当晚一些好朋友和家人在他家举行了派对。里德跟每个家庭成员都跳了舞，包括他父亲。之后，乔布斯把儿子带到仓库，让儿子从他的两辆自行车里挑一辆，他觉得自己不会再骑了。里德开玩笑说那辆意大利的看起来有点儿颜色太鲜艳，所以乔布斯让他选旁边那辆结实的8速自行车。当里德说他很感激时，乔布斯回答说：“你不用感激，因为你有我的DNA。”不久以后，《玩具总动员3》公映。对于皮克斯的这一三部曲，乔布斯从一开始就精心培育，而最后这一部是围绕着安迪离开家去上大学的种种感情故事。“我真希望我能永远和你在一起。”安迪的妈妈说。“你永远都在。”安迪回答。

乔布斯跟他两个小女儿的关系就稍显疏远。他对埃琳的关注更少，埃琳比较安静内向，似乎不知该怎么跟他相处，尤其是当他语出伤人的时候。她是个淡定而有魅力的少女，有种比她父亲更成熟的敏感。她认为自己可以成为一名建筑师，也许是因为她父亲对这个领域的兴趣使然，而且她对设计有很好的感觉。但是当她父亲给里德看新苹果园区的设计图时，她就坐在厨房的另一边，似乎她父亲并没有想到要叫她过去一起看。2010年春天她最大的愿望是让她父亲带她去参加奥斯卡颁奖典礼。她热爱电影。不仅如此，她还想跟父亲一道乘他的私人飞机去，而且跟他一起走红地毯。鲍威尔自己愿意放弃这次奥斯卡之旅，并试图说服乔布斯带埃琳去。但是他否决了这个想法。

有一次，在我的写作快要完成的时候，鲍威尔告诉我埃琳想让我对她进行采访。我本来自己是不会提出这种要求的，因为她那时刚满16岁，但是我同意了。埃琳强调的观点是，她理解为什么她父亲不能经常给予她关注，而且她也能接受。“他既要做父亲又要做苹果公司的CEO，已经尽了全力，而且还兼顾得不错。”她说，“有时候我也希望能得到他更多的关注，但是我知道他的工作非常重要，而且我觉得那很酷，所以我没问题。我也不太需要更多的关心。”

乔布斯曾许诺，在每个孩子13岁以后都会带他们去他们自己选择的地方旅行一次。里德选择了京都，他知道他父亲对那座美丽的城市散发出来的禅意有多么迷恋。在埃琳2008年满13岁时，她同样选择了京都。然而乔布斯的病情迫使他取消了那次旅行，他答应等他好一些，2010 年再带她去。但是等到 2010 年 6 月他又不想去了。埃琳为此垂头丧气，但并没有抗议。她母亲带她跟一些朋友一起去了法国，把京都的旅行改到了 7 月。

鲍威尔担心丈夫会再次取消，所以当全家在 7 月初飞到夏威夷康娜度假村时，她激动不已，因为这是去京都旅行的第一步。可是在夏威夷乔布斯患上严重的牙痛，他没在意，就好像他单凭意志就能让蛀牙消失一样。结果那颗牙坏掉了，必须要补。再之后就发生了 iPhone 4 的天线危机，他决定带着里德赶回库比蒂诺。鲍威尔和埃琳留在了夏威夷，希望乔布斯能回来继续按计划带她们去京都。

让大家都松了一口气但又略为惊讶的是，乔布斯在新闻发布会后真的回到了夏威夷，接上她们一起去了日本。"这真是个奇迹。"鲍威尔跟一个朋友说。里德在帕洛奥图家里照顾伊芙，埃琳跟父母一起住在俵屋旅馆（Tawaraya Ryokan），乔布斯喜欢这家酒店的极简风格。"那儿真是美妙极了。"埃琳回忆说。

20 年前，乔布斯曾带着埃琳同父异母的姐姐丽萨 · 布伦南–乔布斯来到日本，当时她差不多就是埃琳这个年龄。最让丽萨难忘的就是跟父亲一起分享美食，看着这个以往对食物那么挑剔的人品尝鳗鱼寿司和其他佳肴。看到他吃得那么快乐，丽萨第一次感觉到跟他在一起很放松。埃琳也回忆了类似的经历："爸爸确切地知道他每天中午想去哪儿吃午饭。他告诉我他知道一家超级美味的荞麦面馆，他带我去那儿，真是太好吃了，结果后来就很难再吃荞麦面，因为其他地方都做不出那种味道。"他们还发现附近有一家小小的寿司店，乔布斯在他的 iPhone 上给它加的标签是"我吃过的最棒的寿司"。埃琳也有同感。

他们还参观了京都有名的佛教禅宗寺庙。埃琳最喜欢的是西芳寺（Saiho-ji），也被称为"苔寺"，因为在它金色池塘周围的花园里生长着 100 多种苔藓。"埃琳真的非常高兴，这让人备感欣慰，也帮助改善了她和她爸爸之间的关系。"鲍威尔回忆说，"那是她应得的。"

他们的小女儿伊芙就是另一回事了。她有勇气，有自信，绝不会被她父亲吓倒。她热爱骑马，而且决心要骑到奥运会上去。当一个教练告诉她那将需要很多努力时，她回答说："准确地告诉我我需要做些什么。我会去做。"教练告诉了她后，她就开始勤奋地遵照课程去训练。

要搞定她父亲很难，但伊芙精于此道。她常常给他的助理直接打电话，确保把某件事记入他的日程。她还是个相当不错的谈判专家。2010 年的一个周末，一家人正在规划一次旅行，埃琳希望推迟半天出发，但又不敢跟父亲讲。当时只有 12 岁的伊芙自告奋勇承担了这个任务，晚餐时，她有条有理地向父亲提出这个请求，俨然一位正在最高法院陈辞申辩的律师。乔布斯打断了她说："不行，我不想那样。"但是很显然，他更多是觉得好玩而不是厌烦。晚上伊芙还跟妈妈一起分析了多种可以促成她的提案的方法。

乔布斯开始欣赏伊芙的这种精神——而且在她身上看到了很多自己的影子。"她是个炮筒子，比我见过的任何孩子都要倔犟。"他说，"像是报应一样。"他非常理解她的个性，可能因为跟他自己很相像。"伊芙要比很多人想象的敏感得多。"他解释说，"她太聪明了，她比别人强，不知不觉中会疏远别人，结果发现自己没什么朋友。她还在学习怎样做她自己，但同时也需要磨磨棱角，这样才能得到她需要的朋友。"

乔布斯跟妻子的关系有时很复杂，但彼此忠诚。劳伦·鲍威尔是个善解人意、富有同情心的人，对乔布斯而言，她是一个稳定的力量，这也说明乔布斯可以通过在自己周围集结一些意志坚定、通情达理的人来弥补他的自私冲动。她静静地参与公事，坚定地照顾家事，犀利地处理医疗事务。在他们刚结婚的时候，她和别人一起创办了一个全国性的校外项目——"直通大学"（College Track），帮助家境困难的孩子读完高中考入大学。从那时起，她就成为了教育改革运动的领导力量。乔布斯很欣赏妻子的工作："她在直通大学做的事情让我印象深刻。"但他总体上还是不太看得上慈善事业，也从未去过她的校外活动中心。

2010 年 2 月，乔布斯跟家人一起庆祝了 55 岁生日。厨房装饰了彩带和气球，孩子们给了他一顶红丝绒的玩具王冠，他真的戴上了。既然他已经从折磨了他一年的病痛中康复了，鲍威尔希望他能对家庭更加关心。但是在很大程度上，他又恢复了对工作的关注。"我觉得那对家人来说，尤其是对女儿们来说，很难以接受，"她告诉我，"病了两年之后，他终于好了一点儿，孩子们期待他能够更关注他们，但是他没有。"她说她希望，他人格的两方面都能够在本书中得到反映，而且不能断章取义。"跟很多有非凡天分的人一样，他并不是在所有方面都同样优秀。”她说，“他没有社交风度，不会设身处地替别人着想，但是他高度关注如何发挥人性的作用、让人们获得力量，如何使人类进步，并给人类创造正确的工具去追求进步。”

奥巴马总统

2010 年初秋，在去华盛顿的一次旅行中，鲍威尔见到了白宫的一些朋友，他们告诉她，奥巴马总统将于 10 月访问硅谷。鲍威尔建议，总统或许愿意跟她丈夫见上一面。奥巴马的助手们喜欢这个想法，认为这种安排也跟总统新近对竞争力的关注很契合。另外，风险投资家、乔布斯的好朋友约翰 · 杜尔之前曾经在总统经济复苏顾问委员会的一次会议上，谈到了乔布斯关于为什么美国在失去竞争优势的观点。他也建议奥巴马应该跟乔布斯会面。所以，总统的行程上被留出了半个小时的时间，安排在旧金山机场的威斯汀酒店见面。

然而问题是，当鲍威尔告诉丈夫这个安排时，他说他不想去。乔布斯对她背着他安排了这件事感到不悦。“我不想被安插进一个象征性的会谈，就为了他可以勾上一个行程说他见了一个CEO。”他告诉她。鲍威尔坚持说奥巴马“真的很想见到你”。乔布斯回答说如果真是那样，奥巴马应该亲自打电话来提出邀请。这个僵局持续了 5 天。她把在斯坦福上学的里德叫回家来吃饭，试图让他劝说父亲。乔布斯最后态度软了下来。

这次会谈实际上持续了 45 分钟，乔布斯说话丝毫不留情面。“看你的架势，你就想当一届总统吧。”一开场乔布斯就这样对奥巴马说。否则，他说，奥巴马政府应该对企业更友好一些。他描述了在中国建一家工厂有多么容易，而这在现在的美国几乎不可能做成，主要是由于监管和不必要的成本。

乔布斯还抨击了美国的教育体系，说它陈旧得毫无希望，而且被工会制度掣肘。在教师工会瓦解前，几乎没有希望进行教育改革。他说，教师应该被当做专业人员对待，而不是工厂组装生产线上的工人。校长应该有权力根据教师的水平聘用或解雇他们。学校应该一直开到至少下午 6 点，一年应该开放 11 个月。他还说，非常奇怪美国的教室里依然是老师站在讲台上用教科书讲课。所有的书、学习资料和测试都应该是数字化的，而且是互动的，为每个学生专门定制，并提供实时反馈。

乔布斯主动提出要组织一个会议，找六七个真正能解读美国所面临的创新挑战的CEO来，总统接受了这个建议。乔布斯起草了一份名单，计划12月在华盛顿开会。不过，在瓦莱丽·贾勒特（Valerie Jarrett）和总统的其他助理添加了一些人名后，这个名单就扩充到了20多人，以通用电气总裁杰弗里·伊梅尔特（Jeffery Immelt）为首。乔布斯给贾勒特发了封邮件说，这个名单过于冗长，他不打算去了。事实上他的健康那时又突然出现问题了，因此他本来也无法参加，杜尔也私下里向总统作出了解释。

2011年2月，杜尔开始筹备在硅谷为奥巴马总统举行一个小型晚宴。他跟乔布斯以及夫人们一起去帕洛奥图一家希腊餐厅埃维亚（Evvia）吃饭，并为这场晚宴拟定一个小范围的来宾名单。被选中的科技巨头包括谷歌的埃里克·施密特、雅虎的卡罗尔·巴茨（Carol Bartz）、Facebook的马克·扎克伯格、思科（Cisco）的约翰·钱伯斯（John Chambers）、甲骨文的拉里·埃利森、基因泰克的亚瑟·莱文森和奈飞公司（Netflix）的里德·哈斯廷斯（Reed Hastings）。乔布斯对这次晚宴细节的关注延伸到了食物。杜尔给他发了建议的菜单，他回复说餐厅建议的几道菜——虾、鳕鱼、扁豆沙拉——太过花哨，“而且不是你的风格啊，约翰。”他尤其反对菜单中的甜点——用松露巧克力装饰的奶油派，但是白宫的先遣人员驳回了他的意见，告诉餐厅，总统喜欢奶油派。由于乔布斯过于消瘦，很怕冷，杜尔把室温调得很高，以致扎克伯格大汗淋漓。

乔布斯坐在总统旁边，作了如下开场白：“无论我们的政治理念是什么，我希望你了解，我们来这儿是为了做任何你要求的事情来帮助我们的国家。”尽管如此，晚宴从一开始就变成CEO们没完没了地建议总统可以为他们的企业做些什么。比如钱伯斯就强烈建议推行海外报税优惠政策——大型企业如果在某个时期内把在海外获取的利润拿回美国投资，就可以免税。总统听得很烦，扎克伯格也是，他转身跟坐在他右边的瓦莱丽·贾勒特小声说：“我们应该讨论什么对国家是重要的。为什么他只是说什么对他有利？”

杜尔把讨论拉回到主题，让每人都建议一些切实可行的方案。轮到乔布斯时，他强调需要有更多训练有素的工程师，建议对任何在美国拿到工程学位的外国留学生都应该发给签证，让他们留在美国。奥巴马说那只有在《梦想法案》（*Dream Act*）的范围内才会实现。该法案允许小时候非法移民到美国的外国人在高中毕业后成为合法居民——这曾经是共和党政府禁止的。乔布斯觉得这正体现了政治是如何导致社会瘫痪的。“总统是个聪明人，可是他一直在向我们解释为什么事情做不成，”他回忆说，“把我气坏了。”

乔布斯继续敦促要找到一种方式培养更多的美国工程师。他说，苹果在中国的工厂雇用了70万名工人，需要3万名工程师去支持这些工人。“你在美国雇不到那么多工程师。”他说。这些工厂的工程师不必是博士或天才；他们只需要掌握基本的制造业工程技术。技术学校、社区大学或贸易学校都可以培养。“如果你能培养出这些工程师，”他说，“我们可以把更多的制造厂搬回来。”这个观点给总统留下了深刻的印象。接下来的一个月里，总统跟助手们提到了两三次：“我们必须找到方法，把乔布斯告诉我们的那3万名制造工程师培养出来。”

乔布斯很高兴奥巴马在跟进这个想法，那次会后他们还通过几次电话。他还主动提出帮奥巴马做2012年总统竞选的政治广告。（他2008年就提出过同样的建议，但后来奥巴马的策略师戴维·阿克塞尔罗德不够听话，他就烦了。）“我认为政治广告糟糕透了。我愿意请李·克劳重新出山，我们可以给他做出非常棒的广告。”那次晚宴后过了几周，乔布斯这样告诉我。乔布斯一直在跟疼痛奋战，但是关于政治的讨论让他兴奋不已。“每过一段时间，就会有一个真正的广告大师参与进来，就像哈尔·赖尼（Hal Riney）在1984年为里根竞选连任制作的‘美国的早晨’（It’s morning in America）。那正是我想为奥巴马做的。”

2011年，第三次病休

癌症复发时总会发出些信号。乔布斯对此已了然于心。他会失去食欲，并开始全身疼痛。他的医生们会给他作一些检查，但什么都查不到，就让他安心，说他看起来一切正常。但是他心里清楚。癌症有它的信号通路，在他感受到那些迹象几个月以后，医生们就会发现癌症果然复发了。

2010年11月初，这样的身体不适状态又开始了。他浑身疼痛，吃不了东西，只能靠一个护士来家里给他静脉注射补充营养。医生们没发现有更多肿瘤的迹象，他们以为这只是另一次周期性的对抗感染和消化不良的反应。乔布斯从来都不是个能默默忍受疼痛的人，所以他的医生们和家人对他的抱怨都已经习以为常了。

他和家人一起去康娜度假村过感恩节，但是进食情况并未改善。在那里，客人们是在同一个房间进餐的，其他客人都假装没有注意到消瘦憔悴的乔布斯吃饭时坐立不安、抱怨不止、对他的食物碰都不碰一下。他的健康状况丝毫没有泄露，也算是该度假村及其客人们品质的一个有力证明。回到帕洛奥图以后，乔布斯变得越发情绪化和难以相处。他认为自己快要死了，他告诉孩子们，一想到他可能再也不能为他们庆祝生日了，他就会哽咽。

到圣诞节，他的体重下降到115磅，比正常时的体重低了50多磅。莫娜・辛普森随前夫，电视喜剧作家理查德・阿佩尔，以及孩子们一起来帕洛奥图度假，气氛活跃了一些。两家人会一起在室内玩游戏，例如Novel，游戏中，参与者看谁能炮制出一本书最让人信服的第一句话，以此互相愚弄。情况一度似乎有了转机。圣诞节后几天，他甚至能跟鲍威尔一起出去吃晚饭。新年假期时，孩子们去滑雪度假，鲍威尔和莫娜・辛普森轮班在帕洛奥图的家里陪着乔布斯。

然而到了2011年初，他的健康每况愈下，已经不再是另一个简单的不适状态了。医生们查出了新肿瘤的证据。癌症加剧了他的食欲不振，医生们要努力确定在他目前的瘦弱状态下，他的身体能承受多少药物治疗。他有时候疼得弯下了腰，呻吟着告诉朋友们，他身体的每寸都像挨了打一样。

这是一个恶性循环。癌症的早期症状会引起疼痛，而吗啡和其他止痛药又让他食欲不振。他的一部分胰脏被切除了，移植了新的肝脏，所以他的消化系统有缺陷，不能很好地吸收蛋白质。体重下降使得积极的药物治疗更加困难。他的虚弱，以及有时要用免疫抑制剂来防止身体排斥移植的肝脏，都使他更容易受到感染。体重下降也导致疼痛感觉神经周围的油脂层变薄，加剧了他的疼痛感。而且他会有极端的情绪波动，生气和抑郁的回合都被拉长，进一步抑制他的食欲。

多年来乔布斯对食物的态度使得他的进食问题更加严重。年轻时，他学到可以通过禁食获得一种快感和愉悦。因此尽管他知道应该吃东西——他的医生们请求他摄入高质量的蛋白质，但他承认在他潜意识里仍然本能地想要禁食、想要像他十几岁时就学到的阿诺德·埃雷特水果养生法那样节食。鲍威尔一直告诉他那是疯狂的举动，甚至指出埃雷特 56 岁时绊了一跤，撞到了头就死了。当看到乔布斯在饭桌前沉默地低着头发呆时，鲍威尔会非常愤怒。“我想让他逼着自己吃东西，”她说，“家里的气氛真是太紧张了。”他们的兼职厨师布里亚·布朗还是每天下午来做一桌健康美食，但是乔布斯会用舌尖尝一两种就说所有的都没法儿吃。有一天晚上他宣布说，“我也许能吃一点南瓜派。”好脾气的布朗居然一个小时就做出了一只漂亮的派。虽然乔布斯只吃了一小口，但布朗还是备受鼓舞。

鲍威尔咨询了很多研究进食失调问题的专家和精神病学家，但是乔布斯却一直回避他们。他拒绝为他的消沉接受任何药物或其他方式的治疗。“当你有某种感受时，”他说，“例如对你的癌症或困境感到悲伤或愤怒，试图掩饰这些感受就是在虚伪地过日子。”事实上他走向了另一个极端。他变得难以相处、爱哭，激动地向身边所有人哀叹他快要死了。消沉的情绪让他更不爱吃东西，这也成了恶性循环的一部分。

网上开始出现乔布斯形容枯槁的照片和视频，很快，关于他病重的传言四起。鲍威尔意识到，问题在于那些传言是真的，而且不会散去。乔布斯两年前肝脏出问题时，就是犹豫再三才休了病假，这次他同样抗拒这个休病假的想法。这就像要离开他的故土，不知道还能不能回来。2011 年 1 月当他最后不得不接受这个无可回避的现实时，董事会成员都已有心理准备；在电话中他告诉他们，自己希望再次休病假，会议只开了 3 分钟。以前他经常跟董事会讨论，如果他出了什么事，他认为谁可以接替他，还提供了短期和长期的各种选择。但是在当前的情况下，毋庸置疑，蒂姆·库克要再次接管日常的运营工作。

接下来周六的下午，乔布斯让妻子召集他的医生们开会。他发现，自己正面临着一个从不允许在苹果发生的问题——他的治疗是零零散散的，而不是综合全面的。他有多种多样的疾病，每一种都是由不同的专家治疗的——肿瘤学家、疼痛专家、营养学家、肝脏病学家和血液学家——但是他们并没有以一种有序的方式被协调起来，就像詹姆斯·伊森在孟菲斯所做的那样。“医疗行业的主要问题之一就是缺少个案服务专员或协调人，他们的作用就像是橄榄球队里的四分卫一样。”鲍威尔说。在斯坦福尤其如此，似乎没有人负责研究营养跟止痛以及肿瘤学之间的关系。因此，鲍威尔把斯坦福的各种专家请到家里开会，也包括一些治疗理念更前卫或更全面的外部医生，例如南加州大学的戴维 · 阿古斯（David Agus）。他们一起拟定了对付疼痛并协调其他治疗的新方案。

有赖于尖端科学的发展，医生们得以让乔布斯总是比癌症的蔓延快上一步。他是世界上最早接受癌症肿瘤基因和正常基因作排序治疗的 20 个人之一。当时这项治疗耗资超过 10 万美元。

基因排序和分析由斯坦福、约翰 · 霍普金斯和哈佛–麻省理工博德研究所的研究团队合作完成。了解乔布斯体内肿瘤的特殊基因和分子特征后，他的医生们就可以挑选特定的药品，直接针对导致他的癌细胞异常生长、有缺陷的分子位点进行治疗。这种方法，称为定位靶向治疗法，比传统的化疗方法更为有效，化疗会破坏身体里所有细胞的分裂过程，无论是癌细胞还是健康细胞。这种定位靶向治疗并非药到病除，但时常效果显著：它使医生可以筛选大量的药品——常见或不常见的，已经上市的或还在研制的——从中选出三四种可能最有效的。当他的癌细胞变异、一种药物不再有效时，医生们可以换下一种药物继续治疗。

虽然鲍威尔谨慎地监管着丈夫的医护手段，但乔布斯是对每种新的治疗方案最后拍板的人。2011 年 5 月发生了典型的一幕，乔布斯跟乔治 · 费希尔和其他斯坦福的医生、博德研究所的基因排序分析师，以及他的外部顾问戴维 · 阿古斯一起开了个会。他们都聚集在帕洛奥图四季酒店的一个套间里。鲍威尔没有来，但是儿子里德在场。在 3 个小时的会议中，斯坦福和博德的研究人员介绍了他们发现的他体内癌症基因特征的新信息。乔布斯情绪不安。博德研究所的一个分析师误用了PowerPoint幻灯片作介绍。他训斥了他，解释为什么苹果的Keynote演示软件更好，甚至说要教他怎么用。会议结束时，乔布斯和他的团队已经了解了所有的分子数据，评估了每种潜在治疗方案的原理，并列出了要确定每种治疗方案优先级所需要作的测试。

他的一位医生告诉他，有可能他的癌症和其他相似的癌症很快会被归为可控制的慢性疾病，可以一直被遏制，直到他死于其他问题。“我要么就是最先这样跑赢癌症的人之一，要么就是最后死于这种癌症的人之一。”一次乔布斯跟医生们开会后这样告诉我，“不是最先上岸的，就是最后被淹死的。”

来访者

在乔布斯 2011 年宣布病休时，情况看起来很紧急，连一年多没有联系的丽萨 · 布伦南–乔布斯都安排一周后从纽约飞了回来。她跟父亲的关系建立在层层叠叠的怨恨之上。在她人生前十年，乔布斯基本上弃之不顾，可以理解这带给她怎样的创伤。雪上加霜的是，她还继承了父亲的浑身是刺，以及在他看来她母亲的愤世嫉俗。“我跟她说过很多次，如果时光可以倒流，我希望在她 5 岁的时候我曾是个更好的爸爸，但是现在她应该放下过去，而不是一辈子都记恨在心。”就在丽萨回来前，乔布斯这样回忆说。

丽萨的这次来访很顺利。乔布斯开始感觉好一些，他有心情去弥补伤害，对周围的人表达他的感情。32 岁的丽萨平生第一次在认真地谈恋爱。她的男朋友是来自加利福尼亚的一位正在打拼的年轻电影制作人，而乔布斯居然心情好到建议她结婚后搬回帕洛奥图来。“你瞧，我不知道我还能在这个世上活多久。”他告诉她，“医生们也无法告诉我。如果你想更多地见到我，你就得搬到这边来。为什么不考虑一下呢？”虽然丽萨没有搬到西海岸来，但是乔布斯还是为他们的和解感到高兴。“我原来并不肯定我想让她来，因为我病着，不想再有更多复杂的事情。但是我很高兴她来了。这帮我解决了压在心里的很多问题。”

乔布斯那个月还接待了另一个想要修缮关系的来访者。住在不到 3 个街区外的谷歌联合创始人拉里 · 佩奇，刚刚宣布计划从埃里克 · 施密特手里接管公司的控制权。他知道如何取悦乔布斯：他询问是否可以过来请教一下做一个好的CEO有什么秘诀。乔布斯仍然对谷歌感到气愤。“我的第一个想法是，‘去你妈的。’”他回忆说，“但是后来我想了想，意识到在我年轻的时候每个人都帮助过我，从比尔 · 休利特到在惠普工作的邻居。所以我给他回电话说没问题。”佩奇来到他家，在乔布斯的客厅里，听他讲如何创造伟大的产品和生命力持久的公司。乔布斯回忆道：

> 关于专注，我们谈了很多。还有人的选择。如何知道应该信任谁，以及他如何打造一支可以依赖的团队。我给他讲了必须采用什么样的拦截战术去防止公司变得松散或充斥着二流选手。我强调的主要事项就是专注。要想清楚，谷歌成熟以后想成为什么样的公司。现在摊子铺得到处都是，你想专注去做的5个产品是什么？把其他的都扔掉，因为会拖你的后腿，会把你变成微软，导致你生产的产品符合要求但不伟大。我尽量做了我能做的。我会继续与像马克 · 扎克伯格一样的人做这样的事。我余生的一部分时间会用来做这个。我可以帮助下一代记住当下伟大企业的血统，以及如何把这些传统发扬光大。硅谷一直非常支持我。我应该尽我所能作出回报。

乔布斯2011年病休的公告也引发了其他人到帕洛奥图的朝圣之旅。例如，比尔 · 克林顿就曾登门拜访，讨论从中东到美国政治的所有事情。但最令人感动的来访者是另一位生于1955年的天才，那个30多年来作为乔布斯的对手和伙伴、共同定义了个人电脑时代的人。

比尔 · 盖茨对乔布斯的痴迷从未消失过。2011年春天我跟盖茨在华盛顿共进晚餐，他到华盛顿是为了谈他的基金会的全球健康项目。他惊讶于iPad的成功，以及乔布斯即使在生病期间都那么专注于寻找方法去加以改进。“我现在只不过是在把全世界的人从疟疾这类灾病中解救出来，而史蒂夫仍然在创造惊人的新产品，”他有些伤感地说，“也许我应该留在那场游戏里。”他冲我微笑，以确认我知道他在开玩笑，或至少是半开玩笑。

通过两人共同的朋友迈克 · 斯莱德，盖茨安排了5月来看乔布斯。在原计划的前一天，乔布斯的助理打电话说乔布斯的状态不够好。于是他们重新定了日程。一天下午，盖茨开车来到了乔布斯家，从后门走到敞开的厨房门口，看到伊芙正在餐桌上学习。“史蒂夫在吗？”他问。伊芙指向了客厅。

他们在一起待了3个多小时，追忆过去，只有他们两个。“我们就像这个行业里的两个老家伙在回首过去。”乔布斯回忆说，“他比以往我看到的任何时候都开心，我一直在想，他看起来真健康。”盖茨也同样惊讶于乔布斯虽然瘦得吓人，但还是比他预期的要精力充沛。乔布斯对自己的健康问题毫不避讳，而且，至少在那一天，感觉很乐观。他告诉盖茨，他的一系列靶向药物治疗方法就像“从一片荷叶跳到另一片”，试图总是比癌症快上一步。

乔布斯问了些关于教育的问题，盖茨描述了他对未来学校的设想——学生们自己观看讲座和视频课程，而课堂时间用来讨论和解决问题。他们一致认为，迄今为止计算机对学校的影响小得令人吃惊——比对诸如媒体、医药和法律等其他社会领域的影响小得多。盖茨说，要改变这一点，计算机和移动设备必须致力于提供更多个性化的课程并提供有启发性的反馈。

他们也谈了很多关于家庭乐趣的话题，包括他们多么幸运，娶了适合的女人，也有了很好的孩子。“我们大笑着说，他能遇到劳伦是多么的幸运，是劳伦让他保持了一半的心智健全。而我能遇到梅琳达，让我保持一半的心智健全，也很幸运。”盖茨回忆说，“我们也讨论了做我们的孩子是多么富有挑战的事情，以及我们如何能减轻他们的压力。这次谈话比较私密。”其间，伊芙晃到了客厅，她跟盖茨的女儿詹妮弗一起参加过马术表演，盖茨向她询问了她的马术训练情况。

在谈话接近尾声时，盖茨称赞乔布斯创造了“那些令人难以置信的东西”，以及在20世纪90年代末从那些差点儿毁了苹果的家伙手里把它拯救了出来。他甚至还作了个有趣的让步。纵观他们的职业生涯，彼此对于数字世界最根本的一个问题都抱有对立的理念——硬件和软件应该紧密整合还是应该更加开放。“我曾经相信那种开放的、横向的模式会胜出。”盖茨告诉他，“但是你证明了一体化的、垂直的模式也可以很出色。”乔布斯也承认说：“你的模式也成功了。”

他们都是正确的。他们各自的模式都在个人电脑领域取得了成功，麦金塔跟多种使用Windows系统的机器同时存在，可能在移动设备领域也会是如此。但是跟我追溯完他们的讨论后，盖茨补充了一条警告性的说明：“一体化的模式之所以成功，是因为有史蒂夫在掌舵。但那并不意味着它将在未来的多个回合中获胜。”乔布斯也感觉必须要加上一句对盖茨的警告：“当然，他的分散模式可行，但并没有制造出真正伟大的产品。这是问题的所在。是个大问题。至少在一段时间内是。”

这一天来了

乔布斯还有很多想法和项目要付诸实施。他想颠覆教科书产业，为iPad开发电子教材和课程资料，拯救那些背着沉重的书包蹒跚而行的学生们的脊柱。他还想跟最早麦金塔团队的朋友比尔·阿特金森合作，设计新的数码技术，改善像素水平，使人们即使在光线不足的情况下也可以用iPhone拍摄出色的照片。他还想把自己在电脑、音乐播放器和电话方面所做的创新也应用到电视机上，让它们变得简洁高雅。“我想发明一种非常简单易用的一体化电视机，”他告诉我，“它将可以跟你所有的电子设备以及iCloud无缝同步。”用户将无须再摆弄复杂的DVD和有线电视的遥控器。“它将具有你能想象到的最简单的用户界面。我终于开始着手做这件事了。”

但是到2011年7月，他的癌细胞已经扩散到骨骼和身体的其他部分，而医生们难以找到对症的药物去治疗。他很疼，筋疲力尽，不得不停下工作。他和鲍威尔之前还预订了一艘帆船，准备那个月底全家去航海，但是这些计划都搁浅了。那段时间，他已经基本上不能吃固体食物了，每天大部分时间都在卧室看电视。

8月，我接到消息说他希望我去一下。我在一个周六的上午来到他家，他还在睡觉，我跟他的妻子和孩子们坐在满是黄玫瑰和各种雏菊的花园里，直到他派人来叫我进去。我看到他蜷缩在床上，穿着卡其色的短裤和白色套头衫。他的腿瘦骨嶙峋，但是笑容很轻松，思路依然敏捷。“咱们得抓紧，我只有一点儿力气了。”他说。

他想给我看一些私人照片，让我选几张用在这本书里。他太虚弱了，下不了床，所以他指点我去房间的各个抽屉里找，我小心翼翼地把照片拿给他。我坐在床边，一张一张地举起来给他看。有些照片会让他讲出许多故事，而有些，他只是嘟囔一声或是微微一笑。我从未见过他父亲保罗·乔布斯的照片，所以当看到一张照片上一个帅气而贫穷的20世纪50年代的父亲抱着个刚会走路的孩子时，我非常惊讶。“没错，那是他，”他说，“你可以用这张。”然后他指示我打开窗边的一个盒子，里面有一张照片是他父亲在他的婚礼上慈爱地望着他。“他是个伟大的人。”乔布斯静静地说。我嘀咕了一句“他应该为你感到骄傲”之类的话。

乔布斯纠正我说："他确实为我感到骄傲。"

有那么一会儿，这些照片似乎让他精神为之一振。我们谈到了他一生中很多人对他的看法，从蒂娜 · 莱德斯到迈克 · 马库拉，再到比尔 · 盖茨。我想起盖茨上次来看乔布斯之后说的话，就是关于苹果虽然证明了一体化的策略可行，但前提是"因为有史蒂夫在掌舵"。乔布斯认为这么说很愚蠢。"任何人都可以用这种方式创造出更好的产品，不只是我。"他说。于是我问他能不能说出另一家公司，它们也因坚持端到端一体化的策略而做出了伟大的产品。他思索了一会儿，努力想找出个例子来。"那些汽车公司，"他最后说，但是又加了一句，"或者至少它们曾经是。"

当我们的讨论转移到当前经济和政治的糟糕局面时，他提出了一些尖锐的观点，说全世界都缺少强有力的领导。"我对奥巴马感到失望。"他说，"他的领导力出现问题是因为，他不愿意得罪别人或让那些人滚蛋。"他猜到了我在想什么，会心地笑着说："是的，我就从来没有这种问题。"

两个小时以后，他话少了，所以我站起身准备告辞。"等等，"他又示意我坐下。过了一两分钟他才有力气讲话。"当初，我对这个项目有很多恐惧，"他最后说，指的是决定跟我合作写这本书的事，"我真的很忧虑。"

"那你当初为什么要做呢？"我问。

"我想让我的孩子们了解我。"他说，"我不经常在他们身边，我希望他们知道这是为什么，并理解我做的事情。另外，在我生病以后，我意识到如果我死了，其他人肯定会写我，而他们根本不了解我。他们会全都搞错。所以我想确保有人能听到我想说的话。"

两年以来，他从未问过我在这本书里写了些什么或我得出了哪些结论。但是此时此刻他看着我说，"我知道在你的书里会有很多我不喜欢的内容。"这句话更多的是提问而不是陈述，他盯着我，等待一个答复，我笑着点了点头，说肯定会是那样。"很好。"他说，"这样它就不会看起来像是本内部著作。我一时半会儿不会读它，因为我不想被气疯。可能我一年后会读——如果我还在的话。"说到这儿，他闭上了眼睛，已经没有力气了，于是我悄悄地离开了。

随着整个夏天健康状况不断恶化，乔布斯开始慢慢地面对一个不可回避的现实：他不会再回苹果做CEO了。他辞职的时间到了。他为这个决定斟酌了几个星期，其间跟他妻子、比尔·坎贝尔、乔尼·艾弗和乔治·莱利都讨论过这个问题。“我期望为苹果做的事情之一，就是为如何正确地移交权力做出一个榜样。”他告诉我。他拿公司过去35年间历次艰难的过渡开着玩笑。“一直都是惊天动地的，像是在第三世界国家一样。我的一个目标就是把苹果建设成全球最好的公司，一个有序的过渡对此非常关键。”

他决定作出这一过渡的最佳时机和地点就是8月24日公司董事会的例会。他非常想亲自到场宣布，而不是发封电子邮件或电话接入会议，所以之前他一直强迫自己吃东西以恢复体力。会议前一天，他决定可以参加，但是需要轮椅的帮助。公司作好安排，把他接到总部，然后尽量秘密地用轮椅把他推到董事会的会议室。

他在11点前到达，董事会正在收尾各种委员会报告和其他例行事宜。大多数人都知道要发生什么事情。但是大家并没有直入主题，而是由蒂姆·库克和首席财务官彼得·奥本海默先介绍了本季度业绩和未来一年的展望。之后乔布斯平静地说，他有些个人的事情要宣布。库克问，自己和其他高管是否应该离开，乔布斯停顿了30多秒钟，最后决定让他们离开。会议室里只剩下6位外部董事，他开始大声朗读由他口授写成并反复修改了几星期的一封信。“我总是说，假如某天自己无法继续履行苹果CEO的义务、无法满足大家对这一职位的期待，我会第一个告诉你们。”信这样开头，“不幸的是，这一天来了。”

这封信的内容简单直接，只有8个句子。信中，他建议由库克接替他，并提出自己继续担任董事长。“我相信苹果最灿烂最有创造力的日子还在前方。我期待着以一个新的角色注视着它的成功，并为之作出贡献。”

现场长时间的沉默。阿尔·戈尔第一个讲话，他历数了乔布斯在任期间的种种成就。米基·德雷克斯勒补充说，看着乔布斯对苹果的变革是“我在商界看到的最不可思议的事情”。亚瑟·莱文森称赞了乔布斯为平稳过渡作出的努力。坎贝尔什么都没说，但在移交权力的正式决议通过后，他眼睛里闪着泪光。

吃午饭时，斯科特·福斯托和菲尔·席勒进来展示一些正在开发中的产品的模型。乔布斯不断提出问题和想法打击他们，尤其是关于第四代无线网络的容量以及未来的电话需要有什么功能。其间福斯托展示了一个语音识别软件。正如他所担心的，乔布斯在演示过程中抓过手机，开始试验他能不能把它搞晕。“帕洛奥图是什么天气？”他问道。软件回答正确。问了一些问题之后，乔布斯突然挑战它说：“你是男的还是女的？”令人惊奇的是，那个软件用它的机器人声音回答说，“他们没有给我分配性别。”现场的气氛顿时活跃起来。

但话题转到平板电脑时，有人以胜利的口吻说惠普突然放弃了这个领域，因为无法跟iPad竞争。但是乔布斯却神情严肃，说这其实是个悲伤的时刻。“休利特和帕卡德创建了一家伟大的公司，他们以为把它交到了可靠的人手里。”他说，“可是现在这家公司正处于分裂和毁灭之中。太悲哀了。真希望我能留下更强大的遗产，那样的事就永远不会发生在苹果身上。”他准备离开时，董事会成员都聚过来跟他拥抱告别。

在跟高管团队开会宣布了这个消息之后，乔布斯跟乔治·莱利一起乘车回家。到家时，鲍威尔正在后院的蜂房采集蜂蜜，伊芙在帮她。她们脱掉防护服，把蜂蜜罐拿进厨房，里德和埃琳也都在那儿，大家要一起庆祝这次优雅的交接。乔布斯尝了一勺蜂蜜，夸赞说无比甜美。

那晚，他向我强调说，他希望在健康状况允许的情况下继续积极工作。“我会参与新产品的开发和营销，以及我喜欢做的事情。”他说。但是当我问到，放弃他亲手创建的公司的控制权感觉如何，他的语气充满留恋，开始使用过去时。“我有过很幸运的事业，有过很幸运的人生。”他回答说，“我已经做了我能做的一切。”

第四十一章

Legacy

The Brightest Heaven of Invention

遗产

无比辉煌的创新天堂

2006年Macworld大会上，幻灯片上是30年前的乔布斯和沃兹尼亚克

火线

乔布斯的个性体现在他创造的产品里。正如苹果的核心理念，从1984年最初的麦金塔到整整一代人以后的iPad，一直都是端到端的软硬件整合，乔布斯本人也是如此：他的个性、激情、完美主义、阴暗面、欲望、艺术气质、残酷以及

控制欲，这一切都跟他的经营理念和最终的创新产品交织在一起。

这种融合在其个性和产品中的最显著特征之一就是极致。他的沉默跟他的咆哮一样骇人，他训练自己可以一直盯着人看而不眨眼。有时候这种极致是迷人的，那种鬼才式的迷人，比如在他热切地解释鲍勃 · 迪伦音乐之深刻的时候，或是在揭幕产品时，无论什么在他口中都能变成苹果有史以来最不可思议的产品。然而有时，他的极致又很恐怖，例如当他厉声谴责谷歌或微软对苹果剽窃的时候。

这种极致促成了他对世界的二元论观点。苹果的同事们称其为乔布斯的天才 / 白痴二分法。你不是这个就是那个，有时候一个人同一天就能得到这两种评价。这一观点同样适用于他对产品、对想法，甚至对食物的看法：不是“史上最棒”，就是差劲儿、脑残、没法儿吃。因此，发现任何瑕疵都可能引发乔布斯一顿咆哮。一道金属涂层、一颗螺丝钉的曲线、一只机箱上蓝色的深浅、一款导航屏幕的直观性——他会一直骂它们“烂透了”，直到某个时刻他突然称赞它们“完美至极”。他把自己看做一个艺术家，他也确实是，所以他纵容自己具有艺术家的性情。

他对完美的追求使得他要求苹果对每一款产品都要有端到端的控制。如果看到伟大的苹果软件在其他公司的蹩脚硬件上运行，他就会浑身难受，甚至更糟；同样，一想到让未经审核的应用或内容污染苹果设备的完美，他也会有过敏反应。这种把硬件、软件和内容整合成统一系统的能力使他可以贯彻简洁的理念。天文学家约翰尼斯 · 开普勒（Johannes Kepler）曾说过，“自然喜欢简洁与统一”。史蒂夫 · 乔布斯也这么说。

数字世界最根本的分歧是开放与封闭的对立，而对一体化系统的本能热爱让乔布斯坚定地站在了封闭一边。从家酿计算机俱乐部传承下来的黑客精神倾向于开放的方式，几乎没有中央控制，人们可以自由地修改硬件和软件、共享代码、用开放的标准写程序、避开专利系统，有跟多种设备和操作系统兼容的内容和应用。年轻的沃兹尼亚克就曾在那个阵营：他设计的Apple II就很容易拆开，而且预留了很多插槽和端口可以让人随心所欲地使用。而从麦金塔开始，乔布斯成为了另一个阵营的开创者。麦金塔就像是一部电器，硬件和软件紧密结合，无法修改。这牺牲了黑客精神，却创造出一种无缝而简单的用户体验。

之后乔布斯下令，麦金塔的操作系统不会供其他任何公司的硬件使用。微软则采取了截然相反的策略，允许Windows操作系统在各种机器上授权使用。这虽然没有催生出最优雅的计算机，但是却帮助微软统治了操作系统世界。当苹果的市场份额缩小到5%以下时，微软的策略被视为个人电脑领域的胜利者。

然而从长期看，乔布斯的模式证明是有一些优势的。当其他计算机制造商都在商品化时，苹果即使以很小的市场份额都能保持极高的利润率。例如在2010年，苹果的收入只占个人电脑市场的7%，但是却获得了营业利润的35%。

更重要的是，在21世纪初，乔布斯对于端到端一体化的坚持使苹果获得了发展数字中枢策略的优势，让用户可以将桌上电脑跟各种便携设备无缝连接。例如，iPod就是这个紧密接合的封闭系统的一部分。要使用它，你就必须使用苹果的iTunes软件，并从iTunes商店下载内容。其结果就是，iPod高雅而令人愉悦，正如后来的iPhone和iPad一样，跟那些不提供端到端无缝体验的杂牌竞争产品形成鲜明的对比。

这个策略行之有效。在2000年5月，苹果的市值是微软的1/20。到2010年5月，苹果超过微软成为全球最有价值的科技公司。到2011年9月，苹果的价值高出微软70%。2011年第一季度，Windows个人电脑的市场份额缩水1%，而Mac的市场份额增长了28%。

彼时彼刻，移动设备领域烽烟再起。谷歌采取了开放策略，其安卓操作系统可供任何平板电脑或手机制造商使用。到2011年，谷歌的移动市场份额与苹果持平。安卓系统开放策略的不足之处在于其导致的分裂状态。不同的手机和平板电脑制造商把安卓系统修改成了几十种不同的版本和风格，难以开发一致的应用程序或充分利用其特性。两种策略都有其优点。有些人希望拥有使用更开放系统的自由，并有更多的硬件选择；其他人显然更偏爱苹果紧密的整体性和可控性，这使得产品界面更简单、电池寿命更长、更易于操作、内容处理更容易。

乔布斯理念的缺陷是，他那想愉悦用户的欲望导致了他不愿意对用户授权。对开放环境最有思想的倡导者之一是哈佛的乔纳森 · 齐特林（Jonathan Zittrain）。在他的著作《互联网的未来：光荣、毁灭与救赎的未来》（*The Future of the Internet—And How to Stop It*）中，开篇就是乔布斯介绍iPhone的场景，他警示世人，用“被一个控制网所束缚的无菌器材”来代替个人电脑会有怎样的不良后果。反应更强烈的还有科里·多克托罗（Cory Doctorow），他在波音波音（Boing Boing）网站撰写了一篇宣言，题目叫“我为什么不会买iPad”。“它的设计中融入了很多周到的想法和精巧的元素，但是也有对其主人显而易见的轻蔑。”他写道，“给你的孩子们买一部iPad并不会使他们认识到世界是要你们去剖析与重组的。它会告诉你的后代，即使是换电池这样的事情你也必须要留给专业人员去做。”

对于乔布斯来说，一体化的理念事关对错。“我们做这些事情并不是因为我们是控制狂。”他解释说，“我们做这些是因为我们想创造伟大的产品，因为我们关心用户，因为我们愿意为全部的体验负责，而不是去做别人做的那些垃圾。”他相信他是在为人提供服务，“人们在忙着做他们最擅长的事情，他们希望我们去做我们最擅长的。他们的生活很繁忙，他们有其他事情要做，而不是去想怎样整合他们的计算机和电子设备。”

这种理念有时会跟苹果的短期商业利益发生冲突。但是在一个充斥着低劣设备、杂牌软件、难以预测的错误信息和恼人的用户界面的世界里，这种理念带来了以迷人的用户体验为特征的非凡产品。使用一款苹果产品可以像走在乔布斯喜爱的京都禅意花园里一样，让人肃然起敬，而这两种体验都不是通过崇尚开放或百花齐放来实现的。落在一个控制狂手里的感觉有时候也不错。

乔布斯的极致还表现在他的专注力上。他会设定优先级，把他激光般的注意力对准目标，把分散精力的事情都过滤掉。如果他开始做某件事——麦金塔早期的用户界面，iPod和iPhone的设计，把音乐公司引进iTunes商店——他就会非常专注。但是如果他不想处理某件事——法律纠纷，业务事项，他的癌症诊断，某件家事——则会坚决地忽视它。那种专注使他能够说不。他只保留几个核心产品，砍掉一切其他业务，让苹果回到正轨。他剔除按键让电子设备简单化，剔除功能让软件简单化，剔除选项让界面简单化。

他把这种专注的能力和对简洁的热爱归功于他的禅修。禅修增强了他对直觉的信赖，教他如何过滤掉任何分散精力或不必要的事情，在他身上培养出了一种基于至简主义的审美观。

遗憾的是，禅修未能使他产生一种禅意的平静或内心的平和，而这一缺憾也是他遗产的一部分。他常常深深地纠结和不耐烦，这些个性他也无意掩饰。大部分人在大脑与嘴巴之间都有个调节器，可以调整他们粗野的想法和易怒的冲动。乔布斯可不是。他很看重自己残酷诚实的一面。“我的责任是当事情搞砸了的时候说实话而不是粉饰太平。”他说。这一点使他富有魅力又能鼓舞人心，但也使他有时候，用技术词汇来说，像个浑蛋。

安迪 · 赫茨菲尔德有一次告诉我：“我真的特别想让史蒂夫回答的一个问题是，‘为什么你有时候要那么刻薄呢？’”甚至乔布斯的家人都奇怪，他到底是先天缺少能避免乱箭伤人的过滤机能呢，还是有意回避了那个机能。乔布斯称是前一种。“我就是我，你不能期待我成为另外一个人。”在我问这个问题时，他回答说。但我认为他其实本来可以控制自己，如果他想的话。当他伤害别人时，并不是因为他感情上意识不到。正相反，他可以把人看透，明白他们内心的想法，知道如何随心所欲地结交他们、诱惑他们、伤害他们。

其实乔布斯人格中令人不快的一面并非必要。那对他的阻碍大于帮助。但有时候那确实能达到某种目的。礼貌圆滑、会小心不去伤害别人的领导者，在推动变革时一般都没那么有效。数十名被乔布斯辱骂得最厉害的同事在讲述他们冗长的悲惨故事时，最后都会说，他使他们做到了做梦都没想到的事情。

乔布斯的传奇是硅谷创新神话的典型代表：在被传为美谈的车库里开创一家企业，把它打造成全球最有价值的公司。他没有直接发明很多东西，但是他用大师级的手法把理念、艺术和科技融合在一起，就创造了未来。他欣赏图形界面的威力，就以施乐无法做到的方式设计了Mac；他领会了把1 000首歌装进口袋的快乐，就以索尼尽其全部资产和传承都无法成就的方式创造了iPod。有些领导者通过统揽全局去推进创新，有些是通过把握细节。乔布斯两者兼顾，不懈努力。正因如此，30年间他推出的一系列产品改变了一个又一个产业：

- Apple II，采用沃兹尼亚克的电路板并把它变成第一台不再仅供业余爱好者使用的个人计算机。
- 麦金塔，引发了家用电脑革命并普及了图形用户界面。
- 《玩具总动员》和其他皮克斯大片，开创了数字影像的奇迹。
- 苹果零售店，重新塑造了商店在品牌定义中的角色。
- iPod，改变了我们消费音乐的方式。
- iTunes 商店，让音乐产业重获新生。
- iPhone，把移动电话变成了音乐、照片、视频、邮件和网络设备。
- 应用商店（App Store），生成新的内容创造产业。
- iPad，推出平板计算技术，为数字报纸、杂志、书籍和视频提供了平台。
- iCloud，使计算机不再担任管理我们内容的中心角色，并让我们的电子设备无缝同步。
- 苹果公司本身，乔布斯认为这是他最伟大的创作。在这里，想象力被培育、应用和执行的方式极具创造力，使苹果成为了全球最有价值的公司。

他很聪明吗？不，不是格外聪明。应该说，他是个天才。他的奇思妙想都是本能的、不可预见的，有时是充满魔力的。他真是数学家马克·卡克（Mark Kac）所说的那种魔术师天才，他的洞见会不期而至，更多地要求直觉而非大脑的处理能力。他像个探路者一样，可以吸收信息，嗅到风中的气味，对前路先知先觉。

史蒂夫·乔布斯就这样成为我们这个时代的一位企业管理者，一个世纪以后他一定还会被人们铭记。在历史的万神殿里，他的位置就在爱迪生和福特的身旁。在他的时代，他超越众人，创造了极具创新性的产品，把诗歌和处理器的力量完美结合。他的粗暴使得跟他一起工作既让人不安又令人振奋，而他借此打造了世界上最具创造力的公司。他能够在苹果的DNA中融入设计的敏感、完美主义和想象力，使之很可能，甚至此后几十年，都是在艺术与科技的交汇处成长得最茁壮的公司。

还有一件事……[①]

传记作者理应是为传记作结语的人，但这是史蒂夫 · 乔布斯的传记。尽管他没有把他那传奇般的控制欲强加于这个项目，但我如果不让他最后说几句话就这样把他推上历史的舞台，我怀疑自己无法准确地传达出他的那种感觉——他在任何情况下展现自我的那种方式。

在我们交谈的过程中，他屡次谈到他希望自己留下什么样的遗产。以下就是那些想法，是他的原话：

我的激情所在是打造一家可以传世的公司，这家公司里的人动力十足地创造伟大的产品。其他一切都是第二位的。当然，能赚钱很棒，因为那样你才能够制造伟大的产品。但是动力来自产品，而不是利润。斯卡利本末倒置，把赚钱当成了目标。这种差别很微妙，但它却会影响每一件事：你聘用谁，提拔谁，会议上讨论什么事情。

有些人说："消费者想要什么就给他们什么。"但那不是我的方式。我们的责任是提前一步搞清楚他们将来想要什么。我记得亨利 · 福特曾说过，"如果我最初问消费者他们想要什么，他们应该是会告诉我，'要一匹更快的马！'"人们不知道想要什么，直到你把它摆在他们面前。正因如此，我从不依靠市场研究。我们的任务是读懂还没落到纸面上的东西。

宝丽来的埃德温 · 兰德曾谈过人文与科学的交集。我喜欢那个交集。那里有种魔力。有很多人在创新，但创新并不是我事业最主要的与众不同之处。苹果之所以能与人们产生共鸣，是因为在我们的创新中深藏着一种人文精神。我认为伟大的艺术家和伟大的工程师是相似的，他们都有自我表达的欲望。事实上最早做Mac的最优秀的人里，有些人同时也是诗人和音乐家。在20世纪70年代，计算机成为人们表现创造力的一种方式。一些伟大的艺术家，像列奥纳多 · 达 · 芬奇和米开朗基罗，同时也是精通科学的人。米开朗基罗懂很多关于采石的知识，他不是只知道如何雕塑。

① 这是乔布斯在演讲结尾时喜欢用的一句话。

人们付钱让我们为他们整合东西，因为他们不能 7 天 24 小时地去想这些。如果你对生产伟大的产品有极大的激情，它会推着你去追求一体化，去把你的硬件、软件以及内容管理都整合在一起。你想开辟新的领域，就必须自己来做。如果你想让产品对其他硬件或软件开放，你就只能放弃一些愿景。

过去，不同阶段有不同的公司成为了硅谷的典范。很长一段时间里，是惠普。后来，在半导体时代，是仙童和英特尔。我觉得，有一段时间是苹果，后来没落了。而今天，我认为是苹果和谷歌——苹果更多一些。我想苹果已经经受住了时间的检验。它曾有过起起伏伏，但如今仍然走在时代的前沿。

要指出微软的不足很容易。他们显然已经丧失了统治地位，已经变得基本上无关紧要。但是我欣赏他们所做的，也了解那有多么困难。他们很擅长商业方面的事务。他们在产品方面从未有过应有的野心。比尔喜欢把自己说成是做产品的人，但他真的不是。他是个商人。赢得业务比做出伟大的产品更重要。他最后成了最富有的人，如果这就是他的目标，那么他实现了。但那从来都不是我的目标，而且我怀疑，那最终是否是他的目标。我欣赏他，欣赏他创建的公司，很出色，我也喜欢跟他合作。他很聪明，实际上也很有幽默感。但是微软的基因里从来都没有人文精神和艺术气质。即使在看到 Mac 以后，他们都模仿不好。他们完全没搞懂它是怎么回事儿。

像 IBM 或微软这样的公司为什么会衰落，我有我自己的见解。这样的公司干得很好，它们进行创新，成为或接近成为某个领域的垄断者，然后产品的质量就变得不那么重要了。这些公司开始重视优秀的销售人员，因为是他们在推动销售、改写了收入数字，而不是产品的工程师和设计师。因此销售人员最后成为公司的经营者。IBM 的约翰 · 埃克斯是聪明、善辩、非常棒的销售人员，但是对产品一无所知。同样的事情也发生在施乐。做销售的人经营公司，做产品的人就不再那么重要，其中很多人就失去了创造的激情。斯卡利加入后，苹果就发生了这样的事情，那是我的失误；鲍尔默接管微软后也是这样。苹果很幸运，能够东山再起，但我认为只要鲍尔默还在掌舵，微软就不会有什么起色。

我讨厌一种人，他们把自己称为“企业家”，实际上真正想做的却是创建一家企业，然后把它卖掉或上市，他们就可以变现，一走了之。他们不愿意费力气打造一家真正的公司，而这正是商业领域里最艰难的工作。只有做到这一点你才能真正有所贡献，为前人留下的遗产添砖加瓦。你要打造一家再过一两代人仍然屹立不倒的公司。那就是沃尔特·迪士尼，还有休利特和帕卡德，还有创建英特尔的人所做的。他们创造了传世的公司，而不仅仅是赚了钱。这正是我对苹果的期望。

我不认为我对别人很苛刻，但如果谁把什么事搞砸了，我会当面跟他说。诚实是我的责任。我知道我在说什么，而且事实证明通常我是对的。那是我试图创建的文化。我们相互间诚实到残酷的地步，任何人都可以跟我说，他们认为我就是一堆狗屎，我也可以这样说他们。我们有过一些激烈的争吵，互相吼叫，那可以说是我最美好的一段时光。我在别人面前说“罗恩，那个商店看起来像坨屎”的时候没什么不良感觉。或者我会说“天啊，我们真他妈把这个工艺搞砸了”，就当着负责人的面。这就是我们的规矩：你就得超级诚实。也许有更好的方式，像个绅士俱乐部一样，大家都戴着领带，说着上等人的敬语，满嘴华丽委婉的词汇，但是我对此不太在行，因为我是来自加利福尼亚的中产阶级。

我有时候对别人很严厉，可能没有必要那么严厉。我还记得里德 6 岁时，他回到家，而我那天刚解雇了一个人，我当时就在想，一个人要怎样告诉他的家人和幼子他失业了。很不好受。但是必须有人去做这样的事。我认为确保团队的优秀始终是我的责任，如果我不去做这件事，没有人会去做。

你必须不断地去推动创新。迪伦本来可以一直唱抗议歌曲，可能会赚很多钱，但是他没有那么做。他必须向前走，1965 年在民谣中融入电子音乐元素时，他疏远了很多人。1966 年的欧洲巡演是他的巅峰。他会先上台演奏原声吉他，观众非常喜欢。然后他会带出 The Band 乐队，他们都演奏电子乐器，观众有时候就会喝倒彩。有一次他正要唱《像一块滚石》，观众中有人高喊“叛徒！”迪伦说：“搞他妈个震耳欲聋！”他们真那样做了。披头士乐队也一样。他们一直演变、前行、改进他们的艺术。那就是我一直试图做的事情——不断前进。否则，就如迪伦所说，如果你不忙着求生，你就在忙着求死。

我的动力是什么？我觉得，大多数创造者都想为我们能够得益于前人取得的成就而表达感激。我并没有发明我用的语言或数学。我的食物基本都不是我自己做的，衣服更是一件都没做过。我所做的每一件事都有赖于我们人类的其他成员，以及他们的贡献和成就。我们很多人都想回馈社会，在历史的长河中再添上一笔。我们只能用这种大多数人都掌握的方式去表达——因为我们不会写鲍勃·迪伦的歌或汤姆·斯托帕德（Tom Stoppard）的戏剧。我们试图用我们仅有的天分去表达我们深层的感受，去表达我们对前人所有贡献的感激，去为历史长河加上一点儿什么。那就是推动我的力量。

尾声

一个阳光灿烂的下午，乔布斯感觉不太舒服，他坐在屋后的花园里，思考死亡。他谈到将近40年前他在印度的经历，他对佛法的研习，以及他对转世和精神超越的看法。“我对上帝的信仰是半信半疑。”他说，“我一生中的大部分时间里，都认为一定有超出我们所见的存在。”

他承认，当他面临死亡时，他可能更愿相信存在来世。“我愿意认为，在一个人死后有些什么东西依然存在。”他说，“如果你积累了所有这些经验，可能还有一点儿智慧，然后这些就这么消失了，会有些怪怪的。所以我真的愿意相信，会有些什么东西留存下来，也许你的意识会不朽。”

他沉默了很长时间。“但是另一方面，也许就像个开关一样。”他说，“啪！然后你就没了。”

再度沉默了片刻之后，他淡然一笑。“也许这就是为什么我从不喜欢给苹果产品加上开关吧。”

Acknowledgments 致　谢

在此，我要深深地感谢约翰·杜尔和安·杜尔夫妇、劳伦·鲍威尔、莫娜·辛普森，以及肯·奥莱塔。正是在他们的无私帮助和最可宝贵的支持下，本书才得以付梓。爱丽斯·梅休是我在西蒙–舒斯特出版公司的编辑，同我有30年的合作关系；乔纳森·卡普是该公司的出版人。他们与我的代理人阿曼达·厄本一起，从始至终都对本书的创作给予了超乎寻常的关注与指导。我的助手帕特·金多克也为我耐心细致地准备各种资料。我还要感谢我的父亲欧文和我的女儿贝特西，他们在阅读了这部作品后提出了宝贵的建议。如以往一样，我更要深深感激的是我的妻子凯茜，她为本书做了大量的编辑工作，并提出了有益的建议和忠告。

黛安娜·沃克的摄影集

在过去近 30 年的时间里，摄影师黛安娜·沃克与
史蒂夫·乔布斯一直保持着特殊的友谊。
以下一组照片选自她的摄影集。

1982 年，库比蒂诺的家中。由于他在挑选家具的时候太过挑剔，家中大多数地方还是空的。

在他的厨房。"在印度的村庄待了 7 个月后再回到美国，我看到了西方世界的疯狂以及理性思维的局限。"

1982 年，斯坦福大学。“你们中还有多少处男处女？你们中有多少人尝试过迷幻药？”

摆弄丽萨电脑。“毕加索不是说过么：‘好的艺术家只是照抄，而伟大的艺术家窃取灵感。’在窃取伟大的灵感这方面，我们一直都是厚颜无耻的。”

1984 年，与约翰 · 斯卡利在纽约中央公园。"你是想卖一辈子糖水呢，还是想抓住机会来改变世界？"

1982 年，苹果办公室。当被问到是否要做市场调查时，他回答说：“不，因为人们不知道他们想要什么，直到你把它摆在他们面前。”

1988 年，NeXT 电脑公司。离开苹果后，在自己创建的新公司里，乔布斯能够释放自己的所有天性，无论好坏。

1997 年 8 月，与约翰 · 拉塞特。他有着可爱的脸庞和气质，对于艺术的完美追求与乔布斯不相上下。

1997年，在重新掌权苹果公司后，他在家中准备波士顿Macworld大会的演讲。"在那种疯狂中我们看到了天才。"

在波士顿的Macworld大会作演讲前几小时，他和盖茨在电话中敲定了与微软的合作。"比尔，感谢你对这家公司的支持，我想世界因为有它会变得更好。"

波士顿的Macworld大会上，盖茨在位于西雅图的微软总部通过卫星连线介绍两家公司准备合作。“那是我有史以来最糟糕、最愚蠢的舞台设计。说它糟糕是因为那让我看起来渺小。”

1997 年 8 月，在帕洛奥图家中的后院与妻子劳伦 · 鲍威尔。她对他的生活来说是最合适的后盾。

2004 年，位于帕洛奥图家中的办公室。"我喜欢活在人文和科技的交叉点上。"

来自史蒂夫的家庭影集

2011年8月，乔布斯的病情非常严重。我们在他家中浏览他在婚礼和度假时拍摄的照片，以便我用在这本书中。

1991年，结婚典礼。仪式由史蒂夫的禅宗师父乙川弘文主持，乙川挥杖敲锣，燃香诵经，唱着圣歌向他们表达祝福。

与他自豪的父亲保罗·乔布斯在一起。史蒂夫的妹妹莫娜找到了他们的生父后，史蒂夫一直拒绝见他。

左图：婚礼蛋糕是优山美地山谷尽头半月石山的形状。劳伦和史蒂夫在切婚礼蛋糕，一旁是乔布斯与前女友的女儿丽萨·布伦南。

下图：劳伦、丽萨和史蒂夫。婚礼之后，丽萨很快搬到了他们家，在那里度过了她的高中时代。

2003 年，史蒂夫、伊芙、里德、埃琳和劳伦在意大利的拉维罗。即便在休假时，他也经常投身工作。

史蒂夫在帕洛奥图的麓山公园倒拎着伊芙："她是个炮筒子，比我见过的任何孩子都要倔犟。像是报应一样。"

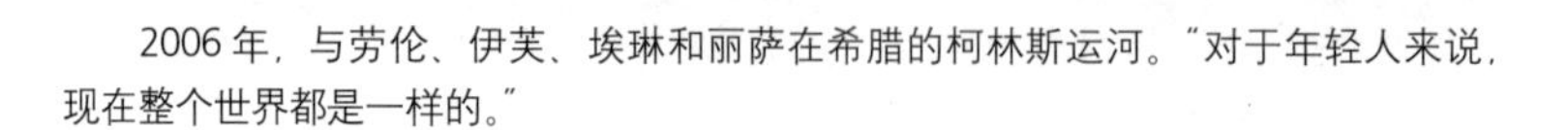

2006年，与劳伦、伊芙、埃琳和丽萨在希腊的柯林斯运河。"对于年轻人来说，现在整个世界都是一样的。"

2010年与埃琳在京都。跟里德和丽萨一样，埃琳也和父亲去日本做了一场特殊的旅行。

2007年，与里德在肯尼亚。“当我被诊断出患有癌症时，我跟上帝做了笔交易——无论如何，我一定要看到里德毕业。”

黛安娜 · 沃克的另一幅摄影作品。2004 年拍摄于他在帕洛奥图的家中。

SOURCES

Interviews (conducted 2009-2011)

资料来源

采访（2009~2011）

Al Alcorn, Roger Ames, Fred Anderson, Bill Atkinson, Joan Baez, Marjorie Powell Barden, Jeff Bewkes, Bono, Ann Bowers, Stewart Brand, Chrisann Brennan, Larry Brilliant, John Seeley Brown, Tim Brown, Nolan Bushnell, Greg Calhoun, Bill Campbell, Berry Cash, Ed Catmull, Ray Cave, Lee Clow, Debi Coleman, Tim Cook, Katie Cotton, Eddy Cue, Andrea Cunningham, John Doerr, Millard Drexler, Jennifer Egan, Al Eisenstat, Michael Eisner, Larry Ellison, Philip Elmer-DeWitt, Gerard Errera, Tony Fadell, Jean-Louis Gassée, Bill Gates, Adele Goldberg, Craig Good, Austan Goolsbee, Al Gore, Andy Grove, Bill Hambrecht, Michael Hawley, Andy Hertzfeld, Joanna Hoffman, Elizabeth Holmes, Bruce Horn, John Huey, Jimmy Iovine, Jony Ive, Oren Jacob, Erin Jobs, Reed Jobs, Steve Jobs, Ron Johnson, Mitch Kapor, Susan Kare (email), Jeffrey Katzenberg, Pam Kerwin, Kristina Kiehl, Joel Klein, Daniel Kottke, Andy Lack, John Lasseter, Art Levinson, Steven Levy, Dan'l Lewin, Maya Lin, Yo-Yo Ma, Mike Markkula, John Markoff, Wynton Marsalis, Regis McKenna, Mike Merin, Bob Metcalfe, Doug Morris, Walt Mossberg, Rupert Murdoch, Mike Murray, Nicholas Negroponte, Dean Ornish, Paul Otellini, Norman Pearlstine, Laurene Powell, Josh Quittner, Tina Redse, George Riley, Brian Roberts, Arthur Rock, Jeff Rosen, Alain Rossmann, Jon Rubinstein, Phil Schiller, Eric Schmidt, Barry Schuler, Mike Scott, John Sculley, Andy Serwer, Mona Simpson, Mike Slade, Alvy Ray Smith, Gina Smith, Kathryn Smith, Rick Stengel, Larry Tesler, Avie Tevanian, Guy "Bud" Tribble, Don Valentine, Paul Vidich, James Vincent, Alice Waters, Ron Wayne, Wendell Weeks, Ed Woolard, Stephen Wozniak, Del Yocam, Jerry York.

资料来源

参考文献

Amelio, Gil. *On the Firing Line*. HarperBusiness, 1998.

Berlin, Leslie. *The Man behind the Microchip*. Oxford, 2005.

Butcher, Lee. *The Accidental Millionaire*. Paragon House, 1988.

Carlton, Jim. *Apple*. Random House, 1997.

Cringely, Robert X. *Accidental Empires*. Addison Wesley, 1992.

Deutschman, Alan. *The Second Coming of Steve Jobs*. Broadway Books, 2000.

Elliot, Jay, with William Simon. *The Steve Jobs Way*. Vanguard, 2011.

Freiberger, Paul, and Michael Swaine. *Fire in the Valley*. McGraw-Hill, 1984.

Garr, Doug. *Woz*. Avon, 1984.

Hertzfeld, Andy. *Revolution in the Valley*. O'Reilly, 2005. (See also his website, folklore.org.)

Hiltzik, Michael. *Dealers of Lightning*. HarperBusiness, 1999.

Jobs, Steve. Smithsonian oral history interview with Daniel Morrow, April 20, 1995.

Jobs, Steve. Stanford commencement address, June 12, 2005.

Kahney, Leander. *Inside Steve's Brain*. Portfolio, 2008. (See also his website, cultofmac.com.)

Kawasaki, Guy. *The Macintosh Way*. Scott, Foresman, 1989.

Knopper, Steve. *Appetite for Self-Destruction*. Free Press, 2009.

Kot, Greg. *Ripped*. Scribner, 2009.

Kunkel, Paul. *AppleDesign*. Graphis Inc., 1997.

Levy, Steven. *Hackers*. Doubleday, 1984.

Levy, Steven. *Insanely Great*. Viking Penguin, 1994.

Levy, Steven. *The Perfect Thing*. Simon & Schuster, 2006.

Linzmayer, Owen. *Apple Confidential 2.0*. No Starch Press, 2004.

Malone, Michael. *Infinite Loop*. Doubleday, 1999.

Markoff, John. *What the Dormouse Said*. Viking Penguin, 2005.

McNish, Jacquie. *The Big Score*. Doubleday Canada, 1998.

Moritz, Michael. *Return to the Little Kingdom*. Overlook Press, 2009. Originally published, without prologue and epilogue, as *The Little Kingdom* (Morrow, 1984).

Nocera, Joe. *Good Guys and Bad Guys*. Portfolio, 2008.

Paik, Karen. *To Infinity and Beyond*! Chronicle Books, 2007.

Price, David. *The Pixar Touch*. Knopf, 2008.

Rose, Frank. *West of Eden*. Viking, 1989.

Sculley, John. *Odyssey*. Harper & Row, 1987.

Sheff, David. "Playboy Interview: Steve Jobs." *Playboy*, February 1985.

Simpson, Mona. *Anywhere but Here*. Knopf, 1986.

Simpson, Mona. *A Regular Guy*. Knopf, 1996.

Smith, Douglas, and Robert Alexander. *Fumbling the Future*. Morrow, 1988.

Stross, Randall. *Steve Jobs and the NeXT Big Thing*. Atheneum, 1993.

"Triumph of the Nerds," PBS Television, hosted by Robert X. Cringely, June 1996.

Wozniak, Steve, with Gina Smith. *iWoz*. Norton, 2006.

Young, Jeffrey. *Steve Jobs*. Scott, Foresman, 1988.

Young, Jeffrey, and William Simon. *iCon*. John Wiley, 2005.

The Journey is the Reward

过程就是奖励

由于本书的全球出版时间两次提前，英文原稿也是分三批收到，短时间内完成50多万字的文字翻译和复杂的审核校对工作，这对于我们的工作团队可谓一个前所未有的挑战。

中文版得以如期呈现，要感谢所有参与本书翻译、编校、印制和营销工作的团队成员，本书的译者招募和翻译协调由东西网–译言网执行，本书前言、第1至13章、24章、33章由管延圻翻译，第6至14章由汤崧翻译，第15至19章、第33至35章、第37至38章由余倩翻译，第20至24章、第36章、第39至41章由魏群翻译，第25至32章由赵萌萌翻译；本书的译校由赵嘉敏、李婷、张文武、猛犸等完成；特别感谢蒋晞亮、徐智明、程三国、李治、王曦、陈戈、荀靓、林木、乔江涛、Apple4us团队（张亮、黄继新、飞猪、詹光耀、胡维等）、常仕洺，以及丁川、曹爱菊、温慧、李耀、孔彦、相里闵鹤、Dado等。在本书出版过程中，还有很多同仁在全力以赴协助我们，在此一并表示感谢！

由于时间很紧，疏漏之处难免，勘误和相关信息会在本书的官网上随时更新，读者对本书译文有任何建议也可到本书的译者社区进行交流，我们愿意和大家一起把这本书的简体中文版做得更加完美。

责任编辑	苏　毅　杨　柳
营销编辑	钟谷婷
责任印制	高　科
封面设计	A+Design Solutions 大千意创
	Cedric Allemann 罗冰

本书官网	Steve-Jobs.qq.com
本书提及视频	Steve-Jobs.youku.com
本书提及音乐	Steve-Jobs.top100.cn

译者交流社区	Steve-Jobs.yeeyan.org
本书官方微博	Steve-Jobs.weibo.com